Série História das Nações

História Concisa dos Estados Unidos da América

SÉRIE HISTÓRIA DAS NAÇÕES

A Edipro traz para o Brasil uma seleção de títulos da Série *História Concisa*, originalmente produzida pela Editora Cambridge, na Inglaterra, e publicada entre os renomados títulos acadêmicos e profissionais que compõem o seu vasto catálogo.

"Esta série de 'breves histórias' ilustradas, cada qual dedicada a um país selecionado, foi pensada para servir de livro-texto para estudantes universitários e do ensino médio, bem como uma introdução histórica para leitores em geral, viajantes e membros da comunidade executiva."

Cada exemplar da série – aqui intitulada *História das Nações* – constitui-se num compêndio da evolução histórica de um povo. De leitura fácil e rápida, mas que, apesar de não conter mais que o essencial, apresenta uma imagem global do percurso histórico a que se propõe a aclarar.

Os Editores

O livro é a porta que se abre para a realização do homem.

Jair Lot Vieira

SUSAN-MARY GRANT

Série História das Nações

História Concisa dos Estados Unidos da América

tradução de José Ignacio Coelho Mendes Neto

Syndicate of the Press of the University of Cambridge, England

A Concise History of the United States of America – First Edition

© Susan-Mary Grant, 2012

Cambridge University Press, 2012

This publication is in copyright. Subject to statutory exception and to the provisions of relevant collective licensing agreements, no reproduction of any part may take place without the written permission of Cambridge University Press.

Copyright da tradução e desta edição © 2014 by Edipro Edições Profissionais Ltda.

Todos os direitos reservados. Nenhuma parte deste livro poderá ser reproduzida ou transmitida de qualquer forma ou por quaisquer meios, eletrônicos ou mecânicos, incluindo fotocópia, gravação ou qualquer sistema de armazenamento e recuperação de informações, sem permissão por escrito do editor.

Grafia conforme o novo Acordo Ortográfico da Língua Portuguesa.

1ª edição, 1ª reimpressão 2021.

Editores: Jair Lot Vieira e Maíra Lot Vieira Micales
Coordenação editorial: Fernanda Godoy Tarcinalli
Editoração: Alexandre Rudyard Benevides
Revisão: Tatiana Yumi Tanaka
Diagramação e Arte: Karine Moreto Massoca
Imagem de capa: Frente ocidental do Capitólio dos Estados Unidos, Washington, D.C., 2007 (Noclip / Wikimedia)

Dados Internacionais de Catalogação na Publicação (CIP)
(Câmara Brasileira do Livro, SP, Brasil)

Grant, Susan-Mary

    História concisa dos Estados Unidos da América / Susan-Mary Grant ; tradução de José Ignacio Coelho Mendes Neto. – São Paulo : Edipro, 2014. (Série História das Nações)

    Título original: A concise history of the United States of America.

    Bibliografia.
    ISBN 978-85-7283-883-2

    1. Estados Unidos – História I. Título.

14-09388   CDD-973

Índice para catálogo sistemático:
1. Estados Unidos da América : História : 973

São Paulo: (11) 3107-7050 • Bauru: (14) 3234-4121
www.edipro.com.br • edipro@edipro.com.br
 @editoraedipro   @editoraedipro

Para Peter

Sumário

Lista de imagens, mapas e tabelas   9

Agradecimentos   15

Introdução:
A criação de um Novo Mundo   17

Capítulo 1 • Terra Nova:
imaginar a América   27

Os ingleses em casa e no exterior   36

Capítulo 2 • A cidade na colina:
as origens de uma nação redentora   61

Raça e religião: Chesapeake   69

Êxodo: o começo de uma comunidade bíblica   72

Índios, servidão e identidade: inventar a sociedade branca   84

Capítulo 3 • A causa de toda a humanidade:
das colônias ao *Senso comum*   97

O que, então, é o americano?   108

É hora de se separar   119

Capítulo 4 • Verdades autoevidentes:
a fundação da República revolucionária   135

Ser ou não ser   148

Artigos de fé   159

Capítulo 5 • A última e melhor esperança da Terra: rumo à Segunda Revolução Americana 171

Nossa União federal! Temos de preservá-la! 188

Uma casa dividida 197

Capítulo 6 • Para Oeste o curso do Império: da União à nação 211

Mais adiante até Richmond e para além das Rochosas 224

O passo de um século 235

Capítulo 7 • Uma terra prometida: portal para o Século Americano 247

Olhando para trás 264

Uma nação progressista 277

Capítulo 8 • A fé do soldado: conflito e conformidade 287

O novo nacionalismo 303

A nova liberdade 314

Capítulo 9 • Além da última fronteira: um *New Deal* para a América 325

Escala de *blues* 338

Admirável Mundo Novo 350

Capítulo 10 • Um país em transição: a América na era atômica 367

O Século Americano 382

Últimas fronteiras 396

Capítulo 11 • Exércitos da noite: contracultura e contrarrevolução 405

A geração assombrada 417

Terceiro século 429

Guia de leituras adicionais 443

Biografias 459

Índice remissivo 483

Lista de imagens, mapas e tabelas

Imagens

1. Bartolomé de Las Casas, *Brevíssima relação da destruição das Índias* (1542, 1552). — 35

2. Página de rosto de Thomas Hariot, *A Briefe and True Report of the New Found Land of Virginia: of the Commodities and of the Nature and Manners of the Naturall Inhabitants: Discouered bÿ the English Colonÿ There Seated by Sir Richard Greinuile Knight In the ÿeere 1585: Which Remained Vnder the Gouerenment of Twelue Monethes, At the Speciall Charge and Direction of the Honourable Sir Walter Raleigh Knight Lord Warden of the Stanneries Who therein Hath Beene Fauoured and Authorised bÿ Her Maiestie and Her Letters Patents* (Londres, 1588, 1590). — 45

3. Primeira prancha (37-8) de Thomas Hariot, *A Briefe and True Report of the New Found Land of Virginia* (1590). — 47

4. "Um *weroan* ou grande senhor da Virgínia", de Thomas Hariot, *A Briefe and True Report of the New Found Land of Virginia* (1590). — 55

5. Picto, de Thomas Hariot, *A Briefe and True Report of the New Found Land of Virginia* (1590). — 56

6. Companhia da Virgínia, *A Declaration of the State of the Colony and Affaires in Virginia* (Londres: Felix Kyngston, 1622). — 64

7. Comprando uma esposa (de E. R. Billings, *Tobacco: Its History, Varieties, Culture, Manufacture and Commerce*, 1875). — 65

8. Rua Bradford, Provincetown, escultura em baixo-relevo que mostra a assinatura do Pacto do Mayflower. — 75

9. De John Smith, *The Generall Historie of Virginia, New England and the Summer Isles* (Londres, 1627).   93

10. "O tabaco puro de Gaitskell em Fountain Stairs Rotherhith Wall".   94

11. William Penn, *The Frame of Government of the Province of Pennsylvania* (Londres, 1682).   103

12. Selo do Domínio da Nova Inglaterra (1686-1689), em William Cullen Bryant e Sydney Howard Gay, *A Popular History of the United States*, v. III, p. 9, 1879.   106

13. John Hale, *A Modest Enquiry into the Nature of Witchcraft* (Boston: Green and Allen, 1702).   113

14. Paul Revere, *The Bloody Massacre Perpetrated in King Street* (1770).   132

15. Frontispício de Phillis Wheatley, *Poems on Various Subjects, Religious and Moral* (Londres: A. Bell, 1773).   142

16. Cartaz anunciando um leilão de escravos (Savannah, 1774).   147

17. *A Cavalgada de Paul Revere*. Ilustração de uma edição oitocentista do poema de Longfellow. Foto © National Archives, Washington, D.C.   150

18. Linha de *minutemen* sob fogo de tropas britânicas em Lexington, Massachusetts, 1775 (John H. Daniels & Son, Boston, 1903).   153

19. "Valley Forge, 1777". O general Washington e Lafayette visitam a parte sofredora do Exército.   157

20. James Gillray, "A cascavel americana" (Londres: W. Humphrey, abril de 1782).   160

21. O Grande Selo dos Estados Unidos.   166

22. "America Triumphant and Britannia in Distress". Frontispício, *Weatherwise's Town and Country Almanac* (Boston, 1782).   172

23. "Os pilares federais", 2 de agosto de 1788.   177

24. "Associação Mecânica de Massachusetts" ([s. d.], Gravador Samuel Hill, 1766?-1804).   182

25. Um leilão de escravos no Sul, de um esboço original de Theodore R. Davis, publicado em *Harper's Weekly*, 13 de julho de 1861.   191

26. "Ideias sulistas de liberdade" (Boston, 1835).   200

27. "Caldeirão da confusão" (Nova York: James Baillie, 1850).   205

28. "O Brasão da Confederação" (G. H. Heap Inv., 1862).   214

29. "A Confederação Sulista é um fato!!! Reconhecida por um príncipe poderoso e aliado fiel" (Filadélfia, 1861).   217

30. *Across the Continent (Westward the Course of Empire Takes its Way)* [*Atravessando o continente (Para oeste o curso do império segue seu caminho)*], de Fanny F. Palmer (Nova York: Currier & Ives, 1868). 229

31. "Emancipação", de Thomas Nast (Filadélfia: King and Beard, c. 1865). 234

32. *The Conquered Banner* (*O estandarte conquistado*) (Nova Orleans: A. E. Blackmar, 1866). 242

33. *The Stride of a Century* (*O passo de um século*) (Nova York: Currier and Ives, c. 1876). 243

34. "Este é um governo de homem branco" (Thomas Nast). 250

35. "Paredes de pedra não fazem uma prisão" (Thomas Nast). 255

36. "A União como era /A causa perdida pior que a escravidão". 257

37. "A linha de cor ainda existe – neste caso" (1879). 260

38. O corpo de John Heith (às vezes grafado Heath), linchado em fevereiro de 1884, em Tombstone, Arizona. 263

39. "Gotham Court". 270

40. "Olhando para trás" (Joseph Keppler). 275

41. "'Circulando!' Será que o nativo americano não tem direitos que o americano naturalizado seja obrigado a respeitar?" (Thomas Nast). 284

42. "Os paralelos mortais" (Artista: W. A. Rogers). 289

43. "A História se repete" (Louis Dalrymple, 1896). 291

44. "A guerra de tipos grandes dos *yellow kids*" (Leon Barritt). 299

45. "As novas maravilhas cinematográficas de Lyman H. Howe" (Courier Litogravura Company, Nova York, c. 1898). 300

46. "Volta às aulas" (Louis Dalrymple, 1899). 306

47. "Bem-vindos ao lar!" (William Allen Rogers, 1909). 312

48. "Para que a liberdade não pereça na Terra" (Joseph Pennell, 1918). 319

49. Multidão na cerimônia fúnebre do Soldado Desconhecido em Arlington (1921). 326

50. Empire State Building, cidade de Nova York. Vista do Chrysler Building e da Ponte do Queensboro ao fundo. 332

51. O vice-delegado geral da cidade de Nova York, John A. Leach (dir.), supervisiona agentes que despejam bebida alcoólica no esgoto após uma batida policial no período da Lei Seca (c. 1921). 335

52. Parada do Ku Klux Klan, Washington, D.C. (Pennsylvania Avenue), 13 de setembro de 1926. 339

53. Esta ilustração foi publicada pela Profa. e Sra. John W. Gibson, *Social Purity: or, The Life of the Home and Nation* (Nova York: J. L. Nichols, 1903). 349

54. Refugiados da Depressão vindos de Iowa (Dorothea Lange, 1936). 357

55. Pearl Harbor, dezembro de 1941 (fotografia oficial da Marinha dos EUA). 364

56. "Os americanos sempre lutarão pela liberdade", cartaz produzido pelo Escritório de Informação de Guerra dos EUA. Library of Congress Prints and Photographs Division (LC-USZC4-9540). 370

57. "Devemos lutar por elas..." (Norman Rockwell, 1943). 372

58. Alunos da primeira série da escola pública Weill em São Francisco juram lealdade à bandeira (Foto de Dorothea Lange, abril de 1942). 375

59. "Erguendo a bandeira em Iwo Jima" (23 de fevereiro de 1945). 378

60. Explosão atômica sobre Nagasaki em 9 de agosto de 1945. 388

61. Memorial da Guerra da Coreia, Washington, D.C. (Foto de Peter Wilson). 394

62. Marcha pelos direitos civis em Washington (Warren K. Leffler, 28 de agosto de 1963). 403

63. Membros e adversários do Ku Klux Klan enfrentam-se em uma manifestação do Klan em apoio à campanha de Barry Goldwater para nomeação na Convenção Nacional Republicana em São Francisco em julho de 1964 (Foto de Warren K. Leffler). 409

64. O secretário da Defesa Robert McNamara aponta para um mapa do Vietnã em uma coletiva de imprensa em abril de 1965 (Foto de Marion S. Trikosko, 26 de abril de 1965). 416

65. Após os protestos de Washington, D.C., em 1968 (Foto de Warren K. Leffler, 8 de abril de 1968). 422

66. Protesto antiguerra em frente à Casa Branca após a crítica da cantora Eartha Kitt à Guerra do Vietnã (Foto de Warren K. Leffler, 19 de janeiro de 1968). 424

67. Manifestação na Convenção Nacional Democrata em Nova York em 1976 em apoio ao *lobby* "pró-escolha" e contra a candidata antiaborto à presidência Ellen McCormack, cuja plataforma era firmemente pró-vida (Foto de Warren K. Leffler, 14 de julho de 1976). 434

68. Manifestação pelos direitos dos gays na Convenção Nacional Democrata em Nova York em 1976 (Foto de Warren K. Leffler, 11 de julho de 1976). 435

69. World Trade Center após ruir devido ao ataque terrorista de 11 de setembro. 439

Mapas

1. Mapa-múndi de Battista Agnese, *c.* 1544. 34
2. Mapa das colônias da Nova Inglaterra. 77
3. Mapa das colônias. 120
4. Mapa que mostra as conquistas britânicas na América. 128
5. Mapa que mostra as populações dos estados livres e escravocratas. 180
6. Mapa da Guerra Civil. 220

Tabelas

1. As treze colônias originais, por ordem de fundação. 100
2. População estadunidense de origem estrangeira, 1850-1920. 266

Agradecimentos

Nenhuma história geral de qualquer nação pode ser escrita sem se valer do trabalho de outros estudiosos e de monografias mais detalhadas sobre todos os aspectos do desenvolvimento da nação em questão. No caso dos Estados Unidos, é abundante o material a que se pode recorrer. Se a história da terra que se tornou os Estados Unidos da América é tida às vezes como breve, seus historiadores mais do que compensam isso com a profundidade da sua análise, o rigor da sua pesquisa e a intensidade do seu entusiasmo. Eles são demasiado numerosos para serem nomeados individualmente, mas o guia de leituras adicionais no fim deste volume fornece pelo menos uma indicação do escopo do seu trabalho e da extensão da minha dívida para com colegas de ambos os lados do Atlântico. Este volume em especial beneficiou-se graças às contribuições feitas por aqueles que comentaram versões preliminares, ao trabalho de Joy Mizan, a Cecilia Mackay pelas imagens e a Ken Karpinski da Aptara e à equipe de revisão da PETT Fox Inc. pelos conhecimentos editoriais. No fim das contas, porém, ele deve sua existência a Peter J. Parish e sua publicação, enfim, à persistência, paciência, e ao incentivo muito apreciado de Marigold Acland da Cambridge University Press.

Introdução:
A criação de um Novo Mundo

> *No fim todas as coisas fundem-se em uma só,*
> *e um rio corre através dela.*
> *O rio foi cortado pela grande enchente do mundo*
> *e corre sobre rochas das fundações do tempo.*
> *Em algumas das rochas*
> *estão gotas de chuva eternas.*
> *Sob as rochas estão as palavras,*
> *e algumas das palavras são suas.*
> (Norman Maclean, *A River Runs Through it*
> [*Um rio corre através dela*], 1976)

Qualquer historiadora dos Estados Unidos que trabalha na Europa pode facilmente perder a conta do número de vezes em que foi alertada – por estudantes, colegas, amigos e familiares, e por completos desconhecidos – de que a história que ela estuda é curta. A observação é frequentemente acompanhada de um sorriso irônico; fica subentendido que uma história curta é, portanto, uma história simples. E, de qualquer forma, curta ou longa, quem precisa estudá-la? Não a conhecemos todos? Não estamos todos totalmente imbuídos, ou infectados, dependendo da perspectiva de cada um, pela cultura americana? Ela não permeia nossas vidas por meio da televisão, do cinema, da literatura popular, da internet? Não estamos tão familiarizados com a cultura americana, com a política americana, quanto estamos com a nossa própria? Talvez até mais familiarizados; provavelmente não haja mais cultura além daquela refletida pela mídia e pelas redes de comunicação dominadas pelos EUA. Vivemos em uma aldeia global, e a loja da esquina é um 7-11.* A América não está nas roupas que vestimos, na comida que comemos, na música que ouvimos e na rede virtual que navegamos? A história da América já está inscrita internacionalmente. Ela não se encontra apenas na paisagem política da Costa Leste, na paisagem social racialmente esclarecedora do Sul, nas reservas dos dacotas, nas terras de fronteira do Texas, Arizona e Novo México. Ela é muito maior do que isso. É a história frequentemente distorcida pela indústria do entretenimento de Hollywood, encontrada na indústria do patrimônio nacional erguida em Plymouth Rock e, acima de tudo, celebrada na paisagem nacional de Valley Forge, do rio Stone e de Gettysburg, e na paisagem global, em Aisne-Marne e Belleau Wood, perto de Omaha Beach, na Normandia, e em Son My. Por que sair procurando a América? Ela certamente está em todo lugar.

E, no entanto, a América também está em parte alguma. A América está sumindo. Se a fitarmos ou encararmos por muito tempo, ela pode desaparecer diante dos nossos olhos. Já está se dissolvendo em um paradigma atlântico, o das "Américas", em que a própria invocação da América como nome dos Estados Unidos é considerada potencialmente ofensiva para aqueles que vivem à proximidade do Estado-Nação que se apoderou de modo egoísta desse significante. Suas vidas, presume-se, são subordinadas a uma superpotência imperialista que projeta sua sombra escura sobre a zona de fronteira que separa os Estados Unidos, *los Estados Unidos*, dos seus vizinhos ao sul. Centenas perecem todo ano tentando cruzar essa fronteira fatal para atingir um Novo Mundo, cuja sombra agora estende-se ao Velho. Da detonação do seu poderio atômico sobre o Japão em 1945 à atual "guerra ao terror", não vivemos todos na sombra dessa superpotência, uma sombra agora filtrada pelos fragmentos flutuantes do World Trade Center e tornada ainda mais escura pela retribuição que seguiu essa atrocidade?

Para aqueles que temem uma extensão ainda maior do poder da última superpotência, talvez haja esperança. O então predomínio cultural, militar e político observado da América pode ser contido, negado, diminuído, presumem alguns, negando-lhe o nome que ela tomou para si. Espera-se que, graças ao poder da linguagem, uma potência imperial aprenderá a ter mais modéstia e será forçada a aceitar que não é a primeira entre as nações, *primus inter pares*, a "nação indispensável", como a secretária de Estado Madeleine Albright descreveu-a em 1998. Em vez disso, ela é retratada,

---

* Menção da autora à rede de lojas de conveniência "7-eleven", cujas filiais já se encontram em mais de vinte países. (N.E.)

na expressão do sociólogo Michael Mann, como um "império incoerente" e em tons tão sombrios que só se pode ficar grato com o fato de que suas ambições imperiais e militaristas não tenham alcançado maior coerência. Para outros, a própria falta de coerência e a ausência concomitante de um impulso imperial forte representam um problema tanto para a América quanto para um mundo que necessita o que o historiador Niall Ferguson vê como um "império liberal", um novo "colosso" movido tanto pela consciência quanto pelo comércio para instaurar a estabilidade e a segurança globais. Para outros ainda, mais interessados nos constructos internos da América de que no seu impacto externo, os Estados Unidos são simplesmente uma nação entre nações, com todas as complexidades e contradições inerentes ao Estado-Nação moderno. Mas alguns negam-lhe até mesmo essa condição. Alguns até discordam que a América seja uma nação.

No recrudescimento do interesse acadêmico pelo nacionalismo que acompanhou o fim da Guerra Fria, a destruição do Muro de Berlim e a desintegração da União Soviética – acontecimentos que provocaram o ressurgimento de impulsos nacionalistas sepultados há muito tempo sob uma ideologia social e política abrangente imposta externamente –, as origens étnicas da nação moderna passaram novamente a ser objeto de atenção. Porém, nenhum paradigma étnico pode dar conta dos Estados Unidos. Uma nação de imigrantes pode, na melhor das hipóteses, ser descrita como plural. No pior dos casos, pode ser relegada a uma categoria própria, de não nação; uma coleção de etnias concorrentes, cindidas por desavenças raciais, religiosas e linguísticas, da qual só pode emergir uma confusão cultural – certamente não uma nação coerente, muito menos um império.

Contudo, à medida que o debate continuou, a ideia dos Estados Unidos como nação cívica, unificada por um nacionalismo cívico, começou a ganhar terreno. Na verdade, isso era pouco mais do que a aplicação de uma nova terminologia ao que alguns estavam talvez mais acostumados a pensar como o "credo americano". Embora o debate tenha reconhecido que, desde o início, nativos e não brancos, mulheres e religiões não protestantes foram muitas vezes relegados às margens de uma identidade americana baseada em um núcleo étnico exclusivamente branco, mesmo assim a ênfase voltou-se cada vez mais para o seu ideal cívico inclusivo. Esse ideal foi baseado na Declaração de Independência, o documento fundador da nação, o enunciado de sua missão, sua rejeição dos valores do Velho Mundo, os primórdios de uma República do Novo Mundo.

Essa República do Novo Mundo hoje compreende mais de 300 milhões de pessoas. É a terceira maior nação da Terra, tanto em termos de população quanto de geografia. Somente a China e a Índia têm uma população (bem) maior; somente o Canadá e a Rússia são fisicamente maiores. A cobertura geográfica e oceânica da América, de 9.826.675 quilômetros quadrados (9.161.966 em terra), ainda é duas vezes maior do que a da União Europeia. Limitada ao norte pelos Grandes Lagos e pela via fluvial do São Lourenço, que a separam do Canadá, e ao sul pelo Golfo do México e pelo Rio Grande (*Río Bravo*), que a separam do México, ela ocupa um meio-termo geográfico e, pode-se dizer, também nacional.

Todavia, essa terra nem sempre foi cuidada por sua população. A abundância de recursos naturais da América, da prata ao petróleo, gás, carvão, madeira e fauna, foi superexplorada a ponto de quase extinguir as manadas de búfalos (bisões) nas Grandes Planícies no fim do século XIX. O desmatamento também acompanhou inevitavelmente o crescimento populacional e industrial da nação ao longo dos séculos. A terra que parecia sem limites para os primeiros colonos tornou-se rápido demais uma paisagem feita pelo homem, ou degradada; contudo, a partir do mesmo século XIX, o impulso contrário de proteger essa terra manifestou-se na criação dos parques nacionais. Hoje, de fato, o Serviço Nacional dos Parques (NPS, na sigla em inglês) lida com muito mais do que apenas manejo florestal e recursos naturais. Ele cuida fundamentalmente do patrimônio nacional, uma questão política e cultural polêmica e poderosa, muito disputada, que envolve os campos de batalha sob a responsabilidade do NPS, bem como patrimônios naturais como Yellowstone (o primeiro parque nacional do país) ou Yosemite. No governo de George W. Bush e parcialmente no contexto do imperativo de segurança nacional, foi decretado que as terras sob jurisdição do NPS ou de nações indígenas estavam novamente disponíveis para a exploração petrolífera e mineradora, o que ameaçava destruir a paisagem nacional ao mesmo tempo em que se tentava defendê-la.

Antes de a defesa da pátria virar um problema, criar essa pátria fora o foco principal dos povos da América. Durante grande parte dos primórdios da história da nação, populações e mercados operavam preponderantemente em um eixo norte-sul, alinhado com o rio Mississippi, que atravessa o coração da América do Minnesota no norte ao Golfo do México. Os colonos vindos do Leste que procuravam chegar à Costa Oeste pelo que ficou conhecido como a rota do Oregon tinham, antes do término da estrada de ferro transcontinental, de negociar as Rochosas, a cadeia de montanhas que vão do Novo México até o Alasca. Hoje, quando os comboios de carroças que percorriam a rota do Oregon já se foram há tempos, grande parte dos amplos espaços abertos da nação continua relativamente vazia. O grosso da população da América – mais de 80% – é urbana. Mais de 80% dessa população aponta o inglês como primeira língua e 10% o espanhol. Os protestantes continuam a maioria, mas por pouco, em cerca de 51%. Dessa população, a maioria ainda é classificada como branca (quase 80%), aproximadamente 13% como negra, cerca de 4% como asiática e uns 15% como hispânicos. Às vezes os hispânicos podem ser classificados como "brancos", razão pela qual o total parece exceder 100%.

No entanto, a questão da denominação étnica é mais do que uma peculiaridade do censo. Ela está no cerne da questão da identidade nacional americana, do que significa ser americano e do que a nação representa. Com menos de 1% da população, por exemplo, os nativos americanos compreendem, não obstante, mais de 2 milhões de pessoas, subdivididas em centenas de unidades tribais. Ser ou não ser "nativo" depende de uma combinação de herança genética e filiação cultural; certos grupos enfatizam a primeira, outros a segunda. De igual modo, ser considerado negro ou branco tende a ser geográfica e/ou linguisticamente determinado. Os hispânicos abarcam mais ou menos todos os que vivem ao sul do Rio Grande ou provêm dele, de uma perspectiva branca; e afro-americano pode parecer igual a "anglo" para aqueles tratados de forma geral na categoria de "hispânicos".

De fato, afro-americano é uma das denominações mais ligadas ao contexto. Novas levas de uma nação africana podem deparar-se com a resistência dos negros americanos à sua pressuposição, possivelmente natural, de que "afro-americano" aplica-se automaticamente a eles. Negro e branco na América representam descritores derivados não só de marcadores genéticos objetivos, mas da cultura, do legado e da história da escravidão. Afro-americano implica quase automaticamente uma ancestralidade escravizada. Isso comporta seu próprio conjunto de problemas e pressuposições, evidentemente, porque nem todos os afro-americanos foram escravizados. A historiadora Barbara Jeanne Fields salientou a natureza contrária das pressuposições culturais contemporâneas a respeito da raça quando observou que, nos Estados Unidos, uma mulher branca pode dar à luz uma criança negra, mas uma mulher negra não pode, pelo menos no que concerne à sociedade, dar à luz uma criança branca. Logo, branco pode gerar negro, mas não vice-versa, a menos que se esteja falando de literatura. Nesse caso, como defende a proeminente escritora afro-americana Toni Morrison, foi exatamente o que aconteceu. A "brancura", observa ela, exige uma presença negra. Ser americano exigia que algo ou alguém fosse situado fora da nação, pelo menos na sua conceituação cultural. A esse respeito, os conceitos de "brancura" e "negritude" (ou "africanismo") operavam juntos, mas em grande parte da história da nação não foi uma relação de igualdade.

Evidentemente, reivindicar uma identidade nos Estados Unidos é, tanto para a nação como para o indivíduo, uma empreitada repleta de dificuldades e desafios, mas, cada vez menos, compromissos políticos ou culturais. A ideia outrora convincente dos Estados Unidos como "caldeirão de raças" (*melting pot*) cedeu espaço, ao longo dos anos, primeiro a uma ênfase no multiculturalismo e, segundo, a distinções étnicas e culturais (e cada vez mais religiosas) temidas por alguns por estar desestabilizando a nação. Como o próprio sistema federal, no qual os estados receberam graus variados de autonomia ao longo da história da nação, os indivíduos americanos realizam um malabarismo às vezes conturbado entre a identidade estadual e social, de um lado, e federal e nacional, do outro. Às vezes, como no caso da Guerra Civil Americana (1861-1865), isso reduz-se drasticamente. Outras vezes, em períodos de conflito ou crise externa, as divisões internas diminuem – embora nunca desapareçam – em prol de um patriotismo ora promovido pelo centro, como na Segunda Guerra Mundial, ora derivado dos movimentos populares, como foi o caso após o 11 de setembro e na atual "guerra contra o terror".

A ligação entre beligerância e identidade americana é, de fato, complexa. A maioria das nações tem uma história violenta, e os Estados Unidos não são uma exceção. Porém, entender como um conjunto de colônias com tênues conexões que dependiam tão intensamente da mão de obra escrava chegou ao ponto de unir-se para derrubar uma potência colonial em nome da igualdade e liberdade exige uma compreensão dos numerosos e variados impulsos que levaram na época a essa posição aparentemente contraditória. Um dos mais importantes foi a consolidação precoce da relação entre o conflito e uma identidade do Novo Mundo que os colonizadores forjaram com relação aos indígenas nativos e à potência imperial.

A terra na qual se tornou os Estados Unidos foi colonizada, em certos casos apenas temporariamente, por migrantes, missionários, exércitos e comerciantes europeus, impelidos para lá pelos conflitos religiosos na Europa.

Portanto, desde o início, o conflito informou o processo migratório e as atitudes dos forasteiros europeus perante as populações indígenas da América. Os esforços iniciais de propaganda para persuadir monarcas e mercadores europeus de que o "Novo Mundo" prometia lucro em uma causa pia – havia nativos a serem convertidos e dinheiro a ser ganhado – criaram uma combinação fatal de ganância e religiosidade que, talvez inevitavelmente, só poderia gerar conflito. As origens marciais da nação foram estabelecidas, evidentemente, no conflito colonial supremo, a Guerra de Independência Americana, que forjou a relação entre a nação e o conceito de serviço civil, entre nacionalismo americano e beligerância.

O fato de que pelo menos parte da história da Guerra Revolucionária foi exagerada após o acontecimento para sugerir um entusiasmo nem sempre em evidência na época não diminuiu de forma alguma a força perene do mito do *minuteman** como ideal marcial americano. Isso não deve ser exagerado nem subestimado. Nos Estados Unidos de hoje, os veteranos das guerras da América compreendem cerca de 10% da população adulta. Em uma visão global, 10% não é uma estatística avassaladora nem um movimento universal de tropas. Contudo, os veteranos, e por meio deles o impacto da guerra, têm uma influência poderosa na política e sociedade americanas (e no orçamento de defesa), porque, em grupo, os veteranos comparecem para votar em uma porcentagem mais alta (*c.* 70%) do que a população como um todo (*c.* 60%).

Nesse contexto, não surpreende o fato de que uma das correntes cruciais da história nacional da América seja o modo como a unidade forjada pela beligerância informou a identidade nacional americana por meio da subsequente ênfase na liberdade como o fulcro no qual essa identidade fora construída. Porém, antes mesmo da emergência da nação em si, a liberdade no "Novo Mundo" tinha tanto conotações positivas (liberdade para) como negativas (liberdade de). A liberdade, como quer o mote contemporâneo, não é livre. E, claro, nunca foi. A liberdade dos primeiros colonizadores europeus violava as já existentes de que dispunham as nações nativas. A liberdade do poder monárquico, como deixou claro o caso dos legalistas durante a Revolução, não era aquela que todos os "americanos" iniciantes almejavam, nem era necessariamente bem-vinda aos olhos deles. A liberdade era o princípio que animava o experimento americano, mas um princípio proclamado com mais veemência pelos proprietários de escravos. O Ilumi-

---

*   Membros selecionados de companhias de milícia atuantes da Guerra Revolucionária. (N.E.)

nismo, um processo que Immanuel Kant descreveu como a "emancipação da consciência humana", pode ter incentivado o impulso revolucionário americano no século XVIII, mas não se traduziu na emancipação dos escravos dos revolucionários americanos.

"Consideramos estas verdades autoevidentes", enunciava a Declaração de Independência (1776), "de que todos os homens são criados iguais, que são dotados pelo seu Criador de certos direitos inalienáveis, os quais entre eles estão a vida, a liberdade e a busca da felicidade." Por um tempo demasiado longo, tais "verdades" só valeram realmente para aqueles que faziam parte ou eram próximos da elite branca masculina, ou que tinham potencial para ingressar nessa elite, cuja perspectiva essas verdades nunca representaram mais do que parcialmente. Embora plenamente preparados para acreditar no radical inglês Thomas Paine quando ele advertiu-os de que sua causa era "a causa de toda a humanidade", os americanos interpretaram a mensagem de Paine no contexto da ideologia republicana, segundo a qual a promoção da igualdade e da liberdade ia de mãos dadas com a defesa da escravidão. Facilitadas pelo desenvolvimento dos mercados e das redes de comunicação, as colônias individuais podiam pelo menos conceitualizar um todo político e cultural unificado. Realizá-lo era outra questão. Para alguns, a liberdade como ideal nacional só poderia ser alcançada se fosse aplicada a todos. Para outros, o futuro da nação só estaria seguro se alguns fossem permanentemente escravizados. Em meados do século XIX, uma verdade era evidente por si mesma para Abraham Lincoln, que batalhava para manter a nação unida durante a Guerra Civil: "Todos nós nos pronunciamos a favor da liberdade", observou Lincoln, "mas ao usar a mesma *palavra* não significamos a mesma *coisa*".

Na nação que emergiu da Guerra Civil a escravidão havia finalmente sido abolida, mas distinções étnicas e raciais subsistiam como meios pelos quais a identidade americana era negociada e refinada, especialmente à medida que a população se expandia mais para Oeste, cumprindo o "Destino Manifesto" da nação de atingir a hegemonia no hemisfério. A persistência, assim como os desafios, do domínio anglo-saxão na América às vésperas do século XX foram exacerbados por preocupações com relação ao racismo, imigração, criminalidade e urbanismo em um período que viu os Estados Unidos ensaiarem um mergulho em águas internacionais na forma de uma guerra com a Espanha. Nessa época, a geração que havia lutado na Guerra Civil havia ganhado destaque na política. As experiências da sua juventude informaram-nos, mas certamente não podiam preparar nem eles nem a nação para um século por vir, o chamado "Século Americano", que começou de fato após a Segunda Guerra Mundial com a primazia econômica e, pode-se dizer, cultural dos Estados Unidos no globo.

No entanto, durante o "Século Americano", ofuscado pela Guerra Fria e dominado em grande medida pelo conflito no Vietnã, a ideia da nação americana tornou-se matizada. A história nacional da nação cívica com um núcleo étnico passou a enfatizar os esforços dos excluídos para contestar sua exclusão. Um interesse renovado pela diversidade cultural da América tornou-se o fator que complicou qualquer complacência restante quanto à realidade do ideal cívico nos Estados Unidos. Por outro lado, ele iluminou os caminhos pelos quais, ao redigir a Declaração de Independência, os fundadores da América haviam, como afirmou Abraham Lincoln, estabelecido uma premissa inclusiva segundo a qual todos os americanos, independentemente de sua origem, podiam reivindicar a nação "como se fossem sangue do sangue e carne da carne dos homens que escreveram a Declaração". Nesse contexto, igualmente, o paradigma de mundo atlântico servia não só para aplacar temores internacionais, mas para enfatizar a força do ideal cívico. Ele enfatizava como eram permeáveis as fronteiras da nação, não somente aos imigrantes, mas às influências internacionais – ou mesmo à influência internacional como tal –, e como ela era suscetível a entendimentos cambiantes do colonialismo e pós-colonialismo, nacionalismo, separatismo, guerra, identidade, raça, religião, gênero e etnicidade.

Claro, o imperativo de fazer que o ideal cívico corresponda a ou mesmo aproxime-se da realidade continua a confrontar a América de hoje, e é particularmente problemático em uma nação dessa complexidade geográfica, demográfica e cultural. Frequentemente mais interessadas em como o ideal democrático foi exportado ou imposto além das fronteiras da nação, as análises populares dos Estados Unidos por vezes subestimam a luta histórica para realizar essa ideal dentro da própria nação. Se o "colosso" do Novo Mundo viu-se com frequência na posição paradoxal de "ditar a democracia" ou "extorquir a emancipação" no exterior no final do século XX e início do XXI, sua própria história, seja nos anos 1860 ou 1960, lembra-nos de que ele foi frequentemente forçado a empregar processos similares em casa. Menos paradoxo do que padrão, o malabarismo às vezes conturbado entre liberdade cívica e étnica, positiva e negativa, é muito familiar em uma nação que parece querer para as outras o que ela às vezes tem dificuldade de conseguir para si. Os desafios que enfrentou, as escolhas que fez, os compromissos que firmou devem ser contemplados por todas as nações, e cada vez mais em um mundo em que a comunicação é praticamente instantânea, em que todas as fronteiras podem ser quebradas e em que os desafios impostos pela imigração, intolerância religiosa e divisões étnicas e raciais continuam a comprometer a estabilidade do Estado-Nação moderno.

capítulo 1

Terra Nova:
imaginar a América

> *No início, portanto,*
> *o mundo todo era uma América...*
> (John Locke, *Segundo tratado sobre o governo civil*, 1690)*

A América foi uma terra e depois uma nação, imaginada antes de ter sido concebida. Embora os sonhos e as ambições de seus primeiros ocupantes humanos só possam ser supostos, os primeiros a migrar para o continente norte-americano, seja cruzando o Estreito de Bering a pé ou chegando pelo mar, partiram em busca de uma vida melhor. Quer suas intenções originais tenham sido o povoamento ou possíveis rotas de comércio, quer tenham buscado um novo lar ou simplesmente novos recursos a fim de levar para casa, o apelo de um Novo Mundo mostrou-se potente. Com exceção dos povos que Cristóvão Colombo identificou erroneamente como índios, as primeiras empreitadas migratórias geraram poucos assentamentos permanentes. Os habitantes indígenas do continente foram pouco incomodados pelas incursões inicialmente hesitantes de *vikings* aventurosos nos séculos X e XI, cuja eventual instalação na Groenlândia, apesar de não ser bem-vinda, durou relativamente pouco e foi tão rapidamente esquecida pelas tribos nativas, talvez, quanto pelo mundo em geral.

Portanto, na ausência de interferência externa, os povos que mais tarde compreenderiam os numerosos agrupamentos etnolinguísticos e nacionalistas nativos americanos do período moderno gradualmente desenvolveram o que Jeremiah Curtin, folclorista oitocentista, entendeu

---

* Edição em português: tradução de Marsely de Marco Dantas. São Paulo: Edipro, 2014. p. 56. (N.E.)

como sociedades essencialmente primitivas baseadas em uma combinação de fé religiosa e consanguinidade. Na visão de Curtin:

> Os vínculos que ligam uma nação aos seus deuses, vínculos de fé, e os que ligam os indivíduos da nação uns aos outros, vínculos de sangue, são os mais fortes conhecidos do homem primitivo e são os únicos vínculos sociais em eras pré-históricas. Era nesse estágio inicial que se encontravam até os grupos de índios mais avançados da América quando o continente foi descoberto (Jeremiah Curtin, *Creation Myths of Primitive America* [Mitos de criação da América primitiva], 1898).

Apesar do fato de que ele poderia facilmente estar descrevendo os vínculos gerados e rompidos com a mesma frequência pelo tumulto religioso e pelas maquinações monárquicas na Europa do século XV, assim como nas culturas indígenas americanas, a visão de Curtin soa dissonante hoje. Nem a ideia de "homem primitivo" nem a noção de que a América era um continente apenas aguardando para ser "descoberto" pelos europeus fazem parte do entendimento moderno do passado da América.

Antes do seu contato com povos europeus, as sociedades indígenas das Américas eram, claro, cultural e linguisticamente variadas. O tamanho efetivo de sua população permanece uma questão em debate, mas estava entre 10 milhões e 75 milhões no total, dos quais de 2 milhões a 10 milhões situavam-se no que é hoje os Estados Unidos, em uma época em que a população da Europa e da África era de 70 milhões e 50 milhões, respectivamente. Embora houvesse um certo grau de interação na forma de comércio, viagem e (inevitavelmente) guerra, o tamanho descomunal do continente favorecia naturalmente o florescimento de uma gama diversa de assentamentos, culturas e povos. Eles iam das sociedades políticas agrárias relativamente estáveis mas competitivas da Costa Oeste, passando pelos povos *hopewell* do que é hoje Ohio e Illinois, cuja especialidade era a metalurgia, a uma das mais complexas sociedades indígenas, a dos *cahokia*, que habitavam as planícies alagáveis do Mississippi e do Missouri. Tampouco tratava-se de sociedades estáticas; como suas equivalentes europeias, estavam sujeitas às forças da mudança, impelidas por conflito e competição, padrões agrícolas em mutação e redes comerciais em expansão. De fato, os paralelos entre as culturas indígenas americanas e as sociedades europeias que acabaram por inserir-se entre elas eram talvez mais marcantes do que suas diferenças, tanto em termos de padrões migratórios quanto – o que é mais importante – de mitologias.

Os mitos nativos americanos de criação assumem muitas formas, mas na essência todos contam uma história semelhante; é uma história de origens e mudança, de metamorfoses, da chegada humana ao mundo e das transformações que fizeram do humano parte desse mundo. Embora careçam do peralta característico e dos elementos antropomórficos dos seus equivalentes nativos americanos, o mito europeu das origens americanas difere pouco desse padrão indígena. A história da ocupação branca europeia também era, no fim das contas, uma história de criar raízes, de afirmar não somente uma reivindicação sobre a terra, mas um alinhamento com aquilo que se entendia ser o espírito daquela terra. Em longo prazo, esse espírito receberia muitos nomes – Liberdade, Igualdade, Destino Manifesto –, mas para os primeiros colonos europeus simplesmente entender a própria terra e seus habitantes aborígines era o primeiro passo para colonizá-la. Era o início de um processo que acabaria deserdando, ou até destruindo inteiramente, as sociedades indígenas da América. Ele pôs em seu lugar uma cultura colonial baseada em valores do Velho Mundo informados por precedentes jurídicos, políticos, religiosos e sociais europeus, predominantemente britânicos, e a qual, nos cem anos seguintes, não só obteria independência da Coroa britânica, mas emergiria como a nação mais poderosa da Terra.

Esse processo começou, claro, com a chegada às Índias Ocidentais em 1492 do navegador genovês Colombo, cuja jornada havia sido possibilitada pelas competências de construção de navios e navegação oceânica em geral de uma potência europeia: Portugal. Assim como o comércio e a troca embasavam grande parte da cultura indígena da América, os bens materiais e os padrões cambiantes de consumo foram a motivação para a explosão da atividade marítima por parte dos portugueses no século XV. Seu interesse pela exploração era um derivado de um desejo maior de adquirir as especiarias, chá, sedas e, acima de tudo, ouro, em torno de que girava o comércio internacional. Até então, esses bens haviam sido transportados por terra da China para o Oriente Médio e depois para o Mediterrâneo, ou, no caso do ouro, do Saara através da ponta setentrional da África para a Europa. O controle de grande parte desse comércio estava nas mãos dos venezianos e dos turcos, e eram esses intermediários que os portugueses esperavam contornar. Ao fazê-lo, Portugal tornou-se participante do que viria a ser uma das características econômicas e sociais definidoras do mundo atlântico – o comércio de escravos. No contexto de um mundo europeu que se acostumava rapidamente não somente com a fruição de taças de chá, mas com a disponibilidade de açúcar para adoçá-las, as pessoas – os escravos – tornaram-se tão rentáveis quanto os artigos de luxo que produziam, como deixavam claro as plantações de açúcar portuguesas nas ilhas dos Açores e de Cabo Verde. Em suma, o sucesso de Portugal com o açúcar, sua descoberta da rota marítima contornando a costa meridional da África, sua criação de entrepostos na costa ocidental do continente e, acima de tudo, os lucros que tirava de todas essas empreitadas instigaram outras potências europeias – especialmente o vizinho mais próximo de Portugal, a Espanha – a cobiçar uma parte da ação. Foi com esse fim que Isabela da Espanha instruiu Colombo a localizar a rota para oeste das Índias.

Por subestimar a extensão completa do globo – opinião que não era compartilhada por muitos de seus contemporâneos –, Colombo acabou chegando relativamente rápido às Bahamas e acreditou que tinha chegado de fato às Índias Ocidentais. Foi essa crença que sugeriu sua denominação inapropriada dos habitantes que ele encontrou: os "índios". Como os "índios" viam Colombo é algo ainda mais incerto, mas é inegável que sua chegada inaugurou um período de exploração, aquisição e conquista das Américas por parte das diversas potências europeias, no qual os benefícios desse contato – a chamada troca colombiana – estavam quase todos do lado dos recém-chegados. A partir do momento do primeiro contato, ficou claro que as potências europeias consideravam que as Américas lhes pertenciam de direito. De fato, Espanha e Portugal discutiram tanto sobre a descoberta de Colombo que o papa foi forçado a intervir. Por meio do Tratado de Tordesilhas (1494), ele dividiu suas reivindicações concorrentes no meio do Atlântico. Portugal apoderou-se do Brasil, enquanto a Espanha estendeu seu domínio ao restante da América do Sul e ao Caribe.

De início, uma colonização bem-sucedida parecia improvável. A povoação inicial de Colombo em Hispaniola (hoje ocupada pelo Haiti e pela República Dominicana) foi um fracasso. Em 1502, o último ano em que Colombo viajou pessoalmente para o Novo Mundo, o explorador espanhol Nicolás de Ovando conseguiu estabelecer um posto avançado operante para a Espanha em Hispaniola, ao mesmo tempo que o explorador italiano Américo Vespúcio percebeu, em decorrência das suas viagens costeiras, que o que Colombo havia descoberto era um continente inteiramente novo, muito maior e mais populoso do que os europeus podiam imaginar. Contudo, foi somente quando os navios de Fernão de Magalhães circum-navegaram o globo entre 1519 e 1520 que a Europa obteve uma apreciação plena do tamanho do mundo e uma certa ideia da natureza heterogênea das suas populações.

Na ausência de provas empíricas, a imaginação desempenhava um papel muito importante nas reações europeias ao continente americano, mesmo antes de qualquer europeu pôr o pé ali; a imaginação, mas também o seu contrário, uma incapacidade quase patológica de entender, muito menos conceber, qualquer compromisso com as vidas dos outros. Porém, é importante não exagerar os efeitos do intercâmbio colombiano nem inserir os povos indígenas no quadro histórico em que eles simplesmente desempenham o papel de vítima em um drama de genocídio inspirado pela cobiça e promovido pelos europeus. Havia cobiça em abundância, certamente, mas apenas isso não explica os efeitos demográficos catastróficos, para as populações indígenas da América, do primeiro contato euro-americano. A doença desempenhou um papel importante. A população *arawak/taino* de Hispaniola, estimada em 300 mil a 1 milhão em 1492, praticamente desapareceu em um período de cinquenta anos, ao passo que a população do México caiu até 90% no século XVI. Embora doenças como varíola, sarampo ou febre amarela tenham assolado as Américas, há poucos indícios médicos que sugerem uma suscetibilidade particular dos indígenas a cepas de doenças europeias. A varíola sozinha podia ser devastadora até em uma população que apresentava imunidade de grupo a ela. A taxa de mortalidade dessa doença entre soldados brancos da União na Guerra Civil (1861-1865) foi de cerca de 38% – aproximadamente a mesma da sociedade asteca em 1520.

O perigo para os povos indígenas da América no século XVI não era somente as doenças levadas do Velho Mundo para o "Novo". O principal problema era quem as levava. Violência e vírus trabalharam em equipe e com efeito devastador nas Américas após o primeiro contato e continuaram a fazê-lo até o final do século XIX. Ambos emanavam de um ambiente europeu que, apesar de não estar acostumado com conflito ou contágio, certamente tinha familiaridade com ambos. O século XVI foi uma era violenta, exacerbada pelos realinhamentos religiosos provocados, primeiro, pela Reforma Protestante inaugurada por Martinho Lutero em 1517 e, depois, pela sua versão inglesa, introduzida pela Lei da Supremacia (1534) de Henrique VIII, por meio da qual ele desafiou o poder do papado e instituiu-se como chefe da Igreja da Inglaterra. Quando isso, combinado com a cobiça inevitável pelo ouro e todo o poder que ele podia comprar, cruzou o Atlântico, os resultados foram devastadores. Competição e conflito certamente não eram estranhos às populações nativas das Américas, mas foi a explosão relativamente súbita de competitividade entre as potências europeias durante o que foi chamada de Primeira Grande Era dos Descobrimentos que as subjugou. Inspirados e ameaçados em igual medida pelo impacto da descoberta de Colombo, os britânicos e os franceses em especial procuraram desafiar a supremacia espanhola na Europa e nas Américas.

Os ingleses estavam especialmente interessados em minar o poder da Espanha e, para isso, mandaram o explorador veneziano Giovanni Caboto (anglicizado para John Cabot) à Terra Nova em 1497. Sua viagem contribuiu muito para a indústria pesqueira europeia, mas a Inglaterra carecia de recursos para dar seguimento à iniciativa de Cabot. Mais ao sul, os espanhóis tinham em vista o prêmio maior que a riqueza imaginada das Américas oferecia. Entretanto, a pura cobiça julgou conveniente e (no contexto da Reforma) expediente envolver-se no estandarte da religião. Logo, os conquistadores espanhóis zarparam de Hispaniola em um eco das Cruzadas dos séculos XI e XII no Novo Mundo. Acompanhados por missionários, eles marcharam sob o sinal da cruz para converter – ou esmagar – os povos que encontravam. O mais famoso explorador espanhol desse período era, obviamente, Hernán Cortés, cujo contato com a civilização asteca do México Central em 1519 foi seguido rapidamente por uma epidemia de varíola, o que facilitou a derrota dos astecas e a destruição da sua principal cidade, Tenochtitlán. Os incas, no que é hoje o Peru, não se saíram muito melhor contra Francisco Pizarro, poucos anos depois.

Pode-se dizer que, embora a destruição de cidades e seus habitantes seja suficientemente horrível, e a exploração dos povos indígenas, extrema até pelos padrões da civilização asteca – tão brutal que chocou alguns espanhóis –, foi a erosão lenta mas inexorável das culturas do Novo Mundo que não só definiu a era pós-colombiana, mas criou um precedente no que dizia respeito aos contatos europeus com as Américas – e depois dentro delas. Do período inicial da exploração europeia em diante, a relação entre adventícios e indígenas situou-se na intersecção de impulsos contraditórios por parte dos europeus. Do ponto de vista econômico, os povos indígenas pareciam ideais para a exploração. Do ponto de vista religioso, eles estavam prontos para a conversão. Os europeus tinham pouco interesse em aclimatar-se culturalmente ao ambiente do Novo Mundo, tampouco haviam refletido sobre as implicações de aculturar as populações indígenas às normas europeias. Essa justaposição incômoda do não europeu ao mesmo tempo como converso potencial e "outro" estranho definiu não somente os esforços espanhóis de colonização, mas o impulso de colonização como um todo na totalidade das Américas entre os séculos XVI e XVIII.

Outros acontecimentos na própria Europa também precisam ser considerados no impacto europeu sobre a América pós-colombiana. Um dos mais importantes foi a ascensão da cultura impressa, que os estudiosos veem como um dos componentes fundamentais da nação moderna. O desenvolvimento da imprensa a partir do século XV resultou em uma abundância de palavras, gravuras e – o que é mais importante – mapas disponíveis a uma porcentagem cada vez maior das populações europeias. Na Europa, grande parte da cultura impressa inicial revelou-se o meio de disseminar perspectivas clericais conflitantes, mas as imagens eram tão significativas quanto as palavras quando os europeus olhavam para além do Atlântico; imagens essas que os ajudavam a orientar-se naquele ambiente. Como atividade humana em geral, mas certamente inserida na era da exploração europeia, a cartografia muitas vezes diz mais sobre a sociedade que produz o mapa do que sobre a paisagem que é mapeada. Os primeiros mapas tinham frequentemente uma finalidade militar ou, no caso das Américas, funcionavam literalmente como mapas do tesouro. Um exemplo é o mapa-múndi de Battista Agnese (*c.* 1544) com suas rotas claramente definidas para as minas de prata espanholas do Novo Mundo, seu trajeto da circum-navegação global de Magalhães, mas sua delimitação um tanto vaga de uma terra ao norte – a terra que viria a se tornar os Estados Unidos da América (MAPA 1).

Os primeiros mapas das Américas apresentavam representações tangíveis da extensão e das limitações do conhecimento geográfico europeu. Eles também eram manifestações físicas da imaginação europeia a respeito das Américas. Como mostra o mapa de Agnese de 1544, a América do Norte era na verdade uma variável desconhecida, uma terra incógnita, no século XVI. A América do Sul, em contrapartida, era descrita como uma terra de oportunidades econômicas, mas perigosa. As informações adicionais que estavam disponíveis além dos primeiros mapas pendiam para o sensacionalismo. As publicações que surgiram na esteira das viagens de Colombo apresentavam imagens do Novo Mundo nas quais nem os colonizadores espanhóis nem as populações indígenas eram apresentados sob uma luz particularmente lisonjeira. Se essas imagens alimentaram a imaginação europeia sobre as Américas, elas revelavam uma série de pesadelos. Muitas delas saíram do estúdio do gravador de origem holandesa Theodor

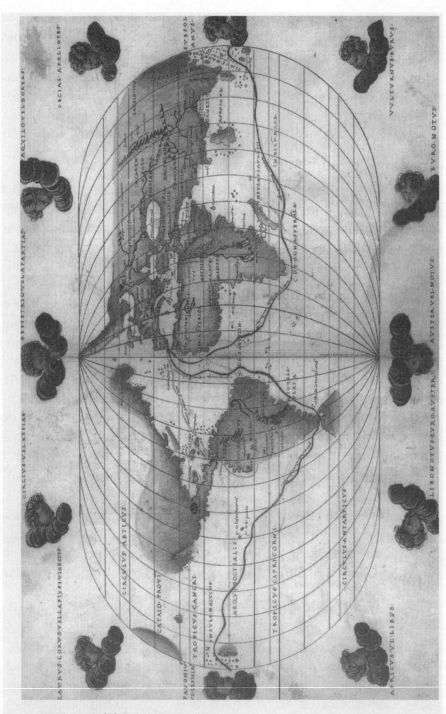

MAPA 1. Mapa-múndi de Battista Agnese, c. 1544.

de Bry e de seus filhos, que produziram um estudo em diversos volumes (1590-1618) dos contatos entre europeus e americanos, que ilustram publicações como *Le Voyage au Brézil de Jean de Léry 1556-1558*[*] (1578) de J. de Léry. O pastor protestante e escritor francês Léry acompanhou uma expedição colonizadora ao Brasil que mais tarde se instalou perto da tribo indígena tupinambá. O que Léry presenciou ali deixou-o chocado, em especial como os tupinambás "matavam, picavam, assavam e comiam alguns de seus inimigos". Expressa visualmente por Bry, sua descrição provavelmente assustou seus leitores também.

Embora as descrições de Léry e as imagens de Bry dos povos do Novo Mundo não fossem sistematicamente perturbadoras e enfocassem com frequência cenas domésticas pacíficas, as imagens de Bry dos contatos entre europeus e americanos eram muitas vezes de uma crueza bárbara e especialmente explícitas quanto à brutalidade espanhola. Ele mostrava os colonizadores espanhóis quase da mesma maneira como retrataria mais tarde os tupinambás, como nas gravuras que acompanhavam a *Brevíssima relação da destruição das Índias* (1542) de Bartolomé de Las Casas (IMAGEM 1). Nesse caso, a pista estava no título. As imagens de Bry para a obra de Las Casas não foram tiradas de uma imaginação hiperativa, mas refletiam o tema de pelo menos alguns dos textos que emanavam dos empreendimentos exploratórios europeus no Novo Mundo.

IMAGEM 1. Bartolomé de Las Casas, *Brevíssima relação da destruição das Índias* (1542, 1552).

---

[*]   Edição em português: *Viagem à terra do Brasil*. Belo Horizonte: Itatiaia; São Paulo: Edusp, 1980. (N.E.)

Las Casas, um frade dominicano que participara da violência em Hispaniola e em Cuba, escreveu com o coração e baseado em sua experiência pessoal ao descrever o tratamento horrendo dado aos nativos pelos colonos espanhóis colonizadores. Ao voltar-se contra esse comportamento, Las Casas estava à frente do seu tempo. Porém, sua solução – de que mais tarde ele se arrependeria – para as barbaridades que ele havia presenciado e das quais havia participado antes de concluir que os povos indígenas da América mereciam ser reconhecidos e tratado como iguais foi simplesmente substituir um sujeito de exploração por outro: substituir os nativos por escravos africanos.

Os ingleses em casa e no exterior

A crueldade dos espanhóis para com os nativos nos estágios iniciais da ocupação europeia das Américas, embora ressaltada na obra de Las Casas, não foi especial ou incomumente severa no contexto do período. As nações que procuravam desafiar a supremacia espanhola nas Américas, especialmente a Inglaterra, tinham poucos motivos para sentirem-se superiores aos espanhóis, uma vez que nem em casa nem no exterior elas tinham ascendência moral quando se tratava de satisfazer suas ambições expansionistas. Infelizmente, para os indígenas nativos das Américas, a abordagem da Inglaterra, no fim do século XVI, para toda a questão da expansão, colonização e conquista era dirigida por um grupo coeso de aventureiros aristocráticos protestantes do West Country, como Walter Ralegh, seu meio-irmão *sir* Humphrey Gilbert e seu primo Richard Grenville. A visão deles da expansão inglesa pode ser mais bem descrita como agressiva, e sua abordagem de outras culturas, intolerante. Ela era informada por aquilo que esses homens já sabiam – ou pensavam saber – sobre as Américas e os esforços espanhóis de colonização. O que eles sabiam provinha de relatos publicados, incluindo *De Orbe Novo* (Do Novo Mundo), do historiador espanhol Peter Martyr Anghiera, que começou a ser lançado em 1511. As primeiras *Eight Decades* [Oito décadas] foram publicadas em 1530 mas traduzidas, pelo menos parcialmente, por Richard Eden em 1555 como *The Decades of the New World or West India* [As décadas do Novo Mundo ou das Índias Ocidentais]. Antes, porém, de ter a ideia de conquistar a terra do outro lado do Atlântico, uma outra mais perto deles atraiu sua atenção: a Irlanda.

No caso inglês, a luta intestina que se seguiu entre católicos e protestantes, provocada pela Reforma e exacerbada pela instabilidade monárquica que se seguiu à morte precoce de Henrique VIII, transferiu-se para as relações da Inglaterra com a Irlanda católica. Os habitantes da Irlanda eram frequentemente vistos como os "outros" estranhos e ameaçadores e, por conseguinte, tratados de maneira aflitivamente semelhante à que cabia aos nativos da América, a quase 5 mil quilômetros de distância. As repercussões disso para a história da América foram profundas. Os irlandeses católicos, uma ameaça potencial à supremacia protestante, eram peões de longa data na luta pelo poder em curso entre a Espanha e a Inglaterra. Com a ascensão ao trono inglês de Elizabeth I (1558), os esforços para submeter a Irlanda ao domínio da Coroa foram intensificados. Isso não teria tido necessariamente um impacto nas atividades de colonização posteriores da Inglaterra na América, se não fosse pelo fato de que muitos daqueles enviados por Elizabeth para impor sua vontade à Irlanda nas décadas de 1560 e 1570 fossem os mesmos homens que ela enviaria mais tarde para estender sua influência do outro lado do Atlântico.

Para homens como Gilbert, Ralegh e Grenville, os irlandeses gaélicos eram considerados bárbaros incivilizados, cuja lealdade à Coroa era suspeita e cujo sistema de governo era tirânico. Isso justificava não somente a conquista da ilha, mas também os métodos brutais empregados para tal. Da parte de Gilbert, tais métodos incluíam, segundo a testemunha da época Thomas Churchyard, a decapitação dos rebeldes irlandeses para que suas cabeças "sejam dispostas no chão de cada lado do caminho que leva à sua própria tenda, de modo que nenhum deles possa entrar na sua tenda por qualquer motivo sem ter de passar habitualmente por uma alameda de cabeças". Dessa forma, observou Churchyard, Gilbert infligiu "grande terror ao povo".[1] No que dizia respeito à Irlanda e à América, era um exemplo literal de círculo vicioso. A consciência do tratamento dispensado pelos espanhóis às populações indígenas das Américas informou a eliminação dos irlandeses pelos ingleses, e sua subsequente crueldade com os irlandeses influenciou suas reações aos nativos com os quais se depararam posteriormente no Novo Mundo, bem como o tratamento dado a eles. Em ambos os casos, o que eles viam como inferioridade cultural por parte dos habitantes indígenas fornecia a justificativa para extremos de crueldade a serviço da

---

1 CHURCHYARD, Thomas. *A Generall rehearsal of warres and joined to the same some tragedies and epitaphs*. London: [s. n.], 1597 apud CANNY, Nicholas. The Ideology of English Colonization: from Ireland to America. *The William & Mary Quarterly*, xxx, p. 582, 1973 (ver Guia de leituras adicionais); subsequente reimpressão em KATZ, Stanley N.; MURRIN, John M. (ed.). *Colonial America: Essays in Politics and Social Development*. New York: Knopf, 1983. p. 47-68; e impresso novamente em ARMITAGE, David (ed.). *Theories of Empire, 1450-1800*. London: Variorum Press, 1998.

"civilização". E também criou um precedente. Nos cem anos seguintes, nativos, negros, católicos e, por extrapolação, os irlandeses católicos do Novo Mundo seriam frequentemente alijados da sociedade a que, com demasiada frequência, definia-se a si mesma por meio da diferença e reforçava a predominância de um núcleo étnico branco protestante.

Tudo isso estava no futuro. Nas décadas de 1560 e 1570, a eliminação dos irlandeses era sintomática da instabilidade da Coroa inglesa na época e absorvia recursos que poderiam ter sido dedicados a empreendimentos mais ambiciosos mais para frente. Quando não estava espalhando terror na Irlanda, Gilbert encontrava tempo para consultar as publicações oriundas do Novo Mundo, em especial *The Whole and True Discovereye of Terra Florida* [A completa e verdadeira descoberta da Terra Flórida] (1563), do oficial naval e navegador francês Jean Ribault, que insistia na grande riqueza que se podia encontrar do outro lado do Atlântico. Em 1562, Ribault havia liderado uma expedição à porção sudeste da América com o intuito de lá criar uma colônia para os huguenotes franceses. Na prática, os esforços iniciais de Ribault enfrentaram contratempos semelhantes aos que atingiriam depois os ingleses; rixas internas, dificuldades com indígenas nativos e com os espanhóis e uma estrutura disciplinar excessivamente severa para a colônia. Ribault instalou-se inicialmente em uma das ilhas marítimas ao largo da costa da Carolina do Sul (Ilha Parris), mas quando retornou à França para buscar mantimentos, a colônia minguou e logo dispersou-se, e muitos dos colonos originais voltaram à França. Foi somente vários anos mais tarde que Ribault conseguiu criar temporariamente uma colônia em Fort Caroline, perto da atual Jacksonville, Flórida, mas deixou ali sua vida, morto pelos espanhóis em 1565 quando eles retomaram controle daquela parte da Flórida. No entanto, as experiências de Ribault certamente influenciaram o interesse crescente da Inglaterra pela colonização da América. Ele havia discutido a possibilidade de um empreendimento de colonização americana com potenciais financiadores ingleses e com a própria rainha Elizabeth I. Muito naturalmente, os relatos de Ribault despertaram o interesse de Gilbert. Em 1578, ele adquiriu uma patente para colonizar qualquer parte do globo não detida por um monarca cristão e finalmente organizou uma expedição à Terra Nova em 1583. Pode ter parecido, para os irlandeses pelo menos, que havia alguma justiça no fato de que ele perdeu-se no mar no caminho de volta.

Dado que o recentemente condecorado (1580) *sir* Walter Ralegh fora investidor no malfadado empreendimento exploratório de Gilbert, era talvez inevitável a possibilidade de que, caso Gilbert não retornasse do Novo Mundo, Ralegh adquirisse a patente (1584) no seu lugar, o que lhe permitiria estabelecer domínios em qualquer local da costa americana. Na linguagem oficial da época, ele recebeu permissão "para descobrir, procurar, encontrar e avistar terras, países e territórios remotos, pagãos e bárbaros, não possuídos atualmente por qualquer príncipe cristão, nem habitados por povos cristãos" com vistas à colonização.[2] Uma viagem de reconhecimento realizada em 1584 por Arthur Barlowe e Philip Amadas chegou à Ilha Roanoke, ao largo da costa da Carolina do Norte. Ao retornar à Inglaterra no outono daquele ano levando dois indígenas nativos e um saco de pérolas, Barlowe prometeu no seu relato um mundo mais do que adequado para a colonização, uma terra de nativos amistosos e pacatos e dádivas naturais ilimitadas. "O solo é o mais abundante, ameno, frutífero e sadio de todo o mundo", relatou Barlowe, e a ilha ostentava "muitas matas portentosas, cheias de cervos, coelhos, lebres e aves, mesmo em pleno verão, em incrível abundância". "Creio que em todo o mundo não se acha tamanha abundância", ele observou, "e tendo visto por mim mesmo aquelas partes da Europa que mais abundam, julgo a diferença incrível demais para ser escrita." Os nativos também se mostraram mais do que acolhedores, pois abasteciam a expedição diariamente com "um ou dois pares de gordos cervos, coelhos, lebres, peixe, e os melhores do mundo", bem como "diversos tipos de frutas, melões, nozes, pepinos, abóboras, peras e diversas raízes e frutos muito excelentes". A velocidade com que cresciam as culturas nesse paraíso maravilhou os europeus; depois de plantar ervilhas que haviam levado com eles, ficaram atônitos ao vê-las atingir 35 centímetros em dez dias. As possibilidades eram claramente infinitas.

O relato de Barlowe, apesar de louvar todos os aspectos da natureza e dos nativos que ele encontrou, continha algumas observações de cunho mais sinistro. Se os nativos pareciam pacíficos na companhia dos seus visitantes, eles certamente não eram pacifistas. Os europeus não puderam encontrar-se com o rei da ilha, Wingina, em pessoa, pois ele estava se recuperando de um ferimento sofrido em batalha, e Barlowe reconheceu que seus anfitriões "entretêm uma guerra mortífera e terrível com o povo e rei vizinho". Ele

---

2   A patente concedida a Ralegh em 1584 está incluída em BARLOW, Arthur. *The First Voyage to Roanoke, 1584: The First Voyage Made to the Coasts of America, with Two Barks, wherein Were Captains M. Philip Amadas and M. Arthur Barlowe, Who Discovered Part of the Countrey Now Called Virginia, anno 1584. Written by One of the Said Captaines, and Sent to Sir Walter Ralegh, Knight, at Whose Charge and Direction, the Said Voyage Was Set Forth*. Boston: [s. n.], 1898. p. 12-7.

também relatou o entusiasmo acentuado dos nativos "por nossos machetes e machados e por facas". Ele acrescenta: "eles dariam qualquer coisa por espadas: mas nós não tencionávamos nos desfazer de nenhuma".[3]

Não se podia esperar que os ingleses desejassem ceder qualquer armamento, naquele momento ou no futuro. Uma das atrações da Ilha Roanoke, para Ralegh pelo menos, tinha pouco a ver com sua abundância natural e tudo a ver com sua proximidade das colônias espanholas na Flórida. A ilha oferecia uma base útil, a partir da qual os navios ingleses podiam ameaçar a supremacia espanhola, o que era a principal ambição de Ralegh. Mesmo antes de Barlowe e Amadas retornarem, Ralegh havia encomendado a Richard Hakluyt, seu amigo e geógrafo de Oxford, uma curta obra, nunca publicada, destinada a persuadir Elizabeth I a apoiar os planos de colonização de Ralegh no Novo Mundo. Hakluyt havia, dois anos antes, contribuído para o que estava se tornando uma literatura florescente sobre a exploração das Américas com suas *Divers Voyages Touching the Discoverie of America and the Islands Adjacent unto the Same, Made First of all by our Englishmen and Afterwards by the Frenchmen and Britons* [Diversas viagens sobre a descoberta da América e ilhas adjacentes até a mesma, feitas antes de mais nada pelos nossos ingleses e mais tarde pelos franceses e britânicos] (1582). Agora, com o incentivo de Ralegh, ele produzira *A Particular Discourse Concerning Western Discoveries* [Um discurso particular referente às descobertas do Ocidente] (1584), que era na verdade uma polêmica a favor da colonização inglesa na América.

No contexto de uma Inglaterra preocupada com a pobreza e a superpopulação, o argumento de Hakluyt foi bem recebido. A população da Inglaterra estava crescendo nos séculos XVI e XVII: de 2,3 milhões em 1520, subiu para 3,75 milhões em 1603 e 5,2 milhões em 1690, mas sua economia não acompanhou essa ascensão. Enquanto Hakluyt escrevia, os efeitos nefastos dessa situação já estavam se tornando evidentes. Nós "nos tornamos mais populosos do que nunca", observou Hakluyt, tão numerosos, de fato, "que eles não conseguem mais viver um ao lado do outro: não, em vez disso, eles estão prontos para comer uns aos outros". O desemprego resultante, ele concluiu, gerava indivíduos que ameaçavam a ordem social ou que eram, no mínimo, "muito onerosos para a comunidade". Propensos "ao furto, ao roubo e a outras perversões, de modo que todas as prisões do país são importunadas diariamente", esses párias sociais destinavam-se a "definhar"

---

3   *Ibid.*, p. 3, 5 e 7.

ou ser "miseravelmente enforcados". Era muito melhor, sugeriu Hakluyt, ao antecipar o que se tornaria uma defesa padrão da migração forçada, que esse excedente populacional fosse empregado para criar e manter colônias inglesas na América. Ele tinha uma visão bem eclética de quais competências e ofícios poderiam ser considerados excedentes. A colonização, argumentou ele, daria

> assunto para todos os tipos e estados de homens trabalharem: especificamente, todos os diversos tipos de artífices, agricultores, marinheiros, mercadores, soldados, capitães, médicos, advogados, adivinhos, cosmógrafos, hidrógrafos, astrônomos, historiógrafos, até pessoas idosas, aleijados, mulheres e crianças pequenas, por muitos meios que assim ainda lhes serão fornecidos, serão afastados da ociosidade e tornados capazes pelo seu próprio trabalho honesto e fácil de se sustentar sem sobrecarregar os outros.

Ausente na lista de Hakluyt estava o clero, o que é especialmente revelador, considerando que ele precedeu sua descrição de todos os outros benefícios a serem obtidos pela colonização, com a observação de que essa serviria, acima de tudo, "grandemente para o incremento do evangelho de Cristo, tarefa que cabe preponderantemente aos príncipes da religião reformada, dentre os quais sua Majestade é o principal". Em suma, ela espalharia o protestantismo. Ao fazê-lo, espalharia a liberdade e resgataria os povos indígenas não só dos perigos do paganismo, mas do "orgulho e da tirania" da Espanha. "Foram tantas e tão monstruosas as crueldades da Espanha", afirmou Hakluyt, "tantos massacres e assassinatos estranhos daquelas pessoas pacíficas, humildes, doces e gentis junto aos saques das cidades, províncias e reinos que foram mais impiamente perpetrados nas Índias Ocidentais", que se "a rainha da Inglaterra, monarca de tamanha clemência", governasse na América para espalhar a "humanidade, cortesia e liberdade", então os nativos certamente se revoltariam contra os espanhóis.

O foco principal de Hakluyt, no entanto, eram os benefícios materiais imediatos da colonização para a Inglaterra. A ocupação da América geraria, ressaltou ele, enormes ganhos econômicos na forma de "todas as mercadorias da Europa, África e Ásia". Ele sugeriu que ela "suplantaria as carências de todos os nossos comércios decaídos", ofereceria emprego para "quantidades de homens ociosos" e talvez, acima de tudo, "seria um grande freio nas Índias para o rei da Espanha", além de servir "grandemente ao aumento, manutenção e segurança da nossa Marinha e especialmente da grande frota, que é a força do nosso reino". Caso a rainha não se convencesse diante de tudo isso, Hakluyt salientou que a Inglaterra não podia permitir-se "procrastinar a implantação" porque, se ela não colonizasse a América, outras nações certamente o fariam. Nada menos do que a honra da Inglaterra estava em jogo.[4]

Felizmente, pouca coisa no relato de Barlowe – nem suas descrições das benesses naturais nem as dos nativos receptivos ou mesmo totalmente pacíficos – contradizia diretamente o que Ralegh, por intermédio de Hakluyt, dissera à rainha. Ofereceu-se, portanto, um apoio limitado ao plano de Ralegh na forma de um navio de linha, o Tyger. Num certo sentido, isso deu o tom para toda a empreitada, e era um tom marcial. Embora politicamente mais estável na década de 1580, a monarquia Tudor sob o comando de Elizabeth I não estava transbordando de recursos para aplicá-los na colonização da América. Nenhum navio inglês podia permitir-se arriscar-se em alto-mar sem alguma esperança de adquirir tesouro, na forma de presas espanholas. Foi por essa razão que a expedição Roanoke, com a suposta finalidade de salvar os nativos *roanoke* da ameaça da crueldade espanhola, foi desde o início posta nas mãos de um grupo de homens cujo aprendizado na linha de colonização havia ocorrido na Irlanda. Homens como Richard Grenville, Thomas Cavendish e Ralph Lane certamente possuíam a experiência militar necessária para ameaçar os espanhóis, mas eram menos capacitados para tratativas diplomáticas com os nativos de Roanoke, junto aos quais eles esperavam assentar-se. Para acompanhar esses homens de guerra quando a expedição zarpou em abril de 1585, havia um sortimento variado de marinheiros, soldados e colonos, o pintor John White, o matemático Thomas Hariot e os dois nativos que haviam acompanhado Barlowe e Amadas até a Inglaterra no ano anterior, Wanchese e Manteo.

Apesar de ter cruzado o Atlântico em pouco tempo, a expedição teve problemas ao chegar quando o Tyger encalhou e os suprimentos destinados a apoiar a nova colônia estragaram. Não obstante, sob a direção de Lane, foi criado um assentamento e construído um forte. Os relatos iniciais de Lane eram promissores, e o povo de Wingina foi, como antes, acolhedor e generoso com provisões, de forma que a perda da carga do Tyger não foi, inicialmente, o desastre que poderia ter sido. É mais difícil avaliar se isso causou mais problemas a longo prazo ou se a total falta de capacidade dos colonos de bastar a si mesmos era intrínseca à natureza militar da empreitada. O que é certo é o fato de que esses primeiros colonos,

---

4   O discurso de Hakluyt pode ser lido na íntegra em HAKLUYT, Richard. *The Voyages of the English Nation to America*. v. II. Edinburgh: [s. n.], 1889. p. 175-276.

como aconteceria com os próximos, fizeram pouco esforço para tornarem-se autossuficientes e dependiam quase inteiramente da liberalidade dos seus anfitriões e, quando esta chegava ao limite, recorriam à violência para garantir sua sobrevivência.

Todavia, em Roanoke, a violência acabou por derrotar a si mesma. Os ingleses mataram a galinha dos ovos de ouro. Lane assassinou Wingina e, assim como Grenville, que havia deixado Roanoke no ano anterior, também estava regressando para a Inglaterra. Por não encontrar sinal de Lane ou da colônia, Grenville postou um pequeno destacamento de homens no forte e fez-se ao mar com a perspectiva de apresar mais navios espanhóis. Em julho de 1587, o artista John White chegou com sua família, o nativo Manteo e mais de cem colonos potenciais. White deixou-os lá e navegou com a frota para a Inglaterra a fim de obter suprimento; ele chegou em casa exatamente a tempo de seu navio ser confiscado como parte da defesa da Inglaterra contra a Armada espanhola (1588). Ao retornar em 1590, ele encontrou a colônia Roanoke abandonada e os colonos, incluindo sua filha e neta, desaparecidos. Tudo o que restava era a palavra "croatoan" entalhada numa árvore. Era possivelmente uma referência ao povo *croatan*, mas se os colonos haviam sido salvos ou mortos por eles, ninguém sabia. No que dizia respeito aos ingleses, o destino da "colônia perdida" de Roanoke só podia ser imaginado.

Esse começo funesto não trazia bons presságios para os futuros esforços de colonização ingleses, tampouco diminuiu o entusiasmo crescente pelas oportunidades que se acreditava existir do outro lado do Atlântico. Ao chamar a terra de Virgínia, Ralegh havia lhe conferido uma validade que ela não tivera anteriormente na visão de mundo dos ingleses. Não mais uma terra incógnita, a Virgínia tornou-se um lugar no mapa, fixado na imaginação dos ingleses como uma localização e uma propriedade em potencial. Na mente dos ingleses, ela transformou-se, como Thomas Hariot viria a descrevê-la, em uma "Terra Nova" que, tendo sido "descoberta", não poderia mais ser esquecida. O estudo de Hariot, *A Briefe and True Report of the New Found Land of Virginia* [Um breve e verdadeiro relato da Nova Terra da Virgínia], publicado pela primeira vez em 1588, e dois anos mais tarde com gravuras de Bry baseadas em ilustrações de White e traduzido para o inglês por Hakluyt, era em todos os sentidos uma visão compósita do estado do entendimento do Novo Mundo na Inglaterra na época em que foi publicado. Tal relato oferecia uma avaliação do país e de sua população mais comedida do que muitos relatos anteriores ou obras de propaganda haviam fornecido e, mesmo reconhecendo o fracasso da expedição Roanoke, mantinha o interesse na possibilidade de colonização da América (IMAGEM 2).

O relato de Hariot coincidia com uma multiplicidade de diferentes apontamentos no que dizia respeito à exploração e colonização da América. Acima de tudo, ele procurava contestar o que Hariot descrevera como os numerosos "discursos caluniosos e vergonhosos propagados no exterior por muitos que retornaram" do Novo Mundo. Para Hariot, tratava-se de gerir as expectativas:

> Alguns também eram de boa educação, apenas nas cidades ou vilas, ou do tipo que nunca (se posso dizer) havia visto o mundo antes. Porque não se podia encontrar nenhuma cidade inglesa, nem belas casas, nem quando o desejassem nada da comida refinada com a qual estavam acostumados, nem camas macias de penugem ou penas: o país para eles era deplorável, e seus relatos de lá o mostravam.

Longe de deplorável, a Virgínia era – insistiu Hariot – uma terra de grande promessa natural, adequada para comerciantes e colonos. Ele abriu seu argumento com a referência aos bens de luxo. Os bichos-da-seda na Virgínia, relatou ele, eram "tão grandes quanto nossas nozes comuns", e tudo de que se precisava era plantar amoreiras para desenvolver uma sericultura produtiva e rentável. O objetivo era o desenvolvimento. A observação de Hariot de que a abundância natural, seja na forma de madeira, minério, peles, frutas ou cereais, exigia simplesmente a aplicação do trabalho inglês – nem mesmo de um trabalho pesado – para tornar-se economicamente viável era mais do que um convite ao lucro; foi a base na qual os ingleses justificaram sua usurpação da terra dos povos indígenas, a quem pertencia o país. Passando ao tema desses povos, Hariot relatou que, "comparados conosco, eles são um povo pobre, e, por falta de habilidade e juízo no conhecimento e uso das nossas coisas, estimam mais nossas bugigangas do que coisas de maior valor". Não obstante, ele considerava-os "muito engenhosos, pois, embora não tenham ferramentas nem os mesmos ofícios, ciências e artes que nós, mesmo assim, nas coisas que fazem, eles demonstram excelência de espírito". Não seria uma grande dificuldade, ele propôs, mostrar aos nativos o erro dos seus modos não ingleses. Assim que eles entendessem "que nosso modo de conhecimento e ofícios excede o deles em perfeição e velocidade de feitura ou execução", afirmou ele, "tanto mais provável será que eles desejem nossa amizade e amor e tenham

CAPÍTULO 1 – TERRA NOVA: IMAGINAR A AMÉRICA | 45

IMAGEM 2. Página de rosto de Thomas Hariot, *A Briefe and True Report of the New Found Land of Virginia: of the Commodities and of the Nature and Manners of the Naturall Inhabitants: Discouered bÿ the English Colonÿ There Seated by Sir Richard Greinuile Knight In the ÿeere 1585: Which Remained Vnder the Gouerenment of Twelue Monethes, At the Speciall Charge and Direction of the Honourable Sir Walter Raleigh Knight Lord Warden of the Stanneries Who therein Hath Beene Fauoured and Authorised bÿ Her Maiestie and Her Letters Patents* (Londres, 1588, 1590). Coleções Especiais da Universidade de Newcastle.

o maior respeito por nos agradar e obedecer".[5] Em suma, a conversão dos nativos às normas europeias, tanto culturais quanto religiosas, parecia uma possibilidade real.

As ilustrações de White para o volume de Hariot reforçavam o argumento do texto. Suas imagens dos povos algonquinos da América eram, de todas as que haviam sido publicadas, talvez as mais naturalistas e expressivas. Porém, entre um leitorado mais interessado, talvez, no pano de fundo contra o qual esses indivíduos eram retratados, foi sua primeira imagem que obteve mais repercussão (IMAGEM 3). O que Hakluyt, Hariot e outros no fim do século XVI ofereciam à Europa era um novo Éden no Novo Mundo. Alguns acreditaram literalmente na sua existência: Colombo foi um dos que continuaram a acreditar na existência de um novo Éden na nascente do rio Orinoco na Guiana (atual Venezuela). Quase exatamente cem anos depois, Ralegh zarpou na mesma direção, embora estivesse em busca do lucro, não do paraíso – El Dorado, não Éden. Acima de tudo, era o apelo constante da colônia, a chance de começar de novo em uma versão imaginária do mundo antes da Queda do homem, que estava sendo oferecida. O *Relato da Nova Terra da Virgínia* de Hariot era, metaforicamente falando, o Livro do Gênesis. Mas, na ilustração de White, Eva já está com a mão na maçã. A Virgínia podia ser um novo Éden, mas seus habitantes originais estavam prestes a ser expulsos dele.

Na década de 1580, a monarquia Tudor sob o comando de Elizabeth havia alcançado uma estabilidade suficiente para contemplar um aumento do comércio exterior e da exploração. O crescimento de uma nova empresa, a sociedade por ações, tornou o financiamento dessas empreitadas uma proposta mais realista. A primeira delas foi a Companhia da Moscóvia (ou Russa), constituída em 1553 com o objetivo de encontrar uma passagem a nordeste para as Índias. Sua carta serviu de base para todos os empreendimentos futuros, e foi graças a companhias como a da Virgínia de Londres, constituída como Companhia de Londres em 1606 (tornou-se a Companhia da Virgínia em 1609), três anos depois da morte de Elizabeth, que os futuros empreendimentos no Novo Mundo seriam realizados. Ralegh já havia vendido seus direitos na Virgínia a um dos maiores mercadores de Lon-

---

5   HARIOT, Thomas. *A Briefe and True Report of the New Found Land of Virginia: of the Commodities and of the Nature and Manners of the Naturall Inhabitants: Discouered bÿ the English Colonÿ There Seated by Sir Richard Greinuile Knight In the ÿeere 1585...* Illustrations by John White. Traduzido do Latim para o Inglês por Richard Hakluyt. New York: J. Sabin & Sons, 1871. p. 6-7 e 25. [No original os trechos entre aspas estão em inglês antigo. (N.E.)]

IMAGEM 3. Primeira prancha (37-8) de Thomas Hariot, *A Briefe and True Report of the New Found Land of Virginia* (1590). *Coleções Especiais da Universidade de Newcastle.*

dres, *sir* Thomas Smith, e foram Smith e Hakluyt que lideraram a subsequente incursão inglesa de grande porte na Virgínia. Contudo, tratava-se de um tipo bem diferente de proposta de colonização. Se os homens com esperanças de lucro na América haviam sido comedidos pela experiência de Roanoke, eles foram igualmente refreados quanto à possibilidade de tornar a colonização rentável. Com a ascensão aos tronos inglês e escocês de Jaime I (e VI), a Inglaterra não podia mais ser declaradamente antagônica com relação à Espanha, nem cobiçar presas espanholas para proporcionar retorno de todos os empreendimentos transatlânticos. Se havia lucro a ser obtido, este o seria por meio das muitas plantas, culturas, minerais e da promessa de uma terra que as obras publicadas sobre a Virgínia haviam enumerado e mapeado em minúcias.

A Companhia da Virgínia esperava, pois, atrair colonos que congregariam seus recursos, financeiros e humanos, para colonizar essa região. As ações da companhia estavam disponíveis para "aventureiros", cuja passagem era paga pela companhia, ou as ações podiam ser adquiridas simplesmente pagando a própria passagem. O plano em longo prazo era o de que o lucro resultante financiasse futuros colonos, alguns desempregados, alguns qualificados, que serviriam para formar o que era chamado de trabalho servil (*indenture*). Eles trabalhariam para a Companhia da Virgínia por sete anos e depois estariam livres para fazer suas próprias fortunas no Novo Mundo. Quanto aos povos indígenas, a Companhia da Virgínia, desde o início, era prudente no contato e, ao mesmo tempo, mais ambiciosa com relação ao que poderia ser realizado em termos de conversão ao cristianismo na sua forma protestante. As intenções da Companhia da Virgínia, enfatizavam seus fundadores, não diziam respeito apenas ao lucro, mas às almas. Embora esta tivesse dado instruções ao capitão Christopher Newport, responsável pela expedição, de "não retornar sem uma pepita de ouro, uma certeza do mar do Sul, ou algum dos enviados por *sir* Walter Raleigh" que se perderam da companhia, eles procuravam dar um viés mais moralista à empreitada e às intenções da companhia. Os "fins para os quais foi constituída", enfatizaram eles, "não são simplesmente uma questão de comércio, mas de uma natureza superior".[6] Na sua visão propalada, pelo menos, os investidores, os índios e os indigentes da Inglaterra se beneficiariam com esse mais novo empreendimento no Novo Mundo.

Embalados por essas elevadas esperanças, os 104 homens e meninos que fizeram a travessia no Susan Constant, no Godspeed e no Discovery sob a liderança de Newport chegaram ao promontório meridional da Baía de Chesapeake em abril de 1607. Eles não ficaram por muito tempo. Enquanto faziam um reconhecimento do litoral, eles foram rechaçados de volta aos seus navios pelos locais. Mas Hakluyt havia dado a eles instruções

---

6 *The Records of the Virginia Company*. v. II. The Court Book. Washington, D.C.: Government Printing Office, 1906. p. 527.

de onde seria melhor estabelecer a colônia, e no mês seguinte eles selecionaram o local, 100 quilômetros para o interior no recém-nomeado Rio James, que eles chamaram de Jamestown. Desde o começo a colônia penou. Os indígenas algonquinos, governados por Powhatan, ficaram compreensivelmente desconfiados e, por vezes, abertamente agressivos, mas isso não foi a maior ameaça que a colônia de Jamestown enfrentou. Seu principal problema nos primeiros anos foi a fome, que, dada a abundância natural descrita anteriormente por Barlow, Hakluyt e Hariot, e repetida em documentos promocionais como a *Nova Britannia: Offering most excellent fruites by Planting in Virginia* [Nova Britânia: ofertas das mais excelentes frutas ao se plantar na Virgínia] (1609) de Robert Johnson, era a última coisa que os promotores esperavam.

Johnson prometera um "paraíso terrestre" que era "louvável e auspicioso em todos os aspectos" e oferecia um "ar e clima mais suave e sadio, muito mais quente do que a Inglaterra e muito agradável para nossas naturezas". Decerto, ele admitia a existência de "pessoas ferozes e selvagens" que "não têm outra lei além da natureza", mas elas eram, ele garantia ao leitor, "geralmente muito amáveis e gentis" e seriam facilmente "redimidas e aceitariam de bom grado uma condição melhor". Acima de tudo, Johnson reforçou a mensagem trazida das viagens anteriores de que a "terra provê naturalmente, para o sustento do homem, abundância de peixes de escama e de concha; de aves da terra e da água, provisão infinita; de cervos, corças e gamos, veados, coelhos e lebres, com muitas frutas e raízes boas para a carne". Havia, além disso, "vales e planícies regados por fontes aprazíveis, como veias em um corpo natural".[7] Em meio a tamanha abundância, quem poderia carecer de algo?

A resposta era bastante simples, mesmo se as razões por trás dela fossem mais difíceis de entender. Embora os colonos ingleses tivessem chegado com toda intenção de proveito próprio e talvez, dependendo do grau das suas convicções religiosas, ajudar os nativos incultos, na verdade a Virgínia desafiava a superioridade subjacente sobre a qual se baseavam essas expectativas. De início, ainda que nem tudo corresse exatamente como planejado quanto aos nativos amistosos e à plantação rentável, a fome efetiva foi evitada pelos esforços do capitão John Smith, um dos conselheiros originais da colônia nomeados pelo rei. Smith não só garantiu a sobrevivência

---

7 *Nova Britannia: Offering most excellent fruites by Planting in Virginia* (1609) de Robert Johnson. Rochester, NY: George P. Humphrey, 1897. p. 6 e 10. (American Colonial Tracts Monthly, n. 6).

da colônia de Jamestown nos seus primeiros e precários anos, mas deu à América uma das suas lendas fundadoras mais duradouras. O salvamento de Smith pela filha de Powhatan, Pocahontas, forneceu um dos primeiros símbolos das possibilidades multirraciais e mestiças da América quando Pocahontas (ou Rebecca, como os ingleses escolheram nomeá-la) depois casou-se com outro dos colonos de Jamestown, John Rolfe. Smith conseguiu forçar os colonizadores a trabalhar e negociou suprimentos adicionais com a Confederação Powhatan. Foi quando ele deixou Jamestown no outono de 1609 que a situação deteriorou-se. Smith deixou para trás uns 500 colonos em Jamestown. Ao findar o que ficou conhecido como o "período da fome", no inverno de 1609-1610, haviam restado 60.

Como ele apresentou mais tarde esse período horrendo da história da colônia, o próprio Smith não tinha dúvidas acerca da sua causa. Na sua *Generall Historie of Virginia, New-England and the Summes Isles* [História geral da Virgínia, da Nova Inglaterra e das Ilhas Somers] (1624), Smith basicamente copiou, como ele estava habituado a fazer, as observações anteriores de Hariot sobre os ingleses no exterior, mas a verdade consistia no fato de que nada no assentamento original de Jamestown sugeria que a observação de Hariot tivesse sido equivocada. Embora ele tivesse anteriormente repreendido os algonquinos por tirar "um benefício tão pequeno da sua terra, fértil como nunca se viu", Smith descobriu que os colonos ingleses não eram melhores no plantio e, como provariam os acontecimentos, muito piores em viver da terra. Como foi narrado depois por um dos colonos sobreviventes, os problemas que afligiram Jamestown após a partida de Smith foram causados pelos próprios colonizadores. Ao notar que estavam ficando sem comida, seu comportamento tornou-se desesperado, tão desesperado que alguns da "laia mais pobre" desenterraram o cadáver de um nativo e o comeram. Outro colono assassinou sua esposa, "empanou-a e comeu parte dela antes de ser descoberto, pelo que foi executado, como bem merecia". Se "ela ficaria melhor assada, cozida ou grelhada, eu não sei", comentou o escritor, "mas nunca ouvi falar de um prato como esposa empanada". Os acontecimentos do inverno de 1609-1610 foram, como ele descreveu, quase "demasiado vis para dizer e extraordinários para ser cridos", mas decorreram de uma "falta de providência, indústria e governo, e não da esterilidade e defeito do país, como geralmente se supõe".[8]

---

8   SMITH, John. Generall Historie of Virginia... In: Id.. *Travel and Works of Captain John Smith*. Parte I. Edinburgh: John Grant, 1910, p. 378, 360; descrições da Virgínia após a partida de Smith em *The Life and Adventures of Captain John Smith*. New York: H. Dayton, 1859. p. 185-7.

Tanto o auxílio dos povos da Confederação Powhatan como a chegada de suprimentos da Inglaterra em 1610 e 1611 garantiram que tais extremos nunca mais fossem vivenciados em Jamestown, mas a colônia ainda lutava para prosperar. As relações entre os colonos passaram a ser regidas pela imposição da disciplina militar na forma de *Leis divinas, morais e marciais*, introduzidas pelo governador Lord De la Warr e seu deputado, *sir* Thomas Gates. Elas prescreviam a morte para uma variedade de crimes e delitos, que iam do simples furto de uma espiga de milho à blasfêmia. Haja vista a rudeza com que se tratavam mutuamente, não surpreende que a relação dos colonos com a Confederação Powhatan tenha azedado após 1610. A história dos primórdios da Virgínia tinha mais do que uma semelhança passageira com a "lenda negra" da colonização espanhola nesse aspecto, como em outros. Muito longe de ser uma terra cheia de promessas naturais, a Virgínia mostrou-se um ambiente mortal. Nele a doença e às vezes os nativos hostis operavam em conjunto, como uma Chesapeake em escala reduzida, em uma versão inversa do intercâmbio colombiano, para minar as tentativas da Companhia da Virgínia de criar no Novo Mundo um assentamento duradouro, ou uma série de assentamentos que se ajudassem mutuamente. Embora Smith e outros acreditassem que as dificuldades tivessem pouco a ver com algum "defeito do país", na verdade elas eram, em parte, ambientais. Apesar das instruções dadas pela companhia aos colonos originais em 1606 para que não "plantassem em lugar baixo ou úmido", Jamestown era mal localizada para a saúde e especialmente letal nos meses de verão. Mas o fato notável é que as altas taxas de mortalidade e a aparente incapacidade dos colonizadores de extrair sustento, muito menos riqueza, daquela terra que parecia prometer tanto não foram o fim da versão inglesa inicial do sonho americano, mas apenas o começo.

Apesar de todas as provas em contrário de Roanoke e depois de Jamestown, na Inglaterra dos séculos XVI e XVII prevaleceu a ideia de que a natureza do Novo Mundo, se não era desprezada pelos seus habitantes, era certamente subexplorada; em suma, que os colonos ingleses, como sugerira Hariot, poderiam tirar mais proveito dela. As repercussões dessa crença para as áreas de povoação inglesa foram antecipadas em uma obra muito lida que foi informada pelas explorações de Américo Vespúcio no início da "era dos descobrimentos": *A utopia* de Thomas More (1516). More, como Hakluyt, preocupava-se com as condições sociais do seu tempo, particularmente a pobreza e agitação social resultante. Na utopia insular imaginária e um tanto assustadora de More, remover o excedente populacional para alguma colônia distante no continente era corriqueiro. "A colônia seria governada segundo as leis utopianas", informa-se ao leitor, "e chamaria, para integrá-la, os nativos que quisessem partilhar de seus trabalhos e gênero de vida". "Se os colonos encontram um povo que aceita suas instituições e costumes, formam com ele uma mesma comunidade social, sendo esta união benéfica a todos". No entanto, "se os colonos encontram uma nação que repele as leis da Utopia, eles expulsam esta nação da região do país que almejam colonizar". A oposição a essa exclusão, no universo semifictício de More, resultaria em conflito. Os utopianos "a guerra mais justa é aquela que se faz contra um povo que possui imensos territórios incultos e que os conserva desertos e estéreis, notadamente quando este mesmo povo interdita a sua posse e o seu uso aos que vêm para cultivá-los e deles se nutrir, conforme a lei imprescritível da natureza".[9]

Quase 200 anos depois, na virada para o século XVIII, os intelectuais ingleses ainda estavam meditando sobre esses dilemas morais e práticos. Quando o filósofo John Locke propôs, no *Segundo tratado sobre o governo civil* (1690), que "no início, portanto, o mundo todo era uma América", ele o fez no contexto da sua discussão mais ampla da propriedade e da natureza da posse. Era o trabalho, argumentou ele, que conferia valor à terra e instituía o direito a ela. Sem trabalho, a terra não valia nada e, se não fosse beneficiada pelos padrões europeus, estava simplesmente aberta a todos. "Não pode haver mais clara demonstração disso do que o das muitas nações americanas", observou ele, "que são abundantes em terras, e pobres quanto aos confortos da vida".* Porém, os primeiros colonos ingleses do século XVI e começo do XVII tinham pouco interesse em aplicar seu trabalho ao Novo Mundo, muito menos atuando junto à população indígena para criar uma nova sociedade utópica multirracial rica em confortos da vida. Só sua presença, nas suas mentes, estabelecia a reivindicação que eles validavam por meio da sua resposta imaginária ao Novo Mundo e seus povos que se aproximavam do estado de natureza. Depois das incursões iniciais naquele mundo por exploradores como Colombo e potenciais colonos como Grenville, no começo do século XVII a América já não era mais uma terra totalmente desconhecida, *terra incognita*. A imaginação, porém, transformava-a de um ambiente já povoado para uma tela em branco,

---

9   MORE, Thomas. *A utopia*. Harmondsworth, Middlesex: Penguin, 1986. p. 79-80. [Edição brasileira: Trad. de Luís de Andrade. São Paulo: Edipro, 2014. p. 58. (N.E.)]

*   Ver LOCKE, John. *Segundo tratado sobre o governo civil*. São Paulo: Edipro, 2014. p. 52 (§ 41). (N.E.)

uma *tabula rasa* na qual a variedade de esperanças e aspirações europeias poderia ser projetada.

Essas fantasias que os ingleses alimentavam com relação à América no começo do século XVII também apresentavam um nítido viés de gênero. A América, especificamente a Virgínia, nomeada por Ralegh em homenagem à "Rainha Virgem", era frequentemente descrita não só como um jardim edênico ou terra virgem, mas como uma mulher virgem metafórica. Ficou famosa a descrição de Ralegh da Guiana como "um país que ainda possui sua virgindade, nunca arrebatada, magoada, nem manipulada". Essa feminização da paisagem não era específica dele nem do sul das Américas, mas sim um elemento intrínseco do apelo da Virgínia na literatura primeiramente descritiva e depois diretamente promocional. Em parte, isso decorria da retórica da colonização que via o Novo Mundo não somente como uma terra a ser conquistada por exploradores e aventureiros masculinos, mas potencialmente grávida de possibilidades materiais e capaz de produzir, em um certo sentido, um herdeiro para as ambições inglesas na forma de uma Inglaterra transplantada. Era o que Hakluyt almejava quando descrevera a Virgínia como a "noiva" de Ralegh, informando que ela "logo dará rebentos novos e mais abundantes, que encantarão a ti e aos teus e cobrirão de desgraça e vergonha aqueles que por tantas vezes ousaram acusá-la precipitadamente e impudentemente de infertilidade".[10] Não surpreende, no contexto da Inglaterra dos Tudor, que uma fixação na fecundidade possa influenciar a linguagem usada para descrever o Novo Mundo; mas havia nisso algo mais.

A partir do período das primeiras explorações das Américas, mas especialmente na virada do século XVII, quando a Inglaterra estava procurando estabelecer-se na América, não há dúvida de que as possibilidades oferecidas pela colonização capturavam não somente os ingleses, mas a imaginação europeia. Por meio de publicações, impressos e representações, essa imaginação recebia várias imagens contraditórias do Novo Mundo e seus habitantes, elas mesmas derivadas da pletora de ideias e argumentos sobre natureza, cultura, relações sociais e religião que informavam o mundo no final do século XVI e início do XVII. Do ensaio de Michel de Montaigne "*On Cannibals*" ["Sobre os canibais"] (1580) ao tratamento de Shakespeare de um "'admirável mundo novo/ Que tem tais pessoas nele" em *A tempes-*

---

10 HAKLUYT *apud* ROWSE, A. L. *The Elizabethans and America*. New York: Harpers, 1959. p. 51.

tade (c. 1611) e à referência posterior de Milton (1667) à "descoberta" por Colombo "do americano, envolto/ Em um cinturão de penas, nu e selvagem,/ Entre as árvores nas ilhas e costas arborizadas" no *Paraíso perdido*, muitas das questões ligadas à ocupação do Novo Mundo foram difundidas e exploradas. Porém, à medida que os ingleses mediam e mapeavam a paisagem americana, suas razões para fazê-lo mudavam. Para os patrocinadores da colônia da Virgínia, tornou-se crucial não fazer uma distinção muito clara entre o admirável mundo novo da América e a Inglaterra. Se sua estranheza tornava-a exótica e por isso mesmo potencialmente atraente, a Companhia da Virgínia reconheceu que os potenciais colonos, ao contrário dos investidores, poderiam estar mais interessados em quão facilmente o não familiar podia ser transformado em familiar. Portanto, a literatura promocional insinuava que, com apenas um pequeno esforço, esse Novo Mundo se tornaria uma extensão melhorada do Velho e, talvez com mais esforço, seus habitantes "nus e selvagens" poderiam tornar-se ingleses.

Os primeiros relatos provenientes do Novo Mundo haviam-no apresentado sistematicamente como estrangeiro e potencialmente doméstico, por razões óbvias. Assim como não se pode descrever uma cor que nunca se viu, a América não podia ser descrita sem referência à Europa, ou especificamente à Inglaterra. Embora a natureza fosse mais abundante lá, mesmo assim era uma que os ingleses reconheceriam. O *Relato* de Hariot, além de detalhar muitas ervas e plantas desconhecidas, assegurava os leitores que a Virgínia também oferecia "alho-poró que pouco difere do nosso na Inglaterra". Da mesma forma, a versão de Bry das imagens de White dos povos algonquinos (IMAGEM 4) justapunha-as às imagens dos pictos (IMAGEM 5), de modo "*a mostrar como os habitantes da Grã-Bretanha foram em épocas passadas tão selvagens quanto os da Virgínia*" (ênfase no original). O presente americano, em outras palavras, era essencialmente o passado britânico. Seus habitantes eram exóticos, certamente, mas nada que fosse inusitado ou irremediável.

Seguindo os passos de Hariot, mas agora com a colonização como motivação principal, não foi por nada que Robert Johnson intitulou sua obra *Nova Britannia* e ressaltou uma paisagem que diferia da Inglaterra somente em grau, não em essência. A Virgínia, como ele a descreveu, era a Inglaterra em escala ampliada, com seus "portentosos carvalhos e olmos, faias e bétulas, abetos, nogueiras, cedros e pinheiros em grande abundância".[11]

---

11 JOHNSON. *Nova Britannia*, p. 10.

IMAGEM 4. "Um *weroan* ou grande senhor da Virgínia", de Thomas Hariot, *A Briefe and True Report of the New Found Land of Virginia* (1590, p. 41): "Os príncipes da Virgínia vestem-se da maneira apresentada nesta figura. Eles usam o cabelo comprido e amarram a extremidade do mesmo em um nó sob a orelha". *Coleções Especiais da Universidade de Newcastle*.

Era a Inglaterra que existira antes do desmatamento e dos cercamentos; na verdade, uma Inglaterra imaginária, transportada em imaginação para o outro lado do Atlântico.

Quando o Novo Mundo passou de uma fonte de lucro potencial para um lugar de possível povoamento, tudo mudou. De simplesmente observar a terra e seus povos, os ingleses começaram a inserir-se naquele ambiente, a alinhar suas ambições, suas aspirações e sua imaginação com a realidade da América. E, como provaram Roanoke e a primeira Jamestown, não era nada fácil. Na década que se seguiu ao "Período da Fome", a Companhia da Virgínia reforçou e, em certo grau, reestruturou a colônia de Jamestown. Ela introduziu um sistema de concessão (*headright*), segundo o qual os colonos recebiam terra e uma participação financeira no empreendimento numa tentativa de estabilizar a colônia. Os que haviam chegado antes de 1616 recebiam 40 hectares, os que chegaram depois 20, e mais terra era concedida aos que detinham ações. As *Leis* draconianas, mais marciais do que morais ou em qualquer sentido óbvio divinas, foram substituídas depois

IMAGEM 5. *Picto*, de Thomas Hariot, *A Briefe and True Report of the New Found Land of Virginia* (1590, p. 68-9): "Em épocas passadas, os pictos, habitantes da parte da Grã-Bretanha que hoje é chamada de Inglaterra, eram selvagens e pintavam seu corpo todo conforme apresentado nesta imagem. Eles deixavam crescer o cabelo até os ombros, exceto os que pendiam da frente, que eles cortavam". *Coleções Especiais da Universidade de Newcastle.*

de 1618 por um sistema mais próximo do *common law** inglês. Sob a direção de *sir* Edwin Sandys, nomeado tesoureiro da Companhia em 1619, levas e mais levas de novos colonos chegaram à Virgínia, muitos deles tirados das casas de pobres das paróquias inglesas. Finalmente, parecia que pelo menos uma parte da promessa do Novo Mundo estava prestes a ser cumprida. Seria uma válvula de segurança para as pressões sociais crescentes do Velho Mundo. Todavia, isso gerou toda uma gama de novas pressões sociais no Novo Mundo.

A concessão de terra aos colonos parecia bastante simples, mas estava longe disso. A terra já se encontrava ocupada e os recém-chegados ainda não estavam completamente convencidos do seu direito legítimo de adquiri-la. No mesmo ano em que foi publicada a *Nova Britannia* (1609) de Johnson, Robert Gray indagou, em outro panfleto promocional, *A Good Speed to Virginia* [Uma boa prosperidade para a Virgínia], com "que direito ou penhor podemos adentrar a terra desses selvagens, tirar deles sua herança legítima e implantar-nos no seu lugar, sem ser lesados ou provocados por eles". Johnson não evitou inteiramente a questão de como os ingleses poderiam também "assegurar a suplantação desses índios, ou uma invasão dos seus direitos e posses", e rebateu a acusação de que "fins privados" poderiam estar levando colonos à América, enfatizando a necessidade "de promover o reino de Deus, reduzindo os povos selvagens da sua superstição cega à luz da religião".[12] A conversão como justificativa para a colonização era certamente um tema persistente nos relatos ingleses do Novo Mundo a partir de Hakluyt, a conversão não apenas ao cristianismo, mas à sua variante protestante. Em 1583, *sir* George Peckham, outro aventureiro elisabetano e parceiro de Grenville e Gilbert, publicou *A True Reporte of the Late Discoveries of Newfoud Land* [Um relato verdadeiro das últimas descobertas na Terra Nova], no qual ele conseguiu defender as reivindicações inglesas no Novo Mundo frente à competição francesa e espanhola sugerindo que esta era para a Inglaterra, especificamente, o que o Novo Mundo olhava em busca de libertação, "rogando nosso auxílio e ajuda". Cerca de três décadas depois e muito mais ao sul, no Chesapeake, continuou a não existir qualquer oferta de auxílio do adventício ao indígena, o que talvez tornou mais inevitável a deterioração das relações entre ambos.

---

* É o sistema jurídico constituído na Inglaterra a partir do século XII, cuja fundamentação baseia-se nas decisões dos tribunais, em detrimento das leis estabelecidas. (N.E.)

12 *Ibid.*, p. 11.

Na segunda década do século XVII, estava ficando claro que levar o Evangelho aos nativos havia passado para o segundo plano diante de tirar deles sua terra e sua própria cultura. Ao antecipar uma abordagem dos povos indígenas da América que persistiria até o século XX, a Companhia da Virgínia deu instruções a Thomas Gates para adquirir algumas crianças nativas a fim de garantir que fossem "criadas na sua língua e costumes". Se isso não fosse feito, comunicou-se a Lord De la Warr no ano seguinte que eles deveriam enviar "três ou quatro delas à Inglaterra", onde seriam educadas à maneira inglesa.[13] O que se esperava alcançar com isso em longo prazo continua sendo um mistério, mas revelou o início de uma mudança na atitude com relação à Confederação Powhatan. Mais tarde, após a morte de Powhatan e a tomada do poder pelo seu irmão, Opechancanough, chegou-se a um acordo de acomodação por meio do qual famílias inteiras, em vez de somente as crianças, foram levadas para as colônias inglesas. Contudo, o impulso subjacente de tornar o índio invisível, por assim dizer, era um presságio dos problemas que estavam por vir.

Embora Smith não tenha se convencido de que os nativos e os recém-chegados pudessem fundir-se facilmente em uma admirável nova sociedade multirracial, mesmo assim ficou claramente fascinado pela variedade das culturas indígenas que encontrou; aqueles que o substituíram em Jamestown não tinham tanto apreço pela cultura nativa e até desconfiavam cada vez mais dela. À medida que a colônia da Virgínia tornou-se estabelecida no Novo Mundo, ela procurou cumprir as promessas feitas por Ralegh, Hakluyt, Hariot e Johnson – criar a Nova Inglaterra no Novo Mundo e forçar a terra e seu povo em um molde social, político e religioso inglês. Não haviam sido essas as intenções fundadoras da Companhia da Virgínia, mas a realidade, distinta do sonho, da colonização, trouxe muitas mudanças. Muito daquilo que acabou garantindo a sobrevivência de Jamestown estava além do controle da companhia e tinha pouco a ver com o fato de remover os indigentes da Inglaterra.

No fim, tudo se resumia a duas valiosas mercadorias no mundo seiscentista: tabaco e escravos. Nenhum dos dois estava nos planos da Companhia da Virgínia, e por muitos anos o cultivo do tabaco foi restrito a favor de outras culturas. Essa batalha inicial contra a erva má estava fadada ao

---

[13] Instruções citadas em VAUGHAN, Alden T. *Transatlantic Encounters: American Indians in Britain, 1500-1776*. Cambridge; New York: Cambridge University Press, 2006, p. 51; ver também *Records of the Virginia Company*, v. III, p. 13-5.

fracasso. O tabaco simplesmente proporcionava um preço alto demais e se tornaria o estímulo econômico e até social de que a colônia precisava. Em 1619, a companhia enviou pela primeira vez cerca de 90 "donzelas jovens, bonitas e honestamente educadas" para a Virgínia para serem esposas dos colonizadores. A expectativa era a de que "esposas, crianças e família" pudessem tornar os homens da Virgínia "mais acomodados e menos volúveis". A ausência de laços familiares não significava apenas que a Virgínia sempre dependeria de recém-chegados da Inglaterra para sustentar as plantações, mas os que realizavam a viagem para lá – assim temia a companhia – o faziam somente "para conseguir algo e depois retornar à Inglaterra".[14] Os felizes destinatários dessa iniciativa pioneira de namoro--relâmpago pagaram a passagem de suas esposas com tabaco. Mas este precisava de terra e de trabalho, mais trabalho do que a colônia tinha condições de fornecer. A solução de longo prazo para essa dificuldade específica veio no mesmo ano, 1619, quando um comerciante holandês trouxe os primeiros africanos para Chesapeake, e todo um novo mundo inventivo abriu-se para os primeiros imigrantes da América e para a terra à qual suas ambições os haviam levado.

---

14   *Records of the Virginia Company*, v. II: The Court Book, Parte A. p. 256, 269 e 566.

capítulo 2

A CIDADE NA COLINA:
AS ORIGENS DE UMA NAÇÃO REDENTORA

> *Pois temos de considerar que seremos
> como uma cidade na colina.
> Os olhos de todos os povos estarão sobre nós,
> de modo que, se lidarmos falsamente com nosso Deus
> nesta obra que empreendemos
> e se assim O forçarmos a privar-nos
> de Sua ajuda presente,
> seremos falados e apontados em todo o mundo.*
> (John Winthrop, "A Model of Christian Charity"
> ["Um modelo de caridade cristã"], 1630)

A chegada de mulheres inglesas na Virgínia em 1619 foi pensada para garantir a estabilidade a longo prazo da colônia, para fazer que esta se parecesse mais com o mundo do qual os colonos ingleses, pelo menos, tinham vindo. Contudo, a introdução da mão de obra africana, que com o tempo tornou-se a mão de obra escrava que formaria o alicerce econômico das colônias inglesas livres, assegurou que a sociedade construída no Novo Mundo teria pouca semelhança com o mundo que ingleses e africanos haviam deixado para trás. Embora um grupo tivesse ido voluntariamente e o outro tivesse sido coagido, ambos enfrentavam o desafio de construir uma nova vida em um Novo Mundo. A chegada dos primeiros africanos também salientou o fato de que as colônias norte-americanas faziam parte de um mundo atlântico econômico e social emergente. A Inglaterra também, é claro, mas na qualidade de produtor final das mercadorias comestíveis mais óbvias que o Novo Mundo tinha a oferecer – açúcar, tabaco, cacau –, os processos efetivos e custos pessoais de produção não eram tão evidentes nas comunidades inglesas das quais provinham os colonos da Virgínia quanto viriam a ser nas Américas.

A própria existência da Companhia da Virgínia assinalava a ascensão das novas forças capitalistas operantes nesse período e, em particular, a emergência de uma poderosa classe mercantil que reconhecia as oportunidades oferecidas pelo Novo Mundo e tinha a capacidade de angariar o capital de risco que faltara aos primeiros "aventureiros" da América. No entanto, como a Companhia da Virgínia descobriu, levantar dinheiro era talvez mais fácil do que controlar os homens em cujas mãos estavam seus investimentos. Um raio de ação mais amplo e taxas de produtividade mais altas eram necessários para impulsionar essa primeira revolução capitalista, mas era notável a ausência de produtividade nos primórdios de Chesapeake, com exceção de uma cultura: o tabaco.

Embora sua busca inicial por riqueza no Novo Mundo não tivesse saído inteiramente de acordo com o plano, no verão de 1620 a Companhia da Virgínia estava otimista quanto ao futuro. Apesar de reconhecer "os numerosos desastres, por meio dos quais aprouve a Deus Todo-Poderoso fazer sofrer o grande inimigo de todas as boas ações e seus instrumentos, para deter e interromper, oprimir e debilitar esta nobre ação para a implantação da Virgínia com religião cristã e povo inglês", ela relatou que a colônia "tinha, como que de repente, crescido até o dobro da altura, força, abundância e prosperidade que havia atingido outrora". Reproduzindo relatos iniciais, a Companhia negou rumores de que "procurava injustamente infamar e macular aquele país, taxando-o de estéril e improdutivo" e ressaltou que a Virgínia era, de fato, "rica, espaçosa e bem irrigada", uma terra "que abundava com todas as bênçãos naturais de Deus" e "boa demais para pessoas doentes". O grau em que a imaginação da Companhia havia se expandido nessa época, para aceitar a ausência de depósitos evidentes em ouro e para apregoar as possibilidades do Novo Mundo, estava claro em sua ênfase na Virgínia como uma oportunidade para a Inglaterra de obter todas as mercadorias em um mesmo lugar. Bens – peles, cânhamo, linho, madeira – até então adquiridos a grandes custas da Rússia, Noruega ou Alemanha, entre outros, estavam prontamente disponíveis, ao passo que os "vinhos, frutas e sal da França e Espanha, as sedas da Pérsia e Itália também se encontram na Virgínia e não são de qualidade inferior".[15]

---

15 *Records of the Virginia Company (RVC)*, v. III, p. 307-9.

Infelizmente, grande parte desse relato era fantasia. A vida em Chesapeake continuava a ser uma luta. No mesmo mês em que a Companhia cantou as glórias da Virgínia para investidores potenciais, o governador da colônia, *sir* George Yeardley, reclamou que os novos colonos chegavam com provisões insuficientes, de forma que ele tinha de sustentá-los com seus próprios suprimentos. "Senhor, eu lhe rogo", suplicou a Edwin Sandys, "que me dê tempo para prover meios e construir e organizar residências" antes de enviar mais colonizadores e, quando mais fossem mandados, "enviar pelo menos seis meses de vitualhas com eles" (IMAGEM 6). Porém, quando Yeardley escreveu, a colônia acabara de colher uma safra bastante substancial. Para alguns, pelo menos, a Virgínia estava cumprindo sua promessa, mas não na direção desejada pela Companhia da Virgínia, nem por meio de uma forma que ela pudesse controlar. As instruções dadas pela Companhia no ano seguinte (1621), quando Yeardley foi substituído no cargo de governador por *sir* Francis Wyatt, enfatizavam a importância de "produzir e preservar as mercadorias de base que são necessárias para a subsistência e incremento da plantação". Elas procuravam especificamente restringir o "plantio excessivo de tabaco" proibindo, entre outros métodos, os colonizadores de usar "qualquer ouro nas suas roupas ou qualquer vestimenta de seda até que possam obtê-la do fio da seda feita por bichos-da-seda e criados pela sua própria indústria".[16] Os colonizadores, porém, estavam claramente menos preocupados com a moda do que a Companhia esperava, e poucos em Chesapeake seguiram tal conselho.

O tabaco não comprava apenas esposas – que eram inicialmente cotadas em 120 libras de tabaco, vendido a três xelins a libra em 1619 –; ele oferecia uma via rápida para a riqueza em um período em que o tabaco, como outros produtos do Novo Mundo, encontrava um mercado crescente na Europa. O tabaco da Virgínia, introduzido na colônia por John Rolfe, não era considerado de qualidade tão fina quanto as variedades espanholas, mas ainda proporcionava um preço alto o bastante para que valesse a pena plantá-lo no lugar do milho ou de qualquer outro produto de base mais necessário para o sustento. Porém, ao tirar suas vantagens pecuniárias, o tabaco não se mostrou melhor para a saúde da colônia do que para a do indivíduo. Embora a ideia por trás da venda de esposas, por exemplo, fosse a de que ela induziria os homens envolvidos nesse empreendimento na

---

16   Yeardley a Sandys, *RVC*, v. III, p. 297-9, 7 de junho de 1620; "Instructions to the Governor and Council of State in Virginia", *RVC*, v. III, p. 469-73, 24 de junho de 1621.

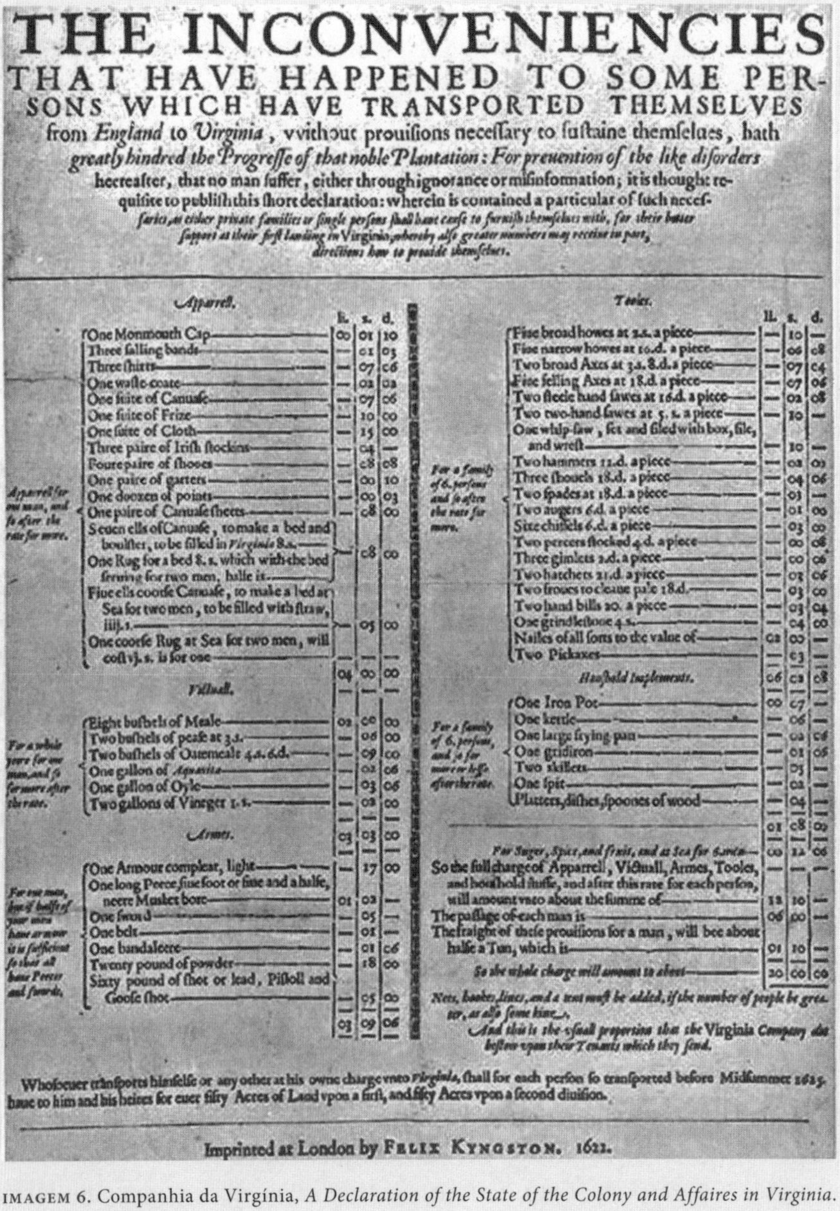

THE INCONVENIENCIES THAT HAVE HAPPENED TO SOME PERSONS WHICH HAVE TRANSPORTED THEMSELVES from *England* to *Virginia*, vvithout prouisions necessary to sustaine themselues, hath *greatly hindred the Progresse of that noble Plantation: For preuention of the like disorders* heereafter, that no man suffer, either through ignorance or misinformation; it is thought requisite to publish this short declaration: wherein is contained a particular of such necessaries, *as either private families or single persons shall haue cause to furnish themselues with, for their better support at their first landing in* Virginia*, whereby also greater numbers may receive in part, directions how to prouide themselues.*

Apparrell. (*Apparrell for one man, and so after the rate for more.*)

	li.	s.	d.
One Monmouth Cap	00	01	10
Three falling bands	—	01	03
Three shirts	—	07	06
One waste-coate	—	02	02
One suite of Canuase	—	07	06
One suite of Frize	—	10	00
One suite of Cloth	—	15	00
Three paire of Irish stockins	—	04	—
Foure paire of shooes	—	08	08
One paire of garters	—	00	10
One doozen of points	—	00	03
One paire of Canuase sheets	—	08	00
Seuen ells of Canuase, to make a bed and boulster, to be filled in *Virginia* 8.s. One Rug for a bed 8. s. which with the bed seruing for two men, halfe is	—	08	00
Fiue ells coorse Canuase, to make a bed at Sea for two men, to be filled with straw, iiij. s. One coorse Rug at Sea for two men, will cost vj. s. is for one	—	05	00
	04	00	00

Victuall. (*For a whole yeere for one man, and so for more after the rate.*)

	li.	s.	d.
Eight bushels of Meale	02	00	00
Two bushels of pease at 3.s.	—	06	00
Two bushels of Oatemeale 4.s. 6.d.	—	09	00
One gallon of *Aquauite*	—	02	06
One gallon of Oyle	—	03	06
Two gallons of Vineger 1. s.	—	02	00
	03	03	00

Armes. (*For one man, but if halfe of your men haue armour it is sufficient so that all haue Peeces and swords.*)

	li.	s.	d.
One Armour compleat, light	—	17	00
One long Peece, fiue foot or fiue and a halfe, neere Musket bore	01	02	—
One sword	—	05	—
One belt	—	01	—
One bandaleere	—	01	06
Twenty pound of powder	—	18	00
Sixty pound of shot or lead, Pistoll and Goose shot	—	05	00
	03	09	06

Tooles. (*For a family of 6. persons and so after the rate for more.*)

	li.	s.	d.
Fiue broad howes at 2.s. a piece	—	10	—
Fiue narrow howes at 16.d. a piece	—	06	08
Two broad Axes at 3.s. 8.d. a piece	—	07	04
Fiue felling Axes at 18.d. a piece	—	07	06
Two steele hand sawes at 16.d. a piece	—	02	08
Two two-hand sawes at 5. s. a piece	—	10	—
One whip-saw, set and filed with box, file, and wrest	—	10	—
Two hammers 12.d. a piece	—	02	00
Three shouels 18.d. a piece	—	04	06
Two spades at 18.d. a piece	—	03	—
Two augers 6.d. a piece	—	01	00
Sixe chissels 6.d. a piece	—	03	00
Two percers stocked 4.d. a piece	—	00	08
Three gimlets 2.d. a piece	—	00	06
Two hatchets 21.d. a piece	—	03	06
Two froues to cleaue pale 18.d.	—	03	00
Two hand bills 20. a piece	—	03	04
One grindlestone 4.s.	—	04	00
Nailes of all sorts to the value of	02	00	—
Two Pickaxes	—	03	—
	06	02	08

Houshold Implements. (*For a family of 6. persons, and so for more or lesse after the rate.*)

	li.	s.	d.
One Iron Pot	00	07	—
One kettle	—	06	—
One large frying pan	—	02	06
One gridiron	—	01	06
Two skillets	—	05	—
One spit	—	02	—
Platters, dishes, spoones of wood	—	04	—
	01	08	00

	li.	s.	d.
For Suger, Spice, and fruit, and at Sea for 6. men	00	12	06
So the full charge of Apparrell, Victuall, Armes, Tooles, and houshold stuffe, and after this rate for each person, will amount vnto about the summe of	12	10	—
The passage of each man is	06	00	—
The fraight of these prouisions for a man, will bee about halfe a Tun, which is	01	10	—
So the whole charge will amount to about	20	00	00

Nets, hookes, lines, and a tent must be added, if the number of people be greater, as also some kine.

And this is the vsuall proportion that the Virginia *Company doe bestow vpon their Tenants which they send.*

Whosoeuer transports himselfe or any other at his owne charge vnto *Virginia*, shall for each person so transported before Midsummer 1625. haue to him and his heires for euer fifty Acres of Land vpon a first, and fifty Acres vpon a second diuision.

Imprinted at London by FELIX KYNGSTON. 1622.

IMAGEM 6. Companhia da Virgínia, *A Declaration of the State of the Colony and Affaires in Virginia.* (Londres: Felix Kyngston, 1622).

fronteira remota a considerar os benefícios da família além dos da fortuna, ela não funcionou tão bem.

Quando chegaram mulheres na Virgínia (IMAGEM 7), a demanda por elas era alta o bastante para que o "preço nupcial" subisse rapidamente de

IMAGEM 7. Comprando uma esposa (de E. R. Billings, *Tobacco: Its History, Varieties, Culture, Manufacture and Commerce*, 1875). Esta imagem salienta a natureza comercial da transação justapondo a mulher, recém-chegada da Inglaterra, presumivelmente no navio ancorado no porto atrás dela, com as barricas (tonéis) e, ao lado do seu futuro comprador/marido, os maços de tabaco que pagaram sua passagem para a Virgínia. Foto: Wellcome Library, Londres.

120 libras para 150 libras de tabaco, pondo-as na categoria de mercadoria acessível somente aos fazendeiros mais bem-sucedidos. E as mulheres não conseguiam competir contra o que a Companhia da Virgínia criticou como a "estima desmedida [da colônia] pelo seu querido tabaco, em detrimento de todas as outras mercadorias de base", e o mercado de esposas, se não exacerbou essa tendência, nada fez para diminuí-la. O fato era o de que o tabaco se tornara, em 1620, a unidade monetária padrão e permaneceria assim por muitos anos. Apesar de a Companhia ter "extraordinária diligência e cuidado na escolha" de esposas para Virgínia e da sua expectativa de que as mulheres envolvidas desposassem "homens honestos e suficientes", o elemento de troca comercial da transação minou suas ambições domésticas. Ao detalhar o carregamento de mulheres que chegaram a bordo do Tyger em 1621, a Companhia deixou claro que as preocupações econômicas eram primordiais ao notar que eram esperadas "cento e cinquenta das melhores

folhas de tabaco para cada uma delas", mas também que "se qualquer uma delas morrer, deverá haver um acréscimo proporcional ao restante".[17]

Essa mercantilização das mulheres destacava o principal problema da colônia de Chesapeake, bem como refletia sua atitude com relação aos bens e indivíduos desde o início. Nas suas primeiras décadas, ela continuou excessivamente dependente da Confederação Powhatan e da Companhia da Virgínia para os meios básicos de sustento e também do constante influxo de novas chegadas vindas das casas e paróquias pobres da Inglaterra para a mão de obra, cuja maior parte era empregada na plantação de tabaco. A colônia nunca conseguiu tornar-se o reflexo autossuficiente da sociedade inglesa ou a cornucópia do Novo Mundo que abasteceria o mercado doméstico como seus patrocinadores esperavam que fosse. Jamestown continuava a ser um posto de fronteira, onde se bebia muito e não se trabalhava tanto, sob ameaça de ataques externos e minada por expectativas irrealistas – tanto da Companhia da Virgínia quanto dos próprios colonos – do que era necessário para o sucesso em longo prazo na Virgínia. Como descreveu uma história oitocentista da Virgínia, o tabaco tinha visivelmente um efeito prejudicial sobre a colônia:

> As casas eram descuidadas, as paliçadas em estado de putrefação, os campos, jardins e praças públicas, até as próprias ruas de Jamestown eram plantadas com tabaco. Os aldeões, mais sequiosos de ganho do que atentos à própria segurança, dispersavam-se nos ermos, onde demarcavam pequenas parcelas de terreno fértil e plantavam sua lavoura independentemente da proximidade dos índios, com cuja boa-fé muito pouco podia-se contar.[18]

Uma vez que a boa-fé dos nativos, embora possivelmente não fosse presumida, certamente era explorada, era talvez inevitável que as relações entre colonizador e nativos se deteriorassem, resultando em um massacre em março de 1622, no qual mais de 300 colonos pereceram. Mesmo depois disso, os colonizadores ainda preferiam a produção de tabaco à autopreservação e não se dispunham a destacar homens para a defesa da colônia. No ano seguinte ao massacre, reparou-se que na Virgínia ainda havia "nenhuma mercadoria além do tabaco" e quase nenhuma tentativa de plantar as "mercadorias de base" tão necessárias para o futuro da colônia. No ano seguinte, 1624, a Companhia da Virgínia foi à falência, e a Virgínia tornou-se uma

---

17   "Letter to Governor and Council in Virginia", *RVC*, v. III, p. 504-5, 11 de setembro de 1621.
18   ARTHUR, T. S.; CARPENTER, W. H. *The History of Virginia from its Earliest Settlement to the Present Time*. Philadelphia: Lippincott, 1858. p. 123.

colônia régia. Os sonhos dos seus fundadores mercadores de riquezas do Novo Mundo tinham, literalmente, "virado fumaça".[19]

O fim da Companhia da Virgínia não significou o término do assentamento inglês em Chesapeake nem o da produção de tabaco. Para sorte da colônia de Jamestown, embora a Coroa inglesa sob o poder de Jaime I e depois o de Carlos I se opusesse veementemente ao consumo de tabaco, essa oposição assumiu a forma da concessão de um monopólio para a Virgínia com relação a sua importação na Inglaterra. Assim, a Coroa ganhava receita enquanto os habitantes de Londres acorriam em quantidade crescente às tabacarias que começavam a surgir em toda a cidade e a um novo vício cujo valor econômico facilitou sua entrada na sociedade inglesa. Portanto, para a Virgínia, a extinção da companhia que havia inaugurado a colônia significou pouco em termos práticos. Foi muito mais uma questão de rotina, exceto em um aspecto importante. No que dizia respeito às populações nativas, o período após 1622 conheceu uma alteração clara não somente nas relações de poder entre nativos e brancos na sociedade de Chesapeake, mas nas atitudes dos brancos para com o "índio".

As ilustrações de John White para o *Briefe and True Report of the New Found Land of Virginia* [Breve e verdadeiro relato da Nova Terra da Virgínia] (1590), de Thomas Hariot, haviam procurado enfatizar as semelhanças essenciais entre os povos algonquinos e os britânicos como um meio de tornar familiar o que não o era. A Companhia da Virgínia procurou levar essa ideia à sua conclusão lógica nas suas instruções sobre a doutrinação de crianças e depois famílias nativas segundo as normas inglesas para tornar o diferente efetivamente de casa. Contudo, em meados do século XVII, emergia uma dialética cultural exclusiva, na qual o desconhecido tornou-se o exótico e, por fim, o outro. A Segunda Carta da Virgínia (1609) incluiu – ainda que na conclusão e quase como um *post-scriptum* – a importância da "conversão e subjugação do povo" da Virgínia "ao vero culto de Deus e à religião cristã", mas o lucro sempre superava a piedade em Chesapeake.

Os colonos ingleses, que ora dependiam das populações nativas, ora destruíam-nas, logo substituíram a ideia de conversão pelos imperativos da conquista. Embora a Companhia da Virgínia tivesse, até sua extinção, salientado como era crucial a transformação dos algonquinos em anglicanos, em Chesapeake o processo degenerou até que a troca cultural tornou-se mercantilização. Com o colono branco masculino em posição dominante na

---

19 *RVC*, v. IV, p. 140 e 145.

colônia, as mulheres, os nativos e os africanos ocupavam uma zona intermediária precária na transição da colônia provisória para o assentamento definitivo. Se as mulheres brancas passaram, com o tempo, a serem vistas como componentes cruciais do projeto colonial, nem os nativos nem os africanos encaixavam-se facilmente na visão que se formava de uma pequena Inglaterra do outro lado do Atlântico.

O massacre de 1622, junto aos ataques posteriores em 1644 e 1675, somente reforçou a imagem do "índio" como selvagem traiçoeiro, que, de uma perspectiva inglesa cínica, mostrou ser perfeitamente conveniente. Como John Smith admitiu, muitos colonizadores julgaram o massacre "bom para a plantação, porque agora temos uma justa causa para destruí-los por todos os meios possíveis". O secretário da Companhia da Virgínia, Edward Waterhouse, foi bem incisivo a esse respeito na época. Os ingleses "podem agora, pelo direito da guerra e pelo direito das nações, invadir o país e destruir aqueles que tentaram nos destruir", comemorou ele, "e assim desfrutaremos de seus lugares cultivados, fazendo da enxada trabalhadeira a espada vitoriosa (o que trará comodidade, benefício e glória) e possuindo os frutos de outros trabalhos".[20] Por fim, concluiu Waterhouse, "o caminho da conquista" das populações nativas "é muito mais fácil do que civilizá-las por meios justos", e ele deliciou-se com a oportunidade não só de adquirir "as mercadorias que os índios apreciam tanto quanto ou até mais do que nós", mas a perspectiva de conquista violenta. Esta, afirmou ele, podia ser realizada

> pela força, pela surpresa, pela fome queimando-se seu milho, destruindo e queimando seus barcos, canoas e casas, quebrando seu equipamento de pesca, atacando-os nas suas caçadas, nas quais eles obtêm a maior parte do seu sustento no inverno, perseguindo-os e caçando-os com nossos cavalos, e cães farejadores para ir no encalço deles e mastins para rasgá-los [...]. Por esses e diversos outros meios, bem como empurrando-os (quando fugirem) na direção de seus inimigos que estão em volta deles, e animando e incentivando seus inimigos contra eles, sua ruína ou sujeição será logo alcançada.[21]

Ao presumir que sobrariam alguns nativos vivos depois que os ingleses tivessem feito seu pior, Waterhouse propôs que eles "fossem obrigados à servidão e à lida" e suprissem as necessidades de trabalho da colônia.[22] Na

---

20 WATERHOUSE, Edward. *A Declaration of the State of the Colony and... A Relation of the Barbarous Massacre* (1622), RVC, v. III, p. 556-7.

21 *Ibid.*, RVC, v. III, p. 557-8.

22 *Ibid.*, RVC, v. III, p. 558.

verdade, os nativos mostraram-se uma força de trabalho coagida pouco confiável, mas em Chesapeake isso transformou-se em um problema menos grave do que poderia ter sido. Afinal, havia uma alternativa: a mão de obra africana.

Raça e religião: Chesapeake

O desenvolvimento de uma economia e cultura construídas com base no trabalho servil tem de ser situado no contexto das relações de trabalho, classe, gênero, religião e raça na Virgínia dos séculos XVII e XVIII e em comparação com outros projetos de colonização da América naquele período. Muitos dos problemas (mas não todos) que assolavam o empreendimento na Virgínia foram reproduzidos alhures na América. Para as populações nativas em todo o litoral leste, da Flórida à Nova França, a chegada dos europeus foi um desastre completo. Mesmo se os europeus em questão se ativessem ao plano original de conversão em vez de conquista, as doenças que eles trouxeram causaram danos irreparáveis entre as populações do Novo Mundo. As ambições da França para a América do Norte no século XVII foram encabeçadas não somente por comerciantes, mas por várias expedições jesuíticas concebidas como meios de estender o poder político da França e o poder espiritual do cristianismo às populações algonquinas e huronianas do Novo Mundo. Os relatos da Nova França, todavia, confirmaram que desde que "a fé veio habitar entre esses povos, todas as coisas que fazem morrer os homens foram encontradas nesses países".[23] Porém, a "fé" atraía números crescentes de colonos para o outro lado do Atlântico no século XVII, muitos deles impelidos não apenas pelo desejo de difundir o Evangelho, mas de encontrar refúgio da perseguição religiosa que sofriam nos seus países de origem.

As várias ondas de exploração e ocupação europeia nas Américas nos séculos XVII e XVIII eram, em grande medida, apenas uma parte do crescente mar de fé que engolfara o Velho Mundo no século XVI. As repercussões a longo prazo da Reforma não somente levaram muitos europeus à América, mas influenciaram as sociedades que eles fundaram lá. Embora as colônias britânicas viessem a predominar na América do Norte, isso não era nem predeterminado nem muito provável, dadas as suas incursões iniciais. França e Espanha pareciam ser as potências europeias mais fortes no

---

23 *Relation of What Occurred Most Remarkable in the Missions of the Fathers of the Society of Jesus in New France in the Years 1647 and 1648*. Paris, 1649. p. 252.

Novo Mundo. Apesar dos sucessos espanhóis em desmantelar as povoações huguenotes francesas iniciais no que veio a ser mais tarde a Carolina do Sul e a Flórida e das dificuldades enfrentadas pelas missões francesas mais ao norte na Nova França, no século XVIII a influência da França aumentou gradualmente à medida que a da Espanha declinou. A descoberta, em 1673, pelo explorador francês Louis Joliet – as cidades chamadas Joliet em Illinois e Montana receberam seu nome – e pelo missionário jesuíta Jacques Marquette de que o Mississippi corria para o sul em direção ao Golfo do México foi a precursora de outras explorações francesas ao longo do Vale do Ohio e do que viria a se tornar o Minnesota, e de assentamentos no Mississippi, Alabama, Michigan e Luisiana. Mas como sugeria seu mapeamento das rotas fluviais, os franceses estavam mais interessados em comércio do que em povoamento. Em 1700, quando a população branca somente em Chesapeake alcançou cerca de 90 mil, a totalidade das posses da França, que se estendiam desde o Quebec até a Luisiana, comportava apenas 25 mil colonos franceses – mais ou menos um décimo da quantidade de colonos britânicos na América do Norte como um todo àquela altura.

Mas os números raramente contam toda a história, e a força numérica dos colonos britânicos nos primórdios da América escondia a instabilidade crônica de muitas colônias que eles fundaram. De longe, o grosso dos imigrantes de Chesapeake, tanto homens quanto mulheres, era composto de trabalhadores servis que tinham de trabalhar para pagar sua passagem. Eles o faziam em um ambiente que precipitou muitos deles (de 30 a 40%) para uma morte precoce e oferecia uma expectativa de vida em torno de 35 anos de idade, na melhor das hipóteses, para os que sobrevivessem ao período inicial de "aclimatação". Por conseguinte, a população branca da Virgínia comportava um número incomumente alto de homens solteiros, viúvas e, inevitavelmente, crianças órfãs. Condições semelhantes prevaleceram na segunda colônia britânica fundada em Chesapeake – Maryland –, embora nela o desejo de escapar da perseguição religiosa na Inglaterra tenha informado diretamente o empreendimento colonial, distinguindo seus ideais, e até suas experiências, de sua colônia irmã na Virgínia.

Maryland ganhou vida como colônia hereditária. A terra foi concedida a um único governador ou donatário, a saber, George Calvert, o primeiro barão Baltimore, que havia solicitado a Carlos I uma carta para colonizar a área que recebeu o nome da rainha de Carlos, Henrietta Maria. A morte de Calvert em 1632 significava que seu filho, Cecilius (Cecil) Calvert, o segundo barão Baltimore, assumiria o cargo de fundador da colônia. Por ser um católico cujo pai havia sido perseguido por causa de sua fé, Cecil Calvert pretendia que Maryland fosse não simplesmente um refúgio para católicos, mas uma colônia onde católicos e protestantes pudessem coexistir pacificamente. Naturalmente, a realidade ficou um pouco aquém disso. Os primórdios da história de Maryland provaram que, sejam quais fossem as ambições do seu fundador, a realidade da vida na colônia era a de que 5 mil quilômetros de oceano não eram o bastante para quem quisesse se distanciar das maquinações religiosas e políticas do Velho Mundo, que respingavam facilmente demais no Novo. Embora Calvert e os governantes da colônia fossem católicos, o grosso dos colonos que chegaram – muitos, como na Virgínia, na condição de trabalhadores servis – era composto de protestantes, e a luta entre eles pelo controle, exacerbada pela eclosão da Guerra Civil inglesa em 1641, quase destruiu a colônia.

A solução de Calvert para a escalada de violência e instabilidade da década de 1640 foi uma via de mão dupla. Primeiro, ele apelou aos dissidentes da fé anglicana da Virgínia, a qual era totalmente anglicana e intolerante às alternativas, além de bastante realista e intolerante aos parlamentares, e incentivou-os a instalarem-se em Maryland. Ele reforçou essa mensagem nomeando um governador protestante, o parlamentar William Stone da Virgínia. Segundo, ele enfatizou a posição da colônia como protetora das liberdades religiosas e formalizou a posição de Maryland acerca da tolerância por meio da Lei acerca da Religião (ou Lei da Tolerância) de 1649. Esta última observou que "a imposição da consciência em assuntos de religião mostrou amiúde ter consequências perigosas nas comunidades onde foi praticada" e anunciava que nenhum residente de Maryland

> será, de agora em diante, de qualquer forma perturbado, molestado ou importunado por ou a respeito da religião dele ou dela, nem no livre exercício da mesma nos limites desta província ou nas ilhas que a ela pertencem, nem de qualquer forma obrigado à crença ou exercício de qualquer outra religião contra o consentimento dele ou dela.

Uma multa de 10 xelins, a ameaça de prisão e um pedido público de desculpas eram impostos contra qualquer pessoa que proferisse "palavras recriminatórias" contra "um herético, cismático, idólatra, puritano, independente, sacerdote papista presbiteriano, jesuíta, papista jesuítico, luterano, calvinista, anabatista, brownista, antinomiano, barrowista, cabeça-redonda [ou] separatista". Era uma lista muito inclusiva para a época, ainda que excluísse a fé judaica estipulando, acima de tudo, a aceitação de Jesus como o "filho de Deus" e a doutrina da Santa Trindade, sob pena de morte.[24]

No entanto, a atitude de Calvert contra a intolerância religiosa logo sofreu ataques. Apenas seis anos depois de Stone tornar-se governador, um grupo puritano cada vez mais influente na colônia procurou revogar a Lei da Tolerância e impor novamente leis que restringissem as liberdades religiosas. Isso fez que, em uma expressão que se tornou corrente, a última batalha da Guerra Civil inglesa fosse travada em solo americano: a Batalha do Severn (1655). A vitória, nesse caso, coube aos adversários de Calvert, mas foi efêmera. Dentro de dois anos, Calvert retomou o controle da colônia. Porém, embora a Batalha do Severn tenha sido essencialmente uma escaramuça, tanto ela quanto o precedente da própria colônia de Maryland salientaram dois aspectos da vida colonial na América que trariam, no século seguinte, preocupações crescentes aos colonizadores: a importância da religião – especificamente a liberdade de culto – para o Novo Mundo e a suscetibilidade das colônias às forças destrutivas dos conflitos políticos e religiosos britânicos e europeus.

A guerra na Europa levou a guerra à América, e a luta pela sobrevivência no Novo Mundo, pelo menos até sua separação da Grã-Bretanha, ocorria em um contexto mais amplo de conflitos alheios aos colonizadores, conflitos que muitos deles tentaram evitar ao se mudarem para a América. Ao chegar lá, é claro, os colonos britânicos eram mais do que capazes de instigar combates coloniais que não tinham absolutamente nada a ver com o país de origem, mas tudo a ver com a sua identidade de ingleses livres, uma identidade desafiada, mas no fim das contas reforçada, por seu contato com o "outro" nativo. Essa era, em grande medida, a experiência de Chesapeake. Mas quem procura exemplos da confluência destrutiva – mas também, em termos nacionais, construtiva – de raça e religião na história inicial da América tem de olhar mais ao norte, para um empreendimento colonial muito diferente, movido pela fé religiosa mas definido pela violência racial: a Nova Inglaterra.

ÊXODO: O COMEÇO DE UMA COMUNIDADE BÍBLICA

Nenhum aspecto da ocupação britânica das Américas foi revestido de tanta bagagem ideológica e, com o desenvolvimento da América, nacionalista

---

[24] Disponível em: http://avalon.law.yale.edu/18th_century/maryland_toleration.asp. Acesso em: 10 nov. 2009.

quanto a fundação das colônias que se tornaram a Nova Inglaterra. A chegada do Mayflower em 1620 pode ter trazido somente uns cento e tantos colonos à costa atlântica da América, mas toda uma mitologia, que persiste até hoje, foi construída no pequeno rochedo de Plymouth Rock. Ao escrever em 1867, o político Robert Winthrop reconheceu que o Mayflower foi "consagrado em cada coração da Nova Inglaterra como o portador [...] do grupo pioneiro de Peregrinos, que plantou os grandes princípios da liberdade religiosa em nossas terras".[25] Tal como foi o caso do fundador de Maryland, foram os cismas religiosos na Inglaterra que motivaram o fundador da Nova Inglaterra, e nesse caso a pista estava muito claramente no título. Os puritanos que viajaram para o Novo Mundo entre 1620 e 1642 estavam procurando nada menos do que uma nova Inglaterra melhorada, pelo menos no tocante à religião.

O puritanismo surgiu no fim do século XVI na Inglaterra em reação ao que seus devotos percebiam como a perigosa persistência do catolicismo e do ritual "papista" na Igreja da Inglaterra. Nunca tratou-se de um movimento unificado e coerente, mas mais de uma bandeira ideológica sob a qual podiam reunir-se defensores da fé extremos e mais moderados. O que os aproximava era a crença de que a Igreja da Inglaterra devia alinhar-se mais de perto com a doutrina teológica propalada por um dos líderes da Reforma Protestante, João Calvino. Segundo Calvino, a alma individual era predestinada à salvação ou à danação, a qual era alcançada apenas pelos eleitos de Deus, denominados "santos visíveis". Como é difícil à natureza humana negar a agência humana, os puritanos acreditavam que uma vida visivelmente boa e – o que é mais importante – bem-sucedida, embora não oferecesse promessa alguma de felicidade eterna, poderia inclinar a balança na direção da salvação.

Para alguns puritanos ingleses, a reforma da Igreja parecia uma possibilidade real, mas para aqueles que desembarcaram em Cape Cod em 1620 a podridão já havia se espalhado longe demais. Em vez de reformar a Igreja, eles procuraram uma separação completa dela. Esses separatistas, que conhecemos – mas seus contemporâneos não – como Pais Peregrinos, abandonaram Scrooby, em Nottinghamshire, para Leiden, nos Países Baixos, em 1608. Pouco mais de uma década depois, eles retornaram à Inglaterra, apenas para zarpar para o Novo Mundo. Após várias tentativas malogradas, eles finalmente partiram de Southampton em setembro de 1620. Seu desti-

---

25 WINTHROP, Robert C. *Life and Letters of John Winthrop*. Boston: Ticknor and Fields, 1867. p. 5.

no pretendido era a Virgínia, mas uma tempestade invernal os fez aportar muito mais ao norte, muito além da jurisdição da Companhia da Virgínia e fora da patente originalmente concedida – e até então válida, visto que a Companhia da Virgínia ainda existia – pela Coroa inglesa. Conscientes da sua posição geográfica indesejada mas incertos quanto à sua situação jurídica, os separatistas concordaram em formular um contrato, o Pacto do Mayflower (IMAGEM 8), por meio do qual eles se constituíam

> juntos em um corpo civil e político, para nosso melhor ordenamento e preservação e promoção [dos] fins mencionados acima; e por virtude disso promulgar, constituir e conceber leis justas e equânimes, decretos, atos, constituições e cargos, de tempos em tempos, conforme se julgue mais apropriado e conveniente para [o] bem geral [da] colônia.[26]

A importância do Pacto do Mayflower como o primeiro documento escrito que estabeleceu uma forma "justa e equânime" de governo na América certamente demarcou a fundação daquilo que se tornaria a Nova Inglaterra, à parte das muitas outras colônias situadas no que viria a ser os Estados Unidos. Porém, se a necessidade é mãe da invenção em termos governamentais, em todos os aspectos práticos pouco havia a ponto de demarcar a Nova Inglaterra à parte dos seus vizinhos ingleses mais próximos, uns 800 quilômetros ao sul. Mesmo longe de Chesapeake, as experiências iniciais da colônia de Plymouth tinham mais do que uma semelhança passageira com as de Jamestown.

Existia alguma ameaça de violência para os recém-chegados, mas a população nativa da Nova Inglaterra não tinha condições nenhumas de oferecer qualquer resistência prolongada aos colonos separatistas, porque uma epidemia, frequentemente identificada como varíola, mas possivelmente uma variante da peste bubônica, acabara (1616-1619) de dizimar até 90% dos habitantes entre Cape Cod e Maine. Felizmente para os ingleses, pelo menos alguns nativos haviam sobrevivido à devastação, porque os passageiros do Mayflower não estavam mais capacitados para os rigores da vida na Nova Inglaterra quando comparados aos primeiros migrantes da Virgínia em Chesapeake. Isso era inevitável e não apenas por que sua motivação para a emigração era religiosa. Na verdade, nem todos os colonos eram separatistas, e a viagem patrocinada por mercadores tinha, como fora o caso de Jamestown, o intuito de gerar lucro, daí a presença de alfaiates e um seri-

---

26 BRADFORD, William. *History of Plymouth Plantation*. Boston, 1856. p. 90.

IMAGEM 8. Rua Bradford, Provincetown, escultura em baixo-relevo que mostra a assinatura do Pacto do Mayflower. *Foto: Peter Whitlock.*

cultor, um impressor e um comerciante entre os passageiros. Até aqueles arrolados como fazendeiros provavelmente tinham pouca experiência com a agricultura, dado que o termo, no século XVII, indicava simplesmente um proprietário de terras. Eles tampouco teriam necessariamente alguma habilidade prática necessária para sobreviver em um mundo que, como salientou o líder da colônia, William Bradford, não tinha nem "amigos para acolhê-los, nem tavernas para acolher ou refrescar seus corpos surrados, nem casas, nem muito menos vilas para refugiar-se, para procurar socorro".[27] Mais uma vez, no século XVII, a caça, o tiro e a pesca eram prerrogativas da aristocracia. Talvez não surpreenda o fato de que metade dos colonos de Plymouth não tenha chegado ao fim daquele primeiro inverno, enquanto os restantes foram forçados a apelar aos locais para sustento e auxílio que garantissem sua sobrevivência.

Nesse aspecto, os colonos em dificuldades tiveram a sorte de encontrar dois nativos algonquinos que falavam inglês, o *patuxet* Tisquantum (que eles chamaram de Squanto) e o *abenaki* Samoset.* Squanto havia passado algum

---

27 *Ibid.*, p. 78.
*   *Patuxet* e *abenaki*, tribos nativas dos EUA. (N.E.)

tempo na Espanha e em Londres, pois fora capturado pelo explorador inglês Thomas Hunt alguns anos antes da partida dos separatistas para a América em 1620. Ele havia acabado de voltar para casa no ano anterior, mas nesse ínterim seu povo fora dizimado pela doença. Squanto ajudou os novos colonizadores a travarem relações amistosas com os nativos locais, que por sua vez os ajudaram a plantar. Disso nasceu uma segunda lenda e até um feriado nacional (embora não fixado como tal até 1863, durante a Guerra Civil), quando, no ano seguinte, nativos e recém-chegados celebraram o primeiro Dia de Ação de Graças. Por uma década depois disso, pareceu de fato que essa colônia claudicante mas enfim bem-sucedida pudesse ser a precursora de um tipo muito diferente de empreendimento colonial.

Encorajado por relatos de Plymouth e cada vez mais desiludido com a Igreja da Inglaterra sob o comando de Carlos I, outro grupo de puritanos, liderados por John Winthrop, advogado e proprietário rural de Suffolk, tomou a decisão de abandonar o que eles consideravam a corrupção católica do Velho Mundo e criar uma "comunidade bíblica" no Novo Mundo. Sob os auspícios de outra companhia mercante, a Companhia da Baía de Massachusetts, constituída em 1629, iniciou-se o êxodo puritano da Inglaterra, a chamada Grande Migração (1629-1642) rumo a Massachusetts. Foi somente a vanguarda. Na década seguinte, mais de 20 mil puritanos migraram para a América e distribuíram-se em cinco principais áreas de ocupação, das quais surgiriam mais tarde três dos treze estados originais da nação americana: Plymouth, *Massachusetts, Rhode Island*, New Haven e *Connecticut* (MAPA 2).

Se os primeiros colonos de Chesapeake haviam sido atraídos para a América em grande parte por causa da abundância natural que a terra parecia oferecer, para os puritanos o outro lado da moeda – a ideia da América não como um novo Éden mas como uma terra selvagem – era quase tão atraente quanto a primeira. A combinação de nativos não civilizados e terra não cultivada mostrou-se tão irresistível quanto intimidante. Ela oferecia um desafio que a mentalidade puritana estava mais do que preparada para enfrentar e maximizar. Sua reação a esse desafio poderia, como antecipavam os puritanos, estabelecer um modelo de vida pia e uma lição para o mundo. Ao tomar o texto do Sermão da Montanha (mais especificamente Mateus 5,14), John Winthrop pregou à sua congregação a bordo do Arabella, a caminho do Novo Mundo e de um novo começo: "Pois temos de considerar", disse ele, "que seremos como uma cidade na colina. Os olhos

CAPÍTULO 2 – A CIDADE NA COLINA: AS ORIGENS DE UMA NAÇÃO REDENTORA | 77

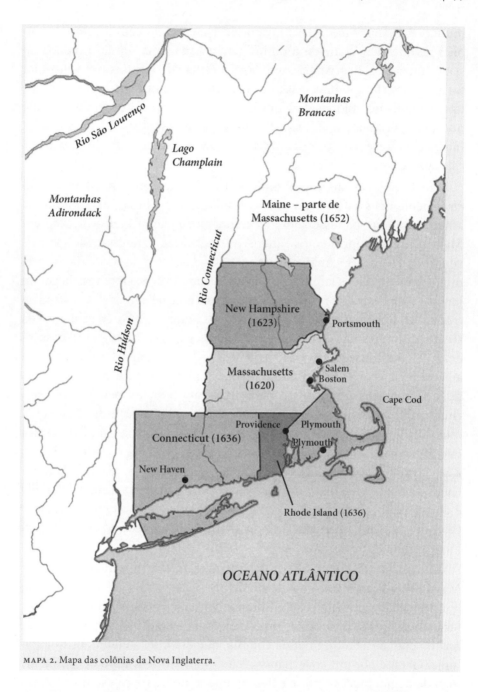

MAPA 2. Mapa das colônias da Nova Inglaterra.

de todos os povos estarão sobre nós, de modo que, se lidarmos falsamente com nosso Deus nessa obra que empreendemos e se assim O forçarmos a privar-nos de Sua ajuda presente, seremos falados e apontados em todo o mundo".[28] Os puritanos procuravam viver de acordo com a promessa bíblica de que nem "a luz do mundo" nem a "cidade na colina" fundada no seu brilho jamais ficariam escondidas. O sermão de Winthrop em alto-mar foi ao mesmo tempo uma crítica à velha Inglaterra que sucumbira a Satã e um estímulo aos colonos da Nova Ingla terra para provarem não somente que a via puritana era a dos justos, mas que, ao escolhê-la, ficaria confirmado, com sorte para a eterna decepção de seus inimigos, que os puritanos estavam certos.

Em termos sociais e econômicos, os assentamentos puritanos eram certamente mais estáveis do que os fundados em Chesapeake. Embora a ameaça da fome pairasse sobre os colonos naquele primeiro inverno em Massachusetts, suprimentos vindos da Inglaterra garantiram a sobrevivência da colônia. O ambiente era mais saudável, e a natureza da própria migração – unidades familiares, por vezes congregações inteiras chegaram juntas – significava que os puritanos efetivamente haviam levado a infraestrutura da terra-mãe com eles. Eles asseguraram assim o crescimento da sociedade branca na Nova Inglaterra, que chegou a cerca de 90 mil pessoas em 1700. Por conseguinte, não havia necessidade de importar esposas para a Nova Inglaterra, existiam muito menos homens solteiros ou crianças órfãs, e as mulheres eram consideradas iguais aos homens, pelo menos espiritualmente. Socialmente, era outra coisa. Em todos os aspectos práticos, a estabilidade era garantida por uma rígida estrutura patriarcal e eclesiástica que era ao mesmo tempo inclusiva e exclusiva. Deus era o chefe da Igreja, a Igreja era o foco da vida social e familiar, e o homem era o chefe da família. Essa organização foi resumida na observação da época de que a "família é uma pequena comunidade e uma comunidade é uma grande família", e tal como "a família não tem a obrigação de acolher todos os que chegam [...] a comunidade tampouco".[29]

Os assuntos legislativos da Nova Inglaterra também diferiam dos de Maryland, os quais eram da alçada de um homem só, e da Virgínia, cujo governador era nomeado pela Companhia da Virgínia e, após sua dissolução, pela Coroa inglesa. Os puritanos organizaram seu povoamento de acordo com a carta original da colônia, que era interpretada por um Tribunal Geral e por um governador eleito. Mas não se tratava de igualdade nem de democracia como se entende hoje. Embora o protestantismo pre-

---

28   WINTHROP, *op. cit.*, p. 19.
29   *Ibid.*, p. 184.

gado pelos puritanos incentivasse a interpretação individual das Escrituras, isso era o máximo de individualismo que os primeiros assentamentos puritanos podiam tolerar. Como é típico dos povos que sofreram em um mundo intolerante, o Novo Mundo que os puritanos criaram era igualmente intolerante à diferença ou discordância. Ambas, naturalmente, não tardaram em surgir.

Era talvez inevitável que a ênfase posta na interpretação das Escrituras gerasse visões alternativas da "cidade na colina", e, em 1631, a colônia da Baía de Massachusetts mal tinha desfeito as malas quando um ministro com ideias muito diferentes daquelas defendidas por Winthrop chegou na colônia: Roger Williams. Williams foi ainda mais longe do que Calvert em Maryland com relação à sua ênfase nas liberdades religiosas (ele incluía a fé judaica) e, em particular, quanto à necessidade de uma separação estrita entre Igreja e qualquer forma de Estado. Em uma publicação posterior, ele expôs sua crença de que "*Deus* não exige que uma *uniformidade* de *Religião* seja *promulgada* e *aplicada* num *estado civil*", mas estava implícita nessa atitude, obviamente, a negação de que os puritanos tivessem qualquer diretiva espiritual especial, que eles fossem, como afirmara Winthrop, um povo único escolhido ao qual havia sido outorgado um "Pacto" com Deus.[30] Com essas opiniões, Williams não poderia permanecer na Baía de Massachusetts. Por conseguinte, a colônia separada que ele fundou, Rhode Island, tornou-se para o Norte o que Maryland, em grau mais inferior, era para o Sul: um refúgio para dissidentes religiosos de todas as denominações.

Poucos anos depois, em 1634, um desafio ainda mais dramático à autoridade puritana veio na forma de Anne Hutchinson, cuja desaprovação explícita diante dos líderes puritanos em Massachusetts levou ao episódio que ficou conhecido como a "crise antinomiana" (o antinomianismo era a crença na justificação pela fé, na comunicação direta com Deus). No julgamento de Hutchinson, em 1637, Winthrop acusou-a de ter "falado diversas coisas, conforme nos informaram, que eram muito prejudiciais à honra das igrejas e seus ministros" e, continuou ele, revelando um boa parcela das relações puritanas de gênero, "você organizou uma reunião e assembleia na sua casa que havia sido condenada pela assembleia geral como coisa não tolerável nem adequada à vista de Deus, nem apropriada para o seu sexo".

---

30 WILLIAMS, Roger. *The Bloudy Tenent of Persecution for Cause of Conscience discussed in a Conference between Truth and Peace*. [S. l.]: [s. n.], 1644. p. 3; WINTHROP, *op. cit.*, p. 18.

Banida de Massachusetts pelo crime de "ser uma mulher não adequada à nossa sociedade", Hutchinson também partiu para Rhode Island.[31]

Na primeira década de sua existência, portanto, a "comunidade bíblica" de Winthrop estava se encaminhando para estabelecer a reputação de ser menos do que tolerante com seu próprio povo. A estabilidade social aparente que a diferenciava de Chesapeake era, em muitos sentidos, ilusória. A religião distinguia a Nova Inglaterra, mas ao mesmo tempo a dilacerava. Em outros aspectos, as semelhanças entre essas versões aparentemente extremas da ocupação inglesa da América também eram mais óbvias do que suas diferenças, sobretudo nas suas relações com os nativos algonquinos. Naturalmente, à medida em que os grupos dissidentes saíam de Massachusetts para criar novas povoações, eles invadiam ainda mais as terras nativas. Isso não era necessariamente um problema para os puritanos. A conversão dos povos nativos da Nova Inglaterra era parte da sua incumbência.

A "travessia do deserto" dos puritanos era empreendida não somente para garantir a salvação pessoal, mas para ajudar aquele que era considerado um povo ignorante. E os puritanos não fracassaram inteiramente nas suas empreitadas para converter os nativos, apesar do fato de a conversão não ter sido a prioridade na agenda durante as primeiras décadas da sua instalação. Um relato contemporâneo de 1632 louvava suas "tratativas amáveis, justas e gentis com os índios", cujo "amor e respeito" pelos puritanos tinha-os "levado a uma conformidade externa com os ingleses".[32] Tal "conformidade externa", no entanto, não se aplicava a todas as nações nativas da Nova Inglaterra e tinha seus limites. Esses foram atingidos em 1637, quando a tribo *pequot* atacou alguns colonos na vizinha Connecticut. A reação por parte dos colonos brancos e seus aliados *narragansett* foi cruel e radical. Eles atacaram a aldeia *pequot* em Mystic, massacraram a maior parte dos seus habitantes e venderam os sobreviventes como escravos no Caribe.

Os relatos contemporâneos do massacre pelos líderes puritanos fornecem uma visão pavorosa da mentalidade branca predominante da época. "Era uma visão medonha vê-los frigir assim [no] fogo", contou William Bradford, "e [as] torrentes de sangue que apagavam [o] mesmo, e era horrível [o] fedor e odor que exalava". Não obstante, Bradford considerou o massacre e a subsequente erradicação dos *pequot* da terra como um "doce sacrifício"

---

31 HUTCHINSON, Thomas. *History of the Colony and Province of Massachusetts Bay*. Boston: [s. n.], 1767.

32 Thomas Wiggin a *sir* John Cooke, 19 de novembro de 1632. *In*: WINTHROP, *op. cit.*, p. 31.

e prova do auxílio de Deus para a missão puritana, enquanto John Mason, encarregado das tropas de Connecticut, celebrou que o massacre *"era obra do Senhor e é maravilhoso aos nossos olhos!"* (ênfase no original). Ao escrever para Bradford após a matança, Winthrop expressou a esperança de que essa nação tivesse reforçado o reconhecimento de que os *pequot* "e todos os outros índios" eram o "inimigo comum" dos colonos brancos. Era um sentimento que Edward Waterhouse, 800 quilômetros ao sul em Chesapeake, teria reconhecido e com o qual sem dúvida concordaria.[33] Essas opiniões, porém, apesar de influentes, não eram universais e eram contraditas em certo grau por homens como John Elliot, que fundou a primeira "vila de prece" – aldeia de povos nativos cristianizados – em Natick em 1650. Para alguns, pelo menos, o desejo de converter os algonquinos e, ao fazê-lo, de entender sua sociedade não era impedido por uma hostilidade racial explícita, ainda que motivada por um imperialismo cultural. Infelizmente, exceções como Eliot faziam mais provar a regra quando se tratava das relações entre nativos e ingleses, e não somente na Nova Inglaterra.

Na verdade, o medo e às vezes a hostilidade aberta com relação às populações nativas do Novo Mundo eram um vínculo que unia mais do que apenas as colônias de Plymouth e da Baía de Massachusetts. Tratava-se de um aspecto definidor da empreitada colonial britânica nas Américas no século XVII e início do XVIII, nitidamente em conflito com o impulso da "conversão dos índios" que quase todos os empreendimentos coloniais haviam invocado pelo menos como parte da sua justificativa para a migração. Mas não entrava especialmente em oposição com a realidade do mundo atlântico seiscentista, mesmo se uma segunda justificativa muito citada para os empreendimentos coloniais britânicos era sua natureza gentil e construtiva em contraste com a crueldade e destrutividade imputadas aos espanhóis. Embora tenha emergido, em grande parte, baseada na Grande Migração puritana para a América e na sua missão autodefinida de construir uma "cidade na colina", uma mitologia influente da "excepcionalidade americana" que persiste até hoje, pouca coisa era realmente excepcional na Nova Inglaterra colonial e quase nada era distintamente americano ainda. O mundo dos colonizadores, seja na Virgínia ou em Massachusetts, tinha laços muito próximos com a Inglaterra, e para a Nova Inglaterra, especialmente, eram menos os "olhos do mundo" que os preocupavam do que o olhar daqueles

---

33 BRADFORD, *op. cit.*, p. 357; MASON, John. *A Brief History of the Pequot War.* [S. l.]: [s. n.], 1736. p. 14; WINTHROP, *op. cit.*, p. 195.

que eles haviam deixado para trás. Era para os amigos e família na Inglaterra que suas numerosas cartas eram endereçadas, seu empreendimento colonial descrito e, até certo ponto, analisado, e era em Londres que eles publicavam seus relatos – ora angustiantes, ora alentadores – de tudo que a América tinha a oferecer. Eles escreveram-se na história da nação futura, ao mesmo tempo que eliminavam dela os *pequot*.

Nesse aspecto, o sentido de missão dos puritanos de fato os distinguia, mesmo se somente nas suas próprias mentes, de outros empreendimentos coloniais: da Virgínia, onde o comércio e o tabaco predominavam, como também era o caso em Maryland, cujas leis sobre a tolerância religiosa eram concebidas para proporcionar um santuário, não pregar um sermão; ou da Pensilvânia, onde os *quakers* – cuja versão do puritanismo era banida na Virgínia e em Massachusetts – e outros grupos não conformistas também buscavam um local seguro onde pudessem praticar sua religião. Ele até os distinguia dos seus vizinhos espirituais mais próximos, os separatistas de Plymouth, cuja peregrinação ao Novo Mundo representava uma tentativa de escapar da corrupção do Velho, não de servir como lição para ele. Os puritanos decerto queriam uma Nova Inglaterra, mas eles esperavam mais do que isso. Eles anteciparam que da Nova Inglaterra surgiria a Nova Jerusalém. De acordo com sua perspectiva, a América era a Terra Prometida e eles eram o povo escolhido, mas aí estava o problema. Para um povo tão imerso em visões do Apocalipse, o perigo estava em todo canto e Satã espreitava em todas as sombras. Um povo que tinha medo da pregação de uma mulher, ou que ficava suficientemente irritado pelas crenças *quaker* de outra, Mary Dyer, a ponto de condená-la à morte, como fizera em 1660, em vez de tolerar sua existência entre eles, provavelmente não se melindrava com a crueldade para com os povos algonquinos, os quais, para começar, eles não conseguiam reconhecer como seus iguais. Sua própria comunidade dava motivos de sobra para se afligirem. A presença dos nativos era, para os puritanos, apenas outra das provações terrenas que pesavam sobre eles.

Tudo isso não era exatamente o que Winthrop planejara. Ele havia imaginado uma terra que, se não era exatamente uma *tabula rasa*, decerto estava convenientemente desabitada, um *vacuum domicilium*, por uma razão muito simples, como ele disse, que "Deus consumiu os nativos com uma peste milagrosa, por meio da qual a maior parte do país foi esvaziada de habitantes".[34] O fato de Deus não ter eliminado até o último nativo não era o

---

34 WINTHROP, John. General Considerations for the Plantation in New England, with an Answer to Several Objections, in *Winthrop Papers*. v. 2. Boston: Massachusetts Historical Society, 1931. p. 120.

problema principal. O verdadeiro desafio vinha da própria terra, do ambiente do Novo Mundo sobre o qual os puritanos esperavam com tanta confiança afirmar sua autoridade, mas que, em vez disso, parecia estar exercendo uma influência perniciosa sobre eles. Tudo se resumia à fé e à identidade baseada nessa fé. Ambas fraquejavam no Novo Mundo em que os puritanos se encontravam. Ambas enfrentavam um desafio, o qual seus líderes temiam que minasse os fundamentos da sua "cidade na colina". Depois de duas décadas do experimento da comunidade bíblica, o número de membros da Igreja havia estagnado. A participação plena era, evidentemente, restrita aos "santos visíveis", os que tinham tido uma experiência de conversão pública, mas os testemunhos públicos estavam em declínio. Em meados do século XVII, o sínodo de Massachusetts já comprometido cedera quanto à visibilidade da santidade, permitindo que os rebentos dos eleitos fossem batizados, mas o precário meio-termo assim criado não satisfez ninguém. Em 1662, portanto, o sínodo teve a ideia do "Pacto do Meio-Termo" [no original, *Half-Way Covenant*], por meio do qual os netos dos primeiros colonos podiam tornar-se membros da Igreja. No entanto, as implicações dessa decisão tiveram um alcance maior do que se poderia presumir.

O Pacto do Meio-Termo foi uma reação não só a uma fé fraquejante e ao declínio do comparecimento à Igreja, mas à erosão gradual das redes sociais e familiares tradicionais que os puritanos haviam trazido da Inglaterra. As estruturas comunitárias coesas, tanto físicas como espirituais, naturalmente se romperam quando a geração nascida na Nova Inglaterra cresceu e quis sua própria terra, tanto para a sobrevivência econômica quanto pela condição social que ela lhes conferia. Embora de início fossem feitas tentativas para regulamentar a alocação de terra especificamente a fim de prevenir uma dispersão muito ampla da população e para oferecer uma defesa melhor contra os ataques algonquinos, elas não ofereciam solução às necessidades crescentes de uma população crescente, livre das doenças que ainda afetavam Chesapeake. Os padrões originais de assentamento de vilas que comportavam cerca de 130 a 260 quilômetros quadrados de povoado, estruturado em torno de uma câmara municipal no centro com terra coletiva em volta para pastagens e lavouras (*grosso modo*, uma variante do padrão inglês pré-cercamento) deram lugar, com o tempo, a propriedades familiares independentes de 40 a 80 hectares cada uma. Com a propriedade individual, é claro, surgiu uma perspectiva mais individual, o que os primeiros puritanos mais temiam acima de tudo. Talvez inevitavelmente, com a dispersão demográfica e o individualismo crescente que a acompanhava, formou-se uma visão mais secular em conflito com a visão original que havia impulsionado a "travessia do deserto" dos puritanos. À medida que o deserto foi domesticado, essa visão foi sumindo.

Mas não sumiu sem luta. Os ministros puritanos, especialmente após a implementação do Pacto do Meio-Termo, repreendiam suas congregações naquilo que ficou conhecido como "jeremiadas", com vigor cada vez maior por suas inadequações morais e espirituais, mas esse tema havia estado presente quase desde o começo. Já em 1642, o governador Bradford notara o declínio moral da colônia de Plymouth, a ascensão da "ebriedade" e "incontinência entre pessoas não casadas", além de uma série de "coisas terríveis de citar", e tudo isso, meditou ele, "pode deveras nos espantar e nos fazer temer e tremer quando pensamos em nossas naturezas corruptas". Por que isso acontecia tinha muito a ver com a influência do Diabo, mas também, reconheceu Bradford, com a predileção puritana por descobrir tais lapsos, tornando-os "públicos pela devida investigação, inquisição e a devida punição".[35]

Muito piores, porém, do que a deterioração moral eram os casos de rejeição completa da missão puritana por meio do que foi chamado mais tarde, no contexto do Império Britânico, de "virar nativo". Isso não era um problema restrito à Nova Inglaterra. Dar às costas à sociedade branca e adotar – ou ser adotado por – uma das nações algonquinas era um crime punível com trabalhos forçados em Connecticut e com a morte na Virgínia. Ambos os empreendimentos coloniais, em Chesapeake e na Nova Inglaterra, procuravam, com graus variados de entusiasmo, tornar o "índio" inglês, mas nenhum deles, nos seus mais loucos pesadelos, era capaz de admitir a ideia de que o processo pudesse funcionar no sentido contrário.

ÍNDIOS, SERVIDÃO E IDENTIDADE:
INVENTAR A SOCIEDADE BRANCA

"Impressionado pelos escritores e mestres-escolas da Nova Inglaterra", observou um dos maiores poetas da América no século XIX, Walt Whitman, "nós entregamo-nos tacitamente à noção de que nossos Estados Unidos foram moldados somente pelas Ilhas Britânicas e essencialmente por uma segunda Inglaterra apenas". Isso, enfatizou Whitman, "é um grande erro". Whitman escrevia por ocasião do aniversário, em 1883, da fundação de Santa Fé pelos espanhóis, mas ele não estava simplesmente bajulando seu

---

35 BRADFORD, *op. cit.*, p. 385-6.

público quando sugeriu "que não se acha mais crueldade, tirania, superstição [...] no currículo da história passada dos espanhóis do que no respectivo currículo da história anglo-normanda". Ele sabia que a "lenda negra" do colonialismo espanhol ainda vigorava no fim do século XIX, assim como também tinha consciência de que os povos indígenas da América pareciam fadados a "desaparecer gradualmente com o passar do tempo", deixando, no fim, "apenas uma reminiscência, um vácuo". Talvez ele estivesse errado ao atribuir a inteira responsabilidade disso aos puritanos, mas para investigar o processo por meio do qual uma mitologia racialmente exclusiva emergiu de uma realidade multirracial, a Nova Inglaterra é um lugar tão bom quanto qualquer outro para começar.

No caso da Nova Inglaterra, quando o declínio do impulso de conversão conjugou-se aos efeitos práticos do Pacto do Meio-Termo e ao temor de que alguns colonizadores pudessem preferir um modo de vida que não era nem puritano nem mesmo obviamente inglês, os parâmetros raciais cada vez mais restritivos da comunidade bíblica começaram a emergir. Com o Pacto do Meio-Termo, a participação na Igreja tornou-se genealogicamente definida em vez de motivada pela fé, e portanto fechada não somente a outros imigrantes, seja da Europa ou da África, mas aos nativos que os puritanos deviam converter. Assim ficou explícito o que estivera implícito por um bom tempo: que havia barreiras étnicas e raciais à entrada naquela comunidade bíblica, que para todos os fins era um país de homens brancos. Assim como os colonos em Chesapeake, os puritanos da Nova Inglaterra tinham dificuldades para aceitar a ideia de que a cultura algonquina pudesse coexistir pacificamente com a inglesa. Em ambos os casos, na Virgínia e em Massachusetts, a guerra aberta entre nativos e forasteiros atingiu níveis ainda mais destrutivos no fim do século XVII. Em 1675, levantes nativos ocorreram às margens do Potomac na Virgínia e no sul da Nova Inglaterra, seguidos de perto, na Virgínia, por um conflito civil menor no interior da sociedade branca – a Rebelião de Bacon.

Na Nova Inglaterra, o levante que os colonizadores chamaram de Guerra do Rei Filipe (e às vezes de Rebelião de Metacom) resultou não somente da crescente dominação dos puritanos em todo o país, mas das relações de poder cambiantes na nativa Confederação Wampanoag depois que a morte de seu pai e a de seu irmão fizeram que Metacom se tornasse *sachem* (líder algonquino, mas não no sentido abrangente que os ingleses lhe atribuíam). Metacom era menos acolhedor com relação aos ingleses se comparado ao seu pai e mais preparado para negociar com outros, como os *narragansett*, que haviam sido aliados dos ingleses na primeira Guerra *Pequot*, com vistas a combinar forças contra as aldeias puritanas. Os ingleses foram alertados do perigo por um homem que, em um contexto diferente, poderia ter ajudado a intermediar os mundos nativo e inglês, dado que ele pertencia a ambos: o converso cristão John Sassamon. Este fora criado por uma família inglesa após a morte de seus pais, lutara do lado dos ingleses na Guerra *Pequot* e frequentara a Universidade de Harvard (fundada em 1636). Porém, como acontece demasiadas vezes, fazer parte de dois mundos deixou Sassamon em uma terra de ninguém entre ambos. As linhas estavam sendo traçadas na Nova Inglaterra em 1675 e era essencial saber de qual lado se estava. Talvez Metacom já estivesse se preparando para a guerra quando John Sassamon foi assassinado, mas a morte e o subsequente julgamento e a execução de três dos seus conselheiros pelo crime foram o catalisador para um conflito que não consistiu em uma simples escaramuça, mas uma das guerras mais destrutivas ocorridas no continente americano.

A Guerra do Rei Filipe começou no verão de 1675 e assolou a Nova Inglaterra pelo restante daquele ano e por muito tempo no ano seguinte. Os ataques contra os assentamentos ingleses de fronteira foram revidados por investidas retaliatórias das milícias coloniais, incluindo algumas contra seus antigos aliados, os *narragansett*, que tentaram permanecer neutros, no inverno de 1675-76. Uma das vítimas temporárias da guerra foi uma tal Mary Rowlandson, cujo relato de captura, *A True History of the Captivity and Restoration of Mrs. Mary Rowlandson* (*A verdadeira história do cativeiro e resgate da sra. Mary Rowlandson, 1682*), tornou-se um sucesso de vendas e, pode-se dizer, lançou o gênero da "narrativa de cativeiro" na América.[36] Rowlandson interpretou seu calvário à luz da Bíblia, usando as palavras dos Salmos ou trechos dos profetas para expressar melhor os horrores da sua experiência e sua resiliência espiritual. Suas memórias certamente alimentaram o fascínio colonial e o medo diante dos perigos da contaminação cultural, mas no fim das contas esta era tranquilizadora, porque Rowlandson parecia ter saído do seu período de cativeiro entre um povo ao qual ela só se referia como "hereges", "bárbaros" ou "pagãos" com seu anglicismo essencial e seu cristianismo não só intacto, mas aparentemente reforçado. Pode-se dizer o mesmo da guerra. A vitória final dos colonizadores sobre as forças de Metacom no fim do verão de 1676 só fez incrementar sua sensação de

---

[36] O texto integral está disponível em diversas edições impressas e pode ser lido em: http://www.history1700s.com/etext/html/blcrmmr.shtml. Acesso em: 20 nov. 2009.

superioridade cultural e marcial, e eles logo interpretaram-na como mais um sinal do auxílio de Deus para os seus empreendimentos coloniais. A vitória também lhes permitiu, como eles haviam feito após a Guerra *Pequot*, remover da terra muitos dos nativos sobreviventes, incluindo o filho de Metacom, vendendo-os como escravos no Caribe.

Em termos demográficos, os colonizadores da Nova Inglaterra recuperaram-se da guerra relativamente rápido. O que nunca se recuperou foi a esperança de relações pacíficas entre algonquinos e ingleses na Nova Inglaterra. A brutalidade da guerra reforçou o discurso racializado e religioso que definia essa relação desde o início, a distinção entre não brancos pagãos e brancos cristãos, a qual permitiu que colonizadores como Mary Rowlandson dessem um significado ao abismo cultural que ela reconhecia, enquanto a impedia de jamais transpô-lo. Porém, ao remover pelo menos parte dos nativos da terra e estender as possibilidades de futuros assentamentos brancos, a vitória inglesa na Guerra do Rei Filipe também lançou os colonizadores no caminho de futuros conflitos, primeiramente com as outras potências europeias no Novo Mundo – notavelmente, no caso da Nova Inglaterra, a França – e no fim com a própria Grã-Bretanha. O conflito, em suma, continuaria a definir e refinar a identidade da Nova Inglaterra e, por fim, a de todas as colônias americanas no século seguinte. Nesse sentido, a Guerra do Rei Filipe foi apenas o começo.

Muito mais ao sul, na Virgínia, o governador William Berkeley também tinha motivos para contemplar o que ele descreveu como a "infecção dos índios na Nova Inglaterra", que ele acreditava "ter se espalhado para Maryland e a região setentrional da Virgínia".[37] Levantes contemporâneos contra assentamentos ingleses em Chesapeake foram, ao contrário da opinião de Berkeley, coincidentes, mas suas repercussões, mais dramáticas, de tão exacerbadas que estavam as tensões pelos relatos inquietantes vindos do Norte. Como na Nova Inglaterra, havia duas questões principais relacionadas à defesa colonial contra a ameaça nativa, ambas de natureza prática. A primeira era como exatamente identificar o que representava uma ameaça. Nem na Virgínia nem na Nova Inglaterra as atitudes raciais brancas eram tão grosseiras ou obtusas a ponto de presumir que as diversas nações nativas eram intercambiáveis, tampouco era tarefa fácil para os ingleses identificar de qual lado elas estavam em um dado momento. A segunda questão era,

---

37 BERKELEY apud WASHBURN, Wilcomb E. Governor Berkeley and King Philip's War. *New England Quarterly*, 30, 3, p. 363-77, esp. 366, Sept. 1957.

uma vez identificada a ameaça, saber como enfrentá-la. O armamento na era colonial não era tão barato nem abundante quanto sugere nossa imagem contemporânea da cultura armamentista americana. Como a Coroa britânica não estava disposta a incorrer nas despesas necessárias para armar a milícia com os mosquetes necessários, Berkeley tentou, por meio de uma lei da milícia de 1673, aumentar os impostos locais para financiar a defesa. Como se podia prever, tratou-se de uma medida impopular. E o que é pior, não foi aplicada universalmente.

Portanto, na Virgínia, a combinação do levante de 1675 e da falta de reação dos britânicos ao perigo que os colonizadores enfrentavam revelou-se um coquetel letal para a estabilidade colonial. Quando ocorreu o primeiro ataque no verão de 1675, os colonizadores da Virgínia não somente perseguiram os nativos *doeg* responsáveis, mas também mataram erroneamente alguns *susquehannocks* que viviam em Maryland. Os *susquehannocks* naturalmente retaliaram, mas outros aproveitaram a oportunidade para atacar assentamentos ingleses, de forma que, na primavera de 1676, os colonos em Chesapeake estavam envolvidos em uma guerra não declarada, da qual eles estavam convencidos que abarcava todas as nações nativas ao longo da Costa Leste. Por conseguinte, eles logo viram-se envolvidos em outro conflito, entre si. O levante que se tornou conhecido como a Rebelião de Bacon decorreu em parte de uma falta de fé na liderança de Berkeley nesse período de crise, mas também da distribuição desigual da riqueza e da terra na colônia que crescia. Os colonos que tinham ido para a Virgínia em regime de trabalho servil receberam a concessão (*headright*) prometida para comprar terra quando findasse seu período de servidão. Porém, na década de 1670, o preço da terra subiu e o do tabaco caiu, e poucos podiam pagar, ou até mesmo achar, a terra que queriam. Era mais do que uma simples dissociação entre oferta e demanda. Homens livres sem terra eram vistos como uma ameaça para a colônia. Tal como uma versão dos pobres desregrados da Inglaterra, seu número crescente gerava uma visão da desintegração social na Virgínia. A solução encontrada, negar aos sem-terra o direito de voto, só fez exacerbar as tensões sociais em Chesapeake.

Isso não era um problema mas uma oportunidade para Nathaniel Bacon, recém-chegado em Chesapeake e um homem relativamente rico. Dinheiro para ele não era um problema, e ele não teve dificuldade para encontrar ou comprar uma plantação considerável a montante da colônia de Jamestown. Ele logo se tornou membro do conselho da Virgínia. Nesse cargo ele assediou tanto Berkeley como os nativos locais, irritando o governador por destruir de forma indiscriminada as relações cuidadosamente cultivadas com as tribos tributárias. Mas Bacon angariou níveis crescentes de apoio na colônia já desestabilizada pelos problemas gerados pela falta de propriedade disponível e pela queda dos preços do tabaco. Seu desafio à liderança da colônia era baseado na insatisfação provocada pela escassez de terra e realizado por meio da mobilização dos descontentes contra os nativos locais, especificamente os aliados *occaeneechees*. À medida que a Rebelião de Bacon ganhou força, ela voltou-se contra a sociedade branca, o que resultou na destruição, em setembro de 1676, da própria Jamestown. Ela só se encerrou com a morte de Bacon, mais provavelmente de disenteria, no outono daquele ano, e o subsequente julgamento e execução dos que haviam apoiado sua rebelião.

As repercussões da Rebelião de Bacon foram profundas, tanto para as relações entre ingleses e nativos quanto para a sociedade branca da Virgínia. Como acontecera com a Guerra do Rei Filipe na Nova Inglaterra, a Rebelião de Bacon marcou um ponto de transição nas atitudes dos brancos com relação às nações algonquinas em Chesapeake. Isso não pode ser inteiramente atribuído a Bacon. O medo e a hostilidade diante das populações nativas estiveram presentes há tempos – como deixaram claro as opiniões de Edward Waterhouse em 1622 –, mas tinham sido contrabalançados por homens como Berkeley, que sustentavam insistentemente que o povoamento branco não devia invadir as terras nativas. De fato, toda a terra ao norte do Rio York havia sido negada à intrusão branca por meio de um tratado de 1646 com a Confederação Powhatan, mas na esteira da Rebelião de Bacon a linha entre povoamentos índios e brancos tornou-se tão nebulosa quanto aquela entre um nativo amigável e outro hostil. Embora Berkeley tivesse plena consciência de que havia uma diferença, ao enfrentar o desafio de Bacon ele foi forçado a adotar uma posição pública mais extrema. Quando ele instruiu a milícia "para não poupar ninguém com o nome de índio, pois todos eles agora são nossos inimigos", ele pode ter feito nada mais do que afirmar, para benefício dos seus adversários políticos, sua intenção de defender a ocupação inglesa.[38] Infelizmente, a ideia de que nenhuma distinção devia ser aplicada no caso das nações nativas era um sentimento com o qual muitos dos colonizadores ingleses concordavam. Se todos os índios eram inimigos, então as regras do jogo mudavam comple-

---

38 BERKELEY *apud* BILLINGS, Warren M. *Sir William Berkeley and the forging of colonial Virginia*. Baton Rouge: Louisiana State University Press, 2004. p. 236.

tamente, toda a terra estava disponível e não havia limites para quão longe a sociedade branca podia se expandir.

Contudo, a expansão não apenas reforçou a distinção emergente entre sociedade branca e nativa, mas também fixou os parâmetros para a emergência de uma identidade branca americana baseada na presença de povos não brancos. A Rebelião de Bacon revelara aos líderes da Virgínia o quão rapidamente a sociedade branca em Chesapeake poderia implodir. Ela lhes mostrara igualmente o quão útil era ter um "outro" cultural externo contra o qual a sociedade branca podia ser unificada. A religião, em tese, era o vínculo que mantinha a Nova Inglaterra unida, e a raça, em tese também, atendia a uma finalidade semelhante em Chesapeake. Isso não foi bem definido. Apesar de geograficamente separados e fundados por uma variedade de razões diferentes em momentos distintos, os diversos empreendimentos coloniais britânicos no Novo Mundo, ao longo do século XVII, chegaram, por meio da violência, a uma posição muito semelhante a respeito das nações nativas. Em Chesapeake, o foco no tabaco movia o desejo pela terra; na Nova Inglaterra, a expansão natural da sociedade branca teve o mesmo efeito. O tabaco, porém, trouxe toda uma nova dimensão ao desenvolvimento da sociedade branca na sua necessidade premente de mão de obra, necessidade esta que não era satisfeita somente pela imigração e pelo trabalho servil apenas.

Evidentemente, dados os acontecimentos entre 1622 e 1676, a ideia de Edward Waterhouse de escravizar os nativos para atender a essas necessidades não era uma proposta realista, pelo menos não nas colônias. Nem os líderes da Virgínia nem os de Massachusetts repudiavam a ideia de escravizar os índios, mas eles preferiram, para sua própria paz de espírito, que essa escravização acontecesse no Caribe. Mas longe dos olhos não significava longe do coração no que dizia respeito à escravidão como sistema de mão de obra. A servidão perpétua oferecia uma solução óbvia para as crescentes necessidades de mão de obra das colônias sulistas e para pelo menos parte das necessidades sociais em desenvolvimento das colônias nortistas. Afinal, foi Massachusetts, e não a Virgínia, a primeira a reconhecer formalmente a escravidão no seu código de leis (em 1641), mas foi na Virgínia que a necessidade de mão de obra, especialmente após 1660, tornou-se suficientemente premente para que uma mão de obra permanente e inalterável fosse buscada. Mas não se pressupunha que ela tivesse de ser definida racialmente.

As mulheres haviam sido mercadorias nos primórdios de Chesapeake, mas isso não era incomum em um mundo em que pessoas tinham valor e imigrantes, um preço. Ao chegar na América, criados eram oferecidos à venda, assim como os escravos posteriormente. No que era conhecido como o sistema "Redemptioner", pessoas pobres ganhavam passagem gratuita pressupondo-se que amigos ou parentes pagariam sua passagem na chegada. Se isso não ocorresse, elas eram vendidas, tal como os vagabundos, crianças e condenados, embora estes últimos tivessem um prazo fixo de trabalho servil de 14 anos. Quando os primeiros africanos chegaram na Virgínia em 1619, isso ocorreu nesse tipo de mundo; por isso, apesar de parecer que eles eram "propriedade" do então governador Yeardley, não há indicação de que fossem escravos no sentido posterior de escravidão como se desenvolveu na América. No início do período colonial, os negros podiam ter propriedade tal como os brancos. No entanto, além da gradual remoção cultural dos brancos do contato construtivo com a sociedade nativa, a escravidão também se desenvolveu, junto às distinções raciais que definiriam sua variante americana.

As leis que viriam a definir a escravidão foram promulgadas a fim de acompanhar de perto o crescimento do número de africanos na América colonial. Em 1650, somente cerca de 4% da população norte-americana como um todo era negra, e no Sul essa proporção era de 3%. Isso em uma época em que a população negra das colônias britânicas do Caribe estava em torno de 25%, mas esse número cresceu drasticamente e com um viés nitidamente regional. Comparados aos do Caribe Britânico, onde em 1770 a população negra representava cerca de 91% do total, os números americanos nunca foram tão expressivos. Naquele ano, a população negra total na América era de 22%, mas nas colônias sulistas era de 40%. Portanto, não surpreende o fato de que tenha sido em Chesapeake, nas Carolinas e depois na Geórgia que a escravidão tenha começado a se solidificar como instituição jurídica.

Em 1662, a Virgínia fixou o precedente de que a escravidão seria uma instituição matrilinear: os filhos teriam a condição jurídica da mãe. Dois anos depois, Maryland criou a posição jurídica de escravidão perpétua, escravidão *durante vita*, e a Virgínia, em 1667 e depois em 1670, instituiu dois pequenos ajustes na posição jurídica que revelavam em que direção a colônia estava avançando, racialmente falando. Em 1667, foi decretado que o batismo na fé cristã não alteraria a condição jurídica do escravo. Em 1670, tornou-se ilegal para qualquer negro comprar um criado cristão ou branco, isso em uma época em que a população negra da Virgínia era inferior a 2 mil pessoas. Uma década mais tarde, claro, esse número mais do que triplicaria, para cerca de 7 mil.

Nos cem anos seguintes, a escravidão viria a ser o alicerce econômico de grande parte da América Britânica colonial, o que, dada a posição da Grã-Bretanha como uma das principais nações europeias comerciantes de escravos no século XVII (em meados do século XVIII ela dominaria esse comércio), talvez isso não fosse surpreendente. Após as primeiras tentativas em agricultura geral e trabalhos domésticos tanto em Chesapeake como na Nova Inglaterra, com a expansão da produção de tabaco em Chesapeake e o cultivo posterior (a partir da década de 1670) de culturas como arroz e índigo nas Carolinas (do Norte e especialmente do Sul) e na Geórgia, um sistema abrangente de escravidão começou a tomar forma e moldar as colônias nas quais ele servia de arrimo da produção agrícola. Em 1705, a Câmara dos Burgueses da Virgínia codificou o que já estava se tornando corriqueiro em todas as colônias: que "todos os escravos negros, mulatos e índios" constituíam uma forma de "bem imóvel" que podia ser comprado e vendido como qualquer outro e, com base nessa decisão, nasceu o que se tornou conhecido como a "instituição peculiar" do Sul.

Contudo, muitos dos elementos que acabaram por definir a escravidão americana já estavam presentes em meados do século XVII, e as pistas para isso residem não só nos códigos de leis das colônias da Virgínia ou de Maryland. Mesmo nesse estágio inicial do desenvolvimento da nação americana, estavam presentes todos os elementos que distinguiriam essa parte dos Estados Unidos em que se tornou o Sul. Em alguns aspectos, esse processo era mais visível na Grã-Bretanha do que nas próprias colônias. O tabaco não chegava desacompanhado na Inglaterra. A bagagem que ele levou consigo do Novo Mundo não somente informou a visão inglesa das Américas, mas repercutiu no ambiente do qual se originara, influenciando, bem como refletindo, uma consciência étnica em evolução e uma divisão racial cada vez mais profunda que separava a sociedade branca da não branca. O tabaco, pelo menos em parte da iconografia associada a ele no fim do século XVII e em todo o século XVIII, tornou-se um prêmio ganhado pela Inglaterra pela conquista da Virgínia. Ele não era mais simplesmente uma parte do butim natural do Novo Mundo a ser amealhado ou comercializado com os nativos, mas era apresentado como uma mercadoria valiosa a ser tomada pelo armamento inglês superior e, mais tarde, colhido pela mão de obra escrava. O tabaco, de fato, era apresentado como o produto supremo do imperialismo racial. Parte da iconografia associada ao tabaco recorria a imagens bem conhecidas do Novo Mundo. Uma em especial (IMAGEM 9) invocava a captura por John Smith do rei dos

IMAGEM 9. De John Smith, *The Generall Historie of Virginia, New England and the Summer Isles* (Londres, 1627).

paspahegh (Pamunky), Opechancanough, que, em uma versão simplificada (IMAGEM 10), anunciou não somente o tabaco em questão, mas a mudança nas relações de poder em Chesapeake.

A figura de Opechancanough, agora visivelmente escurecida comparada à versão original (que já era uma releitura de um retrato anterior de

IMAGEM 10. "O tabaco puro de Gaitskell em Fountain Stairs Rotherhith Wall". *Foto: Guildhall Library, London Metropolitan Archives.*

John White), apresenta um híbrido impressionante de nativo africano que contrasta com a figura branca de Smith. Se ele não é claramente algonquino, nem evidentemente africano, tudo que o espectador pode concluir da imagem é que Opechancanough não é branco; um comentário poderoso, ainda que involuntário, sobre o estado das coisas nas colônias no fim do século XVII. Mas não foi só isso que mudou. O fundo do original também foi modificado: onde havia árvores e uma paisagem aberta, agora foi inserida uma pequena igreja, junto a um navio; e onde havia árvores, agora há um pé de tabaco, um pouco mirrado, ao lado do pé direito de Opechancanough.[39]

Em essência, uma propaganda de tabaco resumiu as mudanças dramáticas que haviam ocorrido não somente em Chesapeake desde que Smith pusera o pé lá, mas nas colônias britânicas como um todo ao longo do século XVII. A "Terra Nova" não era mais tão "nova". Os navios europeus haviam levado a religião europeia, povos e bens europeus e povos africanos, e tudo isso havia modificado para sempre a paisagem e os que tentavam viver nela. Em 1680, a visão original, seja da riqueza do Novo Mundo ou da "cidade na colina", havia sido transformada, e as esperanças originais de conversão dos povos nativos, abandonadas. Isso tampouco era o fim do processo transformador. Um século depois, as colônias britânicas criariam uma nação inteiramente nova, fundamentada na filosofia iluminista, construída com base em princípios cívicos que, pelo menos nas suas grandes linhas, haviam sido fomentados na tolerância religiosa de Maryland, na visão ambiciosa da Nova Inglaterra de uma comunidade bíblica, no desafio de Bacon à elite da Virgínia. Ela seria tudo isso e nada disso inteiramente, porque o desenvolvimento dessa eminente nação cívica do mundo moderno seria, em grande medida, dirigido e restringido pelas raízes étnicas profundas lançadas nos seus anos de formação.

---

39 Esta análise da publicidade de tabaco foi tirada de MOLINEUX, Catherine. Pleasures of the Smoke: "Black Virginians" in Georgian London's Tobacco Shops. *William and Mary Quarterly*, 2, p. 327-76, Apr. 2007.

capítulo 3

A CAUSA DE TODA A HUMANIDADE:
DAS COLÔNIAS AO *SENSO COMUM*

> *A causa da América é, em grande medida,
> a causa de toda a humanidade.*
> (Thomas Paine, *Senso comum*, 1776)

O conflito, em grande medida, definiu a experiência colonial e acabaria por destruir o projeto colonial e criar a nova nação que era a América. A guerra declarada contra as nações algonquinas ajudou os colonos brancos a afirmar uma identidade distinta das populações aborígines e criou distinções raciais que acabariam por dividir a sociedade branca dos povos africanos levados ao Novo Mundo. Isso não era racismo como empregaríamos o termo hoje, mas uma pressuposição de ideias sobre raça que, com o tempo, se consolidaria em um conjunto de parâmetros raciais e étnicos fixos formados, pelo menos em parte, pela guerra.

A guerra assegurou aos colonos sua identidade inglesa, essencial em um ambiente que a questionava e desafiava não só por meio do contato dos ingleses com os ameríndios, mas pelo que eles conheciam de outros esforços coloniais. Os franceses na Nova França estavam mais determinados do que os ingleses a adquirir conversos nativos na fé (no seu caso, católica) e a absorvê-los, evidentemente afastados de sua cultura aborígine, nas normas francesas. Eles frequentemente viram que seus esforços saíam pela culatra. Como observou um oficial da época, Jean Bochart de Champigny, "[A]contece mais comumente que um francês se torne selvagem do que um selvagem se torne francês".[40] Sob a perspectiva inglesa, isso era irrele-

---

[40] CHAMPIGNY *apud* BELMESSOUS, Saliha. Assimilation and Racialism in Seventeenth and Eighteenth-Century French Colonial Policy. *The American Historical Review*, 110, 2, p. 322-49 e 354, Apr. 2005.

vante. Dentro de pouco tempo, eles estariam combatendo os franceses e os nativos. Para os ingleses, era por meio da violência que eles impunham sua validade como ingleses livres e defendiam os valores pertinentes àquela condição. No fim, a violência empurraria-os para uma nova identidade, derivada mas distinta daquela proporcionada pela sua origem europeia. A América como uma nação política e cultural, um Estado-Nação distinto, pode ter se originado da "semente de Albion",* mas esta não era a única plantada no ambiente do Novo Mundo, e quando todas germinaram surgiu uma planta muito diferente.

No fim do século XVII, a presença colonial da Grã-Bretanha se expandira muito além de Chesapeake e da Baía de Massachusetts. Ela comportava uma mistura de colônias hereditárias, societárias (sociedades por ações) e régias. Três delas, Rhode Island, New Hampshire e Connecticut, eram efetivamente uma forma de diáspora puritana, fundada ou desenvolvida por indivíduos que haviam entrado em conflito com a hierarquia puritana em Massachusetts e que aspiravam a uma maior liberdade religiosa e, mais adiante, oportunidades econômicas. Rhode Island era resultado direto do banimento de Roger Williams de Massachusetts em 1635, a quem mais tarde se juntou Anne Hutchinson, após sua expulsão de Salem por John Winthrop. Outras repercussões da "crise antinomiana" fizeram que o cunhado de Hutchinson, John Wheelwright, e seus seguidores abandonassem Massachusetts em busca de refúgio religioso em New Hampshire, que abrigava um pequeno assentamento inglês desde 1623. No caso de Connecticut, havia desacordo mas nenhuma hostilidade aberta entre o reverendo Thomas Hooker e os líderes de Massachusetts, mas mesmo assim Hooker preferiu ir além da jurisdição deles, levando seus seguidores ao Vale do Connecticut em 1636.

Dada sua origem no antagonismo mútuo, havia pouca indicação de que as colônias da Nova Inglaterra jamais operassem juntas, mas a expansão trouxe seus perigos e com eles uma forma nova, ainda que relativamente efêmera (até 1684), de arranjo federal no Novo Mundo. Para proporcionar defesa contra as nações nativas e europeias (franceses e holandeses), cujas terras os dissidentes puritanos estavam invadindo cada vez mais, em 1643 as colônias de Massachusetts, Plymouth, New Haven e Connecticut organizaram-se para formar a Confederação da Nova Inglaterra (Rhode Island

---

* Termo referente ao livro *Albion's Seed*, de Hackett Fischer, que narra a trajetória de imigrantes para os Estados Unidos. (N.E.)

não foi convidada). Seu principal sucesso, se tal fato pode ser chamado assim, foi dar prosseguimento à Guerra do Rei Filipe em 1675-1676. Todavia, enquanto essas colônias vinham discutindo a questão da defesa, na Inglaterra a Guerra Civil fazia furor. Durante algum tempo, a emigração para as colônias reduziu-se a um filete. Com a restauração da Coroa sob o comando de Carlos II (1660), inaugurou-se uma nova era de expansão colonial, que no entanto foi acompanhada de um interesse intensificado e importuno nos assuntos coloniais por parte da Monarquia inglesa, agora mais segura.

Antes disso, e não apenas porque estava empenhada em uma guerra civil, a Grã-Bretanha sentia-se um pouco mais aliviada no seu envolvimento com suas colônias americanas, porque muitos pobres estavam partindo rumo a Chesapeake, e muitos puritanos problemáticos, para a Nova Inglaterra. Nesse aspecto, as colônias funcionavam como um tipo de válvula de segurança para a sociedade britânica, cujos elementos menos desejáveis podiam ser despachados com segurança para a América e o Caribe. Em 1666, por exemplo, foi com certa satisfação que os magistrados de Edimburgo, na Escócia, relataram a remoção de uma quantidade de "mendigos, vagabundos e outros inapropriados para ficarem no reino" para a Virgínia.[41] Era realmente um caso de "longe dos olhos, longe do coração". No tocante às colônias, a única preocupação da Grã-Bretanha, raramente expressa até que os conflitos europeus a ameaçaram, era a de que a Marinha mercante inglesa fosse a principal beneficiária do comércio colonial. A *Commonwealth** inglesa promulgou, nesse sentido, uma Lei de Navegação em 1651, a qual Carlos II rapidamente revogou e substituiu por sua própria versão aprimorada em 1660. A curto prazo, isso era bom para a Marinha mercante inglesa (não britânica; os navios e bens circulavam apenas pela Inglaterra e pelo País de Gales) e para os estaleiros da Nova Inglaterra, porque os navios "ingleses" incluíam aqueles construídos nas colônias. O prognóstico a longo prazo não era tão bom no tocante ao controle das colônias.

Essa primeira tentativa modesta de proteção comercial foi acompanhada por um surto de empreendimentos coloniais após 1660. Uma batelada de novas colônias inglesas – às vezes denominadas colônias da Restauração, para assinalar o período de sua fundação – surgiu na América (TABELA 1).

---

41 *Apud* LENMAN, Bruce P. Lusty Beggars, Dissolute Women, Sorners, Gypsies, and Vagabonds for Virginia. *Colonial Williamsburg Journal*, Spring 2005. Disponível em: http://www.history.org/Foundation/journal/Spring05/scots.cfm. Acesso em: 28 nov. 2009.

* Organização composta por nações que já fizeram ou fazem parte do Império Britânico. (N.E.)

Colônia	Fundação	Fundadores	Governo
Virgínia	1607	Companhia de Londres (da Virgínia)	Sociedade por ações com carta régia, depois colônia régia a partir de 1624
Massachusetts	1620	Companhia da Baía de Massachusetts/puritanos	Sociedade por ações e depois colônia régia a partir de 1691
New Hampshire	1623	John Mason e Ferdinando Gorges; depois John Wheelwright	Hereditária, depois "Pacto de Exeter", depois colônia régia a partir de 1679
Maryland	1634	Cecilius Calvert (segundo Lord Baltimore)	Hereditária
Connecticut	1636	Thomas Hooker Connecticut absorveu as colônias de New Haven e Saybrook quando recebeu carta régia em 1662	"Ordens Fundamentais" e depois carta régia em 1662
Rhode Island	1636	Roger Williams	Carta (Longo Parlamento)
Delaware	1638	Nova Companhia da Suécia/Peter Minuit, depois William Penn (1703)	Colônia sueca, comprada depois por Penn
Carolina do Norte	1663	Donatários * Sete dos oito donatários venderam seus direitos à Coroa britânica em 1729, Carteret (conde Granville) não	"Constituições Fundamentais", governador separado do Sul, 1712, colônia régia a partir de 1729*
Carolina do Sul	1663	Donatários, como para a Carolina do Norte	"Constituições Fundamentais", governador separado do Norte, 1712, colônia régia a partir de 1729*
Nova Jersey	1664	William Berkeley e George Carteret	Hereditária, depois colônia régia a partir de 1702
Nova York	1664	Jaime, duque de York (depois Jaime II)	Propriedade holandesa, depois hereditária, colônia régia a partir de 1685
Pensilvânia	1682	William Penn	Hereditária
Geórgia	1732	General James Oglethorpe	Carta régia

TABELA 1. As treze colônias originais, por ordem de fundação.

Todas elas começaram como arranjos hereditários. As Carolinas foram colonizadas por um grupo de donatários, incluindo Lord Anthony Ashley Cooper, o futuro conde de Shaftesbury, o governador da Virgínia, *sir* William Berkeley e *sir* George Carteret. Os dois últimos também foram nomeados donatários de Nova Jersey, que fora destacada de Nova York. O futuro estado de Nova York chamava-se anteriormente Novos Países Baixos e fora colonizado por holandeses. Ele foi cedido por Carlos II ao seu irmão Jaime em 1664, após os ingleses tomarem controle dele na guerra anglo-holandesa daquele ano. Por falta de inspiração no quesito nomes, ou talvez simplesmente determinado a pôr seu título em todo lugar, James (àquela altura duque de York) renomeou sua principal cidade, a antiga Nova Amsterdã, como cidade de Nova York. Jaime fez de Nova York uma colônia régia quando assumiu o trono em 1685. Naquela época, a população branca havia dobrado com relação ao nível de 1664 e atingido 20 mil.

Esse novo desenvolvimento da América foi motivado, como tantos outros antes dele, tanto pela busca de lucro quanto pelo desejo de expandir o poder inglês e difundir o protestantismo. Este último impulso era um tanto duvidoso, já que Jaime II era católico, mas o alinhamento religioso da Coroa britânica, bem como o dos donatários que ela apoiava, não era a questão principal. Para homens como Berkeley, as Carolinas e Nova Jersey eram simplesmente oportunidades de investimento. Eles não tinham intenção de viver lá. Berkeley vendeu sua cota da donataria de Nova Jersey a *quakers* ingleses, que começaram a se instalar na parte ocidental da colônia, enquanto outros grupos dissidentes, congregacionalistas e batistas, avançaram para leste.

No entanto, assim como na Nova Inglaterra, nem tudo era harmonioso em Nova Jersey. A compra da parte oriental da colônia por um consórcio *quaker* comandado por William Penn em 1682 gerou desconforto entre aqueles – sobretudo escoceses – já instalados lá. Nova Jersey certamente proporcionou um certo refúgio para os *quakers*, um dos grupos religiosos mais perseguidos do período, como mostrou a execução de Mary Dyer em Massachusetts no ano de 1660. Era a sina dos *quakers*, de acordo com um dos primeiros artigos publicados na revista *quaker The Friend*, "ser incompreendidos e distorcidos em grau notável"; acusados de ser jesuítas ou deístas, libertinos ou carolas, "não há nenhum ponto da sua doutrina ou disciplina que eles não tenham sido obrigados a defender".[42] Por esse moti-

---

42   *The Friend.* Philadelphia, v. 1, n. 1, p. 27, Oct. 1827.

vo, Penn sempre procurou um local mais seguro para o seu "experimento santo". Ele encontrou-o em 1681, quando Carlos II lhe concedeu uma terra que ele chamaria de "paraíso de Penn", a Pensilvânia (IMAGEM 11). No ano seguinte, Penn chegou no seu paraíso hereditário para supervisionar a construção do que se tornaria sua principal cidade, com o nome grego de "amor fraterno": Filadélfia. Mais tarde, Penn estendeu seu experimento ao adquirir os assentamentos suecos no Rio Delaware, que, em 1703, tornou-se uma colônia distinta, Delaware. A Pensilvânia rapidamente atraiu colonos *quakers* da Inglaterra, onde, até 1680, cerca de 10 mil deles haviam sido presos como punição por suas crenças heterodoxas, e muitos executados. Milhares foram para a América, atraídos pela garantia de Penn, enunciada claramente na sua *Carta de Privilégios* de 1701:

> que nenhuma pessoa ou pessoas que habitam esta província ou território que confesse e reconheça um Deus criador onipotente, mantenedor e senhor do mundo seja, de qualquer forma, molestada ou prejudicada em sua pessoa ou propriedades por causa da sua crença ou prática conscienciosa, nem seja obrigada a frequentar ou manter qualquer lugar de culto religioso ou ministério contrário à sua mente ou faça ou sofra qualquer outro ato ou coisa contrária à sua crença religiosa.[43]

A ocupação da Pensilvânia foi o último empreendimento colonial britânico do século XVII. Passariam várias décadas até que a Geórgia fosse concebida e fundada (1732), não como refúgio para dissidentes religiosos, mas como asilo para devedores britânicos. Àquela altura, as colônias britânicas estendiam-se do Canadá francês ao longo do litoral leste até a Flórida espanhola. Em termos estrutural e governamental, elas eram muito semelhantes. A maioria era governada por um governador nomeado pela Coroa ou pelo(s) donatário(s) e uma legislatura dividida em um conselho (Câmara Alta) nomeado pelo governador e uma assembleia (Câmara Baixa) eleita. Somente Rhode Island e Connecticut eram exceções; em ambas as colônias, a legislatura elegia o governador. Para todos os fins práticos, econômicos, culturais, religiosos e sociais, e apesar da Confederação da Nova Inglaterra, havia pouca coisa, além de seus laços com a Grã-Bretanha, que as unisse, com uma exceção notável.

A cultura impressa pode ter sido o fulcro do nacionalismo no mundo moderno, mas não foi simplesmente por meio dos mapas cada vez mais detalhados, dos panfletos de propaganda disseminados publicamente e vol-

---

[43] A carta de Penn pode ser lida na íntegra em: http://www.quakerinfo.org/history/1701%20charter/1701Charter.html. Acesso em: 24 nov. 2009.

THE FRAME
OF THE
Government of Pennsilvania
IN
AMERICA, &c.

To all People, *to whom these Presents shall come* :

WHEREAS King Charles the Second, by his Letters Patents, under the Great Seal of *England*, for the Considerations therein mentioned, hath been graciously pleased to Give and Grant unto Me William Penn *(by the Name of* William Penn Esquire, Son and Heir of Sir Willam Penn deceased*) and to* My Heirs *and* Assigns forever, *All that Tract of Land or Province, called* Pennsilvania, *in* America, *with divers great Powers, Preheminencies, Royalties, Jurisdictions and Authorities necessary for the Well-being and Government thereof*

Now Know Ye, That for the *Well-being and Government* of the said *Province*, and for the *Encouragement* of all the Free-men and Planters that may be therein concerned, in pursuance of the Powers aforementioned, I the said William Penn have *Declared, Granted* and *Confirmed,* and by these Presents for Me, my Heirs and Assigns do *Declare, Grant* and *Confirm* unto all the Freemen, Planters and Adventurers of, in and to the said Province These Liberties, Franchises and Properties to be held, enjoyed and kept by the Free-men, Planters and Inhabitants of and in the said *Province* of Pennsilvania forever.

Imprimis, That the Government of this *Province* shall, according to the *Powers* of the *Patent,* consist of the Governour and Free-men of the said *Province*, in the Form of a Provincial Council and General Assembly, by whom all *Laws* shall be made, Officers chosen and publick Affairs Transacted, as is hereafter respectively declared ; That is to say,

II. That the Free-men of the said *Province* shall on the *Twentieth* day of the Twelfth Moneth, which shall be in this present Year *One Thousand Six Hundred Eighty and Two,* Meet and Assembly in some fit place, of which timely Notice shall be beforehand given by the Governour or his *Deputy,* and then and there shall chuse out of themselves Seventy Two Persons of most Note for their *Wisdom, Virtue* and *Ability,* who shall meet on the Tenth day of the First Moneth next ensuing, and alwayes be called and act as the Provincial Council of the said *Province.*

IMAGEM 11. William Penn, *The Frame of Government of the Province of Pennsylvania* (Londres, 1682).

tados para imigrantes em potencial, ou dos relatos de viagem do Novo Mundo escritos por aventureiros como John Smith ou vividamente ilustrados por Theodor de Bry que a América gradualmente ganhou visibilidade. Para quem procura o caráter dos primórdios da identidade americana, uma pista importante está mais na prosaica burocracia da colonização, da qual o Quadro de Governo de Penn era apenas um exemplo. O país era simplesmente soterrado pela documentação do governo, gerido por pessoas para quem as letras miúdas dos contratos e estatutos, a estrutura sutil da sua vida jurídica, realmente importavam – e muito.

Os puritanos estavam especialmente interessados no controle que uma carta claramente redigida proporcionaria. A Grande Migração foi financiada por uma sociedade por ações, a Companhia da Baía de Massachusetts, sob a égide de uma carta concedida pela Coroa. Porém, ao contrário da Companhia de Londres, a própria carta estava na posse dos colonos puritanos originais que, por meio do "Acordo de Cambridge" (1629), compraram daqueles que não pretendiam emigrar sua parte na companhia e consolidaram seu controle sobre a governança e administração da colônia comandada por John Winthrop. Dez anos depois, em Connecticut, Thomas Hooker instituiu as "Ordens Fundamentais" para governar a colônia, uma das primeiras constituições escritas dos Estados Unidos. No mesmo ano (1639), New Hampshire instituiu o "Pacto de Exeter" (segundo o modelo do "Pacto do Mayflower") para governar a colônia.

Mais ao sul, nas Carolinas, com a ajuda do filósofo John Locke, um dos donatários, *sir* Anthony Ashley Cooper, concebeu as "Constituições Fundamentais" para garantir ali o governo de uma aristocracia hereditária. Embora malsucedida e logo substituída pelo modelo hereditário "padrão" da administração colonial (um governador, um conselho e uma assembleia eleita), elas mostraram em que grau o projeto de colonização destacava a questão do governo, estrutura social, relações de raça, liberdades religiosas e representação política. A experiência da colonização afastou os colonizadores britânicos da tradicional combinação governamental inglesa da Magna Carta, direito local, *common law* e os tribunais. De fato, tendo em vista a redação e reformulação aparentemente incessante de pactos e acordos na era colonial, a eventual centralidade de uma Constituição escrita nos Estados Unidos não é nada espantosa.

No início do século XVIII, obviamente, ninguém antecipava a eventual unificação das colônias britânicas, muito menos um único documento constitucional para regê-las. Não obstante, as tensões inerentes ao governo colonial, combinadas ao crescimento demográfico e geográfico natural das colônias, começaram a enfraquecer os vínculos entre elas e a Grã-Bretanha, ainda que isso não fosse suficiente, por enquanto, para fortalecer a relação entre as diversas colônias. Um dos primeiros indícios de um futuro conflito entre os colonizadores e a "pátria-mãe" veio apenas alguns anos após a Guerra do Rei Filipe e parcialmente em decorrência dela, quando a Coroa britânica, preocupada com relatos vindos da Nova Inglaterra, buscou um controle mais próximo das colônias. Os esforços de controlar o comércio colonial, iniciados com a Lei de Navegação de 1651, foram reforçados em 1673 pela Lei de Tributos Agrícolas e, dois anos depois, pela instituição dos Lordes do Comércio e das Plantações, um comitê do Conselho Privado cuja incumbência era controlar os assuntos coloniais. Em 1684, a Carta de Massachusetts foi revogada como punição por Massachusetts ter desrespeitado as restrições comerciais. Isso foi seguido, em 1686, pela criação, sob a tutela de Jaime II, do Domínio da Nova Inglaterra (IMAGEM 12) cuja administração geral ficou a cargo do ex-governador de Nova York, Edmund Andros. Isso aproximou as colônias de Connecticut, New Hampshire, Plymouth, Rhode Island, Massachusetts, Nova Jersey e Nova York, parcialmente para garantir o cumprimento da Lei de Navegação, e em parte com vistas a melhorar a defesa. Os esforços de administração colonial de Jaime foram efêmeros, claro, porque a Revolução Gloriosa de 1688 removeu-o do trono e substituiu-o por Guilherme III (de Orange) e Maria em 1689.

O lema do Domínio da Nova Inglaterra, reproduzido no seu selo, declarava que *"Nunquam libertas gratior extat"*, o que era uma abreviaçao da citação *Nunquam libertas gratior extat quam sub rege pio* ("A liberdade nunca se mostra de forma mais graciosa que sob um rei pio"). Mas as colônias estavam desenvolvendo rapidamente suas próprias ideias de liberdade, ideias que entravam cada vez mais em conflito com a Monarquia e com a ideia da subserviência cooperativa de ingleses e nativos à Monarquia que a imagem do selo do Domínio sugeria. É importante não exagerar isso, nem atribuir uma ideologia republicana ao que ainda não era uma época republicana. A hostilidade contra certas políticas implementadas pela Coroa britânica no fim do século XVII não se traduziu instantânea e decisivamente em uma oposição ideológica a tudo que era régio no século XVIII. Ao contrário, a afirmação dos direitos "ancestrais" dos ingleses livres contida na Carta de Direitos de 1689, promulgada pelo Parlamento britânico e ruidosamente alardeada por toda a Inglaterra durante a Revolução Gloriosa, repercutiu na América. Quando relatos confirmados da vitória de Guilher-

IMAGEM 12. Selo do Domínio da Nova Inglaterra (1686-1689), em William Cullen Bryant e Sydney Howard Gay, *A Popular History of the United States*, v. III, p. 9, 1879. Cortesia da Biblioteca do Congresso e da Exposição do Centro de Diplomacia dos Estados Unidos. Disponível em: http://diplomacy.state.gov/exhibitions/100935.htm.

me chegaram às colônias, levantes populares derrubaram os governos de Edmund Andros (Massachusetts, mas governador-geral do Domínio), Francis Nicholson (Nova York) e William Joseph (Maryland), mas o impulso por trás deles estava intimamente ligado a acontecimentos na Grã-Bretanha. No caso de Massachusetts e Nova York, os adversários do velho regime não agiram decisivamente até o momento em que eles tivessem certeza de que o novo regime de Guilherme e Maria estava implantado.

A troca da guarda na Inglaterra, em suma, foi simplesmente replicada nas colônias de formas que revelavam os cismas sociais e políticos internos, e seguiu os canais abertos por aqueles que as governavam. A oposição ao Domínio e às elites coloniais, os quais serviam de porta-vozes da Coroa britânica, não foi necessariamente uma indicação precoce de uma posição anti-imperial, o que também não significa que não tenha influenciado a formação da futura nação que a América viria a se tornar. A derrota de Jaime por Guilherme de Orange teve repercussões de prazo mais longo para a América do que a simples destituição de católicos dos cargos de poder em Massachusetts, Maryland e Nova York. A Revolução Gloriosa encerrou todas as esperanças de uma restauração católica na Grã-Bretanha, mas também legou à futura nação americana um viés anticatólico persistente. Passariam quase 300 anos até que a América elegesse um presidente católico (John F. Kennedy em 1960); e foi no período colonial que se formou a garantia da ascendência branca protestante, mas isso ocorreu em um contexto monárquico.

O Domínio da Nova Inglaterra havia tentado limitar – eliminar, na verdade – os direitos da Assembleia colonial. Eles foram restaurados sob Guilherme e Maria, mas somente até certo ponto. Em 1691, Massachusetts e (por pouco tempo) Maryland tornaram-se colônias régias, cujos governadores eram nomeados pela Coroa britânica e, no caso de Massachusetts, com direito de voto definido não pela participação na Igreja mas pela propriedade. Assim, a regra dos "santos" cedeu lugar à ascensão de uma nova elite secular, sobretudo de mercadores e proprietários rurais. Foi o começo da tendência. Nas primeiras décadas do século XVIII, muitas das colônias passaram do controle societário ou hereditário ao da Coroa, com exceção de cinco delas: Pensilvânia, Maryland, Delaware, Rhode Island e Connecticut. Porém, mesmo nessas colônias, o alcance régio não podia ser inteiramente evitado. Movida por uma mentalidade mercantilista que via as colônias quase do mesmo modo como a Companhia da Virgínia vira Chesapeake –, como fonte de riqueza, matérias-primas e emprego nas colônias e na metrópole –, a Grã-Bretanha não tinha motivo, um século após a colônia de Jamestown ter surgido timidamente, para sentir-se desapontada, mas estava ansiosa por proteger seu investimento.

A criação, em 1696, de um Conselho de Comércio estendeu o controle sobre produtos coloniais, o qual foi inaugurado, mas até então aplicado sem muito rigor, nas Leis de Navegação. Em meados do século XVIII, praticamente todas as matérias-primas produzidas na América Britânica caíram sob sua alçada. Isso não era necessariamente ruim para as colônias americanas, pois lhes garantia um mercado na Grã-Bretanha. Em 1720, por exemplo, Glasgow, na Escócia, importava mais de 50% de todo o tabaco americano. Isso também abriu novos mercados por meio do comércio com outras colônias britânicas, especialmente as das Índias Ocidentais, e confirmou a posição da América como parte do lucrativo comércio "triangular" de bens e escravos que operava entre a Europa, o Caribe e a África Ocidental. No caso americano, a Nova Inglaterra substituía o ponto europeu do triângulo. Navios da Nova Inglaterra levavam rum de Boston e Newport para a Guiné, transportavam escravos da África para as Índias Ocidentais, retornavam à América com o melaço e o açúcar necessários para fazer mais rum e perpetuavam assim o círculo vicioso de ida e volta, no qual as pessoas configuravam a maior fonte de lucro. As colônias americanas da Grã-Bretanha, em suma, não se desenvolveram isoladamente. Os conflitos religiosos e reais da Inglaterra podem ter reverberado nelas, mas o tipo de sociedade em que essas colônias se tornaram nunca foi apenas um eco distante da Inglaterra.

De fato, após 1700, a imigração inglesa diminuiu gradualmente, enquanto a de outras nações europeias cresceu. Ao mesmo tempo, o aumento da importação de povos africanos, combinado com uma definição cada vez mais étnica da servidão, especialmente nas colônias sulistas, não somente confirmou a tendência em direção a uma sociedade racialmente bifurcada, mas proporcionou a base econômica e – o que é mais importante – cultural sobre a qual essa sociedade iria se desenvolver. Do final do século XVII ao início do XVIII, a vida econômica, social, religiosa e política das colônias passou a ser cada vez mais caracterizada por dois conceitos aparentemente contraditórios: liberdade e escravidão. É claro que eles não são nem um pouco contraditórios. Um não pode ser plenamente compreendido sem o outro e, no caso da América, um não podia, no fim, ser obtido sem o outro.

O QUE, ENTÃO, É O AMERICANO?

Em 1782, um ano antes de o Tratado de Paris (1783) reconhecer formalmente a nova nação que eram os Estados Unidos da América, o emigrado francês John Hector St. John de Crèvecoeur publicou, em Londres, uma série de ensaios com o título *Letters from an American Farmer* [Cartas de um fazendeiro americano]. Nela ele fez uma pergunta com a qual acabou se tornando famoso: "O que, então", indagou ele, "é o americano, esse novo homem?". Sua resposta definiu a face pública mais positiva da América desde que Crèvecoeur a formulou. O americano, afirmou ele, era um europeu, mas com uma diferença. "É americano", asseverou Crèvecoeur, "aquele que, deixando para trás de si todos os seus antigos preconceitos e modos, recebe outros do novo modo de vida que adotou, do novo governo ao qual obedece e da nova posição que ocupa." O americano era visto como um aglomerado de tipos nacionais, uma "estranha mistura de sangue que não se encontra em nenhum outro país", Crèvecoeur observou, orgulhoso do fato de que ele "podia indicar um homem cujo avô era inglês, cuja esposa era holandesa, cujo filho desposou uma francesa e cujos quatro filhos atuais têm agora quatro esposas de nações diferentes". A América era um lugar onde

> indivíduos de todas as nações são fundidos em uma nova raça de homens, cujos esforços e posteridade um dia provocarão grande mudanças no mundo. Os americanos são os peregrinos ocidentais que estão carregando consigo aquela grande massa de artes, ciências, vigor e indústria que começou há muito tempo no Oriente; eles completarão o grande círculo... O americano é um novo homem, que age segundo novos princípios; por isso, ele deve cultivar novas ideias e formar novas opiniões. Do ócio involuntário, da dependência servil, da penúria e do esforço inútil, ele passou a tarefas de natureza muito diferente, recompensadas por uma ampla subsistência. Isso é um americano.[44]

Uma vez que a imigração não inglesa realmente não ganhou força antes de 1700, se seguirmos Crèvecoeur, levou menos de um século, talvez no máximo quatro gerações férteis, ou o período de vida de um único indivíduo que não excedesse em muito os setenta e pouco anos que lhe cabiam, para que a mescla errática de colônias americanas britânicas não só se unisse e formasse uma nação distinta, mas para que o povo branco dessa nova nação adquirisse a condição quase mítica de "peregrinos ocidentais" encarregados de cumprir o destino da humanidade. Surge a pergunta: como isso foi possível? A pergunta, de fato, é: isso foi possível?

A reflexão mostra-nos que a Revolução Americana, ou Guerra de Independência, não acabou com a separação das colônias da Grã-Bretanha da "pátria-mãe" em 1783. Sem o dom da antevisão, os colonizadores do começo do século XVIII não estavam se preparando para declarar independência em 1776, nem para a guerra necessária para obtê-la. Mas em certo sentido eles estavam fazendo exatamente isso, porque havia duas características predominantes na vida colonial americana: mudança e guerra.

As colônias eram, certamente, sociedades em transição quase perpétua. Em parte, essa instabilidade derivava do influxo constante de novos imigrantes. Até dentro da sociedade branca – e certamente nas suas fronteiras –, a vida colonial oferecia menos oportunidades de fertilização intercultural

---

44 CRÈVECOEUR, J. Hector St. John de. *Letters from an American Farmer*. London: Penguin, 1983 [1782]. p. 69-70.

que o entusiasmo posterior de Crèvecoeur diante das possibilidades de troca intereuropeia fazia parecer. No período entre 1700 e a proclamação da Declaração de Independência (1776) pelos colonizadores, mais de meio milhão de imigrantes chegaram nas colônias. Desse meio milhão, aproximadamente 100 mil desembarcaram como trabalhadores servis, e cerca de 50 mil eram condenados deportados, estes últimos principalmente da Inglaterra e do País de Gales (*c.* 35 mil), mas também da Irlanda (*c.* 17 mil) e da Escócia (*c.* 2 mil). Os diversos grupos que chegaram – alemães (*c.* 85 mil), escoceses (*c.* 35 mil) e irlandeses (*c.* 108 mil) – não se misturavam facilmente. Portanto, as colônias eram certamente diversificadas, mas os vários grupos incluídos nessa diversidade tendiam a permanecer relativamente homogêneos em termos de religião e cultura, raramente praticando a exogamia. Todavia, o grupo que sobrepujava todos os outros imigrantes em termos numéricos, desconsiderando-se igualmente as variações de condição social no interior dos grupos de imigrantes europeus, era o dos que chegavam da África como escravos (*c.* 280 mil), parcialmente em decorrência da queda drástica dos preços dos escravos que se seguiu à perda do monopólio da Real Companhia Africana sobre o comércio africano de escravos em 1697. O aumento concomitante da importação de escravos fez que a população negra das colônias disparasse de cerca de 20 mil em 1700 para mais de 350 mil em 1763. Nesse período, portanto, mais da metade de todos os imigrantes chegaram involuntariamente, ou como condenados ou como escravos.

O mundo que eles adentraram era frequentemente cindido por conflitos, os quais eram consequência natural das guerras europeias do período, que tinham origens nacionais nesse continente, mas não reconheciam as fronteiras nacionais de lá. Entre 1689 e 1763, as colônias americanas participaram de nada menos do que quatro guerras travadas entre a Grã-Bretanha e a França: a Guerra da Liga de Augsburg, que os colonizadores denominaram Guerra do Rei Guilherme (1689-1697); a Guerra da Sucessão Espanhola (Guerra da Rainha Ana, 1702-1713); a Guerra da Sucessão Austríaca (Guerra do Rei Jorge, 1744-1748); e finalmente e mais decisivamente da perspectiva colonial, a Guerra dos Sete Anos (Guerra Franco-Indígena, 1756-1763), encerrada pelo Tratado de Paris em 1763 e pela eliminação da ameaça francesa às ambições coloniais da Grã-Bretanha na América. Foi nesse cenário de conflitos quase constantes – e que, como os diferentes nomes coloniais para eles sugerem, eram vistos como intrusivos e certamente eram destrutivos – que as colônias americanas da Grã-Bretanha se desenvolveram. Não era uma receita para a estabilidade social ou imperial.

Instabilidade e incerteza, no entanto, eram aspectos intrínsecos da experiência colonial. Praticamente todos os imigrantes que não eram membros da elite governante inglesa – e que comportavam a maioria, homens e mulheres, negros e brancos – entravam em um mundo de incerteza, voluntariamente ou não, quando chegavam às colônias. A reação de pelo menos alguns deles foi observada astutamente pela primeira dramaturga inglesa, Aphra Behn, no fim do século XVII. Na sua interpretação dramática da Rebelião de Bacon na Virgínia, um dos personagens declara que esse "país não precisa de nada mais, exceto ser povoado com uma raça bem-nascida para fazer dele uma das melhores colônias do mundo". Em vez disso, ele era "governado por um conselho do qual alguns membros foram talvez criminosos degredados que, tendo adquirido grandes propriedades, agora se tornaram Vossa Excelência e Vossa Reverência e ocupam todos os cargos de autoridade".[45] Essa primeira definição do que seria mais tarde chamado de "mito da cabana de troncos" ou de "sonho americano" era, no início do período colonial, como Behn claramente entendeu, uma fonte de tensão, não de entusiasmo. Ela era interpretada como oportunismo, não otimismo. O otimismo, de fato, era bastante escasso nas colônias britânicas no começo do século XVIII. Mas essas colônias estavam prestes a conhecer um período notável de crescimento e desenvolvimento que mudaria seu mundo e sua perspectiva para sempre.

Em 1700, as colônias americanas estavam no limiar da era moderna. Elas compreendiam uma combinação de elementos em total consonância com o mundo moderno como ele é entendido hoje, mas também atitudes que hoje designaríamos como pré-modernas. Neste último caso, o exemplo talvez mais óbvio, mas também extremo, foram os julgamentos por feitiçaria de Salem em 1692, que podem ser descritos como uma reação pré-moderna às pressões modernas e ao ambiente instável de Massachusetts no fim do século XVII. A realidade da vida dos colonos de Salem era a de que eles estavam sofrendo uma pressão crescente de um monarca que, embora acreditasse firmemente no "direito divino dos reis", era inegavelmente humano. Porém, a ameaça à qual os colonizadores reagiram emanava de um poder totalmente diferente, o de Satã. De um ponto de vista puritano, obviamente, um monarca católico podia facilmente ser confundido com

---

45 BEHN, Aphra. *The Widow Ranter, or, The History of Bacon in Virginia*. Ed. Paul Royster. Lincoln: University of Nebraska, 2008 [1690]. p. 3.

o príncipe das trevas, mas Satã era real nas suas mentes em 1692 de uma maneira que Jaime II não era.

A crença na feitiçaria e na intervenção mágica era, evidentemente, comum tanto na Grã-Bretanha quanto nas colônias nesse período, e a histeria que irrompeu em Salem em 1692 levou alguns anos para se concretizar. A primeira "bruxa" acusada, Goody Glover, foi enforcada em 1688. O eminente ministro puritano Cotton Mather descreveu o caso nas suas *Memorable Providences Relating to Witchcrafts and Possessions* [Providências memoráveis relativas a bruxaria e possessões] (1689), que oferecem um vislumbre de um mundo disposto a executar uma mulher inocente com base em provas fornecidas por uma menina emotiva de 13 anos que discutira com ela. Era um mundo cuja reação à ameaça externa era a de voltar-se sobre si mesmo. "Ide dizer à humanidade", Mather instou no seu panfleto, "que há demônios e bruxas" e que a Nova Inglaterra "teve exemplos da sua existência e operação; e que não somente os *wigwams* dos índios, onde os *powwows* pagãos invocam frequentemente seus senhores na forma de ursos e cobras e fogos, mas a casa dos cristãos, onde nosso Deus recebeu culto constante, sofreu a perturbação de espíritos malignos". Salem certamente abrigava espíritos malignos, mas eles eram um pouco mais terrenos do que etéreos.

Em 1691, os monstros dos pesadelos infantis tornaram-se horrivelmente reais quando a feitiçaria foi identificada como a causa de suas convulsões, e um escravo de cor chamado Tituba foi acusado, junto a várias mulheres brancas, de ser a fonte. No ano seguinte, a situação fugiu totalmente do controle. Vizinhos acusavam vizinhos e algumas antigas contas evidentemente seculares foram acertadas, até que o governador de Massachusetts interveio e dissolveu o tribunal de Salem que já tinha, àquela altura, julgado bem mais de cem pessoas e condenado e executado quatorze mulheres e cinco homens pelo crime de feitiçaria. Diante dessa histeria de massa, o pai de Cotton Mather, Increase Mather, ele também um eminente clérigo puritano, sentiu-se compelido a condenar toda a questão da "prova espectral" no seu tratado *Cases of Conscience Concerning Evil Spirits* [Casos de consciência acerca de espíritos malignos] (1693). A mensagem de Mather foi reforçada na publicação posterior (IMAGEM 13) de *A Modest Enquiry into the Nature of Witchcraft* [Uma modesta investigação sobre a natureza da bruxaria] (1702) de John Hale. Hale, ministro em Beverly, Massachusetts, mostrara-se muito aguerrido na sua perseguição às bruxas até que sua esposa, Sarah, tornou-se

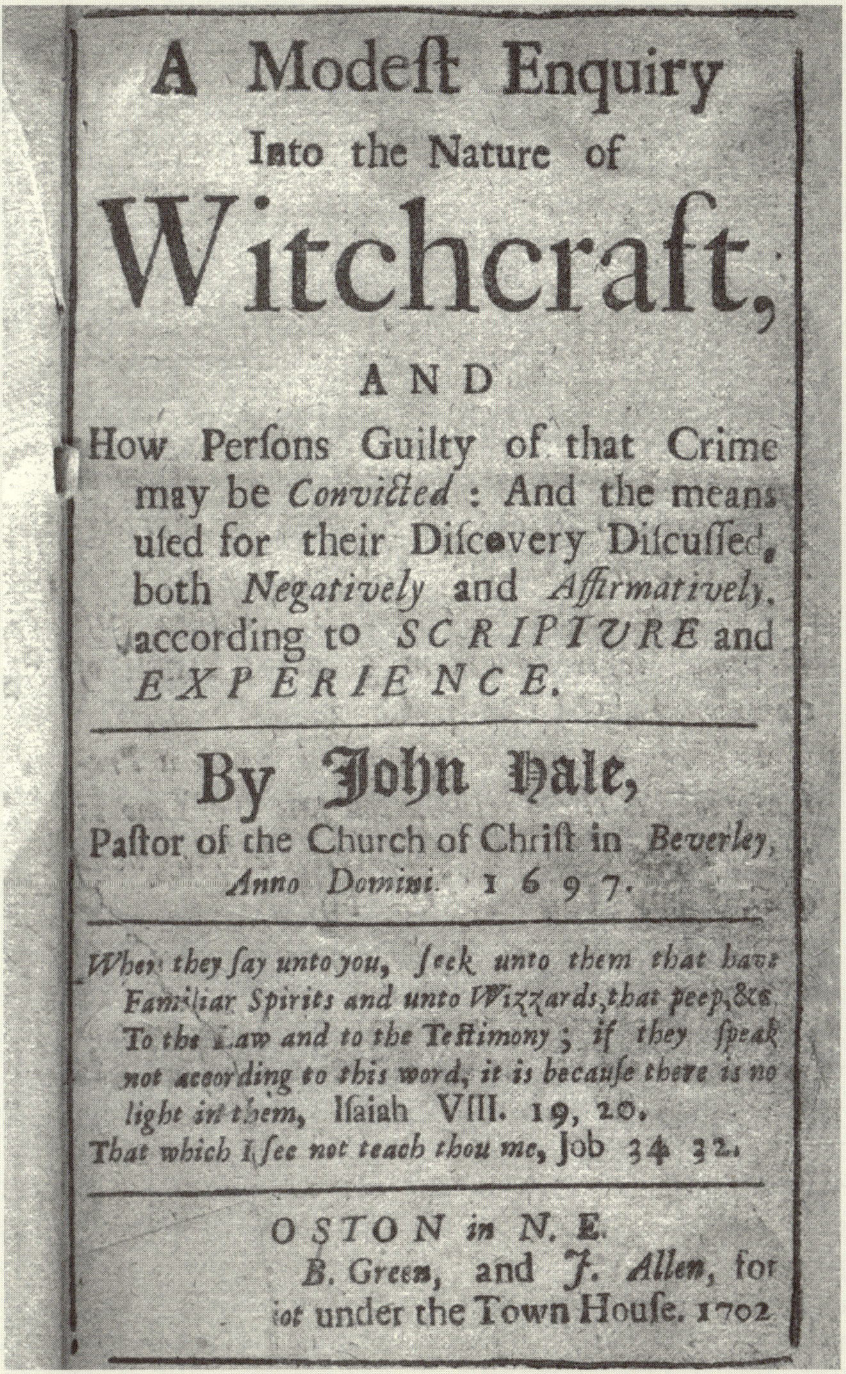

A Modeſt Enquiry
Into the Nature of
Witchcraft,
AND
How Perſons Guilty of that Crime may be *Convicted*: And the means uſed for their Diſcovery Diſcuſſed, both *Negatively* and *Affirmatively*, according to *SCRIPTURE* and *EXPERIENCE*.

By John Hale,
Paſtor of the Church of Chriſt in *Beverley*,
Anno Domini. 1697.

When they ſay unto you, ſeek unto them that have Familiar Spirits and unto Wizzards, that peep, &c. To the Law and to the Teſtimony; if they ſpeak not according to this word, it is becauſe there is no light in them, Iſaiah VIII. 19, 20.
That which I ſee not teach thou me, Job 34 32.

OSTON in *N. E.*
B. Green, and *J. Allen*, for
ot under the Town Houſe. 1702

IMAGEM 13. John Hale. *A Modest Enquiry into the Nature of Witchcraft* (Boston: Green and Allen, 1702).

uma das acusadas. Com isso, ele acabou desistindo da ideia; mas em 1700 a maioria dos habitantes da Nova Inglaterra também já havia se desinteressado dela.

A reação aos julgamentos de feitiçaria de Salem simplesmente confirmou – se é que era necessário confirmar – uma reação mais geral contra a autoridade da elite eclesiástica, que, em 1699, expressou-se na fundação da Igreja da rua Brattle em Boston, a primeira que dispensou inteiramente a ideia de que somente os eleitos de Deus podiam ser admitidos como membros. Em meados do século XVIII e no contexto do que era conhecido como o "Grande Despertar", um avivamento religioso de massa que começou em Nova Jersey e no interior do estado de Nova York e espalhou-se por todas as colônias entre as décadas de 1720 e 1760, alguns dos clérigos mais radicais haviam até dispensado inteiramente a noção de predestinação e pregavam a salvação no seu lugar.

A mudança estava claramente no ar, uma mudança parcialmente caracterizada e às vezes inteiramente pelo conflito com a perspectiva colonial da Grã-Bretanha. A mentalidade mercantilista que dirigia a atitude da Grã-Bretanha para com suas colônias americanas não estava apenas preocupada com bens coloniais e as oportunidades comerciais que eles proporcionavam, mas com a população da metrópole. Embora a imigração, salvo no caso de artesãos qualificados, não fosse abertamente desincentivada após 1700, ela já não era mais positivamente encorajada, exceto e especialmente após a Lei do Degredo de 1718, no caso de criminosos condenados.

Desde os primórdios do período colonial, um dos atrativos para imigrantes voluntários para o Novo Mundo foi a promessa de maior liberdade, seja religiosa, social ou puramente econômica. Para as mulheres em especial, parecia haver – e nos primeiros anos da colonização, às vezes havia – pelo menos a possibilidade de viver uma vida menos limitada pelo domínio patriarcal. A extensão em que essa possibilidade era realizada dependia, naturalmente, da colônia, das circunstâncias e da mulher. A escassez inicial de mulheres em Chesapeake concedia àquelas que chegavam um certo grau de poder, que era ao mesmo tempo minado e aprimorado pela expectativa de vida reduzida que a região oferecia. Tornar-se viúva podia trazer liberdade financeira, mas com ela o risco de não sobreviver o bastante para aproveitar. Na Nova Inglaterra, o ambiente mais saudável produzia seus próprios fardos em termos de tamanho familiar ampliado, que era maravilhoso, sem dúvida, mas não deixava de restringir a vida da mulher aos assuntos domésticos. Em suma, a vida além da cozinha ou do quarto das crianças era a sina de muito poucas delas apenas.

O maior crescimento econômico, geográfico e demográfico das décadas pré-revolucionárias serviu apenas para erradicar as oportunidades de independência feminina que estiveram presentes nos primórdios da era colonial. No século XVIII, época em que cerca de 90% dos colonizadores americanos tiravam seu sustento da terra, a vida da maioria das mulheres girava em torno da família, da fazenda e do campo. Diários do período permitem vislumbrar as vidas das alfabetizadas, pelo menos. Uma delas, Mary Cooper, de Long Island, detalhou uma vida de labuta quase constante. A véspera de Natal de 1768 encontrou-a "cansada quase até a morte", por ter "secado e passado minhas roupas quase até o romper do dia". Em 13 de maio do ano seguinte, ela registrou "muito trabalho pesado" que a deixou sentindo-se "suja e extenuada". Dois meses depois (13 de julho), ela refletiu sobre o fato de que já fazia "quarenta anos desde que deixei a casa de meu pai e vim para cá, e aqui vi pouco mais além de trabalho pesado e tristeza, pesares de todo tipo. Acho", concluiu ela, "que em todos os aspectos minha situação é mais de quarenta vezes pior do que quando vim para cá, exceto que estou mais próxima do refúgio desejado".

A causa precisa da infelicidade de Mary não era somente a pilha de roupa por passar. Uma pista para o que a afligia aparece em seu diário no mês de agosto. "Meu coração arde com raiva e descontentamento", confessou ela, "carente de todas as coisas necessárias na vida e com medo constante de credores vorazes." No seu caso, como em tantos outros, ao medo da pobreza acrescia o terror da doença. A varíola, em especial, era um perigo muito real. Quando houve um surto em Boston em 1721, Cotton Mather, entre outros, estava disposto a explorar as possibilidades de inoculação contra o vírus, mas 50 anos depois, em Long Island, a prática ainda não estava difundida. Foi com alívio que Mary Cooper relatou a recuperação de sua filha da doença, mas ela reconheceu que "assustou-se muito com a varíola" nas entradas do seu diário do começo de 1771.[46]

Doença, dívida e trabalho físico debilitante definiam a sina de muitos dos colonizadores brancos da América no século XVIII. A riqueza do Novo Mundo nunca foi dividida igualmente e, à medida que a população colonial crescia, expandindo-se para o interior a partir das primeiras povoações e

---

46 Excertos do diário de Mary Cooper tirados de HORNE, Field (ed.). *The Diary of Mary Cooper: Life on a Long Island Farm, 1768-1773*. New York: Oyster Bay Historical Society, 1981.

desenvolvendo centros urbanos no litoral leste, as desigualdades da vida também se tornavam mais aparentes. Algumas dessas desigualdades eram baseadas no gênero, outras raciais, outras simplesmente financeiras, muitas um reflexo da interação de pelo menos dois desses componentes. Para as mulheres, que estavam a 5 mil quilômetros da Europa, em um ambiente onde, como era o caso da Nova Inglaterra, elas efetivamente eram mais numerosas do que os homens, pouco importavam as oportunidades que lhes eram oferecidas. Não se tratava de um mundo igualitário, mesmo se os homens nele debatessem cada vez mais os limites da autoridade e desafiassem expressões tradicionais de dominação, quer emanassem do púlpito, da assembleia política ou dos éditos senhoriais que ainda regiam algumas das colônias britânicas. Em vários aspectos importantes, a América no começo do século XVIII era um mundo de desafio e mudança, mas no cerne de suas numerosas transições – religiosa, política, cultural, ideológica –, certas coisas permaneciam fixas. O homem colonizador podia estar avançando para tornar-se "o americano, esse novo homem", mas os "novos princípios" que Crèvecoeur lhe atribuíra ainda não incluíam a igualdade de gênero. A nova mulher teria de esperar, e por muito tempo, como foi o caso de alguns estados.

Obviamente, generalizações são traiçoeiras, pois havia enormes variações regionais, sociais e culturais nas Américas em 1700. As colônias britânicas estavam situadas, geograficamente mas também em termos de comércio, entre dois poderosos impérios europeus, o francês e o espanhol, com os quais elas entravam em conflito, e no meio de um país que ainda era o lar de pelo menos parte das populações aborígines da América. Entre 1700 e 1770, a população dessas colônias disparou de 265 mil para mais de 2,3 milhões. Isso aconteceu no contexto mais amplo de um declínio populacional generalizado desde 1600, porque a ascensão da sociedade branca – e negra – era acompanhada pelo declínio das populações nativas, ou mesmo sempre baseada nesta queda. As estimativas variam, mas previa-se que somente cerca de 5% da população nativa da Nova Inglaterra em 1600 ainda estava lá em 1700. No entanto, para esses 5% e para as outras nações nativas no interior, a mudança não era o que eles estavam procurando, mas algo com que eles tinham de se acostumar.

Empurrados mais para o interior e forçados a competir não somente com os colonos brancos mas com outros grupos nativos por terra e recursos, muitos dos povos aborígines da América, especialmente os do Sul, simplesmente desapareceram por completo ao longo do século XVIII, absorvidos em outras tribos ou dizimados por doenças. No seu relato histórico do desenvolvimento da Pensilvânia e de Nova Jersey e do impacto que ele teve sob os *delawares*, ou *lenni lenapes* ("povos originais"), um observador da época, o *quaker* Gabriel Thomas, relatou que "os próprios índios dizem que dois deles morrem para cada cristão que chega aqui". A Pensilvânia desse período foi descrita pelo trabalhador servil William Moraley, que chegara em 1729, como o "melhor país para os homens pobres no mundo", mas as oportunidades para alguns tinham um preço alto para outros.[47] Para muitos colonos brancos, acrescentou Moraley, o "melhor país para os homens pobres" mostrou-se não ser nada disso. As ruas de Filadélfia não eram pavimentadas com o ouro das utopias urbanas imaginadas. Para pessoas como os *lenni lenapes*, foi muito pior. A mudança para os povos nativos nunca era para melhor.

De um lado havia continuidade: o conflito. Ele afetava particularmente a Nova Inglaterra. No começo do século XVIII, os conflitos entre nativos e ingleses na região eram bem mais complexos do que aqueles ocorridos várias décadas antes, durante a Guerra do Rei Filipe. Naturalmente, esse contato belicoso gerou desconfiança de ambos os lados, e episódios de violência ocasional entre eles, ainda que relativamente isolados, deterioraram as relações após 1676. As tensões foram exacerbadas pelo início de outro período de beligerância entre a França e a Grã-Bretanha, a Guerra da Sucessão Espanhola (Guerra da Rainha Ana), que começou em 1702. Como seu nome europeu sugere, não era apenas a França que a Grã Bretanha enfrentava. No ano inicial da guerra, as forças espanholas também lançaram ataques contra assentamentos britânicos, sobretudo na Carolina do Sul, e forças britânicas retaliaram com investidas contra missões espanholas na Flórida.

Naquele ano, no norte da Nova Inglaterra, os colonizadores enfrentaram um número crescente de ataques dos *abenakis*, que gozavam de boas relações com os franceses. Os assentamentos mais isolados em Maine, New Hampshire e Massachusetts eram os que corriam um risco maior. Uma das vilas mais suscetíveis era Deerfield, Massachusetts, que sofreu uma quantidade de pequenos ataques seguidos, em fevereiro de 1704, por uma incursão de grande escala combinada de franceses e *abenakis*, a qual resultou em

---

47   THOMAS, Gabriel. *An Account of Pennsylvania and West New Jersey*. Reprint: Cleveland: The Burrows Brothers Company, 1903 [1698]. p. 70. MORALEY apud KLEPP, Susan E.; SMITH, Billy G. (ed.). *The Infortunate: The Voyage and Adventures of William Moraley, an Indentured Servant*. University Park: The Pennsylvania State University Press, 1992. p. 89.

mais de 50 de seus habitantes mortos e outros 100 feitos prisioneiros. Contudo, antes mesmo do ataque principal contra Deerfield, alguns dos líderes da Nova Inglaterra, pelo menos, preconizaram medidas retaliatórias extremas contra os *abenakis*. Um deles era o ministro de Boston Solomon Stoddard, que informou o governador de Massachusetts Joseph Dudley que os habitantes de Deerfield estavam "muito desanimados" pelos acontecimentos. Sua solução era a de que eles deveriam assumir a ofensiva. Se "cães fossem treinados para caçar índios como o são para caçar ursos", ele propôs, "perceberíamos rapidamente uma grande vantagem nisso. Os cães seriam um extremo terror para os índios", que, salientou ele, "não têm muito medo de nós". Ele lembrou Dudley que tais métodos haviam se mostrado eficazes na Virgínia e afirmou que os *abenakis* deveriam "ser vistos como ladrões e assassinos", que "cometem atos de hostilidade sem declarar guerra". Eles eram, afirmou ele, como lobos e deviam "ser tratados como lobos".[48]

O conselho de Stoddard foi certamente informado por uma mentalidade branca racialista – ele não disse nada sobre os franceses, por exemplo –, mas suas preocupações não derivavam de um grande sentimento de superioridade. Elas decorriam do medo. Tomados entre dois mundos europeus em guerra, colonizadores como Stoddard naturalmente começaram a se indignar com o que era percebido cada vez mais como conflitos estrangeiros, guerras que ameaçavam seu mundo mas que não deveriam fazer parte dele. O medo era tanto físico quanto cultural. A perda da vida era um aspecto dele. A perda dos que ainda viviam era outro. Na esteira do que ficou conhecido como o "massacre" de Deerfield, muitos dos colonizadores capturados conseguiram, mesmo tendo de suportar uma marcha forçada até a Nova França (Quebec), finalmente retornar a Massachusetts, mas outros não. Uma deles, Eunice Williams, era filha do ministro de Deerfield, John Williams. Para desgosto de seu pai, Eunice optou por não retornar, casou-se na tribo *mohawk* (do povo iroquês) e tornou-se católica romana. Eunice nunca perdeu inteiramente contato com sua família branca, mas a partir do momento da sua captura em 1704 ela estava, do ponto de vista deles, cultural, social e espiritualmente perdida para sempre.

No seu relato dos fatos, *The Redeemed Captive Returning to Zion* [A prisioneira resgatada retorna ao Sião] (1707), o pai de Eunice certamente inter-

---

48 Reverendo Solomon Stoddard ao governador Joseph Dudley, 22 de outubro de 1703, *apud* DEMOS, John. *Remarkable Providences: Readings on Early American History*. Rev. Ed. Boston: Northeastern University Press, 1991. p. 372-4.

pretou sua perda como uma ameaça cultural e católica à sua fé e ao modo de vida dos ingleses. Mas esse não era o ponto de vista de sua filha. Para Eunice Williams, embora em circunstâncias que ela provavelmente não teria escolhido, a América colonial decerto mostrou ser uma terra de oportunidades. Ela conseguiu adquirir o que Crèvecoeur identificaria mais tarde como uma identidade especificamente americana. Ela deixou para trás seus "antigos preconceitos e modos", adotou novos modos e assumiu plenamente "o novo modo de vida" que a troca cultural poderia oferecer. No entanto, para sua família, assim como para a maioria dos colonos brancos, isso não era bem a oportunidade que eles haviam antecipado, nem era bem-vinda.

No diário de seu irmão Stephen, no qual ele registrou todas as notícias sobre Eunice e as tentativas de resgatá-la, fica claro que, na visão da sua família, a apostasia forçada de Eunice, sua rejeição ao protestantismo, quase causava maior preocupação de que sua decisão de construir uma vida e uma família entre os *mohawks*. A religião dos *mohawks*, ensinada pelos jesuítas, mais ainda do que sua raça, representava o problema. A última visita de Eunice à Nova Inglaterra foi em 1761. Alguns dos seus descendentes voltaram para visitar os túmulos dos seus antepassados brancos em 1837. Àquela altura, claro, a América era uma nação distinta. As fronteiras com o que era então o Canadá sob controle britânico estavam fechadas. Somente os povos nativos da região, juridicamente distintos da Grã-Bretanha e dos Estados Unidos, podiam transcendê-las. Os americanos brancos haviam decidido há muito tempo de que lado eles estavam. No fim, contra Crèvecoeur, não haveria uma fusão fácil de povos, culturas e fés no Novo Mundo; como se conta que Eunice disse em 1713 ao ser instada a retornar à Nova Inglaterra: "*zaghte oghte*" – isso "não pode ser".[49]

É HORA DE SE SEPARAR

Como foi o caso de Eunice Williams e sua família estendida, ao mesmo tempo nativa e inglesa, a América setecentista abarcava uma coleção de vidas paralelas que se desenvolviam uma atrás da outra mas raramente tinham contato entre si. Mas o desenvolvimento era veloz, demográfica e geograficamente (MAPA 3). Em meados do século XVIII, a população crescente das colônias britânicas estava em movimento, estendendo-se muito

---

49   MEDLICOTT JR., Alexander. Return to This Land of Light: A Plea to an Unredeemed Captive. *New England Quarterly*, 38, 2, p. 202-16, citação 206, 1965. Há um verbete detalhado sobre Eunice no *Canadian Dictionary of Biography*.

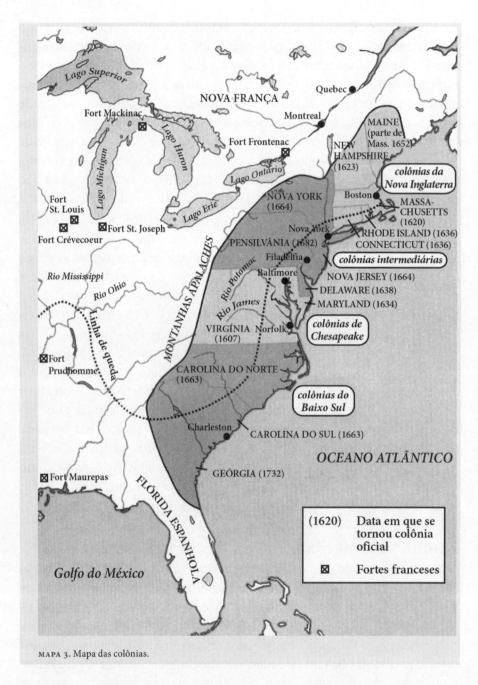

MAPA 3. Mapa das colônias.

além das fronteiras coloniais originais. Na época da Guerra Revolucionária, a extensão geográfica da América Britânica mais que duplicou, de cerca de 930 mil para mais de 2,15 milhões de quilômetros quadrados. Em parte esse crescimento resultava do término da Guerra da Rainha Ana. No mesmo ano em que Eunice rejeitou de vez suas raízes inglesas, o Tratado de Utrecht encerrou a guerra que a retirara de seu povo. Para a Grã-Bretanha, isso significou a aquisição de territórios anteriormente controlados pela França e a oportunidade de avançar sua ocupação para dentro das terras a partir do litoral leste, subindo a costa em New Hampshire e Maine, para o interior ao longo do vale do Hudson, para o sul nos vales entre a Cordilheira Azul (da Virgínia) e os Apalaches e na região do Piedmont.

Esses assentamentos tinham pouco em comum. A Nova Inglaterra como um todo era relativamente homogênea em termos de população e cultura, se comparada com muitas das outras colônias, certamente Pensilvânia ou Nova York. Filadélfia, em especial, era atraente para os imigrantes porque, na condição de vila *quaker*, lá não havia exigência de serviço militar, os impostos eram baixos e tratava-se de uma região relativamente pacífica. Por conseguinte, uma variedade maior de imigrantes, em termos de origem e condição, chegou em massa na Pensilvânia entre 1720 e 1740. As colônias sulistas, aquelas em Chesapeake, nas Carolinas e na Geórgia, tiveram um aumento maciço da população escrava, mas também tendiam a absorver uma variedade maior de ingleses, escoceses, escoto-irlandeses (de Ulster) e irlandeses, embora muitos deles tenham igualmente se instalado em portos marítimos urbanos em rápido crescimento de Boston, Nova York e Newport, ou Filadélfia, que também atraiu uma grande quantidade de migrantes alemães. Essas cidades representavam quatro dos cinco maiores centros urbanos da América colonial, e era notável, mesmo naquele estágio, que estivessem no Norte. Somente Charleston, na Carolina do Sul, era de tamanho comparável. Puramente em termos de porcentagem, essas cidades litorâneas cresceram mais devagar do que as colônias como um todo. Em 1720, elas tinham cerca de 7% da população, e em 1770, somente metade disso. Mas elas viriam a ter um impacto capital no afastamento da América com relação à Grã-Bretanha, por estarem situadas entre os assentamentos coloniais e o mundo europeu. Mais do que nas áreas rurais, toda a humanidade estava nos portos marítimos urbanos e, se uma causa comum iria ser identificada, ela teria mais chance nesses ambientes caleidoscópicos. Eles eram os catalisadores da revolução.

Os elementos da revolução, no entanto, estavam dispersos pelas colônias, e tão dispersos que os historiadores desde o século XIX estiveram ocupados tentando reuni-los. Todavia, no seu nível mais básico, o desenvolvimento gradual da ideia expressa mais tarde na Declaração de Independência de que "essas colônias unidas são e por direito devem ser estados livres e independentes" girava em torno dos conceitos complementares de liberdade e escravidão. Estes, por sua vez, surgiram no contexto específico do conflito colonial constante, das tentativas cada vez mais intrusivas da Grã-Bretanha de exercer um controle maior sobre suas colônias americanas e no contexto mais amplo de uma crescente perspectiva continental entre os colonizadores. Por outro lado, ainda em 1760, um dos mais famosos Pais Fundadores da América, o diplomata e cientista Benjamin Franklin, não só continuava a concordar com a opinião de que qualquer união das colônias contra a Grã-Bretanha era improvável, mas expressou-a, conscientemente, sob um ponto de vista inglês. Ao discutir a situação das "nossas colônias", Franklin, então em Londres, descartou a ideia de que seu crescimento "pode torná-las perigosas". As colônias americanas da Grã-Bretanha, salientou ele, "têm não apenas governadores diferentes, mas diferentes formas de governo, leis diferentes, interesses diferentes e, algumas delas, confissões religiosas diferentes e modos diferentes". Ademais, acrescentou ele, seus "ciúmes recíprocos são tão grandes" que nada "além do comando imediato da Coroa" poderia unificá-las, e mesmo assim imperfeitamente. Mas, no fim, Franklin cobriu suas apostas, acrescentando:

> Quando digo que tal união é impossível, digo que é impossível sem a mais hedionda tirania e opressão. Pessoas que têm propriedade no país que podem perder e privilégios que podem arriscar geralmente estão mais dispostas a ficarem mais calmas; e até suportar muito em vez de arriscar tudo. Enquanto o governo for brando e justo, enquanto importantes direitos civis e religiosos estiverem seguros, os súditos serão zelosos e obedientes. As ondas só se erguem quando os ventos sopram.[50]

Para os colonizadores, a propriedade e os privilégios de que eles gozavam compreendiam pessoas, além da terra. A oposição crescente ao que era tido como autoridade injusta imposta às colônias ocorria em um ambiente em que certos tipos de autoridade estavam sendo impostos com mais rigor nas colônias. A dinâmica desse processo nunca foi impulsionada pela simples justaposição da moralidade do sermão da Nova Inglaterra com o materialismo do código escravocrata sulista. Na verdade, a escravidão

---

50 FRANKLIN, Benjamin. The Interest of Great Britain Considered With Regard to Her Colonies and the Acquisition of Canada and Guadaloupe [sic], 1760. *In*: KETCHAM, Ralph Louis (ed.). *The Political Thought of Benjamin Franklin*. New Ed. Indianapolis: Hackett Publishing Company, 2003. p. 155-6.

nesse período era tanto uma realidade urbana nortista quanto rural e sulista. Em termos de porcentagem da população, havia tantos escravos nas cidades nortistas quanto nas regiões de plantio de tabaco da Virgínia e de Maryland. Somente em Nova York, no fim do século XVII (1698), cerca de 35% das famílias possuíam escravos. No início do século XVIII (1703), esse número subiu para 41%. Entre 1710 e 1742, em Boston, a população branca dobrou, mas a escrava quadruplicou para 8,5% da população como um todo.

Os ventos da mudança que estavam soprando originaram-se parcialmente com o próprio Franklin, que conseguiu destilar e disseminar alguns dos conceitos mais filosóficos de sua época por meio da publicação, com o pseudônimo de "Richard Saunders", de sua coleção dos "Poor Richard's Almanacs", bem como nos seus escritos e correspondência geral e oficial. Seus almanaques começaram a ser publicados em 1732 e circularam pelo quarto de século seguinte. Suas vendas próximas de 10 mil cópias anuais faziam deles o maior sucesso editorial da época. Justaposto, por exemplo, à dura realidade das experiências do trabalhador servil William Moraley na Pensilvânia, o "pobre Richard" fictício habitava uma América da imaginação, na qual a virtude era sua própria recompensa e o trabalho duro, o caminho para a riqueza. A realidade desagradável de que, para alguns, não importava o quanto eles trabalhassem duro, o sucesso nunca viria, ou de que, para um número crescente de colonos no Norte e no Sul, o trabalho duro em questão era de outra pessoa não afetava o conselho otimista de Franklin aos seus conterrâneos e conterrâneas. Escrevendo a Peter Collinson, amigo seu e mercador em Londres, Franklin sugeriu que ajudar os desafortunados poderia constituir "uma luta contra a ordem de Deus e a natureza, que talvez tenha prescrito a carência e a infelicidade como castigos adequados para, e advertência contra, bem como consequência necessária do ócio e da extravagância".[51]

Tais sentimentos não eram exclusivos nem de Franklin, nem do século XVIII, mas tinham uma força peculiar na América colonial. Em parte, eles ganharam impulso no contexto do que foi denominado o "Iluminismo americano", a absorção pelas elites coloniais das ideias liberais lockeanas de direitos naturais, liberdade e contrato social. Certamente, os escritos de Locke tiveram influência depois que os colonizadores tomaram a decisão de obter a separação da Grã-Bretanha. Trechos do seu *Segundo tratado so-*

---

51 Franklin a Peter Collinson, 9 de maio de 1753. *In*: KETCHAM, *op. cit.*, p. 73.

bre o governo civil (1690) foram retomados na Declaração de Independência. Quão influentes foram suas ideias na tomada da decisão que levou a essa Declaração, pelo menos na ausência de outras forças operantes nas colônias, pode ser um fator irrelevante. Locke era, para a América pelo menos, um autor polivalente, tão capaz de aconselhar os donatários das Carolinas sobre a melhor maneira de manter os privilégios hereditários quanto de defender os direitos naturais na *tabula rasa* que era, na sua filosofia, tanto o homem quanto a América. Nesse sentido mais geral, as ideias de Locke certamente coincidiram com o crescente otimismo e crença na oportunidade no fim do período colonial, sentimento que Franklin encarnava e incentivava. Em certo sentido, isso remetia ao enunciado original da missão dos empreendimentos coloniais dos puritanos como "cidade na colina". Em meados do século XVIII, esse exemplar idealizado estava cada vez mais situado de forma mais ampla nas variadas paisagens coloniais da América Britânica, embora ainda não alinhado com "a causa de toda a humanidade".

Discussões e debates acerca do potencial de perfectibilidade do homem, da natureza e do Novo Mundo certamente estendiam-se além das conversas de salão das elites coloniais. Elas alcançavam um público mais amplo por meio de sermões como o *Discourse Concerning Unlimited Submission* [Discurso sobre a submissão ilimitada] (1750) do ministro de Boston Jonathan Mayhew. Escrito no aniversário da execução de Carlos I para defendê-la e reimpresso várias vezes em ambos os lados do Atlântico, o argumento de Mayhew tratava da questão de quanto "as pessoas de caráter privado devem ceder àquelas que são investidas de autoridade". Sua resposta era: nem um pouco, se a autoridade em questão fosse "*um* homem irracional, ambicioso e cruel" – o mesmo argumento de Franklin uma década depois. Em 1750, contudo, Mayhew, não mais do que Franklin, ainda não defendia a quebra dos grilhões coloniais, porque àquela altura a autoridade britânica não era obviamente autoritária. Para Mayhew, como para Franklin, o importante era o fato de que os colonizadores "aprendessem a ser *livres* e *leais*". Por outro lado, ele lembrava à sua congregação e ao público mais amplo que "o governo é *sagrado* e não deve ser *menosprezado*".[52]

O governo nas colônias era, evidentemente, levado mesmo muito a sério. Na maioria dos casos, as regras básicas eram estipuladas na carta colo-

---

52 MAYHEW, Jonathan. *A Discourse Concerning Unlimited Submission* (1750), p. 1, 40 e 54. Está disponível como texto eletrônico em: http://digitalcommons.unl.edu/etas/44/. Acesso em: 5 dez. 2009.

nial original, ou em alguma versão cuidadosamente retrabalhada da mesma, o poder e a autoridade eram divididos e – esperava-se – equilibrados por uma divisão tripartida que replicava o arranjo rei-lordes-comuns do Parlamento britânico pós-Revolução Gloriosa, a saber, a estrutura de governador, conselho e assembleia. Apesar de haver, como notara Franklin, grandes diferenças entre as colônias quanto aos assuntos jurídicos e administrativos, isso não era necessariamente um motivo de preocupação. De igual modo, o Direito não era uniformemente imposto nem, na verdade, entendido, na medida em que se aplicava às colônias nesse período. Talvez isso não seja surpreendente. Gabriel Thomas havia considerado como um ponto de honra para os pensilvanianos o fato de haver tão poucos advogados e médicos entre eles, e esperava que a colônia "nunca tivesse necessidade da língua de um, nem da caneta do outro", porque ambos eram "igualmente destrutivos para os bens e a vida dos homens"; Franklin, de igual modo, fez o "pobre Richard" observar uma vez que "um homem do campo entre dois advogados é como um peixe entre dois gatos".[53] Claramente, alguns colonizadores acreditavam que nem toda parte do Velho Mundo havia chegado, ou deveria chegar, do outro lado do Atlântico. Era realmente um admirável Novo Mundo esse que não tinha advogados.

Não obstante, essas alfinetadas na profissão jurídica, que não eram exclusivas da América ou do período, indicavam as atitudes populares dos colonizadores em meados do século XVIII, bem como a divisão entre urbano e rural na paisagem colonial. É claro que havia advogados de sobra nos portos marítimos urbanos e em todas as colônias: advogados, mercadores, comerciantes de pessoas e produtos, uma classe mercantil e comercial incipiente com o conhecimento especializado e o capital de exploração, necessários para desenvolver o comércio da América nos mercados da Europa e da África. Era uma classe para a qual as políticas mercantilistas da Grã--Bretanha tinham maior importância do que para os habitantes de alguns dos povoados mais para o interior; uma classe cujas próprias preocupações, na verdade, frequentemente tinham primazia. Porém, entre 1750 e 1776, os interesses das populações rural e urbana, dos fazendeiros e financistas, começaram a se aproximar. Se não exatamente dançando conforme a mesma música, cada vez mais eles eram participantes de um debate em desenvolvimento, para o qual ministros como Jonathan Mayhew contribuíram

---

53 THOMAS, *op. cit.*, p. 42; FRANKLIN, Benjamin. *Poor Richard's Almanac*. New York: Peter Pauper Press, 1994. p. 5.

sobre o governo, a autoridade em geral e, mais especificamente, a administração colonial. A maioria dos colonizadores em meados do século XVIII provavelmente não tinha uma cópia do *Segundo tratado sobre o governo civil* de Locke em sua mesa de cabeceira, mas talvez eles tivessem as *Letters From a Farmer in Pennsylvania* [Cartas de um fazendeiro da Pensilvânia] (1768) do advogado da Pensilvânia John Dickinson ou, mais tarde, o *Senso comum* (1776) de Thomas Paine. O que provocou seu interesse súbito por esse tipo de leitura continha uma combinação complexa de conflito e, paradoxalmente, a cessação do conflito.

Teoricamente, a coisa que mais deveria ter aproximado as populações rural e urbana das colônias americanas em meados do século XVIII era a guerra, sua ameaça permanente e, especificamente, a eclosão da batalha final pelo império do século XVIII – a Guerra dos Sete Anos ou Guerra Franco-Indígena (1756-1763). Mas, estranhamente, a coisa que menos fomentou a unidade colonial foi a necessidade de defesa. Dois anos antes da declaração de guerra da Inglaterra à França em 1756, Franklin concebera uma proposta, o Plano de União de Albany, o qual ele esperava que aproximasse as colônias e ao mesmo tempo lidasse com a ameaça dos franceses e índios, criando uma confederação intercolonial com poderes de arrecadação de impostos para financiar um exército colonial. Mais tarde, Franklin sugeriu que foi a oposição britânica ao que era tido como excesso de poder delegado que afundou seu plano, mas na verdade as assembleias coloniais não se entusiasmaram muito com ele. Quando a guerra contra a França foi oficialmente declarada, a extensão das divisões coloniais tornou-se óbvia. Revelou-se impossível persuadir as diversas assembleias a unirem-se contra a ameaça francesa. Mundos em si mesmos, as distintas colônias não percebiam uma causa comum na oposição aos franceses e mal notavam acontecimentos além das suas próprias fronteiras.

O que finalmente começou a aproximar os diversos grupos de interesse colonial não foi a guerra em si, mas seu impacto a longo prazo. Os efeitos da Guerra Franco-Indígena foram sentidos nas áreas rurais e urbanas. As povoações rurais, particularmente ao longo das fronteiras da Pensilvânia e da Virgínia, sofreram a diretamente com a guerra, e o resultado foram comunidades devastadas, viúvas e órfãos. Os portos marítimos urbanos primeiramente beneficiaram-se muito com a guerra, sobretudo com o aquartelamento das tropas britânicas ali. Cerca de 2 mil chegaram em 1755, outras 11 mil em 1757 e mais 12 mil no ano seguinte. O impacto econômico desse mercado repentino e cativo foi imenso, mas não duradouro.

Embora a Guerra dos Sete Anos tenha oficialmente terminado em 1763, na América do Norte os combates cessaram em 1760. Quando isso aconteceu, o Exército britânico desapareceu tão rápido quanto havia chegado. A perda subsequente de lucrativos contratos militares impactou mercadores e pequenos varejistas, na Nova Inglaterra e em Chesapeake, Nova York e Filadélfia, e a depressão econômica resultante ainda foi exacerbada pelo aumento dos impostos provocado pela guerra. Porém, embora as tropas tivessem partido, deixando para trás dívidas, preços inflacionados e desemprego, nem todas foram tão longe assim. Cerca de 10 mil dos 25 mil regulares britânicos enviados para as colônias para combater os franceses permaneceram na América do Norte após o Tratado de Paris ter encerrado a guerra, não nas próprias colônias, mas perto o bastante para que os colonizadores notassem sua presença e ficassem irritados com ela.

Portanto, aquele não era o melhor momento para os britânicos começarem a impor um controle econômico maior sobre as colônias, mas em certo sentido era inevitável que eles tentassem. Por um lado, a Guerra Franco-Indígena tinha se mostrado uma vitória custosa – ela dobrou a dívida nacional da Grã-Bretanha – pela qual alguém tinha que pagar. Por outro, o desfecho da guerra deixara a Grã-Bretanha com um controle incontestado sobre uma vasta extensão de território, com uma população sem familiaridade diante da prática política inglesa e até, em alguns casos, da língua inglesa (MAPA 4). Era natural que os pensamentos se voltassem para o futuro. Talvez também fosse natural que as treze colônias existentes rejeitassem qualquer mudança do *status quo*, e os britânicos já tinham sentido uma certa oposição imediatamente após a cessação das hostilidades em 1760, quando tentaram suprimir o comércio ilegal com o inimigo, e o advogado de Boston James Otis argumentou contra o seu direito de fazê-lo.

De fato, qualquer coisa percebida como interferência nos assuntos coloniais podia provocar uma reação aparentemente em total desproporção com a própria interferência. No que ficou conhecido como o caso da "Causa do Pároco" [*Parson's Cause*], o advogado virginiano Patrick Henry, contratado para defender a proposta de que ministros anglicanos, tradicionalmente pagos em tabaco, pudessem ser remunerados em dinheiro, expressou a acusação de que o rei britânico havia "degenerado de pai do seu povoem um tirano, e perdido todos os direitos à obediência dos seus súditos".[54]

---

54 HENRY, Patrick *apud* BAILYN, Bernard. *The Ideological Origins of the American Revolution*. 2. rev. ed. Cambridge, MA: Harvard University Press, 1992. p. 253.

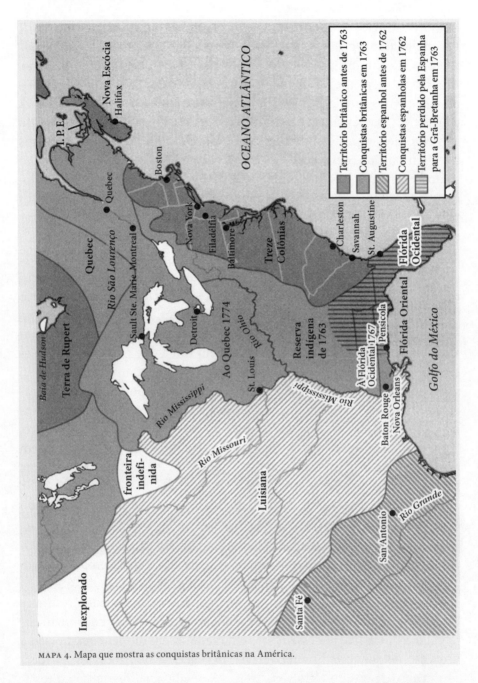

MAPA 4. Mapa que mostra as conquistas britânicas na América.

O que constituía a tirania do rei era o veto à "Lei dos Dois Centavos" na Virgínia. A safra de tabaco de 1758 tinha sido ruim. O custo do tabaco subira de dois para seis centavos por libra, e a legislatura da Virgínia procurou minimizar o impacto disso pagando o clero em dinheiro, mas a uma taxa mais baixa. No fim, tudo girava em torno do dinheiro. Uma parcela muito grande do que se seguiu em termos de oposição colonial à Coroa também ocorreu por dinheiro, mas não tudo. No fim, isso fez toda a diferença.

A percepção tardia pode, evidentemente, ser uma barreira significativa para compreeder o passado. A série de desafios coloniais à autoridade britânica após 1763 também pode adquirir com demasiada facilidade um impulso próprio irresistível, à medida que eles avançam, em estrita ordem cronológica, em direção a um desfecho inevitável: a decisão por parte das colônias de buscar a separação da Grã-Bretanha. A Lei do Açúcar e a Lei da Moeda, ambas promulgadas pela Grã-Bretanha em 1764 para angariar fundos a fim de pagar a Guerra Franco-Indígena, a Lei de Aquartelamento e a Lei do Selo do ano seguinte, os Tributos Townshend instituídos em 1767, a chegada das tropas britânicas em Boston em 1768, o subsequente "Massacre de Boston" de 1770 e depois a Lei do Chá de 1773 e as chamadas "Leis Intoleráveis" de 1774, todas parecem frequentemente simples balizas em uma trilha predeterminada, no fim da qual estava o Primeiro Congresso Continental de 1774 e a salva inaugural da Guerra Revolucionária em Lexington Green na manhã de 19 de abril de 1775. Mas não havia nada inevitável no caminho da revolução e, deixando de lado a retórica bombástica de homens como Patrick Henry, nenhuma opinião generalizada, em 1763, de que a Coroa britânica, então na pessoa de Jorge III, estava se comportando de maneira propícia a levantar as suspeitas de Jonathan Mayhew ou Benjamin Franklin.

Os colonizadores estavam naturalmente preocupados com o interesse súbito por seus assuntos. Qualquer tentativa, de qualquer governo, em qualquer lugar e em qualquer momento da história, de elevar os impostos provavelmente também suscitará objeções. Os colonizadores americanos não foram os únicos a se opor veementemente ao aumento dos tributos sobre as importações por meio da Lei do Açúcar, ou à tentativa de controlar o crédito proibindo a produção de papel-moeda nas colônias por meio da Lei da Moeda, que exacerbou um déficit comercial já existente na economia colonial. Da mesma forma, o aquartelamento de tropas nas colônias, no âmbito da Lei de Aquartelamento de 1765, foi considerado intrusivo, apesar do fato de os mercadores e comerciantes dos portos marítimos urbanos, somente cinco anos antes, terem ficado consternados ao ver as tropas e seu soldo partirem. A oposição a essas medidas tendia a ser bastante localizada em termos de impacto e reação. Somente a Lei do Selo de 1765 – outra medida para angariar receitas, a qual especificou que selos especiais deviam ser apostos em todos os documentos, de jornais a documentos jurídicos, passando por cartas de baralho – conseguiu irritar todo mundo e provocar algo que se aproximava de uma reação colonial unificada contra tal medida.

O Congresso da Lei do Selo de 1765 resumiu a posição colonial na primeira "Declaração de Direitos e Queixas" (quando as queixas em questão não foram atendidas, um segundo documento com esse título foi publicado em 1774). Ela enfatizava a lealdade colonial à Coroa britânica, mas ao mesmo tempo salientava que as colônias ocupavam uma posição um tanto discrepante em termos parlamentares. Em suma, elas não podiam ser representadas, mas parecia que podiam ser taxadas sem seu consentimento. Isso, afirmou o congresso, não era justo. Os "únicos representantes do povo destas colônias são pessoas escolhidas nelas mesmas, por elas mesmas", ressaltou, "nenhum tributo já foi ou pode ser constitucionalmente imposto a elas a não ser pelas suas respectivas legislaturas". Os colonizadores conseguiram fazer revogar a Lei do Selo, mas foi uma vitória de Pirro.* O que os britânicos deram com uma mão tiraram habilmente com a outra. Em seu lugar, foi imposta a Lei Declaratória (1766), que outorgou ao Parlamento britânico "pleno poder e autoridade para fazer leis e estatutos com força e validade suficientes para obrigar as colônias e o povo da *América*, súditos da Coroa da *Grã-Bretanha*, em todo e qualquer caso" (ênfase no original).[55]

Embora frequentemente tida como uma das primeiras expressões do grito de guerra "não há taxação sem representação" atribuído à Revolução Americana, a Lei do Selo não era exatamente um caso da cultura impressa a fomentar por procuração o nacionalismo americano. Ao tentar literalmente impor seu selo às colônias, a Coroa britânica certamente inspirou uma oposição unida, mas não duradoura. Não que o problema sumisse, longe disso. Os Tributos Townshend (do nome do então ministro da Fazenda), de 1767, oneraram uma gama crescente de produtos importados pelas colônias, o que deu origem às *Letters from a Pennsylvania Farmer* [Cartas de

---

* A expressão "vitória de Pirro" é uma metáfora para descrever uma vitória, que de tão sacrificada, desgastada e violentamente conquistada, praticamente não valeu a pena alcançar. Embora não haja uma definição dicionarizada para a expressão, ela tem sido empregada no sentido de "vitória inútil", e não tanto como "vitória difícil". (N.E.)

55 *Journal of the First Congress of the American Colonies, in Opposition to the Tyrannical Acts of the British Parliament. Held at New York*, 7 Oct. 1765. New York, 1845, p. 27-9; *Statutes at Large*. London, 1767. p. XXVII e 19-20.

um fazendeiro da Pensilvânia] (1768), de James Otis, que propôs o argumento contra a taxação. Esse argumento ganhou as ruas de Boston dois anos depois, quando uma turba tentou impedir tropas britânicas de aplicar as leis de arrecadação, e cinco colonizadores foram mortos. Todavia, o "Massacre de Boston", apesar de ser o tema do que se tornou uma das imagens mais famosas da oposição americana aos britânicos (IMAGEM 14), não desencadeou um levante de massa contra os britânicos; mas o papel de Boston no desencadeamento da Revolução ainda não havia acabado. Quando veio a conflagração, sua centelha foi – quem diria! – o chá.

Foi o famoso "Motim do Chá" [*Boston Tea Party*] de 1773 – a reação à Lei do Chá daquele ano, que, ao procurar revigorar as fortunas financeiras cambaleantes da Companhia das Índias Ocidentais, ameaçou os lucros dos mercadores coloniais – que provocou um conflito direto entre as colônias e a Coroa. Mas até o gesto dramático por parte dos colonos de arremessar caixotes de chá no porto de Boston não teria necessariamente escalado uma oposição armada à Grã-Bretanha se não fosse pela reação dos britânicos. As Leis Intoleráveis (Coercitivas) de 1774 procuraram subjugar Massachusetts, mas em vez disso suscitaram uma reação unificada em todas as colônias contra a Coroa britânica. Não era mais uma simples questão de arrecadação ou controle econômico, mas simplesmente de controle. As Leis Coercitivas fecharam o porto de Boston, procuraram submeter toda a colônia de Massachusetts a um controle régio mais rígido e eliminaram efetivamente a ameaça de julgamento para os oficiais reais, estipulando que eles seriam julgados na Inglaterra, e propôs uma aplicação mais rigorosa da Lei de Aquartelamento. Uma legislação correlata que procurou formalizar e estender a província do Quebec (a Lei do Quebec) e que reconheceu o predomínio católico na região só fez intensificar a irritação colonial – na verdade, a raiva crescente – diante das políticas britânicas.

Foi nesse cenário que as treze colônias britânicas da América do Norte finalmente passaram de uma coleção de jurisdições separadas que mal se comunicavam entre si em 1763 a um corpo quase coerente de indivíduos que, em 1776, eram capazes de equiparar seus aborrecimentos diante da Coroa britânica com a "causa de toda a humanidade". Mas eles nunca poderiam tê-lo feito se não tivesse sido publicado, em 1776, um pequeno panfleto influente redigido por Thomas Paine e intitulado *Senso comum*. Mesmo após o Primeiro Congresso Continental reunido na Filadélfia em setembro de 1774, à medida que os colonizadores e os britânicos avançavam em

IMAGEM 14. Paul Revere, *The Bloody Massacre Perpetrated in King Street* (*O massacre sangrento perpetrado na Rua do Rei*, 1770). A gravura de Revere segundo um original de Henry Pelham não foi a única representação visual do ataque contra a turba colonial por tropas britânicas, mas foi a mais amplamente distribuída. Ela foi concebida mais com vistas ao efeito do que à exatidão e foi criticada por, entre outras coisas, mostrar um céu azul quando o massacre, na verdade, ocorreu à noite (a lua, no alto à esquerda, indica que a hora era avançada). Ao deixar de lado a questão de como Revere pode ter retratado fatos que aconteceram no escuro, a "retificação" mais interessante da imagem diz respeito ao colonial tombado no meio da imagem. Era Crispus Attucks, o primeiro colonial negro a morrer pela causa revolucionária, mas aqui retratado como branco – o que não deixa de ser revelador.

direção ao conflito armado aberto em Lexington e Concord no inverno de 1774-1775 e na primavera de 1775, e o Segundo Congresso Continental de maio de 1775 adotava sua "Declaração das causas e necessidades de se pegar em armas", não havia um movimento universal em direção à separação ou uma expressão claramente articulada do que estava em jogo. Foi Paine quem a forneceu.

O panfleto de Paine era breve, e tal brevidade garantiu seu impacto. Ele superou grande parte da ambivalência que afetava não somente os delegados dos Congressos Continentais, mas a incerteza mais difundida em todas as colônias entre 1774 e 1776 quanto à sua situação. Em certa medida, Paine bajulou os colonizadores ao sugerir que sua luta contra a opressão britânica era "a causa de toda a humanidade". Certamente suas ideias baseavam-se na retórica antimonárquica e republicana mais universal da época. Mas elas tinham uma relevância especial em um mundo que comportava uma população tão heterogênea de indivíduos que viajaram para a América em busca de lucro ou tolerância religiosa, oportunidade ou fuga, alguns dos quais jamais tiveram a intenção de ir para lá, mas que não obstante viram-se nesse Novo Mundo forçados ou dispostos a fazer nele um novo começo. Era o que o próprio Paine, corpinheiro de Norfolk, havia feito. Nesse sentido, ele conhecia seu público principal, ele o exemplificava, mas sua mensagem teve um impacto mais amplo.

Para aqueles nos portos marítimos urbanos cujos lucros estavam ameaçados pela interrupção do comércio, os argumentos de Paine eram certamente persuasivos. "A Europa é demasiado repleta de reinos para ficar em paz por muito tempo", observou ele, "e quando uma guerra estoura entre a Inglaterra e qualquer potência estrangeira, o comércio da América é arruinado *por causa da sua ligação com a Grã-Bretanha*". Para aqueles nas fronteiras, os quais tinham sofrido tanto nos diversos períodos de conflito que culminaram na Guerra Franco-Indígena, o ataque persistente de Paine contra o governo de reis que tinham "coberto [...] o mundo de sangue e cinzas" não parecia desproposital. "A França e a Espanha nunca foram, nem talvez nunca serão, nossos inimigos por sermos *americanos*", ele escreveu, "mas por sermos *súditos da Grã-Bretanha*". Apenas pela separação da Grã-Bretanha as colônias poderiam estar seguras. "Toda coisa que é certa ou natural clama por separação", Paine incitou seus leitores. "O sangue dos assassinados, a voz plangente da natureza grita 'É HORA DE SE SEPARAR'." Mas Paine estava fazendo muito mais do que listar queixas expressas há muito tempo pelos colonizadores, embora ainda não os tivessem compelido à ação. Ao chamá-los de *"americanos"*, ele oferecia-lhes não só um caminho para sair do império, mas uma trilha em direção a uma nova identidade, uma identidade cujas origens estavam na guerra e cujo futuro seria assegurado por ela, uma identidade que, no momento em que Paine publicou *Senso comum*, os colonizadores já estavam testando para ver se lhes servia: a de uma nação em armas.

capítulo 4

Verdades autoevidentes: a fundação da República revolucionária

*Não pretendo excluir completamente a ideia de patriotismo.
Sei que ela existe e sei que fez muito na presente contenda.
Mas aventuro-me a afirmar que uma guerra grande e duradoura
nunca poderá ser fundada somente nesse princípio.
Ela tem de ser amparada por uma perspectiva
de interesse ou alguma recompensa.*
(George Washington a John Banister, 21 de abril de 1778)

"Consideramos estas verdades autoevidentes", anunciou a Declaração de Independência de 1776, "de que todos os homens são criados iguais, que são dotados pelo seu Criador de certos direitos inalienáveis, que entre estes estão a vida, a liberdade e a busca da felicidade." Palavras inspiradoras, mas que não refletiam a realidade da América colonial nem tiveram muita relação com o desenvolvimento da nação depois de obtida a independência. Porém, para a América como nação era um caso claro de, como diz o *Rubaiyat* de Omar Khayyam, o dedo móvel que, "tendo escrito,/ prossegue; nem toda a tua piedade nem sagacidade/ Poderá chamá-lo de volta para cancelar metade da linha,/ Nem todas as tuas lágrimas apagarão a palavra dela". Tais sentimentos ambiciosos, depois de confiados ao simples manuscrito, não podiam ser retirados.

Os Pais Fundadores da América acreditaram, ao redigir a Declaração, que estavam simplesmente defendendo sua decisão de se separar da Grã-Bretanha. Na verdade, o que eles produziram foi o enunciado de uma visão que comprometeria sua progenitura imediata e as numerosas gerações seguintes, para tornar real um ideal no qual esses colonizadores podem ter acreditado mas que certamente nunca seguiram. Nos seus primórdios, a nação americana continha o paradoxo de proprietários de escravos que pregavam a liberdade, fato que assombra a nação até hoje. Por outro lado, a partir do momento da transição de colônias para nação, a América desenvolveu-se sob a injunção autoimposta de combinar os princípios com a prática. Como um fantasma de Banquo* no banquete federal, o espectro das palavras "todos os homens são criados iguais", bem como a assertiva que as acompanhava de que isso era uma "verdade autoevidente", continuaram surgindo em momentos inconvenientes para bagunçar o coreto branco republicano.

Em 1776, a realidade da escravidão na América colonial deu força ao argumento de Thomas Paine em *Senso comum* de que as colônias eram, em certo sentido, escravizadas pela Grã-Bretanha. A escravidão nunca foi simplesmente um conceito abstrato ou instrumento retórico no discurso colonial setecentista, mas um modo de vida para um número crescente de colonizadores. Tampouco era um termo que podia ser definido com precisão. De fato, a escravidão e a liberdade mostraram ser conceitos escorregadios para a nova nação. Quando, em meados do século XIX, os americanos lutavam entre si na Guerra Civil (1861-1865), o presidente da União, Abraham Lincoln, resumiu as respectivas posições do Norte e do Sul:

> Todos nós declaramo-nos a favor da liberdade, mas ao usar a mesma *palavra* não queremos dizer a mesma *coisa*. Para alguns, a palavra liberdade pode significar que cada homem pode fazer o que quiser consigo e com o produto do seu trabalho; para outros, a mesma palavra pode significar que certos homens podem fazer o que quiserem com outros homens e com o produto do trabalho de outros homens.[56]

No entanto, foi a geração revolucionária que realmente estabeleceu esse precedente, essa perspectiva paradoxal da liberdade com a qual, quase um século mais tarde, os americanos ainda estavam se digladiando.

As inconsistências inerentes à identidade do "inglês livre" despontaram nas colônias nos séculos XVII e XVIII. As ideologias políticas brancas – que giravam em torno de entendimentos de liberdade aparentados, mas bem distintos – e a realidade social negra raramente tomaram conhecimento

---

* Personagem da peça *Macbeth*, de Shakespeare, cujo fantasma assombra a mente do protagonista. (N.E.)

56 LINCOLN, Abraham. *Address at Sanitary Fair, Baltimore, Maryland*, 18 Apr. 1864. *In*: BASLER, Roy (ed.). *The Collected Works of Abraham Lincoln*. New Brunswick, NJ: Rutgers University Press, 1953. VII. 11 v. p. 301-2.

uma da outra nesse período. De um lado, havia a posição republicana, que postulava a liberdade como essencialmente um constructo cívico e social, dependente de uma cidadania ativa e informada, que o Estado podia defender mas também destruir. Com direitos de voto cada vez mais retirados dos negros livres, havia pouco espaço para eles no discurso republicano. Do outro lado, havia o liberalismo lockeano, que situava a liberdade como um direito individual, um direito universal, a "causa de toda a humanidade", que o Estado podia cultivar mas também limitar. Com tantos negros escravizados, a própria noção de direitos individuais também era irrelevante para aquela população. Todo o debate filosófico que estava por trás da separação da Grã-Bretanha consistia, em muitos aspectos, em brancos que conversavam entre si.

Entre a Grã-Bretanha e a América havia uma fertilização cruzada natural da discussão e do debate sobre liberdade e autoridade arbitrária, sobre o papel do cidadão e a regra do Estado, sobre o equilíbrio do poder entre o governo e os governados. O argumento inicial de Thomas Paine em *Senso comum*, por exemplo, enunciava a posição republicana. Ele resumia essencialmente a perspectiva dos "homens da *commonwealth*" inglesa, como John Trenchard e Thomas Gordon, cujas visões do Estado e da sociedade, e do estado da sociedade, encontravam um público mais receptivo nas colônias do que no seu país natal. Com as bases já lançadas, Paine estava pregando aos pelo menos semiconvertidos quando asseverou que "a sociedade em todo estado é uma bênção, mas o governo, mesmo no seu melhor estado, não passa de um mal necessário e, no seu pior estado, de um mal intolerável".

A série de ensaios de Trenchard e Gordon, publicada com o título de "Cato's Letters" [Cartas de Catão] no *London Journal* e no *British Journal* no início da década de 1720, defendia o republicanismo e a liberdade de consciência. Em meados do século XVIII, seus argumentos e as próprias Cartas foram amplamente difundidos nas colônias. Seu impacto em 1776 foi muito maior devido ao resumo de Paine de uma discussão que cobria originalmente 144 cartas na forma mais facilmente digerível de panfleto e devido à oportunidade proporcionada pelos britânicos da experiência colonial na América. Afinal, é mais fácil construir do zero do que renovar. O que vale para crianças e edifícios poderia – esperavam alguns colonizadores – valer para as nações. Paine certamente pensava assim. "O estado infantil das colônias" era, segundo ele, o que tornava o momento ideal para a independência, para a emergência de uma nova nação baseada no princípio dos direitos naturais. "A juventude", ele assegurava aos colonizadores, "é a época de semear os bons hábitos, tanto nas nações como nos indivíduos".

Porém, em 1776, as colônias não haviam adquirido hábitos especialmente bons e tinham desenvolvido outros aterradores no que dizia respeito às relações de raça. Ainda que os colonizadores brancos discutissem e acabassem por defender esses hábitos usando ora a retórica do republicanismo (Paine), ora a linguagem do liberalismo (Locke), ora uma combinação de ambos, eles mostraram-se incapazes de resolver a quadratura do círculo dos direitos naturais e da escravidão. Um postulado fundamental do seu argumento em defesa da propriedade era o direito de defini-la em pessoas; em suma, de possuir escravos. Os colonizadores podiam concordar com a crítica de Paine à Monarquia, ao saber que aqueles homens "que julgam a si mesmos nascidos para reinar e os outros para obedecer logo se tornam insolentes; apartadas do restante da humanidade, suas mentes são logo envenenadas pela importância", mas ignoram completamente os paralelos chocantes com a escravidão na sua própria sociedade.

Mas nem todos. O autor da Declaração de Independência e futuro presidente dos Estados Unidos, Thomas Jefferson, certamente detectou a falha no argumento republicano – o que não é surpreendente, já que ele foi tão decisivo na formulação da sua variante americana. Porém, para Jefferson, a escravidão também tinha múltiplos significados. Na sua reação às Leis Intoleráveis, *A Summary View of the Rigths of British America* [Uma visão sinóptica dos Direitos da América Britânica] (1774), Jefferson criticou o que descreveu como "uma série de opressões" impostas à população branca das colônias, por serem indicativas de "um plano deliberado e sistemático de reduzir-nos à escravidão". Essa escravização virtual era muito diferente da realidade mais dura da escravidão de não brancos nas colônias, cuja abolição, afirmou Jefferson – mais com esperança do que com expectativa –, era "o grande objeto de desejo nessas colônias, onde havia sido infelizmente introduzida em seu estado infantil".

Certamente, várias colônias haviam tentado, por intermédio de suas assembleias, impor tributos proibitivamente altos sobre as importações de escravos africanos, tentativas essas que o Parlamento britânico havia bloqueado, mas os motivos de cada lado não eram necessariamente informados por quaisquer considerações morais. Ao impedir a abolição das importações de escravos, declarou Jefferson, a Coroa britânica havia preferido as "vantagens imediatas de uns poucos corsários africanos aos interesses duradouros dos estados americanos e aos direitos da natureza humana, profundamente ferida por essa prática infame".[57] Jefferson emprestou um viés demasiado positivo ao comportamento colonial. Os colonizadores queriam obter receitas fiscais, não fazer cessar a fonte de tais receitas. Havia poucas provas para apoiar a crença de Jefferson – e uma boa quantidade delas que a contradizia – de que as colônias queriam abolir a escravidão.

Não foi um tema que Jefferson abandonou facilmente, mas com o qual se empenhou. Vez e outra retornou a ele, na Declaração de Independência e nas suas posteriores *Notes on the State of Virginia* [Notas sobre o Estado da Virgínia] (1787). Nestas últimas, ele contemplou a "infeliz influência" que a escravidão tinha sobre a população branca. "Todo o comércio entre senhor e escravo é um exercício perpétuo das paixões mais escandalosas", afirmou ele, que abarcavam "o despotismo mais implacável de um lado e submissões degradantes do outro". A escravidão, no entender de Jefferson, tinha uma influência debilitante sobre a indústria e economia da sociedade branca, mas muito pior era seu impacto destrutivo sobre as fundações da nova nação. Como podem "as liberdades da nação serem julgadas seguras quando removemos sua única base sólida, a convicção na mente do povo de que suas liberdades são uma dádiva de Deus?", perguntou Jefferson. Era uma pergunta retórica, e ele sabia disso. "De fato", concluiu ele, "tremo pelo meu país quando reflito que Deus é justo e que sua justiça não pode dormir para sempre".[58]

A decisão do país em questão de não abolir a escravidão, ao mesmo tempo em que abria mão de seus laços coloniais com a Grã-Bretanha, não foi, então, inteiramente culpa do homem que redigiu sua Declaração de Independência. Na verdade, na versão original de Jefferson, a Declaração tinha muito mais a dizer sobre a escravidão do que sugere sua redação final. Na sua primeira encarnação, o crime supremo e, da perspectiva de Jefferson, talvez mais conclusivo de todos os crimes monstruosos que Jorge III perpetrara contra as colônias, fora ter "travado uma guerra cruel contra a própria natureza humana, violando seus direitos mais sagrados de vida e liberdade nas pessoas de um povo distante que nunca o ofendera, capturando--as e arrastando-as para a escravidão em outro hemisfério, ou para uma

---

57 JEFFERSON, Thomas. *A Summary View of the Rights of British America*, 1774. Disponível em, entre outros: http://libertyonline.hypermall.com/Jefferson/Summaryview.html. Acesso em: 2 dez. 2009.

58 *Idem. Notes on the State of Virginia*. London: John Stockdale, 1787. p. 270-2.

morte atroz no seu transporte para lá".[59] O desejo de Jefferson de jogar a culpa pelo comércio de escravos sobre a Grã-Bretanha pode ter tido muita coisa a ver com o fato de que é difícil pregar a liberdade de cima do pelourinho e de que as colônias estavam procurando, quando ele escreveu em nome delas, defender sua causa não só perante a Grã-Bretanha, mas aos olhos de um interessado público mundial.

Esse público mundial incluía o renomado autor e crítico Samuel Johnson, já bem conhecido nas colônias não somente pelo seu famoso dicionário, mas em parte pela publicação do seu romance *A história de Rasselas: príncipe da Abissínia* (1759), que foi publicado na América em 1768. Na qualidade de participantes do mundo atlântico mais abrangente do comércio, consumo e cultura impressa, do qual grande parte girava em torno da escravidão e do comércio de escravos, tanto os colonizadores americanos como os britânicos estavam prontos para compulsar a defesa posterior de Johnson das Leis Intoleráveis. Ela assumiu a forma de um panfleto, "*Taxation No Tyranny: An Answer to the Resolutions and Address of the American Congress*" [Taxação, não tirania: uma resposta às resoluções e ao discurso do Congresso Americano] (1775), no qual Johnson argumentou, contra Jefferson, que aquilo que ele descrevera como "preconceitos" antipatrióticos contra a Coroa britânica não passava de "abortos da loucura impregnados pela facção". Eles haviam, sugeriu ele, "nascido somente para gritar e perecer". Ainda mais memorável era a frase de efeito, que viria a ser reiterada inúmeras vezes até que a escravidão na América fosse abolida, com a qual ele concluiu seu principal argumento. "Dizem-nos", observou ele, "que a sujeição dos americanos pode tender à diminuição das nossas próprias liberdades, um fato que ninguém, além dos políticos mais perspicazes, é capaz de antever. Se a escravidão é tão fatalmente contagiosa", indagou, "como é que ouvimos os clamores mais altos de liberdade entre os tratadores de negros?".[60] Não era uma pergunta que Jefferson podia responder, embora Deus saiba o quanto ele tentou.

Apesar das crenças ou esperanças de Jefferson, muitos dos seus conterrâneos não pensavam nem um pouco em abolição nas décadas que le-

---

59 Declaração de Independência (minuta) in BOYD, Julian P. (ed.). *The Papers of Thomas Jefferson*, 1760-1776. v. 1. Princeton, NJ: Princeton University Press, 1950. p. 246-7.

60 JOHNSON, Samuel. Taxation No Tyranny: An Answer to the Resolutions and Address of the American Congress. *In: Id. The Works of Samuel Johnson*. v. 14. New York: Pafraets & Company, 1913. p. 93-144.

varam à Revolução. A América do final do século XVIII, assim como a Grã-Bretanha, subestimava intensamente as culturas não brancas, e negava até que o próprio conceito de cultura pudesse ser atribuído a qualquer não branco. Um bom exemplo foi a suspeita inicial que incidiu sobre a primeira poeta negra e mulher da América, Phillis Wheatley (IMAGEM 15). Trazida como escrava para a América quando era criança e educada pelos seus proprietários, a família Wheatley de Boston, ela publicou um volume de poesia, *Poems on Various Subjects, Religious and Moral* [Poemas sobre vários assuntos, religiosos e morais], em 1773. Todavia, sua obra necessitou de um prefácio no qual uma série dos grandes e bons homens brancos de Boston, incluindo o então governador de Massachusetts, Thomas Hutchinson, confirmava, para o benefício de um leitorado cético, que os poemas diante deles haviam sido realmente "escritos por Phillis, uma jovem moça negra, que há poucos anos apenas era ainda uma bárbara inculta trazida da *África*". Os homens em questão fizeram a gentileza de reconhecer que Phillis, desde a sua chegada nas colônias, trabalhara "com a desvantagem de servir como escrava na família desta cidade", uma desvantagem que necessitava a verificação das suas capacidades intelectuais e literárias por aqueles a quem o gênero e a cor concediam a aceitação inquestionável que era negada a Phillis.[61]

A sina de Phillis como escrava em Boston, ainda que ela não tenha se destacado pelas suas capacidades, teria sido significativamente diferente da maioria dos escravos nas colônias às vésperas da Revolução Americana, cuja maior parte, mas certamente não todos, vivia no Sul. A existência da escravidão em Massachusetts pode ter sido obscurecida pela fumaça dos canhões da Revolução, mas era bastante difundida no começo do século XVIII, ainda presente em grande parte do século XIX, e atravessava todos os setores da sociedade. Ela concentrava-se principalmente em Boston e Newport, onde ocorria a maioria das vendas de escravos, privadas e públicas, para desgosto do abolicionista *quaker* John Woolman, que confiou ao seu diário sua aflição ao saber que escravos estavam sendo vendidos por outro *quaker*. "Eu gostaria que amigos pudessem requerer à legislatura que use de seus esforços para desincentivar a futura importação de escravos", ele confessou, "pois vi que esse comércio é um grande mal e tende a multiplicar os problemas". Mas Woolman temia que essa tentativa fosse inútil. Ele percebeu que as colônias aderiam cada vez mais à "ideia de que a escravidão está li-

---

61 WHEATLEY, Phillis. *Poems on Various Subjects, Religious and Moral.* London: A. Bell, 1773. p. 7.

IMAGEM 15. Frontispício da obra de Phillis Wheatley, *Poems on Various Subjects, Religious and Moral* (London: A. Bell, 1773). A gravura original é de Scipio Moorhead.

gada à cor negra e a liberdade à branca. E onde tais ideias falsas são enroscadas em nossas mentes", observou ele, "é com dificuldade que conseguimos nos desenredar".[62]

---

62 WOOLMAN, John. *Journal of John Woolman*. Disponível em: http://etext.lib.virginia.edu/toc/modeng/public/WooJour.html. Acesso em: 29 nov. 2009; capítulo VII, p. 251; *Idem*. Considerations

Desenredar escravo para torná-lo livre era particularmente problemático nas cidades nortistas, onde escravos eram empregados em uma ampla variedade de negócios, bem como nos lares, como garçons, cocheiros, ferreiros, cabeleireiros e sapateiros, entre muitos outros papéis. O ambiente urbano também borrava a linha entre liberdade e escravidão. A afirmação de condição livre por alguns que haviam sido vendidos como escravos resultava em não poucos casos judiciais que sublinhavam a crescente instabilidade da instituição nos portos marítimos nortistas. A situação era um tanto diferente nas colônias sulistas. Os laços que ligavam a escravidão às colônias nortistas enfraqueciam-se, ao passo que se fortaleciam no Sul. Por conseguinte, a distinção entre negros e brancos tornou-se rápido demais um sinônimo da diferença entre escravidão e liberdade. À medida que a América Britânica colonial amadurecia e se estabilizava, o meio-termo entre escravidão e liberdade no Sul encolhia, dando aos negros uma margem de manobra menor e obrigando os brancos a manter um sistema escravocrata que, em termos econômicos, beneficiava um número relativamente pequeno mas, em termos sociais e culturais, definia cada vez mais o modo de vida branco.

Apesar do fato de que, em 1776, a Virgínia era a mais populosa das colônias britânicas, com um quinto de toda a população colonial residente lá, sua capital, Williamsburg, comportava menos do que 2 mil residentes permanentes. Com a notável exceção de Charleston, na Carolina do Sul, o Sul no período colonial não desenvolveu centros urbanos com tamanho e diversidade populacionais comparáveis a Boston, Nova York ou Filadélfia. Por conseguinte, os escravos eram mais cruciais para as colônias sulistas, pois forneciam a competência agrícola e a mão de obra necessárias para o desenvolvimento da economia e da sociedade em Chesapeake e nas regiões de plantação de arroz e índigo das Carolinas e, mais tarde, da Geórgia, após 1700. A Carolina do Sul recebia forte influência do Caribe, mas as outras colônias sulistas importavam cada vez mais escravos, como Phillis Wheatley descreveu sua própria origem, do "belo seio fagueiro da África" e não do Caribe Britânico. Isso criou uma sociedade mais bifurcada no Sul. Até na Carolina do Sul, onde a causa não era a importação de escravos "não britânicos", mas a tendência dos proprietários de escravos mais ricos de dividir seu tempo entre suas fazendas e Charleston. Negros e brancos no Sul,

---

on Keeping Negroes, Parte II (1762) *apud* HOUSTON, David G. John Woolman's Efforts in Behalf of Freedom. *Journal of Negro History*, 2, n. 24, p. 126-38, Apr. 1917.

em suma, cada vez mais levavam vidas mais separadas do que nas cidades nortistas, o que exacerbava as tensões já inerentes no sistema.

Se os portos marítimos urbanos foram, nos anos que levaram à Revolução, cada vez mais dominados por uma classe mercantil, as colônias sulistas viram emergir uma elite agrícola cujo poder econômico baseava-se e se expressava por meio da cultura do consumo que permeava o mundo atlântico. Sua riqueza, mesmo que herdada, era frequentemente incrementada pelos lucros do comércio de escravos, mas a sociedade que eles construíram era, talvez em uma negação deliberada das duras realidades subjacentes a ela, um reflexo autoconsciente da cultura inglesa de classe alta transplantada para as colônias. Isso talvez não surpreenda, dado que grande parte dos fazendeiros sulistas mais ricos do final do período colonial foram educados na Inglaterra e continuavam a mandar seus filhos para estudar lá. A elite sulista, de fato, tinha muito em comum com os proprietários rurais da Inglaterra, e também com os mercadores de Liverpool e Glasgow desse período, cujas mansões rurais e impressionantes casas na cidade foram construídas com os lucros do trabalho escravo. A diferença residia no fato de que eles não tinham de viver perto da mão de obra em questão. Os sulistas brancos, sim, e isso gerou uma extraordinária complexidade cultural nas colônias sulistas e, com o tempo, no Sul pós-revolucionário do início e meio do século XIX, que definiria a região por grande parte do século XX.

A riqueza de que dispunham esses fazendeiros era considerável segundo qualquer padrão. A das chamadas Primeiras Famílias da Virgínia – os Carters, Fitzhughs, Lees e Randolphs – derivava sobretudo de suas substanciais plantações de tabaco, enquanto nas terras baixas da Carolina do Sul os lucros das plantações de arroz transformaram rapidamente a colônia em uma das mais ricas da América Britânica, e sua principal cidade, Charleston, em uma cidade pujante e ostensivamente refinada. Era, de muitas formas, uma vida privilegiada, mas nunca inteiramente fácil ou segura. Os brancos da Carolina do Sul, em meados do século XVIII, ainda enfrentavam muitos dos problemas que haviam afligido os primeiros colonizadores e estavam indefesos diante de doenças como a varíola, que devastava periodicamente as colônias. Ao assumir a administração da plantação do seu marido no Rio Cooper após a morte dele em 1758, a eminente fazendeira da Carolina do Sul, Eliza Lucas Pinckney, comentou com um amigo: "Julgo ser necessário muito cuidado, atenção e atividade para cuidar como se deve de uma propriedade da Carolina, ainda que modesta, para cumprir as obrigações e fazê-la dar lucro". Com outro ela comentou que uma "grande nuvem parece pairar por ora sobre esta província", que era "continuamente atacada pelos índios" e sofria ao mesmo tempo de "um tipo violento de varíola [...] que quase interrompeu toda a atividade". Foi com aflição que Eliza relatou que muitos da sua "gente", como ela se referia a seus escravos, "morreram muito rápido, mesmo com inoculação".[63]

Eliza Pinckney pode não ter conseguido curar as doenças de seus escravos, mas tinha confiança em controlá-los. Quando ela assumiu a propriedade Pinckney, a Carolina do Sul já havia implementado uma série de leis destinadas a reprimir e controlar a população escrava, as quais deixavam clara, ainda que tentassem contê-la, a oposição negra à escravidão. Um breve mas violento levante de escravos perto de Charleston em 1739, a Rebelião Stono (do nome do rio onde os escravos se reuniam), insuflara os crescentes temores brancos quanto aos negros, em uma colônia em que os escravos constituíam a maioria. O fato de que os escravos rebeldes eram católicos não ajudou. Como aconteceria com todas as futuras rebeliões em massa de escravos, a Rebelião Stono não teve sucesso. Os envolvidos que não foram mortos pela milícia foram executados depois ou, segundo o padrão de tratamento dispensado aos povos indígenas da Nova Inglaterra no século anterior, vendidos para as Índias Ocidentais. Levantes em menor escala na Carolina do Sul e na Geórgia, combinados com o crescimento em números das importações de escravos nos anos imediatamente seguintes, convenceram os proprietários de escravos que um controle mais rígido tinha de ser imposto à população negra, e não só ao seu componente escravo.

Por conseguinte, a Lei para a Melhor Ordenação e Governança dos Negros e Outros Escravos (ou Lei dos Negros) de 1740 na Carolina do Sul restringiu os movimentos de escravos sem permissão dos proprietários, além de tornar ilegal educar escravos e permitir a execução de escravos rebeldes por seus proprietários. A Lei dos Negros na Carolina do Sul não estava de forma alguma em descompasso com acontecimentos em outras colônias. Depois de 1700, a transição do trabalho servil para o escravo ganhou força em Chesapeake, as economias baseadas no arroz das Carolinas e da Geórgia tornaram-se cada vez mais rentáveis, e uma sucessão de leis restritivas começou a cercear cada vez mais a vida e a liberdade dos negros.

---

63 Eliza Lucas Pinckney ao sr. Morley, 14 de março de 1760; à sra. Evance, 15 de março de 1760. *In*: LINK, William A.; WHEELER, Marjorie Spruill. *The South in the History of the Nation*. v. I. Boston; New York: Bedford/St. Martin's, 1999. p. 72 e 74-5.

Uma colônia que exemplificava não só a poderosa atração dos lucros angariados com escravos, mas a extensão em que a liberdade dos brancos se tornara não somente envolvida com, mas quase dependente da escravidão dos negros, era a Geórgia.

Fundada pelo filantropo inglês James Oglethorpe para oferecer um novo começo para os pobres ingleses, a Geórgia era de concepção idealista. Oglethorpe procurou remover todas as fontes de tentação dos seus primeiros colonizadores – as tentações, presume-se, que os haviam levado à penúria e dela para a Geórgia em primeiro lugar. O álcool e a escravidão eram proibidos. A Geórgia seria, na antevisão de seu fundador, a colônia dos "pobres merecedores", trabalhadores de vida limpa da Inglaterra. Mas os pobres em questão acreditavam que mereciam mais liberdade de ação e solicitaram, na condição de ingleses livres, o direito de possuir escravos. Quando a Geórgia tornou-se uma colônia da Coroa em 1751, sua nova assembleia não tardou em revogar as leis que baniam a escravidão e o álcool; às vésperas da Revolução, a principal cidade da Geórgia, Savannah, era, como Charleston, um grande centro do comércio de escravos (IMAGEM 16), por meio do qual muitos escravos negros passavam a caminho das plantações de arroz que se tornariam sua vida e, em muitos casos, reduziriam sua expectativa de vida.

Como mostra o cartaz de Savannah, em 1774, pouco antes da Revolução, no ano em que se reuniu o Primeiro Congresso Continental e que viu Jefferson defender os direitos da América Britânica e Phillis Wheatley colher os frutos dos seus esforços literários, o comércio de escravos florescia. Ainda que Jefferson afirmasse sua crença de que "Deus, que nos deu a vida, deu-nos a liberdade ao mesmo tempo", estava claro que a vida colonial dos brancos, sem falar na liberdade e na busca da felicidade, dependia cada vez mais da negação destas duas últimas, e às vezes da primeira, à população negra das colônias britânicas. Em um certo sentido, isso era inevitável. Desde o período dos primeiros assentamentos, em Chesapeake, na Nova Inglaterra e em outros lugares, uma identidade branca protestante havia sido refinada pelo contato com povos não brancos e não protestantes. A natureza transatlântica da vida da elite dos colonizadores, pelo menos, evidenciou o desenvolvimento dessa identidade à medida que solapava gradualmente o anglicismo no qual se baseavam não apenas as distinções raciais, mas a própria Revolução. A liberdade, como antevira John Woolman, alinhou-se com a brancura, a escravidão com a negritude, mas – o que seria crucial para a futura nação americana – somente de uma perspectiva branca.

CAPÍTULO 4 – VERDADES AUTOEVIDENTES: A FUNDAÇÃO DA REPÚBLICA REVOLUCIONÁRIA | 147

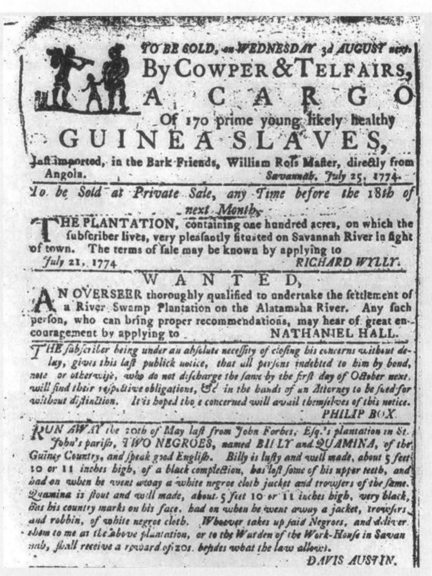

IMAGEM 16. Cartaz anunciando um leilão de escravos, Savannah, 1774. Este cartaz revela a realidade da escravidão no Sul às vésperas da Revolução. Para Savannah, especificamente, a tendência geral de importar mais escravos diretamente da África se manteve; de c. 1755 a 1767, aproximadamente 60% dos escravos importados para Savannah eram originários do Caribe e 25% de países africanos. No entanto, entre 1768 e meados de 1771, os que chegavam diretamente da África subiram para 86% (os escravos anunciados aqui eram da Guiné). Além de anunciar escravos à venda, este cartaz também comporta uma nota "à venda" de uma plantação e um anúncio de emprego de feitor de plantação; este último ressalta o problema da ausência dos proprietários em muitas plantações e a distância entre proprietário e escravo. Porém, o mais revelador é que dele consta uma nota sobre dois escravos fugitivos, Billy e Quamina, provavelmente chegados da África, como revela a referência às "marcas do país" no rosto de Quamina. *Cortesia da Library of Congress, Prints and Photographs Division. Número da reprodução: LC-USZ62–16876 (1-2).*

Ser ou não ser

Se certas verdades pareciam não ser tão autoevidentes assim para alguns colonizadores brancos, uma delas era bem óbvia para os britânicos: a de que a liberdade realmente era a causa de toda a humanidade, e toda a humanidade deveria preparar-se para lutar por ela. Quando a Guerra Revolucionária estourou, o governador da Virgínia, John Murray, o conde de Dunmore, não tardou em declarar "todos os trabalhadores servis, negros ou outros [...] livres, que sejam capazes de e se disponham a pegar em armas". Com a liberdade como estímulo, muitos escravos da Virgínia não hesitaram em juntar-se ao "Regimento Etíope de Lord Dunmore" para lutar do lado dos britânicos. Havia igualmente muitos negros livres que, inspirados pela retórica da revolução, esperavam alinhar-se com a causa colonial. Afinal, muitos haviam servido em pelo menos algumas das milícias coloniais. Apesar disso, os negros foram rechaçados pela principal força colonial, o Exército Continental, cuja posição em outubro de 1775 era a de que não alistaria "negros, meninos incapazes de pegar em armas ou idosos incapazes de suportar as fadigas da campanha".

Embora o anúncio de Lord Dunmore tenha invocado o fantasma da rebelião de escravos, os proprietários de escravos do Norte e do Sul mostraram-se relutantes em outorgar sanção oficial ao armamento deles. Os estados, responsáveis pela arregimentação e financiamento de suas unidades de milícia, às vezes eram dissuadidos pelo custo. Os proprietários de escravos podiam receber uma compensação considerável pela perda de sua propriedade – cerca de mil dólares, em uma época em que o soldo mensal de um soldado revolucionário era pouco inferior a 6 dólares (ou 40 xelins), e o custo de um escravo podia situar-se entre 100 e quase 400 dólares. Porém, conforme a guerra se arrastava e os estados lutavam para atingir as quotas de recrutamento para o Exército Continental impostas pelo Congresso, a política "somente para brancos" desapareceu em muitas áreas, especialmente em alguns estados da Nova Inglaterra. Ela vacilou nos estados sulistas, cujas legislaturas hesitavam em aprovar a formação de regimentos negros. Alguns proprietários às vezes enviavam um escravo à guerra no seu lugar, de modo que muitos negros durante a Guerra Revolucionária acabaram lutando pela liberdade em dois frontes: por si mesmos e pela sociedade branca.

A liberdade na América revolucionária sempre teve um preço. Ao presumir que os fins justificam os meios no caso da Guerra de Independência Americana, os meios efetivos às vezes foram englobados no mito, ou mitos, dado que, na qualidade de "ato" fundador da nação americana, a história da Revolução naturalmente recebeu mais embelezamento do que outras. Nesse processo, reputações foram construídas, mesmo se às vezes a raça se perdia. Crispus Attucks foi vítima não somente das balas britânicas no Massacre de Boston, mas de um embranquecimento *post mortem* pelos ilustradores coloniais. Outros indivíduos saíram-se melhor e foram arrastados para o primeiro plano para simbolizar acontecimentos que envolveram comunidades inteiras. Um deles foi o gravador e prateiro Paul Revere, cuja imagem de um Attucks anglicizado revelou-se um poderoso instrumento de propaganda na processo que culminou com a Revolução e cuja famosa cavalgada à meia-noite até Lexington tornou-se lendária. É revelador que tal lenda tenha realmente ganhado forma no poema de Henry Wadsworth Longfellow, A Cavalgada de Paul Revere, escrito quase um século depois dos fatos que descreve e publicado em uma época – no meio da Guerra Civil Americana – em que a nação estava talvez mais receptiva a essa mensagem patriótica específica, expressa visualmente em um sem-número de estampas, pinturas e litogravuras ao longo dos anos (IMAGEM 17).

Revere certamente fez a viagem retratada na noite de 18 de abril de 1775 para alertar sobre o movimento de tropas britânicas na direção de Lexington e Concord e sobre o estoque de armas que lá havia. Mas ele dificilmente teria gritado o aviso "Os britânicos estão chegando", atribuído a ele mais tarde. Em primeiro lugar, os britânicos, na forma de tropas regulares, já estavam lá e haviam estado desde o Motim do Chá de Boston. Em segundo lugar, teria sido uma afirmação sem sentido, porque muitos dos colonizadores consideravam-se britânicos. Porém, a distância entre a verdade e sua representação semificticia é, em essência, a linha divisória entre patriotismo e nacionalismo na América. De fato, o patriotismo colonial conflitava com o nacionalismo inglês, mas os colonos brancos não se transformaram da noite para o dia em americanos, ainda que os mitos pós-guerra da Revolução tenham sugerido que eles o fizeram. Inclusa na lenda da cavalgada de Revere está a ideia de que a Revolução consistiu em um levante espontâneo dos colonizadores americanos agindo em comum acordo contra a opressão britânica. Nada poderia ser mais distante da verdade. Todavia, a cavalgada supostamente solitária de Revere trazia em si a essência dos acontecimentos nas colônias em 1775 e 1776, a verdade, de uma perspectiva colonial, da previsão de Thomas Paine de que era chegada a hora de a Grã-Bretanha e suas colônias se separarem. A cavalgada de Revere tornou-se uma repre-

IMAGEM 17. *A Cavalgada de Paul Revere*. Ilustração de uma edição oitocentista do poema de Longfellow. Foto © National Archives, Washington, D.C.

sentação simbólica de uma oposição à autoridade britânica que se construiu lentamente mas que, em 1775, ainda não tinha se consolidado em um compromisso com a separação, muito menos uma expressão identificável da identidade americana.

O processo de tornar-se americano era, como em certo sentido havia sempre sido, impulsionado e definido pelo conflito; o conflito entre as colônias e a Grã-Bretanha, entre os colonizadores e as populações nativas e entre os próprios colonizadores. Isso era óbvio na época. A *Declaration of the Causes and Necessities of Taking up Arms* [Declaração das causas e necessidades de se pegar em armas], emitida pelo Congresso Continental em 1775, reconheceu que grande parte da experiência colonial levara a esse ponto.

Ela era bombástica, para não dizer excessivamente otimista, em algumas das suas assertivas: "Nossa causa é justa", ela proclamou. "Nossa União é perfeita. Nossos recursos internos são vastos e, se necessário, o auxílio estrangeiro é indubitavelmente acessível". Ela era mais realista no seu reconhecimento de que as colônias "haviam se exercitado anteriormente em operações bélicas e possuíam os meios de se defender". O contato constante com tribos nativas e as exigências da vida na fronteira certamente produziram uma população mais familiar com a guerra na sua porta de que muitas populações europeias da época.

Portanto, a crença americana na importância de cidadãos armados tem suas origens no período colonial, assim como a pressuposição europeia de que quase todos os colonos seriam atiradores natos. Essa ideia era reforçada por relatos oriundos das colônias que sugeriam, como fez um ministro anglicano em 1775, que o armamento produzido nas colônias era "infinitamente melhor" do que aquele normalmente usado na Europa, e que os armeiros coloniais eram "empregados constantemente em toda parte". A caça do cervo e do peru, observou ele, fizera "dos americanos os melhores atiradores do mundo".[64] Mesmo assim, o confronto militar com um dos exércitos mais fortes do período, que provavelmente ofereceria mais resistência do que um peru comum, não era algo a ser empreendido com ligeireza. A população britânica excedia a colonial por mais de três a um, e a capacidade militar naval e terrestre da Grã-Bretanha era formidável. Enfrentá-la era uma iniciativa cheia de perigo prático e incerteza moral e ideológica.

No contexto de uma identidade nacional baseada predominantemente no anglicismo, em um conflito travado pelos direitos de cidadãos ingleses, o que se pedia aos colonizadores era que matassem seus conterrâneos. Isso era inaceitável para alguns. Para o ministro Ebenezer Baldwin, a Revolução era "a guerra mais desnatural", uma guerra imoral, na qual "pessoas da mesma nação, com a mesma ascendência, a mesma língua, a mesma religião professada e herdeiros dos mesmos privilégios serão levados a sujar suas mãos com o sangue uns dos outros".[65] Porém, a oposição aos britânicos parecia cada vez mais não apenas natural, mas inevitável. Quando se dissipou a fumaça dos primeiros tiros dados em Lexington, uma paisa-

---

64 BOORSTIN, Daniel. *The Americans: The Colonial Experience*. New York: Random House, 1958. p. 351.
65 BALDWIN, Ebenezer. *The Duty of Rejoicing Under Calamities and Afflictions*. New York: Hugh Gaine, 1776. p. 21-2.

gem muito diferente revelou-se, na qual a opressão britânica e a oposição colonial se destacavam vividamente, e na qual uma profusão de ideias até então meio formadas sobre a independência, por sua vez alimentadas por queixas enérgicas sobre o comportamento governamental britânico, começou a solidificar-se.

A perspectiva de Samuel Ward, ex-governador de Rhode Island e um dos delegados do Congresso Continental, exemplifica esse aguçamento do pensamento colonial. Ao escrever da Filadélfia para seu irmão Henry no fim de 1775, Ward ofereceu sua opinião de que os britânicos pretendiam "receber a nós e nossa posteridade como seus escravos". Ele notou a ampla desaprovação da presença de "tropas estrangeiras" nas colônias, "ingleses, escoceses, irlandeses, católicos romanos, hessianos, hanoverianos", que ameaçavam as cidades e o comércio. Diante de tais ameaças, Ward argumentou, "toda visão, paixão e interesse privado devem ser enterrados. Estamos a bordo de um mesmo navio. Se ele afundar, todos nós pereceremos; se sobreviver à tempestade, paz e abundância (rebentos da liberdade) e tudo que dignifica e satisfaz a natureza humana serão a recompensa da nossa virtude". Retomando Paine, Ward advertiu seu irmão de que sua causa era "não apenas a causa das colônias e da Grã-Bretanha, mas da própria natureza humana". Porém, para as colônias, especificamente, que estavam sofrendo sob "um ministério apto a servir a Nero", só havia uma única atitude possível, uma decisão a ser tomada. "Ser ou não ser", Ward declarou, "é a questão agora".[66]

Ward pode ter identificado a questão, mas a resposta afirmativa que ele antecipava não estava garantida nem viria rapidamente. Levou oito longos anos até que a guerra iniciada em Lexington garantisse a independência das colônias por meio do Tratado de Paris de 1783, e mais cinco até que seus habitantes pudessem referir-se a si mesmos, com absoluta confiança, como "Nós, o povo dos Estados Unidos". Esses oito anos de luta tendem a ser condensados, como acaba sendo a maioria das guerras em retrospecto, em uma série de vinhetas, episódios críticos de uma luta cujo desfecho é conhecido e cujas complexidades são raramente transmitidas à posteridade. De uma perspectiva contemporânea, a batalha pela independência foi muitas vezes um caso de um passo para frente e dois passos para trás.

---

66 Samuel Ward a Henry Ward, 11 de novembro de 1775, em *Letters of Delegates to Congress*. Disponível em: http://memory.loc.gov/cgi-bin/query/r?ammem/hlaw:@fiel(DOCID±@lit(dg002322)). Acesso em: 20 dez. 2009.

Na ausência de qualquer força colonial permanente ou organizada, o choque inaugural entre regulares britânicos e a milícia colonial em Lexington em 19 de abril de 1775 foi seguido por um período de confusão enquanto os colonizadores tentavam organizar-se. Mas muitas das tropas coloniais que haviam se reunido em Lexington, conhecidas coletivamente como o Exército de Observação da Nova Inglaterra, logo voltaram para casa, por falta de suprimentos e incapacidade de deixar de lado suas fazendas ou negócios para assegurar que os regulares britânicos fossem protegidos em Boston. Apesar disso, a imagem popular dos minutemen permanentemente preparados como a elite da milícia colonial (IMAGEM 18) que defendia a linha de frente dos casacas vermelhas britânicos teve ampla aceitação. O ideal do *minuteman*, de fato, era pouco mais do que um preciosismo da milícia da Nova Inglaterra, destinada a conferir alguma distinção ao que era, inevitavelmente, uma força improvisada reunida às pressas, que frequentemente carecia de munição suficiente, e certamente de uniformes. Não obstante, essa imagem de um novo tipo de cidadão-soldado, ainda que exagerada em alguns aspectos, revelava uma verdade mais profunda e permanente sobre a nação americana emergente e o nacionalismo da era revolucionária, sua dimensão militar e sua natureza voluntária.

Esse nacionalismo americano nascente tinha uma série de componentes que se reforçavam mutuamente, incluindo a crença já difundida na eficácia marcial da fronteira colonial e um sistema de milícia cujas origens remontavam à sua versão inglesa do século XII, o Decreto de Armas (1181), sob a

IMAGEM 18. Linha de *minutemen* sob fogo de tropas britânicas em Lexington, Massachusetts, 1775 (John H. Daniels & Son, Boston, 1903). *Cortesia da Library of Congress Prints and Photographs Division (LC--DIG-ppmsca-05478).*

qual se exigia que todos os homens livres capazes treinassem, às suas próprias custas, para a proteção do público. Se na Europa a ideia de serviço civil havia se tornado obsoleta devido à ascensão dos exércitos profissionais, no contexto do conflito colonial o cidadão era a primeira e última linha de defesa da sociedade contra ataques. Isso era econômica e ideologicamente desejável. A alternativa seria manter tropas regulares, financiadas pelas colônias mais leais ao governador régio. No contexto da oposição colonial à Lei de Aquartelamento (1765), um exército permanente não podia ser desejável. Um cidadão que podia, em uma emergência, ser transformado em soldado e voltar a ser cidadão igualmente rápido, era uma opção mais barata e, da perspectiva colonial, mais segura. Mas o serviço dos cidadãos não deveria ser necessariamente compulsório. O autointeresse podia requerer a autodefesa, mas, depois que o perigo passava, também passava a necessidade de armar-se contra ele. Como recordou um ministro da Pensilvânia, Joseph Doddridge, os membros das milícias coloniais "eram soldados quando escolhiam ser, e depunham suas armas quando queriam. Seu serviço militar era voluntário e obviamente sem pagamento".[67]

Em contraste, embora incorporadas ao recém-formado Exército Continental, essas antigas tropas milicianas pelo menos eram pagas, mas isso não as transformava instantaneamente em uma força de combate profissional unificada. Uma tradição militar voluntária conjugada ao mito de uma proeza marcial quase universal revelou-se uma base instável para construir um exército. De fato, nunca se formou com sucesso um único exército permanente. O Exército Continental e as milícias estaduais (às vezes denominadas Exército Continental) lutavam lado a lado ou, ocasionalmente, fracassavam espetacularmente em fazê-lo. George Washington notou com raiva como, na Batalha de Camden (1780), na Carolina do Sul, a milícia "fugiu aos primeiros disparos e deixou as tropas continentais cercadas de todos os lados e sobrepujada em números, lutando por segurança em vez da vitória".[68] Se às vezes não se podia confiar na milícia, tampouco aconteceu que as treze colônias se congregassem rapidamente para opor-se ao governo britânico. Ao contrário, ocorreram treze revoluções essencial-

---

67 DODDRIDGE, Joseph. *Notes on the Settlement and Indian Wars of the Western Parts of Virginia and Pennsylvania from 1763 to 1783*. Pittsburgh, PA: Ritenour and Lindsey, 1912. p. 142.

68 George Washington a Meshech Weare *et al.*, "Circular Letter on Continental Army", 18 de outubro de 1780, *The George Washington Papers*, Library of Congress. Disponível em: http://memory.loc.gov/ammem/gwhtml/gwhome.html. Acesso em: 27 dez. 2009.

mente bem distintas, todas seguindo uma trajetória semelhante no fim, mas aproximando-se do ponto final desejado de direções muito diferentes e com planos bem distintos.

A posição de Washington como general e comandante em chefe do Exército Continental resultou menos da sua experiência militar de que do fato de que ele era da Virgínia. Encarregar um virginiano de um exército constituído principalmente de habitantes da Nova Inglaterra fomentaria – assim se esperava – a unidade colonial. O fato de Washington ser um conservador e rico fazendeiro também contribuiria para aplacar os temores conservadores de radicalismo. Acabou sendo uma escolha inspirada. Quando Washington foi nomeado em julho de 1775, os colonos acabavam de sair do que veio a ser o confronto mais sangrento da Guerra Revolucionária – pelo menos para os britânicos: Bunker Hill (17 de junho), embora a batalha em si tivesse ocorrido em Breed's Hill, em Boston. Após o relativo sucesso de Bunker Hill, a guerra foi ladeira abaixo para os americanos. Nova York caiu nas mãos dos britânicos quase imediatamente e permaneceu ocupada por toda a duração da guerra. Na verdade, os britânicos conseguiram tomar todas as principais cidades americanas durante a Guerra Revolucionária, e Washington perdeu mais batalhas do que ganhou, mas ainda assim os colonizadores foram vitoriosos, e em grande parte graças a esse indivíduo. Washington provou-se hábil em equilibrar os diversos grupos de interesse envolvidos na Guerra Revolucionária, o que não quer dizer que a tarefa não o tenha ocasionalmente levado a distrações.

O fim de 1776, apenas o segundo ano das hostilidades, provou ser um ponto de inflexão. Com o sucesso de Washington na Batalha de Trenton em 26 de dezembro – uma façanha que ele realizou ao conseguir fazer o Exército Continental atravessar o Rio Delaware, então em cheia – o moral colonial melhorou, pelo menos até certo ponto. Washington ainda estava pressionando o Congresso Continental para obter mais tropas coloniais regulares. Ele enfatizou que com a milícia "não se podia contar, nem esperar ajuda dela, a não ser nos casos da maior emergência". De fato, esbravejou ele, "sua recente letargia e demora em comparecer nessa crise alarmante parecem justificar a apreensão de que nada consegue tirá-los de suas casas". Esse tema se mostraria persistente para Washington. Ele nunca foi persuadido quanto à eficácia de uma força voluntária. Na verdade, observou ele certa vez, "a América quase foi privada das suas liberdades" pela suposição crédula de que a milícia era boa para algo que ia além de proporcionar "destacamentos leves para escaramuças nas matas". Nem a milícia nem "tropas cruas" eram, na sua opinião, "adequadas para a verdadeira tarefa de combater".[69]

O combate de verdade mostrou-se uma luta para os revolucionários. Todas as guerras, é claro, são horríveis à sua própria maneira. A maneira americana durante a Revolução foi manter um exército inadequado. O Congresso nunca deu a Washington as tropas de que ele precisava e também não conseguiu manter adequadamente as que ele tinha. Recrutamentos de curto prazo (três meses eram de praxe) promoviam uma rotatividade demasiado frequente de tropas, e as lealdades estaduais criaram uma dissensão quase constante nas fileiras. Os americanos também se espalharam demais no começo. Uma invasão abortada do Canadá no inverno de 1775-1776 revelou os limites do entusiasmo pela causa revolucionária além das colônias britânicas, e as terríveis dificuldades que muitas das tropas coloniais viriam a enfrentar nos próximos seis anos. Como havia sido o caso no campo depois de Lexington, os suprimentos eram escassos, e as doenças, endêmicas. A temida varíola, espalhada pelo movimento de tropas nas colônias, resultou na primeira inoculação de massa contra o vírus, por ordem de Washington, entre as forças coloniais. Mas não era uma simples injeção que iria estancar o vaivém constante do apoio à Revolução. O Exército de Washington, ao longo do conflito, flutuou entre 2 mil e 20 mil homens.

Washington era, em quase todos os sentidos, um líder sob ataque, e uma ideia das dificuldades que ele enfrentava aparece claramente em grande parte da iconografia associada à Revolução, mais notavelmente naquela que retrata o terrível inverno de 1777-1778 em Valley Forge, Pensilvânia (IMAGEM 19), para onde Washington se retirou após a derrota de seu exército em Brandywine Creek em setembro de 1777 e a subsequente tomada de Filadélfia pelos britânicos. Dali, Washington ofereceu ao Congresso Continental seus prognósticos sombrios de "que, a menos que alguma mudança grande e capital ocorra repentinamente naquela linha, este Exército será inevitavelmente reduzido a uma ou outra destas três coisas: morrer de fome, dissolver-se ou dispersar-se, no intuito de obter subsistência da melhor maneira que puder; pode ter certeza, meu senhor", ele salientou, "que isso não é uma afirmação exagerada".[70] Mas Valley Forge não era o nadir que parecia. Tratava-se da escuridão antes da aurora na história nacio-

---

69 George Washington ao Congresso Continental, 16 de dezembro de 1776; a Meshech Weare *et al.*, *Washington Papers*, 18 de outubro de 1780.

70 George Washington ao Congresso Continental, *Washington Papers*, 23 de dezembro de 1777.

IMAGEM 19. "Valley Forge, 1777". O general Washington e Lafayette visitam a parte sofredora do Exército. O marquês de La Fayette era um oficial militar francês que serviu com Washington. Ele teve participação decisiva na retirada da Batalha de Brandywine e depois nas negociações que trouxeram a França para a guerra do lado americano. Ele retornou à América para enfrentar Cornwallis em Yorktown. *Desenhado e pintado por A. Gilbert. Litogravura e publicação de P. Haas. Washington, D.C.: Cortesia da Library of Congress Prints and Photographs Division (LC-USZ62-819).*

nal da América. As dificuldades de Washington eram igualadas às dos britânicos, cuja falta de suprimentos e de coordenação impedia-os de aproveitar sua vantagem militar até o fim. Isso contribuiu para arrastar tanto o conflito quanto todos os problemas de recrutamento e retenção enfrentados por Washington.

Na primavera de 1778, a sorte colonial estava começando a melhorar, sobretudo porque, no outono anterior, o principal Exército britânico, sob comando do general John Burgoyne, falhou na sua campanha em tomar controle do Vale do Hudson, o que teria isolado a Nova Inglaterra das colônias sulistas. Em Saratoga, Nova York, em outubro, Burgoyne rendeu-se, e o restante das suas forças retornou ao Canadá. O mais importante foi o fato de que o sucesso americano em Saratoga também rendeu às colônias o auxílio estrangeiro que a *Declaração das causas e necessidades de se pegar em armas* havia confiantemente presumido que viria. Ele veio, na forma dos franceses, mas somente quando ficou óbvio para a França que ela estava apoiando o lado vencedor.

Washington não tinha ilusões sobre isso. "Estou vivamente disposto a nutrir os sentimentos mais favoráveis pelo nosso novo aliado e acalentá-los em outros em um grau razoável", observou ele, "mas é uma máxima fundada na experiência universal da humanidade de que não se deve confiar em nenhuma nação além do que lhe dita seu interesse; e nenhum estadista ou político prudente se arriscará a se desviar dela". Com um olho no futuro, ele advertiu que a América "tem de ser particularmente cautelosa; pois ainda não atingimos suficiente vigor e maturidade para nos recuperar do choque de qualquer passo em falso que possamos dar inadvertidamente".[71] Porém, em 1778, convinha a todas as partes que a França ajudasse os colonizadores. Franceses e britânicos não precisavam de muito incentivo para declarar guerra uns aos outros, como fizeram oficialmente no verão de 1778. A Espanha logo seguiu os mesmos passos, os quais, no entanto, não foram os dos americanos, mas os dos franceses. A Espanha nunca auxiliou a causa americana diretamente, mas a posição assediada da Grã-Bretanha na Europa acabou ajudando o lado americano.

Ainda não se podia dizer que estava tudo resolvido, exceto pelos combates. Os problemas de Washington continuavam graves. A combinação colonial de voluntarismo e regionalismo em questões de defesa era, para sua eterna frustração, uma barreira significativa à perseguição exitosa e conclusão veloz da guerra. Ele havia tentado "desincentivar todo tipo de vínculo local e distinção de país [Estado], denominando o conjunto pelo nome maior de americanos", mas, relatou ele, "julgou impossível superar preconceitos". Quatro anos depois, pouco mudara. No fim de 1780, Washington continuava "mais firmemente [da] opinião", como confidenciou ao major general John Sullivan, "de que, assim que os Estados levarem suas tropas a campo, quanto menos eles tiverem a ver com elas", melhor será. Preso entre a cruz do poderio militar britânico e a espada das ambições estaduais e individuais conflitantes, Washington lutava para fundir as diversas partes da máquina colonial militar em um todo operacional. Como ele comentou com Sullivan, "se em todo caso nosso exército fosse um ou treze exércitos aliados pela defesa comum, não haveria dificuldade, mas nós somos ora uma coisa, ora outra, e eu não estaria muito equivocado se dissesse que às vezes não somos *nenhum* deles, mas um conjunto de ambos".[72]

---

71   George Washington a Henry Laurens, *Washington Papers*, 14 de novembro de 1778.

72   George Washington ao Congresso Continental, 20 de dezembro de 1776; a John Sullivan, *Washington Papers*, 17 de dezembro de 1780.

Em 1780, esse exército conjunto tinha se afastado da Nova Inglaterra, pois o principal campo de batalha da Guerra Revolucionária havia se deslocado para o Sul. Inspirados por relatos de apoio legalista e esperando que a escravidão pudesse ter criado um sistema social enfraquecido à beira da derrota, os britânicos avançaram na direção da Geórgia. A tomada de Savannah (dezembro de 1778) e depois de Charleston (maio de 1780) foi seguida pela Batalha de Camden, onde a milícia, como Washington reclamou, falhou tão escancaradamente em se sobressair. No entanto, assim que os britânicos, sob o comando de Charles (conde) Cornwallis, deram as costas, quase literalmente, indo em direção à Carolina do Norte, os colonizadores desfizeram tudo o que havia sido conquistado, adotando um estilo de combate de guerrilha que era suscetível a reveses esporádicos, mas que se revelou impossível de derrotar decisivamente. No fim do verão de 1780, os britânicos ainda controlavam Savannah e Charleston, mas não muito mais do que isso. Na primavera do ano seguinte, a aliança com os franceses finalmente provou também seu valor. Uma força combinada de exércitos franceses e americanos e a Marinha francesa conseguiu prender as tropas de Cornwallis na Península de Yorktown, onde Cornwallis rendeu-se em 19 de outubro de 1781.

Yorktown, embora vista frequentemente como a conclusão da Guerra de Independência americana, ainda não foi bem o fim, mas o começo do fim para os britânicos e, é claro, o fim do começo para a América. Tropas britânicas permaneceram nas colônias, mas na defensiva e de maneira hesitante. Em Paris, no ano de 1782, os diversos emissários já estavam se reunindo para discutir os termos em que a paz seria firmada e uma nova nação, criada. Uma charge política da época resumiu a situação (IMAGEM 20), alardeando graficamente aos britânicos o fato de que suas antigas colônias agora levavam a vantagem.

ARTIGOS DE FÉ

Para ambos os lados, britânico e colonial, a Revolução representou um novo tipo de conflito para o qual nem a luta na fronteira, por parte dos colonos, nem as batalhas em larga escala, por parte dos regulares britânicos, ofereciam algo que servisse de precedente útil. Era fundamentalmente uma batalha pelos corações e pelas mentes, e não somente um confronto militar direto. Não se trata de uma expressão anacrônica tirada de guerras americanas muito posteriores. *Sir* Henry Clinton, um dos comandantes em che-

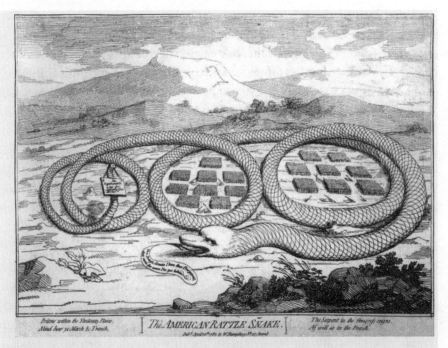

IMAGEM 20. James Gillray, "A cascavel americana" (Londres: W. Humphrey, abril de 1782). A cobra era um motivo comum para as colônias; ela foi usada pelos americanos na sua bandeira antes da adoção das listras e estrelas. Charges anteriores, em especial uma imagem de 1754, haviam retratado as colônias na forma de uma cobra desmembrada e sugerindo que elas tinham de "unir-se ou morrer". Esta aqui, publicada quando as negociações de paz de Paris estavam em curso, sugeria que as colônias eram agora um corpo unido. A língua da cobra se vangloria: "Dei uma *burgoynada* em dois exércitos britânicos,/ E tenho espaço para mais atrás". Duas voltas da serpente envolvem representações das forças de Burgoyne e Cornwallis; a terceira anuncia: "Apartamento a alugar para cavalheiros militares". A estrofe a seguir adverte: "Bretões nas planícies ianques,/ Cuidado na marcha e na trincheira,/ A serpente reina no Congresso,/ Bem como sobre os franceses". Cortesia da Library of Congress Prints and Photographs Division (LC-USZ62-1531).

fe das forças britânicas, reconheceu plenamente a necessidade "de conquistar os corações" e de "subjugar as mentes da América".[73] O problema, no entanto, não estava apenas do lado britânico. Se Washington lutava para convencer o Congresso da necessidade de um exército mais eficaz, e seus conterrâneos da necessidade de alistar-se nele, alguns nunca foram nem convencidos da necessidade de um exército para um conflito armado com a Grã-Bretanha – os legalistas.

Inevitavelmente, uma vez que a Guerra Revolucionária resultou na separação das colônias da Grã-Bretanha, o impulso crescente e os sucessos

---

[73] Clinton, memorando de conversa de 7 de fevereiro de 1776, *apud* CONWAY, Stephen. To Subdue America: British Army Officers and the Conduct of the Revolutionary War. *William and Mary Quarterly*, 43, 3, p. 381-407, nota 381, July 1986.

militares da causa patriótica americana, e não os argumentos daqueles cuja lealdade permaneceu com a pátria-mãe, foram os que dominaram a cena. Numericamente, é claro, os patriotas americanos eram a maioria, mesmo se Washington às vezes sentisse que eles eram uma maioria demasiado silenciosa, ou pelo menos inativa. De uma população de aproximadamente 3 milhões nas colônias naquela época, somente cerca de 0,5 milhão alinhou-se com a causa britânica. Sua posição tornou-se periclitante à medida que a guerra progredia, porque a Revolução era uma guerra civil além de um conflito pela independência colonial.

Em certos estados, especialmente nas Carolinas durante os últimos estágios do conflito, choques de grupos de milícia legalistas com o Exército Continental e de milícias patrióticas produziram a anarquia e a violência que os legalistas haviam temido desde o início, conforme vizinhos atacavam vizinhos de formas que tinham mais a ver com vingança pessoal do que com a causa da independência. Todos os estados implementaram juramentos de lealdade, que combinavam a renúncia à Coroa britânica com um juramento de lealdade ao Estado em questão. As penas para a inconformidade com a causa patriótica eram altas, pois iam do confisco da propriedade ao exílio e, às vezes, à morte. No fim, muitos milhares de legalistas – as estimativas variam de 60 mil a quase 100 mil – deixaram as colônias para sempre, buscando refúgio no Canadá ou na Grã-Bretanha.

Os legalistas, por terem apoiado o que veio a ser o lado perdedor, podem ter efetivamente excluído a si mesmos da história nacional da América. Mas sua relevância está menos na ameaça militar que eles ofereceram à obtenção final da independência americana – que francamente não era grande coisa, apesar de uns 30 mil terem lutado do lado britânico – do que no seu papel em ajudar a esclarecer e definir a causa pela qual as colônias estavam lutando – uma nação americana separada. A batalha pelos corações e mentes dessa nação provou ser brutal. As experiências dos legalistas não apenas ressaltaram o poder destrutivo do que, cerca de meio século mais tarde, seria descrito como a "tirania da maioria" nos Estados Unidos, mas também as incertezas muito reais que afligiam essa maioria.

Os legalistas não eram uma elite diminuta presa a um modo de vida e a uma estrutura social tradicionais em conflito com o entusiasmo juvenil das colônias. Eles vinham de todas as origens, classes e profissões, embora houvesse alguns padrões discerníveis na população legalista. Mais notavelmente, aqueles que já estavam à margem do núcleo étnico dominante branco e britânico – os alemães, holandeses e escoceses – e aqueles com uma forte identidade religiosa – os *quakers*, metodistas e presbiterianos sulistas – pendiam para o campo legalista. O que, perguntara Crèvecoeur, é o americano? A Guerra Revolucionária não ofereceu uma resposta definida à pergunta, apesar de conseguir reduzir as opções ao identificar, até certo ponto, o que o americano não era.

O período da Revolução foi de difícil percepção para colonizadores e britânicos, patriotas e nacionalistas, negros e brancos. As decisões tomadas naquela época eram mais complexas do que a simples escolha entre liberdade e escravidão, entre ser súditos coloniais da Grã-Bretanha e americanos independentes. Em alguns casos, para os escravos, para os legalistas, a escolha nunca estava inteiramente em suas mãos. Mais tarde, no fim da sua presidência, Washington destacaria a natureza voluntária da identidade americana, mas o patriotismo voluntário, como ele continuou a enfatizar durante toda a Guerra Revolucionária, nunca era o bastante no âmbito militar e, no ideológico, possivelmente não era suficiente. "Não pretendo excluir totalmente a ideia de patriotismo", Washington observou, da perspectiva de Valley Forge na primavera que se seguiu ao seu longo e duro inverno ali. "Sei que ela existe e sei que fez muito na presente contenda. Mas aventuro-me a afirmar que uma guerra longa e duradoura nunca pode se basear unicamente nesse princípio. Ela deve ser auxiliada por uma perspectiva de interesse ou alguma recompensa."[74]

O que era a recompensa dependia do indivíduo. Para alguns, como Washington, era uma nação independente. Para os escravos, era a perspectiva de liberdade. Para outros, era a oportunidade de possuir escravos. Os interesses dos legalistas persuadiram-nos de que o único vínculo que mantinha as colônias juntas estava prestes a ser rompido e disso resultaria a tirania. No seu caso, eles não estavam muito errados. Os brancos americanos sempre lutaram para diferenciar escravos de livres na América colonial. Eles batalharam para distinguir leais de desleais na América revolucionária, e não desejavam que essa distinção fosse totalmente voluntária. Com a liberdade de imprensa cerceada a fim de calar a oposição à causa revolucionária, os colonizadores abriram caminho para leis nacionais posteriores que procurariam legislar em prol da lealdade: as Leis de Estrangeiros e de Sedição de 1798. No fim, a ideia de escolha revelou-se tão limitadora quanto libertadora. Identificar quem era bem-vindo e quem era excluído da nação

---

74 George Washington a John Banister, *Washington Papers*, 21 de abril de 1778.

emergente ocuparia as mentes americanas a partir dos primórdios da nação, e isso continua até hoje.

Na esteira imediata do Tratado de Paris (1783), havia problemas mais prementes, mas não desconexos, com os quais era preciso lidar. Um deles ainda era militar. No verão de 1783, os soldados amotinados que guardavam as repartições públicas na Filadélfia ameaçaram usar a violência quando seu aumento de soldo não foi pago. Temendo as implicações, o Congresso logo dissolveu o Exército Continental. Mas essa transformação súbita do soldado de volta em cidadão só poderia ser parcialmente completa. Muitos homens levaram do seu serviço militar lembranças permanentes do custo da liberdade americana. Era um problema com o qual a nova nação teria de lidar.

Entre 150 mil e 200 mil homens serviram nos exércitos revolucionários – claramente não todos ao mesmo tempo, ou as coisas teriam sido mais fáceis para Washington. Desses, cerca de um terço foram mortos ou feridos. Houve perto de 25 mil mortes em serviço, aproximadamente um décimo dos que lutaram, um equivalente *per capita* de mais ou menos 2,5 milhões hoje. As causas de morte eram típicas de uma guerra do período. Menos de 10 mil morreram diretamente em batalha, um número igual de doença e, é claro, muitos veteranos revolucionários faleceram antes do que o teriam devido a ferimentos e doenças que geraram problemas de saúde residuais. Em 1818, o Congresso tomou medidas para compensar os veteranos sobreviventes por meio de uma lei de pensão; os pedidos de indenização revelam a extensão dos ferimentos sofridos. Mas os beneficiários dessas pensões eram apenas a ponta do *iceberg* do impacto físico de longo prazo da Revolução. Seu impacto ideológico era uma questão inteiramente diversa. Em tese, pelo menos, o serviço nos exércitos revolucionários criou um vínculo entre indivíduos que, de outra forma, não teria sido forjado. Apesar da batalha de Washington contra os preconceitos locais, a guerra também pode ter gerado a expectativa de despertar uma certa consciência da vida além de cada estado separado, um sentido mais forte da nação que estava em jogo. Por outro lado, os juramentos de lealdade implementados durante a Revolução faziam referência não à nova nação como entidade única, mas a cada um dos estados. Embora a charge de James Gillray sugerisse uma nova unidade entre as colônias, certos comentaristas da época julgavam que isso era, na melhor das hipóteses, uma pressuposição prematura.

Dadas as circunstâncias, a velocidade com que o Congresso dissolveu os exércitos não era surpreendente, mas talvez tenha enviado a mensagem errada e reforçado o sentido de que, agora que a guerra acabara, a vida poderia continuar como antes. O ex-cirurgião do Exército Benjamin Rush expressou seu desalento ao ver "uma paixão pela aposentadoria tão universal entre os patriotas e heróis da guerra". Aqueles que haviam recentemente deposto as armas, sustentou ele, "lembram hábeis marinheiros que, após se esforçarem para salvar um navio de afundar na tempestade, no meio do oceano, caem no sono assim que as ondas se amainam e deixam os cuidados das suas vidas e propriedade, pelo restante da viagem, a marinheiros sem conhecimento ou experiência".

"A guerra americana acabou", reconheceu Rush, "mas isso está longe de acontecer com a Revolução Americana. Pelo contrário", ele lembrou aos americanos, "somente o primeiro ato do grande drama se encerrou. Ainda resta criar e aperfeiçoar nossas novas formas de governo e preparar os princípios, morais e maneiras dos nossos cidadãos para essas formas de governo, depois de serem criadas e levadas à perfeição".[75]

O foco das preocupações de Rush era a estrutura do governo da nova nação. Tratava-se de um problema reconhecido. De fato, ele havia sido a raiz de muitos dos problemas militares de Washington. O Congresso Continental havia redigido os Artigos de Confederação entre os estados em 1777, mas eles conferiam poderes tão limitados ao Congresso que o tornavam quase ineficaz. O Congresso podia, por exemplo, sugerir a cada estado um montante necessário para a manutenção dos exércitos revolucionários, mas somente os estados podiam decidir se pagariam. Se os Artigos mostraram-se pouco adequados para a formação de um exército, eles certamente não estavam à altura da tarefa de administrar um país, especialmente um tão fluido e informe como a América no período pós-guerra imediato. A luta pela independência havia deixado as antigas colônias em um estado financeiro periclitante, e a própria população, como é usual após qualquer guerra, estava em movimento, expandindo-se para uma terra que ficava além dos Apalaches, nos territórios de Kentucky e Tennessee. O próprio Congresso mal podia fixar raízes, pois se deslocou da Filadélfia em 1783 para Princeton, Annapolis e Trenton, antes de pausar brevemente em Nova York em 1785. Porém, entre uma mudança e outra, ele conseguiu criar algumas regulamentações importantes para a expan-

---

75   RUSH, Benjamin. Address to the People of the United States. *American Museum*, Philadelphia, Jan. 1787.

são geográfica da nação na forma de diversas regulamentações fundiárias, promulgadas entre 1784 e 1787.

A primeira delas (1784), redigida por Jefferson, conferia a condição de Estado a um território cuja população igualasse a de qualquer um dos treze estados originais (60 mil). No ano seguinte, por força do Decreto Fundiário de 1785, o Congresso começou a vender terra, reservando uma parte aos veteranos da Guerra Revolucionária e indicando uma quantia a ser reservada para escolas. Nos termos do Decreto do Noroeste (1787), a escravidão também foi banida dos territórios. "Não haverá nem escravidão nem servidão involuntária em dito território", ela estipulou, "a não ser como punição de crimes pelos quais a parte tenha sido devidamente condenada". Se os Artigos de Confederação fracassaram em muitos outros aspectos, nesse eles tiveram sucesso. A importância dessas regulamentações fundiárias não pode ser superestimada. O precedente que elas criaram – que os territórios estavam sob controle do Congresso e não dos estados, e que fora deles novos estados, "em condição igual à dos Estados originais", seriam criados em vez de expandir os já existentes – firmou a base sobre a qual se formaria a nação, sua forma geográfica e política. A redação jurídica do Decreto do Noroeste, com sua ênfase nos direitos de *habeas corpus* e tolerância religiosa, encontraria eco na Constituição e nas suas primeiras dez emendas (a Carta de Direitos).

Mas uma coisa era pôr os territórios recém-adquiridos sob controle central, e outra, bem diferente, era fundir suas populações e as dos treze estados originais em um corpo nacional unificado com um propósito nacional único. Era crucial encontrar meios para fazê-lo, porque o país passava por instabilidade financeira e, consequentemente, social. Os agricultores americanos, sobrecarregados de dívidas, e os mercadores americanos, privados do acesso ao crédito que tinham garantido anteriormente na Europa, estavam cada vez mais frustrados e, pior, cada vez mais propensos a exprimir tal frustração fisicamente. O desafio mais dramático à autoridade ocorreu em 1786 em Massachusetts, quando um veterano do Exército Continental, Daniel Shays, tentou tomar o arsenal federal em Springfield. A Rebelião de Shays, como ficou conhecida, foi reprimida pela milícia estadual. Ela nunca ofereceu uma ameaça séria à lei e à ordem, mas concentrou as atenções, especialmente de homens como Benjamin Rush. Rush viu claramente a necessidade de melhorar o maquinário do governo central e, talvez mais importante, de fazer a população americana entender a importância da nova República e aceitar as responsabilidades necessárias para "tornarem-se bons republicanos".

Na era revolucionária, já prevalecera o sentimento mais difuso de que, para ser uma nação, era preciso parecer, agir e soar como uma nação. De fato, o Congresso Continental havia iniciado o processo de desenhar o que se tornaria o Grande Selo dos Estados Unidos (IMAGEM 21), ao mesmo tempo que adotou a Declaração de Independência em 1776. Mas a nova nação precisava de mais do que o simbolismo de uma assinatura oficial para validar sua existência. Necessitava, claro, da vitória militar, que Washington proporcionou, e de uma bandeira (as Estrelas e Listras), que, em que pesem as lendas, não foi feita por Betsy Ross, mas que foi adotada em 1777. Precisava também, segundo Rush, que escreveu séculos antes sobre a ideia do capitalismo editorial como força nacionalizante a ser proposta, cultivar jornais e – mais importante ainda – uma maneira confiável de disseminá-los. Precisava expandir o serviço postal.

Na época atual de comunicação internacional instantânea, a importância profunda da visão de Rush em 1787 pode facilmente passar despercebida. Porém, para o desenvolvimento da nação seu argumento não era trivial.

IMAGEM 21. O Grande Selo dos Estados Unidos. O verso não é usado como parte do selo oficial, mas aparece no verso da nota de um dólar (junto ao selo anverso). *E Pluribus Unum*: "de muitos fez-se um". *Novus Ordo Seclorum*: "uma nova ordem das eras nasceu", de Virgílio, *Éclogas* IV, 5. *Annuit coeptis*: "[A Providência] aprova nossa empreitada", de Virgílio, *Eneida*, IX, 625. O simbolismo refere-se às treze colônias originais (treze estrelas, treze listras, treze estágios da pirâmide inacabada, treze setas na garra sinistra da águia, treze folhas e olivas na sua garra destra). A data na pirâmide é 1776, o ano da Declaração de Independência. O "Olho da Providência" acima da pirâmide era um elemento familiar da iconografia cristã no século XVIII. A versão final do Grande Selo, depois do seu desenho passar por vários comitês, foi elaborada pelo secretário do Congresso Charles Thomson. *Foto cortesia de www.istockphoto.com.*

Os jornais, afirmou Rush, constituíam não simplesmente "veículos de conhecimento e inteligência", mas as "sentinelas das liberdades" da nação, mas era o correio que representava "o verdadeiro fio não elétrico do governo" e o "único meio de transmitir calor e luz a cada indivíduo na comunidade federal". A Constituição concordava com Rush, pois dava poderes ao Congresso para, entre muitas outras coisas, evidentemente, "criar agências e estradas postais". A importância da comunicação para a nova nação foi reforçada mais tarde na Lei dos Correios de 1792 e confirmada por um futuro juiz da Suprema Corte, Joseph Story, que em 1833 louvou o serviço postal dos Estados Unidos pela eficiência com que "põe os lugares e pessoas mais distantes [...] em contato uns com os outros, e assim alivia as ansiedades, aumenta as distrações e alegra a solidão de milhões de corações".[76]

De fato, os jornais transportados com tamanha eficiência pelo correio, como esperava Rush, não transmitiriam simplesmente um sentimento de pertencimento nacional nos artigos por eles publicados, mas o reforçariam por meio da linguagem na qual esses artigos eram escritos. Se o núcleo étnico britânico da era colonial havia assegurado seu predomínio linguístico, no período revolucionário os americanos foram receptivos aos esforços de Noah Webster, cujo manual de ortografia de 1783 salientava as maneiras em que a ortografia e a pronúncia inglesa e americana já estavam divergindo, e instava os americanos a "agir como seres independentes", lembrando-os de que eles tinham "um império a erguer e sustentar com seus esforços – e um caráter nacional a estabelecer e estender". Os americanos, assevcrou Webster, haviam "sido crianças por muito tempo, sujeitas ao controle e subservientes aos interesses de um pai arrogante".[77] No entanto, se as antigas colônias quisessem seguir esse conselho, não era apenas a ortografia dos Artigos de Confederação que precisava ser modificada. A própria linguagem da liberdade tinha de ser incorporada e codificada no coração da empreitada nacional americana.

Porém, quando a Convenção Federal reuniu-se em Filadélfia em maio de 1787, foi com a intenção bastante modesta de revisar os Artigos de Confederação. A decisão de construir uma Constituição inteiramente nova nasceu das ideias políticas compartilhadas por muitos delegados, enraiza-

---

76   STORY, Joseph. *Commentaries on the Constitution of the United States, a Preliminary Review of the Constitutional History of the Colonies and States, before the Adoption of the Constitution*. v. 3. Boston: Hilliard, Gray and Company; Cambridge: Brown, Shattuck and Co., 1833. p. 1.120.

77   WEBSTER, Noah. *American Magazine*, 1788; *apud* KOHN, Hans. *American Nationalism: An Interpretative Essay*. New York: Collier Books, 1961. p. 57.

das no precedente inglês e na experiência revolucionária recente. A convenção incluía membros da elite colonial, homens que tinham consciência, ou até medo, das implicações de acontecimentos como a Rebelião de Shays, que se opunham inteiramente à ideia de exércitos permanentes e que haviam deixado bem clara sua posição sobre a Monarquia. Portanto, eles eram um grupo em geral desconfiado de um excesso de democracia, mas igualmente determinado a estendê-la, ainda que de forma controlada, a toda a República. A posição dos Fundadores foi resumida com pertinência pelo clérigo da Nova Inglaterra Jeremy Belknap, na sua famosa afirmação de que deveria "servir de princípio que o governo se origina do povo; mas que se ensine ao povo [...] que ele não é capaz de governar a si mesmo". O que os Fundadores buscavam, em suma, era o que se denomina democracia indireta, na qual os cidadãos elegem representantes em vez de votar diretamente em todas as questões. Os representantes disponíveis seriam – assim se acreditava piamente – selecionados entre a elite. Logo, a gama de opções de um cidadão no que dizia respeito à representação política seria ilimitada em tese e bastante limitada na realidade, por isso segura na prática.

O padrão político que os Fundadores traçaram era, e é, bem intrincado. Ele estruturava-se na premissa de uma separação de poderes, ou "freios e contrapesos", tanto horizontalmente, entre o governo federal e estadual, quanto verticalmente, entre os diversos ramos do governo: o Executivo (o presidente), o Legislativo (o Congresso) e o Judiciário (a Suprema Corte). As razões para assegurar que cada parte do governo pudesse ficar de olho em todas as outras partes e que nenhuma parte pudesse dominar estava na atitude ambivalente dos Fundadores com relação à natureza humana. De fato, o simbolismo do Grande Selo a resumia, porque a águia equilibra, em uma garra, o ramo de oliveira da paz e, na outra, as setas da guerra. Isso pode ser tomado como uma simples representação da posição pública preferida de qualquer nação – desejosa de paz e capaz de conflito –, mas revela igualmente uma perspectiva desconfiada, embora certamente realista, do povo e da sua relação com o poder. Tal era a visão dos Fundadores com relação às massas cujos direitos eles procuravam estender. No que dizia respeito ao poder político, os Fundadores conseguiam olhar várias verdades autoevidentes nos olhos e lidar diretamente com elas.

Em outros aspectos, os delegados que se reuniram em Filadélfia mostraram-se incrivelmente tímidos, e não menos quando se tratava de um tipo diferente de poder: o do senhor sobre o escravo. Sua crença rígida na propriedade era parte da dificuldade. A liberdade e a propriedade estavam inextricavelmente ligadas na sua visão de mundo, e, como os escravos eram propriedade, a abolição imediata parecia não ser uma opção. Os compromissos nessa questão efetivamente contornaram o problema. Ao procurar um meio-termo entre os adversários da escravidão e seus defensores, a Constituição deixou a nova nação em cima do muro, e as futuras gerações, com a tarefa de decidir como exatamente tirá-la de lá.

Para apaziguar os críticos da escravidão, a Constituição estipulou que a "migração ou importação de tais pessoas que qualquer um dos estados agora existentes julgue apropriada admitir não será proibida pelo Congresso antes do ano mil oitocentos e oito". Em suma, em 1808 o comércio exterior de escravos seria abolido. Enquanto isso, a fuga para um estado menos receptivo à escravidão não era uma opção para os escravos, porque a Constituição, em deferência aos defensores da escravidão, também dispôs que "nenhuma pessoa mantida a serviço ou trabalho em um estado, sob as leis do mesmo, que escapar para outro, será [...] dispensada de tal serviço ou trabalho, mas sim entregue a pedido da parte a quem tal serviço ou trabalho for devido". Isso – a cláusula constitucional do escravo fugitivo – deixava claro que os senhores podiam perseguir e recapturar qualquer escravo fugitivo. Mas até isso foi insuficiente para alguns delegados sulistas, que queriam o braço que lhes dera a mão. Embora vissem seus escravos como propriedade, eles julgavam conveniente afirmar a humanidade deles quando o assunto era representação. Os povos nativos foram excluídos da contagem para a representação com a justificativa de que não eram taxados, mas os escravos contavam como três quintos de uma pessoa livre. O Sul, em suma, podia manter seus escravos como propriedade e ainda contá-los como pessoas.

Se a linguagem legislativa usada em algumas dessas cláusulas parece ainda mais obtusa do que o normal, isso foi totalmente deliberado. Ao detalhar os debates para um correspondente em Londres, Benjamin Rush notou, um tanto causticamente, que "não se faz menção aos *negros* ou *escravos* nessa constituição, simplesmente porque se pensou que as meras palavras contaminariam o glorioso tecido da liberdade e do governo americano. Assim", observou ele, "você vê que a nuvem que poucos anos atrás não era maior do que a mão de um homem desceu em orvalhos abundantes e finalmente cobriu todos os cantos da nossa terra".[78]

---

78 Benjamin Rush ao dr. John Coakley Lettsom, 28 de setembro de 1787, *apud* KAMINSKI, John P. *A Necessary Evil? Slavery and the Debate over the Constitution.* Lanham, MD: Rowman and Littlefield, 1995. p. 117.

Rush foi, como de hábito, um comentarista presciente. A Convenção constitucional concebera uma estrutura de governo que se mostraria – e que ainda se mostra – a extensão da perspicácia política dos Fundadores, da destreza do seu pensamento e da flexibilidade da sua visão para a nova República. A própria Constituição tornou-se um dos documentos definidores da identidade nacional americana, do nacionalismo americano, notável na sua capacidade duradoura de conciliar as circunstâncias cambiantes da vida política e social americana desde 1787. Mas talvez os Fundadores estivessem um pouco confiantes demais diante do fato de que seus compromissos quanto à escravidão se manteriam. Por ser antecedida pela Declaração de Independência, que postulava uma versão mais expansiva da liberdade, a Constituição não era o único documento que definia a nação emergente. Conforme os delegados se preparavam para deixar Filadélfia no meio de setembro de 1787, o debate acerca da Constituição que eles haviam redigido ainda não tinha acabado, e a discussão sobre as implicações da Declaração de Independência só havia começado.

capítulo 5

A ÚLTIMA E MELHOR ESPERANÇA DA TERRA: RUMO À SEGUNDA REVOLUÇÃO AMERICANA

*Sabemos como salvar a União.
O mundo sabe que nós sabemos como salvá-la.
Nós – nós mesmos, aqui – temos o poder e arcamos com a responsabilidade.
Ao dar liberdade aos escravos, nós garantimos liberdade aos livres –
igualmente honráveis no que damos e no que preservamos.
Havemos de salvar nobremente, ou vilmente perder,
a última e melhor esperança da Terra.*
(Abraham Lincoln, *Annual Message to Congress*
[*Mensagem anual ao Congresso*], 1862)

Benjamin Rush descreveu a conclusão da Guerra Revolucionária como apenas o fim do primeiro ato do drama republicano. A redação da Constituição estava, do mesmo modo, longe de ser a última palavra sobre a estrutura administrativa e política da nova nação. Charges da época retrataram a "América triunfante" (IMAGEM 22), mas com o triunfo veio a turbulência. Assim como a eliminação da ameaça francesa em 1763 havia proporcionado às colônias espaço para contemplar sua posição tida como subserviente à "pátria-mãe", a saída da Grã-Bretanha do cenário americano deixou a nova República discutindo sozinha. Isso era potencialmente problemático. O governador Morris, a quem frequentemente se atribui a autoria das célebres linhas que começam por "Nós, o povo", havia advertido durante a Convenção Constitucional que este "país deve ser unido. Se a persuasão não o unir, a espada o fará".[79] Nenhum dos Pais Fundadores tentou negar

---

[79] Governador Morris à Convenção Federal, 5 de julho de 1787. *In*: FARRAND, Max. *The Records of the Federal Convention of 1787*. v. I. New Haven, CT: Yale University Press, 1911. p. 531.

IMAGEM 22. *"America Triumphant and Britannia in Distress"* ["América Triunfante e Britânia Desventurada"]. Frontispício, *Weatherwise's Town and Country Almanac* (Boston, 1782). Cortesia da Library of Congress Prints and Photographs Division (LC-USZC4-5275).

isso, mas eles tentaram ser realistas. Uma das maiores diferenças entre os Artigos de Confederação e a Constituição era o reconhecimento de que, na criação da União Federal, a unanimidade não era uma opção viável.

O acordo de todas as treze colônias havia sido exigido para emendar os artigos, mas somente nove precisavam assinar a Constituição para que ela entrasse em vigor. Algumas não perderam tempo para dar seu assentimento. Pensilvânia e Connecticut ratificaram o documento por decisão majoritária, e Nova Jersey, Delaware e Geórgia, por decisão unânime. Outros estados hesitaram. Massachusetts só reconheceu a autoridade da Constituição por pouco e após um debate prolongado. Outros estados tiveram menos problemas com ela, mas mesmo assim verificaram os pormenores cuidadosamente antes de concordar. Quando Maryland, Carolina do Sul e New Hampshire aderiram, a Constituição tinha os nove aderentes exigidos. Infelizmente, dois dos estados mais relutantes, Virgínia e Nova York, eram também dois dos mais poderosos. Sem eles, nove não eram suficientes.

As divisões e desacordos acerca da Constituição não eram regionalmente informados em qualquer sentido. Não havia uma divisão Norte/Sul a esse respeito, como haveria mais tarde em tantos outros assuntos. Nem era uma questão de riqueza, embora aqueles que apoiavam mais fortemente a nova Constituição, tal como aqueles que a redigiram, eram, como se descreveu popularmente, "cavalheiros de propriedade e condição". Os que desconfiavam mais das suas implicações incluíam pequenos proprietários independentes, mas também proprietários rurais de peso. Em suma, não havia nada a ver com Estado nem *status*, mas tudo se resumia a duas interpretações conflitantes do governo. Os campos adversários, os federalistas (pró-Constituição) e antifederalistas, efetivamente divergiam quanto à extensão e aos perigos do poder centralizado.

Os federalistas – homens como George Washington, Benjamin Franklin, o virginiano James Madison, o ex-ajudante de ordens de Washington, Alexander Hamilton, e o ex-presidente do Congresso Continental, John Jay – acreditavam no poder da Constituição de proteger os cidadãos americanos de um excesso de poder político. Os antifederalistas incluíam líderes revolucionários como Samuel Adams, Patrick Henry, John Hancock e Richard Henry Lee. Foi, obviamente, a resolução de Lee no Segundo Congresso Continental de que "estas colônias são e por direito devem ser estados livres e independentes [...] isentos de toda lealdade à Coroa britânica" que inaugurou o processo responsável por provocar esse impasse.

Os antifederalistas eram mais céticos quanto às salvaguardas constitucionais que seus adversários asseguravam que existiam. Eles temiam que os direitos dos cidadãos fossem subordinados aos interesses econômicos e à influência política maiores das elites mercantes. Muitos brancos sulistas suspeitavam que tais interesses também pudessem ameaçar seus próprios. Os que queriam a abolição da escravidão estimavam que a Constituição protegia demais essa instituição. Os que queriam mantê-la temiam que o término do comércio exterior de escravos em 1808 fosse o primeiro passo no caminho da abolição. Alguns, como o proprietário de escravos virginiano George Mason, até conseguiam sustentar ambas as perspectivas simultaneamente.

Para os federalistas, a Constituição oferecia a proteção necessária para e do governo; para os antifederalistas, ela era em alguns aspectos a soma de todos os seus medos quanto ao futuro da nação. Os federalistas, contudo, movidos como eram por um sentimento de propósito mais do que de pânico, construíram uma argumentação abrangente a favor da Constituição, a qual os antifederalistas acabaram julgando impossível refutar. O poder da palavra escrita, como acontecera na América colonial, provou ser crucial nesse estágio muito inicial do que os historiadores denominam a Primeira República. Três dos Federalistas, Hamilton, Jay e Madison, escreveram e publicaram, com o *nom de plume** de Publius, o que se tornou conhecido como os *Federalist Papers* em 1788. Essa série de 85 ensaios publicados originalmente nos jornais de Nova York é hoje considerada, com razão, a pedra de toque da perspectiva política americana. Nela, a posição federalista foi não somente definida, mas refinada.

Não surpreende o fato de que, dada a experiência colonial, muitos dos argumentos iniciais expostos nos *Federalist Papers* se ativessem à influência nefasta da guerra e da influência estrangeira. Sem um governo central forte, uma União plenamente operacional, argumentou Hamilton no *Federalist* n. 6, os americanos ficaram perigosamente "expostos" às "armas e artes de nações estrangeiras". Ao mesmo tempo, ele tinha consciência do perigo "das dissensões entre os próprios estados e das facções e convulsões domésticas". "Uma União firme", enfatizou ele, "será de máxima valia para a paz e liberdade dos estados".[80]

O coautor de Hamilton, Madison, tinha suas próprias ideias sobre como essa União firme poderia ser alcançada e mantida. Se Rush havia salientado a necessidade de melhorar os "princípios, a moral e os modos" dos cidadãos americanos para construir o edifício republicano, Madison tinha uma abordagem bem mais consistente da natureza humana. Por acreditar que as "causas de facção" não eram um problema especificamente americano, mas "semeadas na semente do homem", ele via a expansão da nova República – geográfica e demográfica – e sua estrutura constitucional como salvaguarda dupla para o seu futuro. "Estenda a esfera", ele argumentou, "e você inclui uma variedade maior de partes e interesses; você torna menos provável que a maioria do conjunto tenha um motivo comum para invadir os direitos dos outros cidadãos; ou se tal motivo comum existir, será mais difícil para todos os que o sentem descobrir sua própria força e agir em uníssono com os demais".[81]

---

* Pseudônimo. (N.E.)

[80] Alexander Hamilton, *Federalist* n. 6, "Concerning Dangers from Dissensions between the States" e *Federalist* n. 9, "The Union as a Safeguard against Domestic Faction and Insurrection", publicados em *Independent Journal*. Os *Federalist Papers* podem ser acessados pelo site da Library of Congress. Disponíveis em: http://thomas.loc.gov/home/histdox/fedpapers.html. Acesso em: 18 jan. 2010.

[81] James Madison, *Federalist* n. 10, "The Same Subject Continued: The Union as a Safeguard Against Domestic Faction and Insurrection", publicado pela primeira vez em *Packet*, New York, Friday, 23 Nov. 1787.

A segurança, para Madison, estava nos números. Apesar de expressa na linguagem da teoria política, ele postulou o que era na verdade uma segurança estatística, por meio da qual nenhum indivíduo ficaria desprotegido, mas nenhum grupo de indivíduos poderia impor sua perspectiva, seja ela religiosa, regional ou econômica, ao conjunto. Os antifederalistas não se convenceram. Tentando rebater os argumentos dos *Federalist Papers*, eles avisaram que "ao formar uma Constituição [...] deve-se tomar muito cuidado para limitar e definir seus poderes, ajustar suas partes e resguardar contra um abuso de autoridade". Se uma verdade era "autoevidente, que todos os homens são por natureza livres", argumentava-se, dela decorria que os homens não deveriam "assumir ou exercer autoridade sobre seus pares". Ao contrário, a "origem da sociedade" não estava na autoridade, mas no "consentimento unido dos que se associam" voluntariamente.[82]

Embora descritos às vezes depreciativamente como "homens de pouca fé", a perspectiva dos antifederalistas era simplesmente a de que eles punham sua fé no indivíduo e não na instituição, no cidadão e não na Constituição, e queriam conservar o maior poder possível nos estados em vez de cedê-lo todo a um governo central. Todavia, a fé federalista mostrou-se, no fim, mais persuasiva, possivelmente porque oferecia muito mais. Como disse James Wilson ao tentar persuadir seus conterrâneos da Pensilvânia a ratificar a Constituição: "ao adotar esse sistema, nós nos tornamos uma nação, o que atualmente não somos. Será que podemos", indagou ele, "realizar um único ato nacional? Podemos fazer algo para nos conferir dignidade ou preservar a paz e a tranquilidade?".

Sem a Constituição, advertiu Wilson, os "poderes do nosso governo são um mero som". Sem ela, a América não poderia ser nem defendida nem desenvolvida. Na verdade, ela seria incapaz de "remover uma única pedra de um rio". Porém, com a Constituição em vigor, rochas e rios seriam os elementos constitutivos e condutores de uma grande nação. Wilson foi além. Ao se tornarem uma nação, ele previu, os americanos "também formariam um caráter nacional", e não um qualquer, mas moldado pela própria Constituição então discutida. Toda nação, afirmou ele, "deve possuir originalidade", mas a América continuava influenciada demais pelos cos-

---

82 Os dezesseis artigos "antifederalistas" não tinham título; foram publicados no *Journal* de Nova York entre outubro de 1787 e abril de 1788, sob uma variedade de pseudônimos, incluindo "Brutus", escolhido em alusão ao assassino de César. O autor mais provável era Richard Yates, juiz em Nova York e delegado na Convenção Federal. Essa citação provém do segundo ensaio, publicado no início de novembro de 1787.

tumes e hábitos dos outros. Seu sistema de governo a distinguiria. Por meio dele, prometeu Wilson, a América poderia liderar o mundo em "importância nacional".[83]

Era difícil resistir a uma perspectiva dessas. Os argumentos de Wilson ajudaram a conseguir a adesão da Pensilvânia, assim como fizeram seus colegas federalistas na Virgínia em junho de 1788 e em Nova York em julho. No fim de 1788, somente a Carolina do Norte e Rhode Island ainda estavam debatendo a ideia da Constituição, mas a maioria viável havia sido atingida. Os federalistas tinham vencido. Como mostrou uma charge da época (IMAGEM 23), a maioria dos "pilares federais" estava de pé e, se a América ainda não era uma nação, "esses Estados Unidos" pelo menos possuíam uma forma operacional de governo e teriam logo após as eleições nacionais convocadas para janeiro de 1789 seu primeiro presidente, o homem que havia garantido sua independência: George Washington.

A derrota dos antifederalistas acerca da Constituição não representou o fim da questão. Se não conseguiram impedir sua ratificação, os antifederalistas conseguiram pelo menos assegurar sua modificação quase imediata. Uma de suas preocupações persistentes sobre a Constituição como redigida na Filadélfia era a ausência de uma Carta de Direitos. Alguns dos federalistas questionavam a eficácia de tal acréscimo para proteger os direitos individuais muito mais do que a Constituição já fazia, naquele momento ou no futuro. No *Federalist* n. 48, Madison advertira especificamente contra a concessão de demasiada "confiança a essas 'barreiras de pergaminho' contra o espírito usurpador do poder".[84] Não obstante, em uma deferência às preocupações antifederalistas, o primeiro Congresso aprovou em 1791 uma Carta que continha dez emendas. Destinadas a coibir qualquer abuso do poder centralizado, essas emendas protegiam a liberdade de expressão, imprensa e religião (Artigo I), instituíam o direito dos cidadãos de portar armas a serviço de uma milícia (Artigo II) e tratavam de questões gerais que haviam restado da era colonial, como o aquartelamento de soldados e "buscas e apreensões irrazoáveis" (Artigos III e IV). Elas também procuravam garantir um processo penal justo ao proibir que os cidadãos fossem

---

83 WILSON, James. The Debates in the Convention of the State of Pennsylvania, on the Adoption of the Federal Constitution. *Elliot's Debates*, v. 2, p. 526-7. Disponível em: http://memory.loc.gov/cgi-bin/query/D?hlaw:1:./temp/~ammem_V2sd. Acesso em: 20 jan. 2010.

84 James Madison, *Federalist* n. 48, "These Departments Should Not Be So Far Separated as to Have No Constitutional Control over Each Other", publicado pela primeira vez no *Packet* de New York, Friday, 1º Feb. 1788.

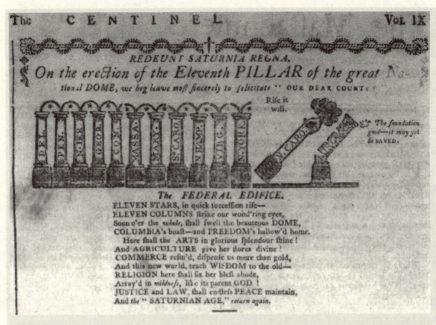

IMAGEM 23. "Os pilares federais", 2 de agosto de 1788. Esta é a terceira e última impressão da série publicada em *The Massachusetts Centinel* em 16 de janeiro, 11 de junho e 2 de agosto de 1788. A primeira era intitulada "Unidos resistem – divididos tombam" e mostrava a coluna de Massachusetts sendo guiada por uma mão celeste em posição junto às colunas que representavam Delaware, Pensilvânia, Nova Jersey, Geórgia e Connecticut. A segunda, intitulada *"Redeunt Saturnia Regna"* ("as regras honradas retornam", da quarta Écloga de Virgílio, tal como o mote do Grande Selo), incluía pilares que representavam Maryland e a Carolina do Sul, com a Virgínia sendo erguida. Essa última xilogravura, também intitulada *"Redeunt Saturnia Regna"*, mostra onze pilares, incluindo New Hampshire e Nova York, já em posição, e reforça a mensagem da América como "lar santificado da liberdade" e a ratificação da Constituição, que inaugura o retorno da "Era Saturniana" (ou Era de Ouro). A "mão divina" está reerguendo o décimo segundo pilar, que representa a Carolina do Norte. A essa altura, apenas Rhode Island, como mostra a ilustração, corria o risco de desmoronar, mas, como deixa claro o comentário, com "A fundação sólida – ainda pode ser SALVA". *Cortesia da Library of Congress Prints and Photographs Division (LC-USZ62-45591).*

julgados duas vezes pelo mesmo crime, que testemunhassem contra si mesmos (daí a expressão "invocar a Quinta") ou que sofressem "punição cruel e inabitual" (Artigos V, VI, VII e VIII).

Algumas das emendas representam desvios muito drásticos dos precedentes ingleses, especialmente a Carta de Direitos inglesa de 1689, que informara a própria noção de uma Declaração ou Carta de Direitos. A Carta de Direitos inglesa também proporcionava liberdade da autoridade monárquica (ou centralizada), codificava o direito dos protestantes de portar armas e protegia a liberdade de expressão. Todavia, os americanos não se desfizeram do controle colonial simplesmente para replicar as formas e funções da vida e do governo dos ingleses. A separação estrita entre Igreja e Estado estabelecida no vocabulário inteiramente secular da Constituição e reforçada pela Primeira Emenda era o desvio mais significativo das normas tradicionais. Na prática, é claro, ela pouco fez para minorar a influência da elite majoritariamente branca e protestante que viria a dominar a vida política americana.

Junto à aprovação da Carta de Direitos, o primeiro Congresso da América arriscou alguns passos na direção de quantificar o que exatamente a Carta poderia proteger e autorizou o primeiro censo oficial para 1790. Este revelou que a população dos Estados Unidos, excluindo os povos nativos, compreendia uns 4 milhões de indivíduos, dos quais pouco mais de 3 milhões eram classificados como livres e cerca de 700 mil como escravos. Metade dessa população vivia no Sul, onde estava o grosso dos escravos da nação. A Virgínia continuava o maior estado, com uma população acima de 700 mil, quase o dobro do segundo maior estado, a Pensilvânia, com aproximadamente 400 mil pessoas. Rhode Island, que ainda não havia aderido oficialmente à União na data do censo, era o menor estado, com uma população residente de pouco menos de 70 mil.

A taxa de crescimento da América foi, de início, relativamente gradual. Na década seguinte ao primeiro censo, a população aumentou cerca de 1,5 milhões e o número de escravos, um pouco menos de 200 mil; a década seguinte teve aumentos semelhantes em termos de população. Já com o território foi diferente. Em 1803, Jefferson concluiu a "compra da Louisiana", a aquisição de aproximadamente 2,14 milhões de quilômetros quadrados que incluíam o território francês da Louisiane. Graças a essa compra oportuna – verdade seja dita, uma pechincha –, a América criaria nada menos do que catorze estados, e o Canadá as províncias de Alberta e Saskatchewan. Logo, em 1820, tanto a área territorial como sua população haviam dobrado de tamanho com relação a 1790. O número de escravos excedia agora 1,5 milhões e nada menos do que dez novos estados juntaram-se aos treze originais (Vermont, 1791; Kentucky, 1792; Tennessee, 1796; Ohio, 1802; Luisiana, 1812; Indiana, 1816; Mississippi, 1817; Illinois, 1818; Alabama, 1819; e Maine, 1820).

O censo de 1790 revelara que pouco mais de 3% dos americanos viviam em vilas ou cidades. Em 1820, eram mais de 7%; em 1860, quase 20%. Somente na década de 1840, a população urbana da América cresceu de 1.843.500 para 3,54 milhões: um aumento de 92%. No contexto desse crescimento veloz, lugares que eram pouco mais do que postos de fronteira em 1810 tornaram-se cidades pujantes. Cincinnati, por exemplo, a menor "localidade urbana" designada no censo de 1810, com uma população de 2,5 mil, dentro de uma década tornou-se uma cidade e triplicou sua população. Em apenas dez anos mais, havia entrado para a lista das dez maiores cidades americanas e, na época da Guerra Civil, sua população excedia 160 mil.

Após 1830, a combinação de imigração e aumento natural fez que o crescimento populacional da América atingisse cerca de 35% por década. Apenas a imigração trazia 1,75 milhão entre 1840 e 1850; na década seguinte, mais de 2,5 milhões de migrantes chegaram à América. Em 1860, havia quase 32 milhões de pessoas, excluindo os membros das tribos nativas que viviam nos Estados Unidos, e mais de 10% delas – quase 4 milhões – eram escravizadas. Essa população estava, a essa altura, dividida em 33 estados (MAPA 5). Aos 23 que existiam em 1820 foram acrescentados Missouri (1821), Arkansas (1836), Michigan (1837), Flórida e Texas (1845), Iowa (1846), Wisconsin (1848), Califórnia (1850), Minnesota (1858) e Oregon (1859). Muitos desses novos estados ficavam no Oeste, além da Cordilheira Apalaches-Allegheny. Na verdade, em 1860 mais da metade dos habitantes da América estavam situados no Oeste, e, entre os que não estavam, grande parte olhava naquela direção.

Esse aumento drástico pode ter excedido até as expectativas de Madison, mas introduziu todo um novo conjunto de problemas para uma nação que ainda tateava no sentido social, político, econômico e cultural. O Decreto do Noroeste (1787) procurara impor uma certa regulamentação republicana ao movimento rumo a Oeste de uma população majoritariamente branca e livre. Mas os americanos não estavam se expandindo somente na direção noroeste. O menos conhecido Decreto do Sudoeste de 1790 criou um precedente ligeiramente diferente e mandou uma mensagem muito diferente. Essa legislação que cobria o Território do Sudoeste, que viria a se tornar o estado do Tennessee, era idêntica em todos os aspectos àquela enunciada no Decreto do Noroeste três anos antes, com uma notável exceção: ela não proibia a escravidão. De fato, dois processos paralelos foram inaugurados nessas regulamentações fundiárias do século XVIII: um refletia um programa nortista para a expansão americana e enfatizava a liberdade; o outro, uma variante sulista que antecipava a extensão da escravidão. Como ambos eram paralelos, eles nunca se encontrariam.

Essas construções contraditórias destacavam o fato de que a Primeira América era, em muitos aspectos cruciais, uma nação sem nacionalis-

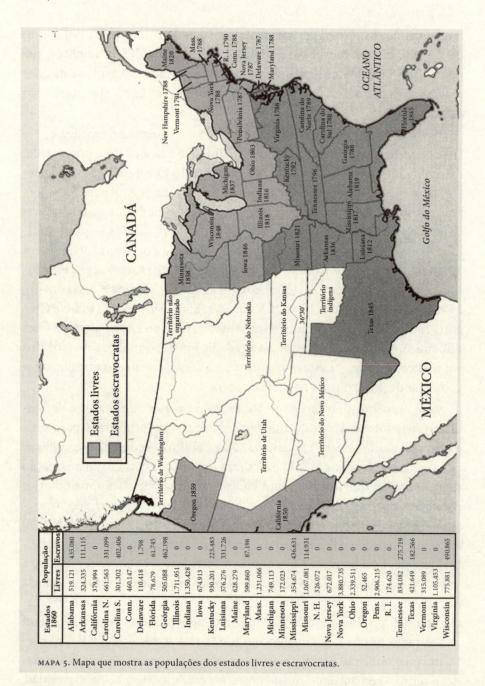

MAPA 5. Mapa que mostra as populações dos estados livres e escravocratas.

mo, pelo menos não um nacionalismo promovido pelo centro. Apesar das expectativas dos federalistas, os americanos da primeira Era Republicana correspondiam mais às pressuposições antifederalistas de coesão social.

A América era uma terra cuja população expressava uma expectativa de igualitarismo – para os brancos –, mesmo que a mobilidade social nem sempre correspondesse à variante geográfica em termos de velocidade e difusão. O que se difundiam eram ideias, as quais emanavam do púlpito e da câmara política, disseminadas e discutidas nos numerosos jornais, livros, panfletos e revistas do fim do século XVIII e início do XIX.

A população da América estava bem posicionada a esse respeito. As taxas de alfabetismo eram mais altas do que as de alguns países europeus. As estimativas para a Nova Inglaterra sugerem que, na época da Revolução, aproximadamente 90% dos adultos eram alfabetizados em algum grau. Talvez não surpreenda, portanto, que esse período tenha presenciado a emergência e extensão de uma ampla gama de associações voluntárias, privadas, profissionais (IMAGEM 24), religiosas e, cada vez mais, políticas, cujos membros, já familiarizados com assembleias municipais e debates em tavernas, procurassem esmiuçar o novo imperativo nacional em nível local.

Esse ímpeto de formar associações era um aspecto da nova nação que suscitou comentários. O visitante francês Alexis de Tocqueville, autor de *Democracy in America* (1835, 1840), notou a tendência americana de fundar "não somente companhias comerciais e manufatureiras", mas também "associações de mil outros tipos, religiosas, morais, sérias, fúteis, gerais ou restritas, enormes ou diminutas". Os americanos, observou ele, "constituem associações para apresentar espetáculos, para fundar seminários, para construir albergues, para edificar igrejas [e] para difundir livros". Esse "princípio de associação" era, reconheceu Tocqueville, um componente crucial da democracia, na qual o risco era a de que todos "se tornarão impotentes se não aprenderem voluntariamente a ajudar uns aos outros [...]. Para que os homens permaneçam civilizados", salientou ele, "a arte da associação mútua deve crescer e aprimorar-se na mesma proporção em que a igualdade de condição é promovida".[85]

Não se tratava de uma ideia estranha para os americanos. Embora muitas organizações e associações fraternas tivessem sua origem na Primeira República, outras, e particularmente as bibliotecas associativas e ateneus, existiam desde o período colonial. A mais antiga era a Library Company de Filadélfia, fundada em 1731 por Benjamin Franklin, mas havia muitas ou-

---

85 TOCQUEVILLE, Alexis de. *Democracy in America*. Ed. Phillips Bradley. New York: Vintage Books, 1945. Livro II, V, v. 2, p. 114-5 e 118.

IMAGEM 24. "Associação Mecânica de Massachusetts" [*s. d.*, Gravador Samuel Hill, 1766?-1804). O simbolismo da Associação dos Mecânicos, uma das muitas associações profissionais fraternas da Primeira América, precursora dos sindicatos trabalhistas, não apenas sugere a proliferação de oportunidades na nova nação, mas reforça o reconhecimento do papel do trabalhador para o sucesso da República. Tais associações expressavam a ausência de deferência às elites, a importância do trabalho como virtude cívica e a independência econômica, social e política do trabalhador na democracia. Esse certificado específico admite um certo Nathaniel Bradlee, carpinteiro, à Associação em 1800. Ao incorporar a iconografia nacional (a águia), ele também invoca o Grande Selo e seu mote com a imagem da colmeia operosa, embaixo, no centro. A mensagem é a de que, por meio das diversas habilidades que as artes mecânicas podem oferecer, a América se tornará uma nação de abundância (as cornucópias que ladeiam as duas mulheres enfatizam esse ponto). A iconografia maçônica era típica do período; havia lojas maçônicas em muitas cidades americanas, e grande parte do simbolismo da maçonaria era retomado na iconografia nacional. *Cortesia da Library of Congress Prints and Photographs Division (LC-USZ62-33263).*

tras na maioria dos estados, incluindo a Redwood Library and Athenaeum em Newport, Rhode Island (1747), o Boston Athenaeum (1807) e a American Antiquarian Society, fundada em Worcester, Massachusetts, em 1812. Algumas dessas instituições, muitas das quais existem até hoje, nasceram de redes sociais e culturais preexistentes; no caso da Library Company de Filadélfia, aquela em torno de Franklin. Outras eram totalmente novas. Todas congregavam uma vasta amostra de indivíduos de temperamento semelhante em busca de progresso educacional e intelectual.

A Charlestown Library Society, na Carolina do Sul, é só um exemplo: foi fundada em 1748 por um grupo de profissionais, incluindo diversos mercadores, um mestre-escola, um impressor, um destilador, um advogado, um agricultor e um peruqueiro. Em 1762, ela descreveu sua função, cujos termos Tocqueville depois retomou, como a promoção da instrução entre seus membros, "que estão ávidos por mostrar-se dignos de sua pátria-mãe, imitando sua humanidade e indústria e trazendo dela os melhoramentos das artes mais refinadas, assim como das inferiores [sic]". Embora isso não fosse uma motivação que pudesse encontrar muita simpatia depois da Revolução, na prática as forças por trás dessa biblioteca oferecem, pelo menos, uma pista sobre o que era exercer esses empreendimentos literários de aperfeiçoamento pessoal no fim do século XVIII e início do XIX.

Enquanto a América permaneceu sob controle colonial, os membros da Charlestown Library Society consideraram a "ignorância bruta do índio nu" e sua "disposição selvagem" como ameaças do que poderia atingir toda sociedade que não estivesse preparada para inculcar a instrução e as artes. Ao revelar uma fé admirável no poder profilático da imprensa para "remover esse possível mal", era precisamente "para impedir que nossos descendentes caiam em situação semelhante" que – anunciavam seus membros – a biblioteca associativa havia sido formada.[86] Os riscos de "virar nativo" podem ter sido reduzidos nos anos entre a fundação da biblioteca e a Primeira República, mas a ameaça de permanecer subserviente à instrução e às letras inglesas os substituiu.

Isso se transformaria em uma preocupação perene para os americanos. Noah Webster havia popularizado o problema e ofereceu uma parte da sua solução no seu famoso livro de ortografia e, mais tarde, seu *Dictionary* (1806). Ao procurar convencer a Pensilvânia a ratificar a Constituição, James Wilson salientara que a "importância nacional" da América poderia depender, em grande parte, de ela assumir a "dianteira em melhoramentos literários". Porém, quando os críticos ingleses escarneciam, como o escritor e clérigo Sydney Smith fez em 1820 quando perguntou "nos quatro cantos do globo, quem lê um livro americano?", os americanos reagiam. "Nosso dia de dependência, nosso longo aprendizado da cultura de outras terras, está chegando ao fim", afirmou em 1837 o maior pensador transcenden-

---

86 *The Rules and By-laws of the Charlestown Library Society* (1762). Disponível em: http://nationalhumanitiescenter.org/pds/becomingamer/ideas/text4/charlestownlibrary.pdf. Acesso em: 20 jan. 2010.

talista da América, Ralph Waldo Emerson, num discurso às vezes descrito como a Declaração de Independência literária da América. Quase uma década mais tarde, no entanto, a renomada jornalista e crítica Margaret Fuller mostrou-se menos otimista. Apesar de "termos uma existência política independente", ela observou, "nossa posição com relação à Europa, quanto à literatura e às artes, ainda é a de uma colônia".[87]

As organizações voluntárias e sociedades literárias trabalharam para tirar a nova nação da sombra do colonialismo. Nesse sentido, como em outros, elas cumpriram uma importante função nacionalizante. Elas eram, de fato, sociedades democráticas de debate, locais onde americanos que compartilhavam as mesmas opiniões podiam encontrar-se em busca de uma variedade de objetivos, profissionais ou políticos, práticos ou de lazer, locais ou nacionais. Mas esse "princípio de associação" não era inteiramente positivo. Ele tinha o poder tanto de dividir como de unificar, tanto de minar como de reforçar a nação que exemplificava. Por meio das suas numerosas sociedades voluntárias, os americanos criaram uma forma de idealismo antifederalista e ao mesmo tempo desafiaram os fundamentos federalistas da sua nação. As diversas organizações específicas não fizeram isso sozinhas, obviamente. O problema para a América surgiu quando princípios associativos mais abrangentes começaram a se formar e solidificar, os quais giravam em torno da política, da reforma e – o que é pior – das regiões.

No início, a América era governada por uma perspectiva política, a dos federalistas. Embora certamente existisse oposição ao programa federalista, não havia um partido político alternativo. A política e o próprio sentimento nacional inicialmente giravam em torno do primeiro presidente, Washington. A tarefa prática de construir um governo operacional dotado de um programa econômico viável recaiu sobre – ou, mais exatamente, foi aproveitada por – o ambicioso ex-ajudante de ordens de Washington e subsequente secretário do Tesouro, Alexander Hamilton. Os relatórios de Hamilton sobre crédito público (1790) e manufaturas (1791), ainda que não fossem tão conceitualmente inspiradores como a Declaração de Independência ou a Constituição, pelo menos consolidaram as realizações destas últimas. As políticas econômicas de Hamilton, a base do futuro programa mercantilista (dos anos 1830) denominado o "sistema americano", enfati-

---

[87] SMITH, Sydney apud BELL, Alan. *Sydney Smith: A Biography*. New York: Oxford University Press, 1982. p. 120; EMERSON, Ralph Waldo. *The American Scholar* (1837). Disponível em: http://www.emersoncentral.com/amscholar.htm. Acesso em: 20 jan. 2010; FULLER, Margaret. Things and Thoughts in Europe. *New York (Daily) Tribune*, 1º Jan. 1848.

zavam a importância de tarifas para proteger as indústrias e o comércio incipiente da nova nação e proporcionar melhorias internas – sobretudo relacionadas a transportes.

Mas nem todos concordavam com Hamilton, mais especialmente Jefferson, que renunciou do Congresso quando o projeto de lei de Hamilton que criava um banco nacional foi aprovado. Jefferson não estivera envolvido nos debates constitucionais, pois serviu como embaixador na França entre 1785 e 1789. Isso não o impediu de ter opiniões rígidas sobre a direção que a nação estava tomando. A visão de Jefferson da República ideal incluía agricultores autônomos, arando sua própria gleba de modo independente (ou, em alguns casos, com escravos, embora ele nunca tenha afirmado isso), a salvo da imposição de todas as coisas que Hamilton, bem mais realista, considerava cruciais para a República: tarifas, melhorias internas, bancos – em suma, o sistema financeiro. Em um eco das preocupações antifederalistas, Jefferson temia que, sob o programa de Hamilton, a nova nação se assemelharia rápido demais ao Velho Mundo contra o qual ela havia lutado por tanto tempo e da qual teve tanta dificuldade para escapar.

Jefferson resumiu sua perspectiva em uma carta a Madison: "Creio que nossos governos permanecerão virtuosos por muitos séculos enquanto forem preponderantemente agrícolas", ele observou. Todavia, ele advertiu, isso só seria verdade "enquanto houver terras vacantes em qualquer parte da América. Quando eles forem empilhados uns sobre os outros em grandes cidades, como na Europa", ele avisou, "eles se tornarão tão corrompidos quanto na Europa". A agricultura, ele aconselhou Washington, era para a América "a atividade mais sábia, porque no fim ela contribuirá mais para a riqueza verdadeira, a boa moral e a felicidade". Hamilton achava mais provável que contribuísse para a falência nacional. Muito naturalmente, ele ficou espantado com o fato de que um homem que retornara tão recentemente de Paris quisesse permanecer na fazenda. O futuro financeiro da América, acreditava Hamilton, estava além do simples cultivo da terra. Residia no comércio e na indústria, no crescimento urbano e na expansão dos mercados, tudo sob controle do Congresso.[88]

Essa fissura ideológica levou à emergência da primeira oposição política unida aos federalistas, na forma dos apoiadores de Jefferson, os

---

88 Jefferson a Madison, Papers of Thomas Jefferson, *The Papers of Thomas Jefferson*. Ed. Julian P. Boyd (Princeton, 1950), 12, p. 442; a Washington, *The Writings of Thomas Jefferson*, Memorial Edition, 20 v. (Washington, 1903-1904), 6, p. 277.

democratas-republicanos (uma combinação do título que escolheram para si, republicanos, e do nome que seus adversários lhes deram, democratas). Concebidas para consolidar a União, as políticas de Hamilton serviram para aguçar divisões entre os interesses mercantis, industriais e comerciais, mais intimamente associados com os estados nortistas, e os interesses escravocratas, latifundiários e agrícolas, situados principalmente no Sul, e para traduzi-las sob uma forma política. Isso em si não ameaçava a República, mas outras forças, ao longo dos anos que seguiram, agiram para aprofundar essas distinções partidárias, mas também para minimizar suas diferenças. O choque entre Hamilton e Jefferson e, por extrapolação, entre federalistas e republicanos, realmente simbolizou não apenas as questões que preocupavam os americanos na Primeira República, mas as divisões de longo prazo que a nação precisou sanar no século XIX: entre aristocracia e democracia, industrialização e agrarianismo, e poder centralizado e direitos dos estados. Todas tinham potencial para dividir a nação que acabara de ser unificada.

Washington não podia, obviamente, prever como essas construções contraditórias interagiriam, mas enquanto presidente ele tinha consciência, como tivera enquanto comandante do Exército Continental, da necessidade urgente de algum sentido de unidade nacional, tanto para a segurança nacional como para a estabilidade interna. Pouco antes de deixar o cargo, ele salientara para Patrick Henry que "meu desejo ardente é e minha meta foi [...] manter os Estados Unidos livres de conexões *políticas* com *qualquer* outro país, para que eles *pudessem ser* independentes de *todos* e sob a influência de *nenhum*. Em suma", ele declarou, "eu quero um caráter *americano*, para que as potências da Europa se convençam de que agimos para *nós mesmos* e não para *outros*".[89]

Em 1796, Washington recusou concorrer a um terceiro mandato como presidente, criando assim um precedente que todos os futuros presidentes seguiram com graus variados de entusiasmo, com exceção de Franklin D. Roosevelt durante a Segunda Guerra Mundial. Ele havia planejado não concorrer nem mesmo a um segundo mandato, mas a ameaça das divisões regionais já aparentes, apontada a ele por Jefferson e Hamilton, convenceu-o a permanecer no cargo. "A confiança de toda a união está centrada em você", assegurou Jefferson. "Norte e Sul se manterão unidos se tiverem você para sustê-los". Quanto a isso, Hamilton concordou. A "impressão é

---

89 George Washington a Patrick Henry, 9 de outubro de 1795.

uniforme", ele disse a Washington, "que sua recusa seria deplorada como o maior mal que poderia afligir o país na presente conjuntura".[90]

A certa altura, todos perceberam que o país teria de se manter unido sem Washington. Ele deixou o cargo em 1796, e um indício de como eram conflitantes seus sentimentos com relação à presidência e à pressão sobre ele para manter a união coesa é o fato de que ele começou a redigir o que se tornou seu célebre "Discurso de Despedida" em 1792. Nele, ele lembrou aos americanos apenas alguns dos benefícios e muitos dos riscos relativos à formação do caráter nacional que ele considerava tão crucial para o futuro da América. Ele destacou a importância da "unidade do governo" para não somente fazer dos americanos um "único povo", mas também como "um pilar principal do edifício" da independência. "É de infinita importância neste momento", ele instou seus conterrâneos, "que vocês estimem adequadamente o imenso valor da sua União nacional para a sua felicidade coletiva." Ele enfatizou que os americanos eram "cidadãos, por nascimento ou escolha, de um país comum" e que "esse país tem o direito de concentrar suas afeições". Ele incentivou-os a colocar sua identidade "americana" antes da sua identidade estadual, o patriotismo antes de "qualquer denominação derivada de distinções locais". O que a América havia conquistado, ele salientou, era resultado de "deliberações e esforços conjuntos, de perigos, sofrimentos e sucessos compartilhados".[91]

O fato de que Washington julgou necessário não só apresentar mas enfatizar esses pontos revela o abismo que já se ampliava entre as várias regiões dos Estados Unidos, já no fim do século XVIII. Ele considerava-o parcialmente produzido pelo que denominou "os efeitos nefastos do espírito partidário". De fato, as "discriminações geográficas, Nortista e Sulista, Atlântico e Ocidental" que tanto o preocupavam antecediam toda a política partidária; antecediam, na verdade, a própria nação. Quanto a isso, o capitão John Smith estava muito à frente de Washington. Em 1631, ele reconhecera o potencial de inimizade entre as colônias de Chesapeake e da Baía de Massachusetts. Alguns, notou ele, "gostariam que todos os homens promovessem a Virgínia para arruinar a Nova Inglaterra; e outros que a perda da Virgínia sustentasse a Nova Inglaterra". Ao antecipar o aviso de Washington

---

90 Jefferson e Hamilton *apud* CUNNINGHAM, Noble E. *Jefferson vs. Hamilton: Confrontations That Shaped a Nation*. London: Palgrave Macmillan, 2000. p. 102-3.

91 O Discurso de Despedida de Washington (1796) é oferecido em rede pelo Congresso dos EUA. Disponível em: http://www.access.gpo.gov/congress/senate/farewell/sd106-21.pdf. Acesso em: 21 jan. 2010.

de mais de um século mais tarde, Smith comentara que as colônias competitivas em questão fariam melhor ao se concentrarem em "fortalecer-se mutuamente contra todas as ocorrências". É claro que elas não fizeram isso. Enquanto a nova nação debatia sua Constituição, o governador Morris lamentou o fato de que "vínculos estaduais e a importância dos estados são o flagelo deste país".[92]

A percepção tardia permite possivelmente uma maior presciência a Smith e Morris do que eles mereciam. Porém, quando Tocqueville visitou os Estados Unidos em 1830, ele também concluiu que a União era fraca com relação aos estados. A "União é um vasto corpo que não apresenta nenhum objeto definido ao sentimento patriótico", ele observou. Os estados, em contrapartida, eram "identificados com o solo, com o direito de propriedade e as afeições domésticas, com as recordações do passado, as lidas do presente e as esperanças do futuro". O patriotismo americano, como Tocqueville o viu na década de 1830, era "ainda dirigido ao Estado e não foi transferido para a União".[93]

Uma confirmação dessa perspectiva foi oferecida pela desintegração da União em 1860. Os americanos, ao que parecia, haviam deixado de atentar para as advertências de Washington. Ao deixar o cargo, o primeiro presidente da América legou uma população predominantemente rural, plenamente conforme as ideias de Jefferson sobre estabilidade moral e material. Era também uma população muito jovem. Cerca de 50% dos americanos no fim do século XVIII tinham menos de 16 anos de idade. No entanto, à medida que a nação crescia e se urbanizava, pelo menos parte dessas crianças da Revolução sobreviveria o bastante para ver sua herança nacional se desintegrar. A expansão que os federalistas haviam acreditado tão piamente que garantiria o futuro da América, em meados do século XIX, parecia prestes a retalhá-la.

Nossa União federal!
Temos de preservá-la!

A eleição do segundo presidente da América, John Adams, em 1796, foi incomum, porque ele e o vice pertenciam a partidos políticos diferentes. In-

---

92 BARBOUR, Philip L. (ed.). *The Complete Works of Captain John Smith, 1580-1631*. Chapel Hill: The University of North Carolina Press, 1986. p. 274-5. 3 v.; governador Morris dirigindo-se à Convenção Federal, 5 de julho de 1787. *In*: FARRAND, Max. *The Records of the Federal Convention of 1787*. 4 v. New Haven, CT: Yale University Press, 1911. v. I, p. 529-31.

93 TOCQUEVILLE, *op. cit.*, v. I, p. 401-2.

felizmente, foi menos incomum nas suas divisões regionais, pois os eleitores dos estados nortistas apoiavam principalmente Adams, e os dos estados sulistas e ocidentais preferiam Jefferson. Isso se tornaria uma espécie de padrão. À medida que os partidos políticos tornavam-se as mais proeminentes e influentes de todas as numerosas organizações que a América sustentava, muitos conflitos localizados eram resolvidos no nível nacional, assim como batalhas nacionais transferiam-se para os estados. Apoiada pelas sociedades políticas e dotada de um canal de publicação na proliferação da imprensa partidária, a oposição política começou a abrir espaço na sociedade americana. A eleição de 1796 também foi incomum por ser a primeira e última vez até 1824 em que alguém de fora dos estados sulistas – mais especificamente da Virgínia – ocupou o cargo executivo. Ambos os presidentes nortistas, John e (em 1824) John Quincy Adams não só vinham de Massachusetts, mas da mesma família: eles eram pai e filho. Foi só em 1828, com a eleição de Andrew Jackson do Tennessee, que algum outro estado produziu um presidente.

A presidência de Adams foi, em muitos aspectos, um hiato no que tangia ao desenvolvimento político e social da América. Nesses anos, foram puxados diversos fios que se desenrolariam mais obviamente nas décadas e no século seguintes, enquanto outros chegaram ao fim do novelo. Quando Adams deixou o cargo e Jefferson o assumiu, em 1800, um dos fios que se desfaziam rapidamente eram os próprios federalistas. A morte de Washington em 1799 eliminou seu símbolo mais poderoso e popular. O que restou era um grupo de políticos cujo desprezo pelo "povo" era um pouco aparente demais para assegurar-lhes um futuro sucesso nas urnas. Os americanos preferiram, muito naturalmente, a versão de Jefferson deles como fazendeiros independentes e trabalhadores, o que, evidentemente, muitos deles já eram.

A perspectiva federalista foi revelada em sua faceta mais extrema como resultado de uma guerra naval não declarada (a Quase Guerra) com a França (1798-1800). Isso proporcionou-lhes uma desculpa para atacar adversários políticos em casa com o amplo pretexto de defender a América de perigos vindos do exterior. Esse primeiro uso sectário do medo não ajudou os federalistas e, em longo prazo, prejudicou muito a outros. As Leis de Estrangeiros e de Sedição e a Lei de Naturalização de 1798, embora pretensamente aprovadas para a proteção da América, tinham mais como objetivo privar os republicanos de votos. A Lei de Sedição, em especial, afastava qualquer pessoa julgada "perigosa para a paz e a segurança dos Estados Unidos", o que se traduzia facilmente demais em "crítica do governo". Naturalmente, os republicanos invocaram a Carta de Direitos contra os federalistas, mas um precedente problemático foi criado pela Virgínia e pelo Kentucky, cujas legislaturas aprovaram resoluções (ou determinações) contestando as leis, usando os direitos dos estados como base para a sua oposição. Como Morris percebera, os direitos dos estados de fato se tornariam o flagelo dos Estados Unidos. Mas o problema maior para a América estava além dos estados; na verdade, estava logo além-mar.

Embora Washington tivesse salientado a importância para a América de se afastar de envolvimentos estrangeiros – e em um nível diplomático ela geralmente o fez –, na prática o desenvolvimento da nova nação não pôde ser separado dos acontecimentos na Europa ou das forças que impactavam o mundo atlântico em geral, e em particular as partes dele mais próximas da América. O mais forte deles estava relacionado à escravidão. Os Estados Unidos, durante a presidência de Adams, estavam se aproximando desse ponto quando, de acordo com a Constituição, o comércio exterior de escravos teria de cessar. Muitos americanos não podiam importar-se menos; eles nem possuíam nem procuravam possuir escravos; aqueles que se importavam, porém, importavam-se muito. E tinham boas razões para isso.

O levante de escravos em Santo Domingo em 1791, comandado pelo líder negro François Dominique Toussaint l'Ouverture, e a criação do Haiti em 1804 não eram fatos passíveis de alegrar as almas dos proprietários de escravos da América. Os treze anos de carnificina em que se tornou o Haiti enviaram uma mensagem clara à América sobre os perigos inerentes de manter uma sociedade escravocrata em um mundo em que a escravidão estava sofrendo cada vez mais ataques dos abolicionistas, brancos e negros, e dos próprios escravos. Os acontecimentos em Santo Domingo e em outras partes do Caribe no começo do século XIX – a Rebelião da Páscoa em Barbados (1816) e a Rebelião Demerara (1823) – naturalmente abalaram os proprietários de escravos da América, já conscientes do potencial de extinção violenta da escravidão na sua própria sociedade.

Ao mesmo tempo, a escravidão aumentara sua importância econômica e social no Sul nas décadas seguintes à independência. O crescimento drástico da demanda global por algodão causado pelas indústrias têxteis da Inglaterra e Nova Inglaterra expandiu os mercados sulistas. A invenção, em 1793, do gim de algodão de Eli Whitney permitiu a separação bem-

-sucedida da semente da fibra do algodão de fibra curta (*Gossypium hirsutum*), uma inovação que tornou a produção de algodão factível em uma área muito maior do que a precedente. Portanto, à medida que o número de escravos no Norte declinava, os estados sulistas como Alabama, Geórgia, Luisiana e Carolina do Sul tiveram um aumento gigantesco da sua população escrava. Entre 1810 e 1860, ela quadruplicou na Geórgia; na Carolina do Sul e no Kentucky, a população escravizada mais do que dobrou; no Alabama, o aumento foi quase de dez vezes. Dado que o comércio exterior de escravos havia terminado há muito tempo nesse período, tais aumentos foram resultado do florescente comércio interno de escravos. Os mercados de escravos do Sul (IMAGEM 25), em vilas e cidades como Lexington, Kentucky, Nova Orleans ou Natchez, que antes comerciavam escravos da África e do Caribe Britânico, agora ganhavam dinheiro deslocando escravos do Alto Sul, de Virgínia e Maryland, "vendidos rio abaixo" para as terras mais produtivas do Extremo Sul ou do Sudoeste.

E certamente havia dinheiro a ser ganhado. O término do comércio exterior de escravos simplesmente aumentou o valor dos escravos que a América possuía. Na década de 1830, um "excelente trabalhador agrícola", o que significava um escravo masculino jovem e saudável, valia cerca de 500 dólares. Na década de 1850, seu valor de mercado podia ser quase três

IMAGEM 25. Um leilão de escravos no Sul, de um esboço original de Theodore R. Davis, publicado em *Harper's Weekly*, 13 de julho de 1861. *Cortesia da Library of Congress Prints and Photographs Division (LC-USZ62-2582).*

ou quatro vezes maior do que isso. O comércio interno de escravos como um todo, às vésperas da Guerra Civil, movimentava aproximadamente 80 mil escravos e cerca de 60 milhões de dólares anualmente. O custo real, claro, era pago pelos próprios escravos, presos nessa variante especialmente letal do sistema financeiro na qual Hamilton havia depositado tanta fé. Os escravos negociados eram frequentemente separados dos amigos e da família, e mais cruel ainda, dos seus parceiros e crianças, e mandados para o Sul ou por barco a vapor ou acorrentados juntos no que se chamava de "fiada" de escravos e acompanhados por guardas armados, forçados a marchar em rotas como a Natchez Trace, que ligava Natchez, Mississippi, a Nashville, Tennessee.

Tais escravos sofreram uma transição pavorosa entre os regimes escravocratas menores do Alto Sul para as plantações escravagistas muito maiores, mais inclementes e impessoais de estados como o Mississippi. William Wells Brown, que nascera escravo em Kentucky mas escapou da instituição e fugiu para a liberdade no Norte, onde teve uma carreira bem-sucedida, apesar de turbulenta, como orador e escritor abolicionista, descreveu um processo tão comum que suscitava poucos comentários na época, mas tão cruel que sua memória conserva o poder de abalar a América até hoje: a visão de uma "chusma de escravos em um barco a vapor sulista, a caminho das regiões de algodão ou açúcar". Ninguém, recordou Brown, "nem mesmo os passageiros", dava muita atenção aos escravos, "embora suas correntes soassem a cada passo". As memórias de Brown, que detalham o negócio prático das vendas de escravos (em que escravos mais velhos tinham o cabelo tingido para parecerem mais jovens a potenciais compradores), além da desgraça pessoal das transações, são uma leitura horripilante. Em especial, ele contou como, em uma viagem rio abaixo, "uma mulher que havia sido tirada do seu marido e de suas crianças e não tinha o desejo de viver sem eles, na agonia de sua alma atirou-se na água e afogou-se". Não surpreende o fato de que os próprios escravos descrevessem os comerciantes de escravos como "tratadores de almas".[94]

Como ele disse no Prefácio à sua célebre *Narrative*, publicada pela Sociedade Antiescravidão de Boston em 1847, quanto ao assunto da escravidão, Brown havia "estado nos bastidores. Ele visitou suas câmaras secretas. Seu ferro entrou na sua própria alma". Em muitos aspectos, todavia, o ferro

---

94 BROWN, William Wells. *Narrative of William W. Brown, A Fugitive Slave*. Boston: Anti-Slavery Society, 1847. p. 41-3.

também havia entrado na alma da América. Para os escravos envolvidos, a escravidão era, na denominação incisiva dos sociólogos, uma forma de "morte social".[95] Mas suas repercussões impactavam não somente os escravos, mas também a sociedade livre negra e branca, o Norte e o Sul. A escravidão era um sistema muito mais complexo do que a simples exploração da mão de obra negra por proprietários brancos em plantações sulistas. Ela era parte integrante da estrutura econômica e social da nação.

Embora alguns nortistas tentassem alegar que a escravidão era a "instituição peculiar" do Sul (ou seja, específica do Sul, não no sentido de estranha), tratava-se de uma autoilusão em escala nacional. Como comentou um sulista, a "história da riqueza e poder das nações não passa de um registro de produtos escravos".[96] A América não era exceção. A escravidão estava nas mercadorias que os americanos compravam, nos bens que eles comerciavam, no café que eles consumiam. Isso era óbvio para Ralph Waldo Emerson, que salientou a cumplicidade da nação diante da escravidão no seu discurso de 1844 em comemoração da sua abolição nas Índias Ocidentais britânicas. "E daí que ela custa umas poucas cenas desagradáveis na costa da África?", indagou ele, se ela estava "muito distante de nós". Em casa na América, as realidades da escravidão podiam ser evitadas, pelo menos pelos habitantes do Norte, e, se "fosse feita qualquer menção de homicídios, loucura, adultério e torturas intoleráveis", os americanos mandariam simplesmente "tocar mais forte os sinos da igreja". Enquanto o açúcar, o café e o tabaco produzidos pelos escravos "fossem excelentes, ninguém sentiria o gosto de sangue neles".[97]

Porém, já na segunda década do século XIX, os mesmos sinos de igreja que abafavam as realidades da escravidão no Norte estavam soando uma nota mais forte e mais discordante no Sul e no Congresso. Uma confluência das preocupações contemporâneas tornou cada vez mais difícil para a nação continuar a evitar essa herança incerta legada pela Convenção Constitucional em 1787. Sobre o assunto da escravidão, ficou famosa a frase de Jefferson: a América agarrara "o lobo pelas orelhas e não podemos nem segurá-lo, nem soltá-lo com segurança". Seguiu-se uma boa dose de morti-

---

[95] Por exemplo, PATTERSON, Orlando. *Slavery and Social Death: A Comparative Study*. Cambridge, MA: Harvard University Press, 1982.

[96] KETTELL, Thomas P. *On Southern Wealth and Northern Profits*, 1860.

[97] EMERSON, Ralph Waldo. Address Delivered in Concord on the Anniversary of the Emancipation of the Negroes in the British West Indies, 1º Aug. 1844. In: *Id.* (ed.). *The Complete Works of Ralph Waldo Emerson*. v. II. Boston: Houghton Mifflin, 1911. p. 125-6.

ficação no que dizia respeito à escravidão, e não menos por parte daqueles, como Jefferson, que procuravam manter o equilíbrio em cima do muro que eles conseguiam erguer na sua mente entre a liberdade como o ideal segundo o qual viviam e a escravidão como a realidade com a qual conviviam.

A expansão da nação só exacerbou o problema. Expandir a esfera geográfica, como fizera Jefferson em 1803, na verdade não garantiu, como esperava Madison, a estabilidade. Esse vasto território novo seria escravocrata ou livre? O equilíbrio representativo entre os estados livres e escravocratas no Congresso, e especificamente no Senado, seria mantido? Nas décadas iniciais do século XIX ele foi, mas mais por sorte do que por juízo. Dos seis estados mais recentes, três provieram das terras cobertas pelo Decreto do Noroeste (Ohio, Indiana e Illinois) e, portanto, estavam livres da escravidão, e três do Sul (Luisiana, Mississippi e Alabama), portanto estados escravocratas. Porém, quando, em 1819, o território do Missouri, ocupado principalmente por sulistas e com cerca de 10% de sua população escravizada, solicitou a admissão, esse equilíbrio foi ameaçado.

Havia uma solução disponível. O Maine, que naquela época ainda era parte de Massachusetts, também procurava ser admitido como estado separado naquele ano. Mas o Congresso não adotou automaticamente esse último recurso, o que mostra como a questão estava se tornando polêmica. Em vez disso, foi proposto, pelo representante de Nova York, James Tallmadge, que a alforria gradual fosse um requisito para a admissão do Missouri. A Câmara dos Representantes foi favorável, o Senado não. Somente uma negociação habilidosa por Henry Clay, do Kentucky, garantiu que o Maine e o Missouri fossem admitidos na União, livre e escravocrata, respectivamente.

O acerto negociado por Clay fechou à escravidão todas as terras adquiridas na compra da Luisiana ao norte de 36° 30'. A única exceção foi o próprio Missouri. Foi um compromisso inteligente, mas também desajeitado, e não por culpa de Clay. Ele simplesmente retardou o dia funesto. Jefferson sabia disso. Ao escrever no fim da sua vida, em 1820, ele descreveu como "essa questão fatídica, como um sino de fogo na noite, despertou-me e encheu-me de terror. Considerei-a de imediato o dobre fúnebre da União". O Compromisso do Missouri era, na sua visão, "apenas uma trégua, não a sentença final. Uma linha geográfica que coincide com um princípio marcado, moral e político", afirmou ele, "uma vez concebida e defendida das paixões raivosas dos homens, nunca será obliterada". Ele concluiu em um tom soturno: "Lamento que eu esteja agora prestes a morrer com a crença de que o sacrifício inútil de si mesmos pela geração de 1776, para adquirir o autogoverno e a felicidade para o seu país, seja jogado fora pelas paixões insensatas e indignas de seus filhos", lamentou-se ele, "e que meu único consolo seja que eu não viverei para chorar por isso".[98]

Jefferson foi um tanto cínico ao jogar a culpa sobre a geração que o seguiu, mas ele estava certo na sua previsão. A escravidão destroçaria a União. Os escravos, excluídos da vida política em virtude da sua posição jurídica sob a Constituição, estavam em uma posição intermediária entre pessoa e propriedade, situação que conferia um poder político considerável aos seus proprietários. Foi só quando esse poder começou a ameaçar a União, só quando os políticos decidiram que a própria nação não podia mais sustentar esse incômodo malabarismo, que a abolição do que era uma instituição cada vez mais anacrônica foi contemplada a sério.

A afirmativa do futuro presidente Abraham Lincoln em 1858 de que uma "casa dividida contra si mesma não para em pé", de que o "governo [americano] não pode continuar para sempre meio escravo e meio livre", parece uma verdade autoevidente para as mentes do século XXI.[99] Mas o fato era o de que, em 1858, a nação americana havia subsistido exatamente sobre essa base durante a maior parte do século. Enquanto rebeliões de escravos desestabilizavam o mundo atlântico e a principal nação comerciante de escravos, a Grã-Bretanha, agiu para abolir a escravidão nas suas colônias do Caribe, o Sul americano só se tornou mais estridente na defesa da sua "instituição peculiar", aparentemente insensível aos ventos da mudança que sopravam do Atlântico e do Norte. Evidentemente, o Sul não era insensível, mas estava cada vez mais defensivo.

Essa atitude defensiva tinha componentes econômicos e culturais. Alexander Hamilton concebera um programa econômico voltado para a aproximação das partes integrantes dos Estados Unidos. Contudo, ele nunca poderia ter sucesso, pois as necessidades de cada parte não somente se contradiziam, mas entravam em conflito. As tarifas eram um bom exemplo. De fato, em 1828 as tarifas tornaram-se relevantes quando a Carolina do Sul contestou a introduzida pelo governo federal naquele ano. Em poucas palavras, o Norte queria tarifas para proteger o desenvolvimento da

---

98 Thomas Jefferson a John Holmes, 22 de abril de 1820.
99 LINCOLN, Abraham. Speech at Springfield, Illinois, 16 Jun. 1858. *In*: BASLER, Roy (ed.). *Collected Works of Abraham Lincoln*. v. II, p. 461.

sua manufatura. O Sul, não, porque elas ameaçavam o comércio europeu de mercadorias produzidas por escravos, especialmente – mas não exclusivamente – o algodão, que era a base da sua economia. As ameaças da Carolina do Sul de anular o que ela chamou de "Tarifa de Abominações" de 1828, ou de se separar caso ela fosse imposta, representava um claro desafio à autoridade federal e salientava a relação ainda incerta entre os estados e a União.

O então vice-presidente, John C. Calhoun, da Carolina do Sul, expôs a posição do seu estado e seu entendimento do direito de anulação baseado nas Resoluções do Kentucky e da Virgínia na sua *Exposition and Protest* (1828). Embora tenha enfatizado que a Carolina do Sul "nunca desejaria falar do nosso país [...] a não ser como um grande todo, com um interesse comum, que todas as suas partes devem promover com zelo", ele destacou a impossibilidade de evitar "a discussão de interesses regionais e o uso de linguagem separatista".[100] Nos próximos anos, houve uma abundância de "linguagem separatista" pronunciada no Congresso, enquanto os políticos debatiam as especificidades das tarifas e a questão mais ampla dos direitos dos estados no sistema federal.

O presidente democrata, Andrew Jackson, do Tennessee, tinha fama de apoiar os direitos dos estados, mas não, como se viu, se eles ameaçassem a União. Foi o que ele deixou claro incisivamente no jantar anual do Dia de Jefferson em 1830 quando propôs o brinde: "Nossa União Federal! Temos de preservá-la". Não era nada do que homens como Calhoun queriam ouvir, por isso eles simplesmente não ouviram. Quando a tarifa revista foi aprovada em 1832, Calhoun renunciou à vice-presidência e a Carolina do Sul adotou um decreto que anulava as leis de tarifa de 1828 e 1832, deixando claro que o estado se separaria caso fosse forçado a obedecer.

O presidente não aceitou nada disso. Ao se dirigir à Carolina do Sul diretamente em dezembro de 1832, Jackson argumentou que "o poder de anular uma lei dos Estados Unidos, assumido por um estado" era, na sua visão, "*incompatível com a existência da União, contradito expressamente pela letra da Constituição, proibido pelo seu espírito, inconsistente com qualquer princípio sobre o qual ela se baseia e destrutivo do grande objeto pelo qual ela foi formada*". Qualquer tentativa desse tipo era "TRAIÇÃO", afirmou Jackson.

---

100 CALHOUN, John C. *Exposition and Protest. In*: HEMPHILL, W. Edwin; MERIWETHER, Robert L.; WILSON, Clyde (ed.). *The Papers of John C. Calhoun*. v. 10. Columbia: University of South Carolina Press, 1959-2001. p. 447. *1825-1829*. 27 v.

"Vocês estão prontos", indagou ele, "a sofrer sua pena?".[101] A curta resposta, em 1832, foi "não" – ou, mais exatamente, "ainda não". Com tropas federais em Charleston e os outros estados sulistas recuando com uma certa velocidade do precipício em direção ao qual a Carolina do Sul os empurrava, essa era a única reação possível. Porém, o que ficou conhecido como a Crise da Anulação foi um presságio agourento. Ela invocou o espectro da secessão e desunião que, até 1865, nunca foi totalmente exorcizado.

Uma casa dividida

O período que se seguiu à Crise da Anulação na América recebe geralmente o título de "*antebellum*" (antes da guerra), o que reflete o conhecimento de que, em 1861, estouraria uma guerra civil entre o Norte e o Sul. Por conseguinte, o antagonismo crescente entre essas duas seções tende a dominar a avaliação do período entre 1830 e 1860, ressaltando as diferenças que as dividiam às custas das forças que operavam para uni-las. Observadores da época às vezes também viram assim a situação. Tocqueville, por exemplo, chegara aos Estados Unidos em meio à turbulência da tarifa, por isso talvez não surpreenda o fato de que ele tenha percebido "duas tendências opostas" na vida americana, "duas correntes que fluem em direções opostas no mesmo canal", e localizado essa tendência mais fortemente no Sul. "Os habitantes dos estados sulistas", observou ele, "são, de todos os americanos, os que têm mais interesse na manutenção da União; eles certamente sofreriam mais se largados à própria sorte, mas mesmo assim eles são os únicos que ameaçam romper o laço da Confederação".[102]

A primeira tentativa, embora fracassada, de romper os laços da Confederação ocorreu não no Sul, mas na Nova Inglaterra. O contexto foi a Guerra de 1812, um conflito inconclusivo travado contra a Grã-Bretanha entre 1812 e 1815, cujo legado mais duradouro foi o hino nacional americano, o "*Star-Spangled Banner*" [A bandeira estrelada]. Federalistas da Nova Inglaterra, descontentes com as exigências congressuais de tropas, reuniram-se em Hartford, Connecticut, em 1814 para debater a extensão da prerrogativa congressual e concluíram que um estado poderia, em circunstâncias extremas, ou recusar-se a obedecer ao Congresso ou, na pior hipótese,

---

101 A *Proclamation to the People of South Carolina* do presidente Jackson, de 10 de dezembro de 1832. Disponível em: http://www.yale.edu/lawweb/avalon/presiden/proclamations/jack01.htm. Acesso em: 26 jan. 2010.

102 TOCQUEVILLE, *op. cit.*, v. I, p. 418 e 420-1.

retirar-se do pacto federal. Se esse foi o primeiro indício de desunião no radar federal e a Crise da Anulação foi o segundo, então pode-se considerar que a secessão dos estados sulistas da União em 1861 completou um padrão encantado – ou melhor, desencantado – de três tentativas. Mas foi somente na década de 1830 que um padrão realmente começou a surgir e, mesmo então, não havia certeza de que ele seria seguido pela nação.

A Convenção de Hartford fez soar uma nota discordante em um conflito que, conforme se acreditou na época, revivescera o sentimento nacional e unificara mais os Estados Unidos contra um inimigo comum e familiar. Infelizmente, essa unidade teve curta duração, até porque a Guerra de 1812 simplesmente reforçou o fato de que a América, dominante no hemisfério ocidental e protegida da Europa por 5 mil quilômetros de oceano, não tinha nenhum predador natural. Foi a última vez que uma potência estrangeira comprometeu fisicamente o espaço doméstico americano até os terríveis eventos de 11 de setembro de 2001. Para os americanos do século XIX, o único perigo que eles enfrentavam vinha deles mesmos. Não que eles percebessem que corriam qualquer perigo específico, uma vez que a dissolução da União, apesar de ter assumido uma forma violenta no fim, deu-se por meio do gotejamento persistente do desacordo divisionista, e não de um drama em larga escala de confronto congressual Norte/Sul como havia sido a Crise da Anulação.

Andrew Jackson conteve a Carolina do Sul em 1832 e preservou a União. Não foi a menor das realizações de um homem que deu seu nome a uma era, mas nem todo mundo a apreciou. Apesar do fato de que a Era Jackson tenha sido conhecida por muito tempo também como a Era do Homem Comum, Jackson pouco fez para incentivar a mobilidade social ou política e, mesmo na sua época, sua autoridade era vista como excessivamente autocrática. A emergência de um novo partido político em oposição aos democratas em 1833, os Whigs, inaugurou o que se chama de "Segundo Sistema Partidário" na história política americana. Em tese, e em grande medida na prática, esse sistema cumpriu um propósito unificador, congregando os americanos sob a bandeira do partido em vez do estado ou, pior, da propriedade de escravos. Mais uma vez, teve duração relativamente curta (1833--1856), e a razão da sua falta de longevidade foi a escravidão. Ele sobreviveu evitando o assunto, mas isso mostrou-se cada vez mais impossível.

Uma das mais importantes entre as muitas associações que dirigiam e influenciavam a vida dos americanos após 1830 era o movimento abolicionista. Inicialmente ele não era popular. Os abolicionistas eram vistos como radicais, uma força desestabilizadora no Norte que procurava distanciar-se totalmente da escravidão, e potencialmente perigosa no Sul, cada vez mais dedicado à proteção da sua "instituição peculiar". No entanto, guiados pelo princípio de que, quanto a esse assunto, talvez fosse melhor ser odiado do que ignorado, os abolicionistas insistiram nos seus esforços para chamar a atenção da América para os males da escravidão, e essa persistência foi recompensada.

Em 1829, um afro-americano livre da Carolina do Norte, David Walker, publicou seu *Appeal to the Colored Citizens of the World* [Apelo aos cidadãos de cor do mundo], no qual admoestou os afro-americanos: "Se você começar, aja com segurança – não brinque, porque eles não brincarão com você – eles nos querem como seus escravos e não se incomodam em assassinar-nos a fim de sujeitar-nos a essa condição abominável – portanto, se houver uma tentativa feita por nós, mate ou seja morto". Dois anos depois, em 1831, o editor abolicionista William Lloyd Garrison produziu, em janeiro, a primeira edição do seu jornal *The Liberator*, que pedia a emancipação imediata. "Estou falando sério", declarou Garrison, "não serei ambíguo – não desculparei – não recuarei um centímetro – e serei ouvido". E deve ter sido. Em agosto, no condado de Southampton, Virgínia, um escravo chamado Nat Turner liderou um levante que, embora malsucedido, aborreceu amplos segmentos do Sul.

A reação dos sulistas consistiu em uma combinação de contra-ataque e negação pura e simples, uma posição passiva-agressiva que procurava promover a escravidão como, na célebre expressão de Calhoun, "um bem positivo", ao mesmo tempo que impedia qualquer um de falar sobre ela (IMAGEM 26). Naturalmente, tal reação fez da escravidão o assunto sobre o qual as pessoas mais queriam falar e escrever, que elas mais queriam comentar e criticar. A defesa da escravidão por Calhoun surgiu no contexto do debate congressual de 1837 sobre as petições abolicionistas. O Congresso foi inundado por elas e, em uma tentativa de minimizar seu impacto, os políticos pró-escravidão haviam aprovado, no ano anterior, a Lei da Mordaça (Gag Rule) – o engavetamento de tais petições sem lê-las. Como se poderia antecipar, mas claramente não pelos proprietários de escravos sulistas e aparentemente não por Calhoun, isso só serviu para pôr a escravidão em primeiro plano. Nos anos 1830, o Sul já ganhara a reputação de uma região onde a livre expressão era sufocada e a crueldade tolerada, onde os

IMAGEM 26. "Ideias sulistas de liberdade" (Boston, 1835). Esta é uma representação abolicionista do tratamento sulista dado aos adversários da escravidão no Sul em meados da década de 1830. Nessa época, houve casos de ativistas antiescravidão enforcados e cobertos de penas e alcatrão na Geórgia, Luisiana e Mississippi. Em 1835, foram aprovadas nos estados sulistas resoluções que pediam a supressão das organizações abolicionistas, antes do debate congressual sobre a Lei da Mordaça (a Regra Vinte e Um). Na imagem, um juiz com orelhas de burro e um chicote está sentado em fardos de algodão e tabaco com a Constituição a seus pés, condenando um abolicionista à forca. O texto abaixo da imagem diz: "Sentença dada a quem apoiou a cláusula da nossa declaração segundo a qual todos os homens nascem livres e iguais. Dispam-no completamente! Deem-lhe um casaco de alcatrão e penas!! Enforquem-no pelo pescoço, entre céu e terra!!! Como um farol para alertar os fanáticos nortistas do seu perigo!!!!". *Cortesia da Library of Congress Prints and Photographs Division (LC-USZ62-92284).*

ideais da Declaração de Independência, os ideais americanos, não eram simplesmente negados, mas ridicularizados.

A década de 1830 foi, em muitos aspectos, uma década de debate sobre a escravidão. Incitados pelo surgimento do *Liberator* em 1831, refreados pela rebelião de Turner e provocados pela criação da Sociedade Antiescravidão da Nova Inglaterra por Garrison no ano seguinte e, no ano depois disso, da Sociedade Antiescravidão Americana por Arthur e Lewis Tappan em Nova York, os nortistas foram forçados pelo menos a considerar o assunto de um ponto de vista moral, embora a maioria preferisse o lado prático. Não eram poucos os nortistas que concordavam com Calhoun diante do fato de que os abolicionistas ameaçavam a União e que, se a agitação deles não fosse reprimida, os americanos "finalmente se tornariam dois povos".[103] Porém, nem a hostilidade nortista com relação ao Sul nem o apoio a ele no período *antebellum* foram motivados somente pelos abolicionistas. A escravidão era a causa principal dos problemas do Sul, no entendimento dos nortistas. Ela atravancava o desenvolvimento material do Sul, limitava suas oportunidades educacionais e tornava-o desinteressante para os imigrantes. Era, portanto, um ônus para a sociedade branca e, por extrapolação, para a nação.

As décadas seguintes viram menos discussão e mais ação, uma mudança que não teve nada a ver com a Lei da Mordaça e tudo a ver com o crescimento demográfico da nação e as inovações tecnológicas e de mercado que acompanharam e facilitaram sua expansão geográfica concomitante. E a década de 1840 foi a década da expansão em grande escala para o Oeste. Foi o período que ouviu pela primeira vez a expressão "Destino Manifesto" aplicada ao avanço transcontinental da América, e a época em que este último pôs os americanos em conflito armado com o México. Como consequência de ambos, foi também a década que assistiu ao começo do fim do efêmero Segundo Sistema Partidário. Com o surgimento do Partido da Liberdade em 1840, a antiescravidão anunciou-se como força política potencial. A eleição de 1848 acirrou ainda mais a política antiescravidão com o surgimento do Partido do Solo Livre.

O Partido do Solo Livre revelou a extensão do realinhamento que começava a ocorrer entre políticos e seus eleitores ao longo das linhas falhas em uma União criada pela escravidão. A divisão regional mostrou-se forte o bastante, no fim, para resultar na desintegração do partido Whig e na emergência de um novo partido político regional, os dos republicanos, que disputaram pela primeira vez uma eleição nacional em 1856 com a plataforma de impedir a extensão da escravidão mais para Oeste. O que motivou esse realinhamento político dos anos 1840 e 1850 foi a construção concomitante da ideia da influência política sulista, ou o "Poder Escravo", como uma ameaça às liberdades americanas. Todos esses acontecimentos alimentavam-se e reforçavam-se mutuamente, e todos exprimiam e exacerbavam a tensão divisionista crescente que a União vinha sofrendo. A oposição à

---

103 *Papers of John C Calhoun*, v. XIII, p. 394-5, 1980.

escravidão passou gradualmente de uma posição essencialmente extremista e minoritária para a dominante.

Para alguns, todavia, apenas a abolição não era a resposta. Por motivos que iam do racismo cego à benevolência obtusa, alguns acreditavam que negros e brancos nunca poderiam coexistir pacificamente com base na igualdade nos Estados Unidos. A Sociedade Americana de Colonização, fundada em 1816, defendia a remoção dos afro-americanos livres da nação e sua repatriação para nações africanas, um experimento que resultou na criação da Libéria em 1821 mas satisfez muito poucas pessoas – a começar pelos próprios afro-americanos – para ser bem-sucedido. Mas o que a Sociedade Americana de Colonização salientava não era somente a inquietação que até americanos bem-intencionados sentiam com relação ao provável sucesso de uma república racialmente neutra, mas uma incerteza subjacente sobre o Destino Manifesto dessa mesma república.

O conceito de Destino Manifesto foi, desde o início, ao mesmo tempo evocativo e problemático em medidas iguais. A expressão fora cunhada em 1845 por John O'Sullivan, editor da *Democratic Review*. Ele a havia usado no contexto da aquisição do Oregon e da Califórnia, territórios que a Grã-Bretanha reivindicava. Sua queixa era a de que a antiga potência colonial estava tentando impedir "o cumprimento do nosso destino manifesto de cobrir o continente atribuído pela Providência para o livre desenvolvimento dos nossos milhões que se multiplicam ano a ano". Do modo como O'Sullivan o entendia, parecia bem claro. Ele referia-se ao conceito pré-colonial da América como uma "terra virgem" pronta para a exploração europeia, e certamente espezinhou os direitos das populações nativas que haviam sido forçadas ainda mais para Oeste diante da ocupação branca. Nada disso era novo e, na verdade, as associações que a expressão evocava repercutiriam em uma nação ainda não tão distante do seu passado colonial para esquecê-lo completamente.

Tampouco havia algo de especialmente novo na ideia de que a América tinha um destino a ser tornado manifesto. Afinal, Thomas Paine havia advertido a geração revolucionária de que sua causa era "a causa de toda a humanidade". O problema para os americanos do *antebellum*, diante da considerável porcentagem da humanidade que inundava os novos territórios, era o de que a natureza exata desse destino, seus imperativos morais e práticos, não era exatamente o que os Pais Fundadores haviam antecipado. Uma vez que os americanos brancos haviam conseguido construir uma distinção material entre as nações nativas e sua própria, os direitos tribais não entravam realmente na equação a essa altura. Mas os direitos dos colonos brancos, sim, em particular o tipo de sociedade que eles conseguiriam construir no Oeste e o impacto que ela teria sobre a nação.

De um ponto de vista puramente prático, o problema reduzia-se ao equilíbrio de poder no Congresso e à manutenção desse equilíbrio no Senado entre estados livres e escravocratas tal como estabelecido pelo Compromisso do Missouri. Embora O'Sullivan tivesse afirmado que, no que dizia respeito à expansão da América, a escravidão "não tinha nada a ver com isso", um número cada vez maior de nortistas acreditava que ela tinha tudo a ver. Eles pensavam que o Sul estava tentando agressivamente estender sua "instituição peculiar" para ganhar mais poder político e, por tabela, comprometer a integridade e restringir as oportunidades oferecidas pelos estados não escravocratas. Tampouco tratava-se de divagações paranoicas de uma minoria de radicais abolicionistas. A ideia de que pudesse haver uma conspiração do poder escravo para controlar a nação possuía alguma substância, pelo menos no que dizia respeito à questão do poder. Havia pouca coisa conspiratória na defesa aberta da escravidão por homens como Calhoun. Se a escravidão era um assunto que os sulistas brancos não queriam discutir, era dificilmente um assunto que eles podiam esconder.

O fato era que, desde os primórdios da nação, o Sul tivera mais poder que o Norte. Com exceção da presidência de John Adams, o Executivo fora ocupado por virginianos entre 1789 e 1824, quando John Quincy Adams proporcionou um breve interlúdio nortista antes de Jackson assumir o cargo em 1828. A cláusula dos três quintos certamente concedeu ao Sul uma representação maior em nível nacional do que sua população branca poderia ter-lhe garantido, e a paridade entre os estados no Senado implicava que, até a admissão da Califórnia em 1850, bastava que um senador nortista votasse com o Sul para qualquer votação pender para o lado deste. Em suma, não havia munição bastante para os adversários nortistas do Sul construírem um espectro plausível da dominação sulista, mas nenhuma razão real para tal oposição, exceto a escravidão.

A escravidão era, no entanto, o dilema moral no cerne do Destino Manifesto da América. Nem todos viam-na assim; na verdade, a maioria não a via assim. Mas o poder político que acompanhava a expansão da nação gerou uma grande quantidade de abolicionistas políticos entre aqueles cuja bússola moral não se alinhava com o suplício dos afro-americanos escravizados, mas que mesmo assim queriam uma nação construída com base em, como dizia o mote do novo Partido Republicano, "solo livre, trabalho livre, homens livres". Ao mesmo tempo, a maioria desejava uma nação unificada. A retrospecção frequentemente apresenta os principais fatos políticos entre o Compromisso do Missouri de 1820 e a secessão dos estados sulistas em 1860-1861 como uma série de dominós que caíram decisivamente em direção à desunião. Porém, sob o ponto de vista da época, a desunião era certamente um perigo reconhecido, mas não o desfecho inevitável do desacordo divisionista. Em 1850, como mostra esta imagem contemporânea (IMAGEM 27), os americanos sentiam-se seguros o bastante quanto à sua União para conseguir zombar dos indivíduos e das forças aparentemente agrupadas contra ela.

A essa altura, os nortistas estavam acostumados há muito tempo com a fanfarrice sulista no Congresso e talvez relutantes em levá-la a sério. Os sulistas, por sua vez, sentiam-se seguros o bastante em uma União que o Sul havia tanto feito para criar e que tanto dependia, acreditavam eles, da sua produção agrícola, a qual, nas palavras do porta-voz pró-escravidão e ex-governador da Carolina do Sul, James Henry Hammond, "não ousaria declarar guerra ao algodão. Nenhum poder na Terra ousa declarar guerra a ele. O algodão é rei".[104] Hammond não estava errado. O Norte não declararia guerra ao algodão nem à seção que o produzia. Mas as atitudes americanas em 1850 não eram resultado de preocupação ou complacência com o algodão, mas provinham da crença de que o compromisso cimentaria a União no futuro como fizera no passado. Nesse aspecto, o Compromisso de 1850, o acordo político que desarmou a tensão crescente entre os estados livres e escravocratas quanto ao estatuto da terra adquirida na Guerra Mexicana (1846-1848), parecia ser simplesmente o mais recente na série de medidas de compromisso entre um Norte que queria estender o "Solo Livre" e um Sul que procurava expandir a escravidão. Mas, na verdade, foi o último.

Como parte do Compromisso de 1850, concordou-se que o estatuto – seja escravocrata ou livre – dos novos territórios seria decidido pelos seus habitantes. Conhecida como soberania popular, essa decisão era idealmente democrática em tese, mas revelou sê-lo menos na prática. Em vez de conter a onda crescente de separatismo, a soberania popular simplesmente ressaltou a divergência crescente entre Norte e Sul quanto à questão da expansão

---

104 HAMMOND, James Henry. *Selections from the Letters and Speeches of the Hon. James H. Hammond, of South Carolina*. New York: John F. Trow & Co., 1866. p. 311-22.

CAPÍTULO 5 – A ÚLTIMA E MELHOR ESPERANÇA DA TERRA (...) | 205

IMAGEM 27. "Caldeirão da confusão" (Nova York: James Baillie, 1850). Esta charge política satírica de 1850 representa os interesses abolicionistas, do Solo Livre e regionais como perigos para a União. As figuras representadas incluem, a partir da esquerda: David Wilmot, o político do Solo Livre, que propôs em 1846 que a escravidão fosse proibida em qualquer território resultante da Guerra Mexicana (embora a "Cláusula Wilmot" tenha sido aprovada pela Câmara duas vezes, e a cada vez ela foi derrubada no Senado; não obstante, ele polarizou a opinião acerca do tema da escravidão nos territórios); o editor abolicionista William Lloyd Garrison; John C. Calhoun; e Horace Greeley, o editor radical do *New York Tribune*. O homem no fogo é o infame traidor revolucionário Benedict Arnold. Fora Arnold, todos estão vestidos com barretes de bufão ou como bobo da corte, e as três figuras principais (Garrison, Wilmot e Greeley), representadas como as bruxas de Macbeth, estão acrescentando vários males sociais e políticos ao caldeirão: "Solo Livre", "Abolição" e "Fourierismo" (Greeley era um notório seguidor do socialista utópico Charles Fourier) juntam-se a "Traição", "Antialuguel" e "Leis Azuis" (a restrição de certas atividades, geralmente comerciais, no sábado, frequentemente associada aos puritanos) já no caldeirão. O balão de Wilmot declara: "Borbulhem, borbulhem, rixa e desavença!/ Ferva, Solo Livre,/ Destrua a União;/ Que venham a aflição e os lamentos,/ Que não haja paz alguma./ Até sermos divididos". O de Garrison: "Borbulhem, borbulhem, rixa e desavença/ Abolição/ Nossa condição/ Será alterada por/ Crioulos fortes como bodes/ Cortem a garganta dos seus amos/ Que ferva a abolição!/ Dividiremos o butim". O de Greeley: "Borbulhem, borbulhem, rixa e desavença!/ Fourierismo/ Guerra e cisma/ Até que ocorra a desunião!". O diminuto Calhoun declara: "Para o sucesso da mistura, invocamos nosso grande santo patrono Benedict Arnold". Arnold acrescenta: "Muito bem, bons e fiéis devotos!". *Cortesia da Library of Congress Prints and Photographs Division (LC-USZ62–11138).*

da escravidão mais para Oeste. Quando, em 1854, a doutrina foi incorporada à Lei Kansas-Nebraska, a legislação que regia a criação de dois novos estados no Oeste, a violência irrompeu entre ativistas pró e antiescravidão no Kansas. E antes mesmo de o projeto de lei ser debatido no Congresso, difundiu-se por todo o Norte a oposição ao que era considerado por alguns como "uma conspiração atroz para excluir de uma vasta região desocupada imigrantes do Velho Mundo e trabalhadores livres dos nossos próprios

Estados e convertê-la em uma região sinistra de despotismo, habitada por senhores e escravos".[105]

A suspeita por parte de muitos nortistas de que a escravidão estava ganhando terreno legislativo foi confirmada poucos anos depois, quando a Suprema Corte efetivamente endossou a soberania popular a favor da escravidão em uma decisão histórica. *Dred Scott v. Sandford* foi um caso movido por um escravo do Missouri que, por ter passado a maior parte da sua vida nos "estados livres", reivindicava sua liberdade. Em 1857, o então presidente da Suprema Corte Roger B. Taney negou o pedido de Scott com a justificativa de que, primeiro, como escravo, ele não podia ser cidadão e, segundo, que conforme a Quinta Emenda à Constituição, nenhum cidadão podia ser privado de propriedade sem o devido processo legal. Qualquer tentativa legislativa de negar o direito dos proprietários de escravos de levar sua propriedade para onde eles quisessem, como o Compromisso do Missouri, era inconstitucional. Taney usou a ambiguidade dos Pais Fundadores contra a população negra da América ao argumentar que, na época da fundação da nação, os afro-americanos eram há muito tempo "considerados seres de uma ordem inferior e totalmente inaptos para conviver com a raça branca, seja em relações sociais ou políticas; e tão inferiores que não possuíam direitos que o homem branco fosse obrigado a respeitar".[106]

Se os escravos eram propriedade, não pessoas, então não poderia haver nenhum estado do qual a escravidão fosse excluída, pelo menos em tese. O principal expoente da soberania popular no Compromisso de 1850 e na Lei Kansas-Nebraska, Stephen A. Douglas, não acreditava que a teoria resultaria necessariamente em uma prática universal e estimava que a doutrina poderia curar a divisão regional. No entanto, quando ele debateu a questão com seu rival político, Abraham Lincoln, em 1858, o separatismo era o motor que fazia girar a máquina política da América. A Lei Kansas-Nebraska, talvez mais do que qualquer outro documento legislativo específico, destruiu a unidade do Partido Democrata e deu um incentivo crucial ao incipiente Partido Republicano, cuja vitória em 1860 provocou a secessão dos estados sulistas. No ano seguinte, nas palavras de Lincoln, "veio a guerra". Mais para o fim da Guerra Civil, Lincoln resumiu o balanço da culpa entre

---

[105] "Appeal of the Independent Democrats in Congress to the People of the United States", *Congressional Globe*, 33º Cong., 1ª sessão, p. 281-2.

[106] *Dred Scott v. Sandford* (60 U.S. 393 [1856]) pode ser acessado em rede em: http://supreme.lp.findlaw.com/supreme_court/landmark/dredscott.html. Acesso em: 25 jan. 2010.

Norte e Sul: "Ambas as partes condenavam a guerra", observou ele, "mas uma delas preferia *fazer* a guerra em vez de deixar a nação sobreviver, e a outra preferia *aceitar* a guerra em vez de deixá-la perecer".[107]

Por fim, o conflito entre Norte e Sul que começou em 1861 revelou que nem a Guerra Revolucionária nem a ratificação da Constituição haviam representado o ato final do drama da emergência da América como nação. A história da América não era uma peça de dois atos e contava com um elenco de milhares, mas um número excessivo deles eram escravos. Em meados do século XIX, a escravidão era muito mais do que um sistema de trabalho para o Sul. Ela definia o modo de vida sulista branco; nas palavras de Hammond, ela era a base da "harmonia da sua política e instituições sociais". Cada vez mais e apesar de qualquer número de salvaguardas jurídicas contra a escravidão, os proprietários de escravos sulistas passaram a acreditar que tal harmonia era ameaçada por uma nação na qual o sentimento abolicionista criticava e os fatos políticos ameaçavam limitar – mesmo que não o fizessem de fato – a expansão da escravidão. A publicação do que se tornou talvez a mais famosa polêmica abolicionista, *A cabana do Pai Tomás* de Harriet Beecher Stowe, em 1852, contribuiu para uma cultura que os proprietários de escravos julgavam cada vez mais menos propícia à manutenção da escravidão. Quando o abolicionista radical John Brown liderou seu ataque malogrado e francamente mal planejado ao arsenal federal em Harpers Ferry, na Virgínia, em 1859 – e foi enforcado por isso –, muitos sulistas haviam chegado à conclusão, apesar de todas as provas em contrário, de que sua "instituição peculiar" corria um perigo real.

De certa forma eles não estavam errados. A escravidão era também mais do que um sistema de trabalho para o Norte. Ela era, para os abolicionistas, uma afronta moral. Para outros, tratava-se um sistema feudal anacrônico que não cabia na nova República e que atravancava seu crescimento e desenvolvimento. Para outros ainda, ela representava uma barreira ao desenvolvimento econômico da sociedade branca livre nos territórios. A escravidão não era, segundo Ralph Waldo Emerson, "nem educadora, nem benfeitora; ela não ama o apito da estrada de ferro; ela não ama o jornal, o saco postal, uma faculdade, um livro ou um pregador", todos esses elementos que os americanos, desde a Revolução, consideravam cruciais para o desenvolvimento individual, para a expansão econômica, para a estabili-

---

107 Abraham Lincoln, "Second Inaugural Address". *In*: BASLER, Roy (ed.), *op. cit.*, v. VIII, p. 332.

dade nacional. Em uma sociedade escravista, concluiu Emerson, "tudo cai em decadência".[108]

Quando Abraham Lincoln e o Partido Republicano venceram a eleição de 1860, o Norte e o Sul haviam desenvolvido entendimentos não apenas contraditórios, mas quase mutualmente excludentes de sua herança revolucionária. Essa herança havia sido enunciada com todas as letras, ou melhor, em dois manuscritos distintos: a Declaração de Independência e a Constituição. Seria uma simplificação excessiva afirmar que o Norte alinhou-se com a primeira e o Sul com a última, mas certamente as salvaguardas constitucionais conferidas à escravidão e aos direitos dos estados tornaram-se mais significativas para o Sul, e os ideais de igualdade albergados na Declaração de Independência, mais importantes para o Norte.

O próprio Lincoln via a Declaração de Independência como um documento ativo que indicava o caminho para um nacionalismo americano inclusivo. "Agora somos uma nação poderosa", ele declarou em 1858, mas Lincoln estava consciente de que os laços nacionais não eram nada óbvios em uma nação de imigrantes. Ele sabia que muitos americanos não podiam traçar sua ligação com o passado da América "pelo sangue". Mas era possível estabelecer a nacionalidade americana pela Declaração de Independência porque, asseverou Lincoln, eles tinham "o direito de reivindicá-la como se fossem sangue do sangue e carne da carne" daqueles que a escreveram. O sentimento moral da Declaração de Independência, como Lincoln a interpretava, constituía o "fio elétrico" que unia a nação.[109] Mas os sulistas brancos também invocavam a Declaração de Independência, especificamente a parte dela que asseverava que, "sempre que uma forma de governo tornar-se destrutiva" dos direitos dos governados, "é direito do povo alterá-la ou aboli-la".

Para o Norte, a Declaração oferecia a base para a União, e para o Sul ela estabelecia o direito de secessão. Quando Lincoln assumiu o cargo e a União desintegrou-se, ele tinha uma tarefa principal diante de si. Lincoln deveria negar o direito de secessão, para provar que a Revolução do século XVIII criara uma nação única e que a Declaração de Independência não era, na verdade, um conjunto de diretrizes para a criação futura de um número qual-

---

[108] EMERSON, Ralph Waldo. *Address Delivered in Concord on the Anniversary of the Emancipation of the Negroes in the British West Indies.*

[109] LINCOLN, Abraham. "Speech at Chicago, Illinois", 10 de julho de 1858. *In*: BASLER, Roy (ed.), *op. cit.*, v. II, p. 484-500.

quer de nações. Todavia, conforme a guerra prosseguiu, ele percebeu que, para fazer isso, teria de terminar a tarefa que os Pais Fundadores haviam começado mas abandonado. Lincoln tinha de extirpar a raiz profunda da secessão e da Guerra Civil resultante; tinha de abolir a escravidão. Somente isso preservaria a União a longo prazo, presumindo, é claro, que antes disso o sucesso militar a preservasse. Lincoln sabia que somente ao abolir a escravidão os americanos poderiam esperar realizar seu destino manifesto da "última e melhor esperança da Terra".

capítulo 6

Para Oeste o curso do Império: da União à nação

> *Para Oeste o Curso do Império segue seu Caminho,*
> *Os quatro primeiros Atos já transcorridos,*
> *Um quinto encerrará o Drama do Dia;*
> *O mais nobre Filho do Tempo é o último.*
> (George Berkeley, "Verses on the Prospect of Planting
> Arts and Learning in America"
> [Versos acerca da perspectiva de instituir
> as artes e o ensino na América], 1752)

A plateia de Alexander Stephens em Savannah, Geórgia, estava claramente exaltada quando o recém-empossado vice-presidente do recém-formado governo confederado ergueu-se para dirigir-se a ela em março de 1861. "Não poderei falar enquanto houver barulho e confusão", observou um Stephens ligeiramente irritado, ameaçando permanecer lá a noite toda, se necessário. Não, acrescentou ele, que "eu tenha algo muito animador a apresentar". Foi o início conturbado de um dos mais famosos discursos pronunciados no contexto da Guerra Civil Americana. Por outro lado, tirar vários estados da União para formar uma república separada não seria uma operação tranquila.

Se Abraham Lincoln considerava a Declaração de Independência como uma nota promissória para o futuro da América, sulistas como Stephens preferiam fundamentar sua oposição à nação na Constituição. O documento certamente permitia isso. Uma parte muito grande do que significava ser americano estava contida na Constituição e na Carta de Direitos, mas os compromissos e omissões de ambas em questões como as raciais também faziam parte desse significado. Ainda mais problemático do que isso, porém, era a emenda final da Carta de Direitos, o Artigo X, o qual estipulava que os "poderes não delegados aos Estados Unidos pela Constituição, nem proibidos por ela aos estados, são reservados aos estados respectivamente ou ao povo".

Essa cláusula final, que era, na essência, o canto do cisne dos antifederalistas, seu legado à nova nação, protegia os direitos dos estados, o que fora por muito tempo uma preocupação daqueles que temiam o poder federal. No entanto, ela também ofereceu o caminho para a secessão dos estados sulistas em 1860 e 1861, bem como o possível desmantelamento de tudo o que havia sido realizado na Filadélfia em 1787. Era nesse caminho que Stephens se encontrava em março de 1861. Suas balizas, fornecidas pela Constituição e pela Declaração de Independência, eram contraditórias. Todas apontavam para a liberdade, mas a liberdade para quem, de quem, do quê e para fazer o quê dependia da orientação de cada viajante. Para Stephens, a liberdade para a Confederação residia na liberdade de possuir escravos, livre de interferência federal (ainda que uma imaginada). A secessão era, do ponto de vista sulista, um direito revolucionário fundamental em uma nação fundada e formada pela revolução, que lutara pela sua liberdade do controle colonial. Esse era o problema da nação e a oportunidade da Confederação.

A Revolução, claramente, não havia transformado a América em uma nação unificada, mas criado novas regras segundo as quais a nação e o nacionalismo emergentes dos Estados Unidos podiam se orientar. Armada com a Declaração de Independência e a Carta de Direitos e protegida pela Constituição, a nova nação dotara-se de uma combinação complexa de privilégios e proteções que, nos anos que se seguiram, pode ter sido honrada tanto na ruptura quanto na observância, mas que, não obstante, fornecia um padrão a ser almejado, ainda que nem sempre alcançado. Mas havia uma coisa que nem a Constituição nem a Carta de Direitos tinham resolvido. Em 1791, os americanos haviam fixado, ainda que não totalmente definidas, as liberdades e proteções que cabiam ao "povo", mas o que eles não haviam decidido era quem, exatamente, era o "povo". Eles não conseguiriam fazê-lo antes do fim da Guerra Civil. Eles poderiam, na verdade, nunca ter conseguido fazê-lo sem o desafio confederado à União e, especificamente, sem a construção de uma cidadania confederada.

Esse foi o tema do discurso de Stephens em Savannah: a cidadania e a Constituição. Não aquela redigida na Filadélfia em 1787, mas a variante confederada, adotada pelos diversos estados separatistas somente dez dias antes do discurso de Stephens. Se a imitação é a forma mais sincera de elogio, então os sulistas claramente tinham pouco a reclamar da Constituição americana. Eles praticamente a reproduziram. É claro que um clichê alternativo, do tipo "não há tempo a perder", também pode ter valido. Separar-se da União, criar um governo alternativo e redigir uma nova Constituição no intervalo de alguns meses não permitiam a construção de uma nação inteiramente *ab initio*.

Não obstante, a Constituição confederada não era uma cópia da original. Havia diferenças cruciais entre ambas e eram tais diferenças, ou melhor, esses "aprimoramentos", que Stephens desejava delinear, assim que sua plateia permitisse. Após obter sua atenção, ele assegurou-lhes que a nova Constituição "garante amplamente todos os nossos antigos direitos, prerrogativas e liberdades". Ela incorporava os "grandes princípios da Magna Carta", preservava a liberdade religiosa e protegia a vida, a liberdade e a propriedade. Mas mudanças haviam sido feitas. Nem todas suscitavam sua aprovação, confessou Stephens, mas de modo geral ele sentia confiança o bastante para afirmar que a nova constituição confederada era "incontestavelmente melhor do que a antiga". Acima de tudo, ele assegurou a seus ouvintes, ela "resolveu, para sempre, todas as questões controvertidas relacionadas à nossa instituição peculiar". Ele admitiu que esta última, como previra Jefferson, "era a causa imediata da recente ruptura e atual revolução". As ideias fundadoras da América, salientou Stephens, "baseavam-se na pressuposição da igualdade das raças. Isso", concluiu ele, "foi um erro". Por outro lado, ele declarou:

> Nosso novo governo baseia-se exatamente na ideia oposta; suas fundações repousam, sua pedra angular apoia-se na grande verdade de que o negro não é igual ao homem branco; que a subordinação do escravo à raça superior é sua condição natural e normal. Este nosso novo governo é o primeiro na história do mundo baseado nessa grande verdade física, filosófica e moral.

Certamente a Constituição confederada esforçou-se para garantir que "o direito de propriedade" sobre os escravos não seria prejudicado. Porém, a ironia disso tudo era a de que, sejam quais fossem os ideais fundadores da nação americana, uma das causas mais importantes da guerra entre Norte e Sul havia sido a decisão *Dred Scott* de 1857, a qual codificou exatamente o ponto que Stephens dizia ser característico da Confederação (IMAGEM 28). Com essa decisão, a escravidão – supostamente a futura pedra angular confederada – tornava-se uma instituição nacional, pelo menos potencialmente, e com certeza mais segura na União do que se mostraria fora dela.

IMAGEM 28. "O Brasão da Confederação" (G. H. Heap Inv., 1862). Este comentário sobre a Confederação em forma de charge retrata-a de uma forma da qual os confederados não discordariam inteiramente. Sua crítica e sua perspectiva nortista estão mais implícitas do que abertamente declaradas. Ela apresenta um escudo ladeado por um fazendeiro e um escravo acorrentado. O escudo incorpora grande parte da iconografia "padrão" (a essa altura) associada ao Sul: um *mint julep* (coquetel feito com hortelã, açúcar, água e uísque Bourbon), uma garrafa de uísque, uma pistola e uma adaga, um chicote e uma corrente, pés de algodão, tabaco e cana-de-açúcar e uma imagem de escravos cultivando o solo. A palmeira simboliza a Carolina do Sul especificamente. Três fazendeiros são retratados jogando baralho (à esquerda), enquanto atrás deles dois homens são mostrados no ato de duelar. Um leilão de escravos é retratado (à direita) diante de uma cabana de escravo. Acima do escudo, a bandeira confederada está cruzada com outra de caveira e ossos cruzados, e entre elas uma flâmula com o mote *"servitudo esto perpetua"* (que a servidão seja perpétua); são todas imagens-clichê que representam a ideia nortista do Sul como uma região imoral, de bebedeira e jogatina. Porém, no contexto da decisão *Dred Scott*, já não se podia presumir com segurança que a ideia de servidão perpétua estivesse contida no Sul. No contexto da Guerra Civil, que estava em curso quando essa imagem foi produzida, foi certamente involuntário, mas certamente apropriado diante dos acontecimentos posteriores, de que o escravo acorrentado tivesse uma expressão ligeiramente mais otimista no rosto do que o fazendeiro aparentemente carrancudo. *Cortesia da Library of Congress Prints and Photographs Division (LC-USZ62-305).*

O vice-presidente confederado podia ter citado descaradamente a escravidão como a pedra angular da Confederação, mas os estados separatistas não viam seu sistema de trabalho como fundação da nova estrutura nacional unificada. O discurso de Stephens antecipou o desenvolvimento de uma "nacionalidade separada" para o Sul, mas as diversas declarações emitidas pelos estados detalhando as causas da secessão deixavam claro que cada estado via a si mesmo, como a Carolina do Sul o fazia, como "separado e igual [...] entre as nações". O fato era que não foi uma entidade como a Confederação que se separou da União, muito menos um constructo maior que poderia ser denominado como "o Sul". Os estados que se separaram fizeram-no individualmente e anteciparam permanecer independentes em aspectos mais cruciais. A Carolina do Sul abriu o caminho em dezembro de 1861, seguida pelo Mississippi, Flórida, Alabama, Geórgia e Luisiana em janeiro de 1861, pelo Texas em fevereiro e pelo Arkansas e a Carolina do Norte em maio. A Virgínia, que se desvinculou em abril, e o Tennessee, que finalmente se separou em junho, continuaram muito divididos durante a guerra, tanto que a primeira acabou por realizar uma minisecessão própria, mas da Confederação, e dividiu-se em dois estados, a Virgínia (confederada) e a Virgínia Ocidental (União).

A escravidão era o que os estados confederados tinham em comum, mas os sulistas preferiam articular os direitos dos estados como sua causa comum. A ausência da escravidão tampouco unificava os nortistas. Era a preservação da União, não a abolição da escravidão, que concentrava os espíritos nortistas em 1861. O senador por Nova York e depois secretário de Estado William H. Seward propôs em 1858 que o choque entre escravidão e liberdade era um "conflito irrepressível entre forças opostas e duradouras", que resultaria inevitavelmente na vitória de um lado sobre o outro. Seward julgava inútil qualquer tentativa de compromisso, mas somente o fato de que ele encarava o conflito político como irrepressível não significava que encarava sua variante armada como inevitável. Seward considerava seu país um "teatro que exibe, em plena operação, dois sistemas políticos radicalmente diferentes", um baseado na escravidão, o outro na liberdade.[110] Quando esse país tornou-se um palco de guerra, a maioria dos nortistas concentrou-se em resolver o sintoma, a desunião, não em curar a causa, a escravidão. Eles concordavam com Andrew Jackson diante do fato de que a União Federal devia ser preservada. Eles não foram necessariamente convencidos pelo argumento abolicionista de que a escravidão devia, concomitantemente, ser abolida.

Talvez isso fosse esperado. Os americanos do *antebellum* reverenciavam a União, consideravam-na frágil e lutavam para preservá-la por meio

---

110 O discurso de Seward de 1858 pode ser lido na íntegra em: http://www.nyhistory.com/central/conflict.htm. Acesso em: 10 fev. 2010.

dos numerosos compromissos políticos da Convenção constitucional em diante. A secessão representou o fracasso desses compromissos, dessa luta, o fracasso, como muitos viram, do próprio governo republicano. "Que coisas tem feito Deus", dizia a primeira mensagem telegráfica de Samuel F. B. Morse, enviada de Washington a Baltimore em 1844. Para Morse, era uma pergunta retórica. Até mais que os jornais distribuídos pelo correio, a revolução da comunicação prometida pelo telégrafo transformava-a em "um *bairro* todo o país", como antecipara seu inventor. Deus havia constituído uma nova República, conectada juridicamente pela Constituição e, em meados dos anos 1840, aproximada ainda mais pela nova tecnologia que era o telégrafo. Em 1861, quando o telégrafo cobriu o continente, a primeira mensagem a celebrar o fato exprimiu a então periclitante posição da nação que Deus havia feito: "que a União seja perpetuada", dizia ela, mais com esperança do que expectativa. A secessão já era um fato.[111] Logo, os cabos levariam principalmente notícias da guerra.

Longe de ser um direito constitucional, para muitos nortistas a secessão era, como Lincoln a descreveu, a "essência da anarquia".[112] A Confederação estava, como a retratou uma charge da época (IMAGEM 29), em conluio com o próprio Satã para eliminar o governo democrático da Terra. Esse governo era, e os americanos sabiam, um "experimento". Mais do que isso, tratava-se de um experimento que envolvia "não só a futura sina e bem-estar deste continente ocidental, mas as esperanças e perspectivas de toda a raça humana", como disse o *New York Tribune*. Tais sentimentos remetiam a Thomas Paine e antecipavam a invocação da América por Lincoln como "a última e melhor esperança da Terra", uma descrição que o presidente destilaria posteriormente com mais impacto no seu famoso discurso de Gettysburg em 1863. Embora elas tenham certamente levantado o moral nortista em 1861, as implicações plenas de lutar a guerra para estabelecer "o princípio democrático de direitos iguais, sufrágio geral e governo da maioria" só surgiram ao longo do conflito.[113]

Embora ambos os lados da guerra civil tivessem feito preparativos para um confronto sustentado, a opinião pública antecipou um conflito curto e

---

111 Morse e a mensagem de 1861 são citados em LEPORE, Jill. *A is for American: Letters and Other Characters in the Newly United States.* New York: Alfred A. Knopf, 2002. p. 10 e 154.

112 LINCOLN, Abraham. Message to Congress in Special Session, 4 de julho de 1861. *In*: BASLER, Roy (ed.). *The Collected Works of Abraham Lincoln.* v. IV. New Brunswick, NJ: Rutgers University Press, 1953. p. 438. 11 v.

113 *New York (Daily) Tribune*, 27 de novembro de 1860.

CAPÍTULO 6 – PARA OESTE O CURSO DO IMPÉRIO: DA UNIÃO À NAÇÃO | 217

IMAGEM 29. "A Confederação Sulista é um fato!!! Reconhecida por um príncipe poderoso e aliado fiel" (Filadélfia, 1861). Em contraste com a charge anterior, esta é um retrato incontestavelmente crítico, e até condenatório, da Confederação em conluio com Satã. As figuras, a partir da esquerda, representam: "Sr. Linchamento, presidente da Suprema Corte", armado com um pote de alcatrão (referência aos defensores da União cobertos de penas e alcatrão no Sul); o secretário dos Estados Confederados, Robert Toombs, segurando uma "carta de corso" (um certificado do governo que autorizava o confisco de propriedade estrangeira, nesse caso uma referência ao confisco pelos confederados do Forte Pulaski, na Geórgia, em janeiro de 1861); o presidente confederado, Jefferson Davis; e o vice-presidente, Alexander Stephens, segurando "Os princípios fundamentais do nosso governo", que incluem traição, rebelião, assassinato, roubo, incêndio e furto. A figura a cavalo atrás deles é o general Pierre Gustave Toutant (PGT) Beauregard, que obteve a rendição do Forte Sumter, em Charleston Harbor, à Confederação em abril de 1861. Satã e seus asseclas, sentados sob a bandeira de palmeira da Carolina do Sul, declaram ser os confederados "genuínos representantes do nosso reino". *Cortesia da Library of Congress Prints and Photographs Division (LC-USZ62-89624).*

intenso. Uma grande batalha, presumiam os nortistas, bastaria para fazer os sulistas verem o erro da secessão, dissolverem a Confederação e retornarem à União. A mesma grande batalha, presumiam os sulistas, convenceria os nortistas de que a Confederação era séria, podia defender-se militarmente e devia ser autorizada, como o editor da *Tribune* Horace Greeley (entre outros) sugerira inicialmente, a "ir em paz". Essa primeira grande batalha, no entanto, mostrou-se um sinal de alerta para ambos os lados. First Bull Run/Manassas foi travada em 21 de julho de 1861. Foi uma única batalha, mas, como a maioria dos combates da Guerra Civil, ainda tem dois nomes. Mesmo hoje, o uso de um como preferência em relação ao outro geralmente revela o ponto de vista de quem fala ou escreve. A União tendia a localizar seus combates perto da fonte de água mais próxima (por isso, Bull Run Creek [córrego]); a Confederação, pela vila ou plataforma de transporte mais próxima (por isso, Manassas Junction [junção]). Até nisso a União e os confederados não conseguiam concordar.

À medida que ambos os lados aproximavam-se desse primeiro combate, alguns jornais sulistas expressaram um otimismo cauteloso acerca da posição da Confederação no começo daquilo que um deles chamou da "Guerra pela Independência" do Sul. Se "formos vitoriosos o inimigo será empurrado para além do Potomac, e Washington estará à nossa mercê", observou o *Daily Picayune* de Nova Orleans. "Se formos derrotados, teremos linhas seguras para recuar." O correspondente do jornal relatou em tom tranquilizador que "todo homem que encontro antecipa o resultado com perfeita confiança" e de fato "nem se pensa na possibilidade de derrota".[114] Os jornais nortistas eram ainda mais enfáticos na sua expectativa de que seu lado não seria perdedor quando os exércitos se encontrassem na Virgínia. Espectadores armados de provisões e sombrinhas acorreram de Washington naquele dia quente de julho, ansiosos por um assento na primeira fila dessa inicial e, previam eles, última batalha entre a União e as tropas confederadas.

Sua confiança era infundada. First Bull Run, embora não tenha sido a vitória esperada pelos confederados, foi claramente uma derrota para a União. Com a chegada de reforços confederados à tarde, a linha da União não resistiu. O que começou como uma retirada tática logo se tornou uma saída apressada e desordenada de volta a Washington por parte das tropas da União e dos espectadores. A cidade estava agora, como haviam esperado os jornais confederados, à mercê dos confederados, mas eles não conseguiram explorar sua vantagem. Escrevendo do seu ponto de observação na capital, o jornalista britânico William Howard Russell, do *Times* de Londres, ficou igualmente espantado com a derrota da União e com o fracasso dos confederados de tomar a iniciativa. "A notícia parece incrível", relatou Russell. "Mas ali, diante dos meus olhos, estavam os despojos extenuados, desalentados e rotos de regimentos seguindo adiante [...]. Por que Beauregard não vem eu não sei", escreveu Russell. "Estou esperando a

---

114 *Daily Picayune*, Nova Orleans, 29 e 26 de junho de 1861.

cada hora desde o meio-dia ouvir seu canhão. Eis aqui uma oportunidade de ouro. Se os confederados não agarrarem aquilo que nunca surgirá de novo dessa forma, serão marcados pela mediocridade."[115]

Mas o caminho para Washington, brevemente aberto às forças confederadas depois de First Manassas, não foi tomado em julho de 1861. Para o comandante sulista Joseph E. Johnston, parte do problema estava na complacência e confusão dos confederados. O "Exército confederado ficou mais desorganizado pela vitória do que o dos Estados Unidos pela derrota", lembrou ele, e "acreditou que o objetivo da guerra havia sido alcançado com a sua vitória e que eles tinham conquistado tudo o que seu país exigia deles". Por conseguinte, muitos "deixaram seu regimento sem cerimônia para cuidar de amigos feridos, frequentemente acompanhando-os até hospitais em cidades distantes", ou simplesmente voltaram para casa, ostentando com orgulho "os troféus recolhidos no campo de batalha".[116] Sua partida foi prematura, para dizer o mínimo. Quatro anos de combate vinham pela frente.

Se First Bull Run representou algo como um certo anticlímax, ela certamente explodiu as pressuposições nortistas de que os estados separatistas poderiam ser trazidos de volta para a União com uma única demonstração de força, além de ter frustrado as esperanças confederadas de que os estados separatistas poderiam ser autorizados a deixar a União em paz. Para ambos, ficou evidente que a luta seria prolongada e que não só homens, mas também material e principalmente moral seriam decisivos para o desfecho final. Em um conflito travado preponderantemente por tropas voluntárias de ambos os lados, o moral não era uma questão secundária. Embora a União e a Confederação tenham sido forçadas a recorrer à conscrição para reforçar suas fileiras esvaziadas, em grande parte ambas contavam com o alistamento voluntário para manter seus exércitos em campo. Assim que o entusiasmo inicial com a guerra se dissipou, o voluntarismo precisava de um incentivo, talvez mais para o Norte do que para o Sul.

Para a Confederação, travar o que era, politicamente e de fato, uma campanha defensiva logo gerou sua própria justificação. Enquanto os soldados da União invadiam o solo "sulista" e ameaçavam sua segurança e a escravidão, a oposição à União crescia em vez de diminuir (MAPA 6). Pa-

---

115 RUSSELL, William Howard. *My Diary North and South*. Boston: T.O.H.P. Burnham, 1863. p. 467-8 e 470.

116 JOHNSTON, Joseph E. *apud* NICOLAY, John G. *The Outbreak of Rebellion*, 1881. Rep. Nova York: Da Capo Press, 1995. p. 211.

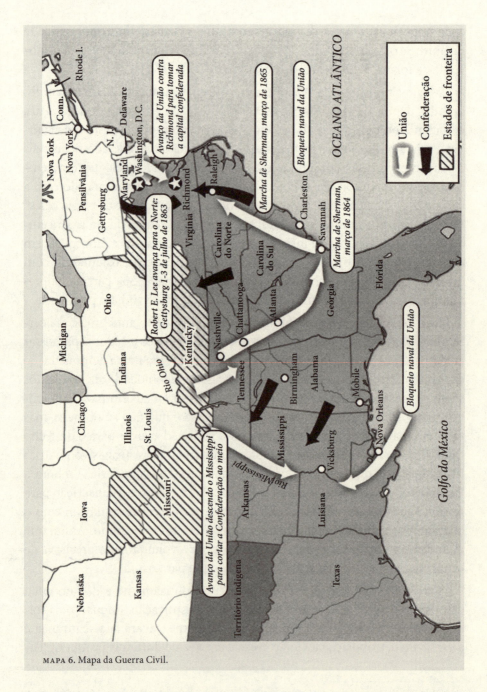

MAPA 6. Mapa da Guerra Civil.

ra a União isso não era tão simples. Washington não vira seus conterrâneos alistarem-se apressadamente nas fileiras dos exércitos revolucionários brandindo cópias do *Senso comum* ou citando a Declaração de Independência. Na verdade, para seu desespero, eles frequentemente não sentiam compulsão alguma para adentrar as fileiras. A retórica de defender a União tampouco persuadiu necessariamente os voluntários nortistas, quase um século mais tarde, de que União era uma causa pela qual valia a pena lutar e morrer. Predispostos, assim como muitos homens jovens, ao chamado do conflito, o entusiasmo inicial entre os voluntários era alto. No entanto, as primeiras batalhas, grande parte das quais foram vitórias confederadas, logo puseram fim às ideias românticas de confronto cavaleiresco. "A empolgação da batalha vem no dia de travá-la", escreveu um soldado da União após a batalha de Antietam, o dia mais sangrento da guerra, em 1862, "mas os horrores dela vêm dois ou três dias depois". Tais horrores eram consideráveis. "Nenhuma boca pode dizer", observou outro, "nenhuma mente imaginar, nenhuma pena retratar as visões horríveis que presenciei".[117]

Manter o apoio para a luta diante das realidades da guerra não era algo que a União poderia considerar uma tarefa fácil. William H. Seward, ao criticar a escravidão no seu discurso inaugural no Senado em 1850, argumentara que existia uma "lei mais alta do que a Constituição".[118] Em meio à Guerra Civil, líderes da União, mais notavelmente o próprio Lincoln, tinham de direcionar as mentes nortistas para uma causa primordial diante do conflito em defesa da Constituição. Em um sentido muito real, a moderna nação americana não veio a existir plenamente até que uma nação alternativa emergisse dentro dela.

Como observou George Templeton Strong, advogado em Nova York, no ano inicial da guerra, a "entidade política conhecida como os Estados Unidos da América finalmente foi encontrada". Antes da secessão, na opinião de Strong, a América "nunca fora uma nação", apenas "um agregado de comunidades, pronto para se despedaçar ao primeiro golpe sério e sem um centro de vida nacional vigoroso para nos manter unidos".[119] A Guerra Civil forneceu esse centro a longo prazo para nortistas e sulistas. A curto prazo, lutar pela preservação da União incitou os nortistas a fundir os ideais da Declaração de Independência com a promessa da Constituição de

---

117 Samuel Fiske (14th Connecticut) e diarista do 9th Pennsylvania, *apud* SEARS, Stephen. *Landscape Turned Red: The Battle of Antietam*. 1983. Paperback Rep. New York: Warner Books, 1985. p. 347.

118 O discurso de Seward foi pronunciado em 11 de março de 1850. Ele pode ser acessado em: http://www.senate.gov/artandhistory/history/common/generic/Speeches_Seward_NewTerritories.htm. Acesso em: 20 fev. 2010.

119 Excerto do diário de George Templeton Strong de 11 de março de 1861. *In*: NEVINS, Allan; THOMAS, Milton Halsey (ed.). *The Diary of George Templeton Strong*. v. III. New York: The Macmillan Company, 1952. p. 109. 4 v.

criar "a mais perfeita União". Eles não podiam, julgavam eles, reconstruir a União *antebellum* como havia sido; eles tinham de tentar refazê-la como deveria ter sido – sem a escravidão.

De fato, ao lutar pela independência, alguns sulistas brancos acabaram chegando à mesma conclusão. Eles perceberam que sua causa seria perdida se eles não abandonassem a escravidão e armassem a população afro-americana do Sul. Para outros, a própria ideia de fazer isso anunciava a derrota. Como afirmou Howell Cobb, porta-voz separatista e major-general do Exército confederado, a Confederação "não [podia] transformar escravos em soldados, nem soldados em escravos". Apropriar o trabalho escravo para apoiar o esforço de guerra era uma coisa, mas armar escravos, outra bem diferente. "O dia em que se fizer soldados" de escravos, avisou Cobb ao secretário da Guerra confederado, James Seddon, "é o começo do fim da Revolução. Se os escravos derem bons soldados, toda nossa teoria da escravidão estará errada", ele admitiu. Porém, a essa altura a Confederação estava nas últimas e até Cobb encontrava-se totalmente pronto para abolir a escravidão, nem que fosse para obter a ajuda estrangeira que havia sido negada à Confederação nos quatro anos de sua existência. Aproveite essa chance, ele aconselhou Seddon, antes que você "recorra à política suicida de armar nossos escravos".[120]

O cinismo de Cobb quanto à capacidade militar dos escravos não era exclusivo dele nem da Confederação. No início da guerra, a União também rejeitara a ideia de armar afro-americanos, uma política que ela não podia nem justificar nem sustentar por muito tempo. Vários regimentos negros da União atuavam extraoficialmente desde 1862, e quando Lincoln anunciou naquele ano sua intenção de emancipar os escravos dos estados separatistas, ele abriu caminho para o envolvimento oficial da população negra da América na guerra pela União. Com a Proclamação de Emancipação de 1º de janeiro de 1863, a América virou uma página no quesito das relações de raça. As sensibilidades modernas frequentemente torcem o nariz para as implicações paternalistas de Lincoln ao "*dar* liberdade aos escravos" para "*assegurar* liberdade aos *livres*", mas no contexto de um conflito que começara, para muitos nortistas, como uma guerra simplesmente para salvar a União, sua transformação gradual em uma guerra pela emancipação não foi fácil.

---

[120] Howell Cobb a James A. Seddon, 8 de janeiro de 1865. Georgia and the Confederacy, *The American Historical Review*, v. 1, 1, p. 97-102, Oct. 1895.

Como Lincoln bem sabia, nem todo mundo concordaria com sua decisão de emitir a Proclamação de Emancipação. Alguns compreenderam as exigências da situação. Eles entenderam a razão para Lincoln justificar a emancipação como uma necessidade militar e não moral. O empresário de Boston John Murray Forbes compreendeu plenamente que adotar a "lei primordial" invocada por Seward oferecia o risco de alienar não só os estados da fronteira, mas também os "escrúpulos constitucionais" demonstrados pelos elementos conservadores da União como um todo e, em especial, pelos adversários democratas de Lincoln. "Eu compro e como meu pão feito com a farinha produzida pelo fazendeiro trabalhador", declarou Forbes, e embora "seja certamente satisfatório que ao fazê-lo eu esteja ajudando o fazendeiro [...], meu motivo é a autopreservação, não a filantropia. Que o presidente liberte os escravos com base no mesmo princípio", aconselhou Forbes, "e o declare de modo que as massas do nosso povo possam facilmente entender isso".[121]

Lincoln realmente o declarou assim, mas isso não significava que as massas do povo então, ou desde então, entenderam-no plenamente. Muitos pensaram que, por deixar a escravidão intocada nos leais e escravocratas estados da fronteira de Kentucky, Delaware, Maryland, Missouri e Virgínia Ocidental (após 1863), ele não tinha ido longe o bastante, enquanto outros acreditavam que ele havia ido longe demais ao contestar o que ainda era, afinal, o direito constitucionalmente protegido de possuir escravos. Os estados confederados podiam ter tentado retirar-se da União, mas o fulcro da guerra era o de que a União negava que eles pudessem fazê-lo, e até que o tivessem feito. Se, como o próprio Lincoln acreditava, a guerra representava uma rebelião no Sul e não a rebelião do Sul, então a Constituição ainda se aplicava; e se ela se aplicava, então a escravidão estava segura.

É claro que a escravidão não estava segura, e Lincoln, motivado em parte pela sua própria perspectiva moral, mas também pela ação direta dos próprios escravos, percebeu que uma linha constitucional estrita nessa questão era insustentável. À medida que as tropas da União penetravam nos estados separatistas, os escravos acorriam às suas fileiras procurando proteção e liberdade. As atitudes raciais da época faziam que eles nem sempre as encontrassem, mas isso não refreava de forma alguma a esperança geral

---

121 John Murray Forbes a Charles Sumner, 27 de dezembro de 1862. *In*: HUGHES, Sarah Forbes (ed.). *Letters and Recollections of John Murray Forbes.* v. I. Boston; New York: Houghton, Mifflin and Company, 1899. p. 350-1. 2 v.

de que o Exército da União se mostraria o agente da emancipação para a mão de obra escrava da Confederação. E o êxodo afro-americano do sistema escravocrata sulista ganhou força própria, à qual a União era obrigada a responder e que a Confederação não podia estancar.

Para sua infelicidade, muitos sulistas brancos viram o mito reconfortante do escravo leal desaparecer diante de seus olhos, junto a muitos dos seus pertences, à medida que sua "propriedade" humana libertava-se da sua autoridade levando a prataria consigo. No fim da guerra, certos sulistas, como Eva Jones da Geórgia, ainda lutavam para entender plenamente o que havia sido perdido. Ela ficou estarrecida quando um ex-escravo roubou dinheiro dela. Ela ficou ressentida diante do fato de que esse "lucro imundo" tivesse sido usado nas "extravagâncias e finezas mesquinhas" do casamento da liberta, uma cerimônia jurídica proibida pelas regras da escravidão. Como tantos outros sulistas brancos, Eva claramente não conseguiu entender que o fim da escravidão significava a perda de mais do que riqueza: era a morte de um modo de vida.[122]

Mais adiante até Richmond e para além das Rochosas

Embora o destino da União fosse incerto entre 1861 e 1865, o fato é que amplos segmentos dos Estados Unidos permaneceram intocados pela guerra civil que ardeu na Virgínia e ao longo do Mississippi nesses anos. Enquanto Lincoln lutava para persuadir seus conterrâneos e conterrâneas de que a realização do Destino Manifesto da América exigia não só a integridade territorial da nação, mas também moral, baseada na igualdade entre negros e brancos, muitos dos habitantes do país estavam manifestando seus próprios destinos longe dos campos de batalha. Enquanto os exércitos da União eram incentivados a irem "até Richmond", local da capital confederada, para unir a nação pela força, do outro lado do país esforços igualmente árduos estavam sendo feitos para uni-la pelas ferrovias. A América, nesse período, estava literalmente sendo forjada a sangue e ferro.

A eclosão da Guerra Civil, de fato, facilitou esse aspecto específico do que os historiadores denominam a "revolução de mercado" nos Estados Unidos do século XIX; a transformação da nação nesse período de uma

---

[122] Eva B. Jones à sra. Mary Jones, 14 de julho de 1865. *In*: MYERS, Robert Manson. *The Children of Pride: a True Story of Georgia and the Civil War*. Abridg. Ed. New Haven; London: Yale University Press, 1984. p. 554.

sociedade essencialmente local, rural e principalmente agrária em uma centralizada, urbana e em especial industrial. Essa revolução de mercado também acarretou uma mudança de foco, que se deslocou dos portos marítimos da Costa Leste e do mundo mais amplo e mais distante para as oportunidades do interior oferecidas pela fronteira ocidental e, claro, pelas minas de ouro da Califórnia. Avanços em uma área que há muito os americanos julgavam importante refletiram e reforçaram essa mudança: a comunicação, primeiro na forma do tipo de "comunidade imaginada" efetuada por meio do correio e dos jornais que ele transportava, segundo por meio do telégrafo, como seu inventor esperara, e terceiro por meio das ligações de transporte que levavam a correspondência e, com o tempo, as pessoas.

O surgimento de uma abundância de revistas industriais nesse período revelou a importância crescente das novas indústrias e da revolução da comunicação que transmitia essa expansão comercial para o seu público. Revistas como a *Age of Steel*, publicada primeiramente em St. Louis em 1857, a *Chicago Journal of Commerce*, que se tornou *Iron and Steel* em 1863, ou a *Hardware Man's Newspaper and American Manufacturer's Circular*, lançada em Nova York em 1855 e que se tornou, em 1860, a *Iron Age*, já nos seus títulos invocavam a aurora de uma nova idade do ferro e da indústria que coincidia com – e de certa forma era exemplificada por – a Guerra Civil. Se as revistas – e podemos incluir as comerciais – representam, como sugeriu certa vez o dramaturgo Arthur Miller, uma nação falando consigo mesma, as ferrovias puseram esse diálogo em movimento. Ambas diminuíram as distâncias e reforçaram o sentimento comum de uma nacionalidade americana característica, sustentada tanto pelo ferro quanto pela ideologia, tanto pelo aço quanto pelo sentimento. Essa, pelo menos, era a teoria.

O desenvolvimento das ferrovias nos Estados Unidos começou em 1827, quando os cidadãos de Baltimore, ansiosos por competir com o poderio econômico de Nova York e oferecer uma forma alternativa de transporte até o canal de Erie, instigaram a construção da Baltimore & Ohio Railroad. O evento foi acompanhado de toda a pompa e cerimônia que Baltimore podia reunir. O último signatário vivo da Declaração de Independência, Charles Carroll, inaugurou esse novo empreendimento no dia – obviamente – 4 de julho daquele ano. Depois disso, o progresso da Baltimore & Ohio poderia ser descrito como lento mas constante. Em 1853, ela alcançou Wheeling, Virgínia (depois Virgínia Ocidental), no Rio Ohio, uns 600 quilômetros a oeste. A essa altura, contudo, outros estados haviam seguido os mesmos passos. Em 1835, a *Niles' Weekly Register*, uma publicação geral e comercial de Baltimore, relatou o entusiasmo generalizado diante das oportunidades oferecidas pelo transporte ferroviário, a possibilidade de levar passageiros entre os rios Cumberland e Ohio "durante a luz de um único dia" e de Baltimore para o Rio Ohio em somente 24 horas.[123]

Não havia dúvida de que haveria um mercado crescente para esse movimento veloz. O mesmo número da *Niles'* que relatou o estado incipiente das ferrovias notou também o interesse pela expansão a oeste e a chegada em St. Louis (Missouri) de barcos a vapor com passageiros rumo ao Oeste, "uma cena de agitação e vida, verdadeiramente inspiradora". Entre os recém-chegados estavam "várias famílias com suas carroças, cavalos, mobília, negros etc., certamente a caminho do interior", observou-se, "enquanto muitos baldeavam para seguir caminho Mississippi acima e em direção ao pôr do sol". Nas décadas seguintes, muito mais companhias ferroviárias privadas surgiram para copiar a Baltimore & Ohio, ou em certos casos competir com ela, e usurparam cada vez mais o papel do barco a vapor de transportar os americanos para o Oeste. De fato, as ferrovias tornaram-se um dos maiores símbolos não só da ambição e expansão americana, mas da igualdade e oportunidade na nova República.

As ferrovias eram, segundo relatos contemporâneos, tudo para todas as pessoas e capazes de transformar todas as pessoas em uma só. A ferrovia era "a estrada do homem pobre", anunciou-se na convenção de Melhorias Internas em Nova York em 1836, os meios pelos quais a riqueza da minoria era investida no futuro de ricos e de pobres.[124] Os barcos a vapor e as locomotivas eram, de acordo com Ralph Waldo Emerson em 1844, "como enormes naves" que "percorrem todo dia os milhares de diversos fios nacionais da descendência e do emprego e os unem rapidamente em uma única rede". Mas a estrada de ferro era especial pela "maior familiaridade que deu ao povo americano com os recursos ilimitados do seu próprio solo". Por aproximar os americanos, argumentou ele, a estrada de ferro "deu uma nova celeridade ao *tempo*, ou antecipou em cinquenta anos a plantação de glebas de terra, a escolha dos privilégios de água, a operação de minas [...]. O ferro da ferrovia", concluiu ele, "é uma varinha mágica com o poder de invocar as energias adormecidas da terra e da água".

Para Emerson, as ferrovias eram a rota para a terra e esta era, como Madison e Jefferson haviam sugerido, a fonte do sustento e da estabilidade so-

---

123 *Niles' Weekly Register*, 28 de novembro de 1835.
124 FAITH, Nicholas. *The World the Railways Made*. London: Pimlico, 1990. p. 67.

cial da América. "A terra é o remédio indicado para tudo que é falso e fantástico na nossa cultura", afirmou Emerson. "O continente que habitamos será remédio e alimento para nossa mente e nosso corpo. A terra, com suas influências tranquilizantes e curativas, reparará os erros de uma educação escolástica e tradicional e nos colocará em relações justas com os homens e as coisas."[125] A invocação idealista de Emerson do poder do interior de sanar os males da América, de oferecer um lar e um refúgio para a população crescente das cidades do litoral leste, encontrou eco no mito crescente do Oeste, um dos símbolos mais potentes e duradouros da nação.

O mito do Oeste, evidentemente, não era específico de Emerson nem originou-se na América. Desde a época medieval, a crença em terras místicas a Oeste vem se difundindo na cultura europeia. Para os europeus, as descobertas da sua particular "Era de Exploração" ofereciam uma prova física tangível de que existia uma terra abundante a Oeste, e no século XVIII a ideia do progresso inevitável da civilização para Oeste já estava ligada à América. Tais associações eram tão populares entre os poetas quanto entre os primeiros pioneiros. Ambos identificavam no Novo Mundo a possibilidade de uma utopia pessoal e política. Em *America: A Prophecy* [América: uma profecia] (1793), o poeta radical inglês William Blake compôs a célebre representação da Revolução Americana como um "vento" apocalíptico que "varreria a América", derrubando o poder dos "Anjos de Albion" para revelar uma nova "terra angélica".

Porém, mais de meio século antes, essa terra já havia sido identificada pelo bispo (George) Berkeley como um lugar onde a "natureza guia e a virtude governa", a localização de "outra era de ouro,/ A ascensão do império e das artes... Não como a Europa gera na sua decadência;/ Como ela gerou quando era fresca e jovem,/ Quando a chama celestial animava seu barro,/ Por futuros poetas será cantada".[126] O simbolismo que emergia da Guerra de Independência, especificamente o Grande Selo, já revelara quão receptivos eram os americanos à ideia de que seu experimento republicano inauguraria uma nova "era de ouro".

No século XIX, portanto, a população anglo-saxã da América já estava totalmente pronta para considerar o Oeste como lar natural e válvula de

---

125 EMERSON, Ralph Waldo. The Young American, 1844. *In*: PORTE, Joel (ed.). *Essays and Lectures by Ralph Waldo Emerson*. New York: Library of America, 1983. p. 211 e 213-4.

126 BERKELEY, George. Verses on the Prospect of Planting Arts and Learning in America, escritos em 1726, publicados em 1752, in COCHRANE, Rexmond C. Bishop Berkeley and the Progress of Arts and Learning: Notes on a Literary Convention. *The Huntington Library Quarterly*, 17, 3, p. 229-49, May 1954.

escape para o espírito pioneiro que levara os europeus ao Novo Mundo, um espírito que era seu direito de nascença. Como os primeiros aventureiros, os pioneiros do século XIX concebiam o continente que eles procuravam conquistar como uma terra virgem. O Oeste americano era uma terra pronta para ser explorada, um deserto desconhecido e desabitado que era Destino Manifesto da América dominar. Nesse contexto, o comentário literário setecentista de Berkeley sobre as possibilidades da América foi reinterpretado em periódicos e impressos, por políticos e por pintores. Juntos, eles apresentaram a América não tanto como excepcional, mas como esperada.

"Para Oeste o Curso do Império segue seu Caminho", declarou Berkeley. "Os quatro primeiros Atos já transcorridos,/ Um quinto encerrará o Drama do Dia;/ O mais nobre Filho do Tempo é o último". A ideia de que a América era o ápice predeterminado da civilização encontrou sua expressão visual em diversas pinturas da era da Guerra Civil. A mais famosa, de Emanuel Leutze, *Westward the Course of Empire Takes its Way* [Para Oeste o curso do Império segue seu caminho] (1861), faz parte de um mural no Capitólio dos Estados Unidos. Outra, de John Gast, *American Progress* [O progresso americano] (1872), dramatiza o movimento da América para Oeste, o vigor do espírito imigrante e os avanços tecnológicos que os pioneiros trouxeram consigo – Gast retratou o fio do telégrafo correndo ao lado de uma figura gigante de Colúmbia –, à medida que eles se lançavam em direção a Oeste em meados do século XIX. Mas uma das imagens mais informativas da expansão da nação no século XIX foi produzida pela artista menos conhecida Fanny Palmer (IMAGEM 30). Palmer também invocou o famoso verso de Berkeley para acompanhar sua representação menos alegórica e muito mais moderna da ferrovia abrindo caminho em direção às terras ainda inexploradas e criando assim uma linha divisória clara entre a sociedade europeia e a da América aborígine.

No entanto, o rebento mais nobre do tempo viu seu progresso um tanto atravancado pelas dificuldades práticas e políticas muito reais ligadas aos seus impulsos e ambições heliotrópicas. Apesar do otimismo de Emerson com relação ao potencial unificador das ferrovias, os americanos de meados do século XIX não conseguiam atravessar seu país tão facilmente quanto gostariam. Na direção norte-sul, uma combinação de bitolas diferentes e legislação antipoluição precoce em cidades como Baltimore frequentemente obrigava os passageiros a uma mudança de trem no meio da viagem. Na

IMAGEM 30. *Across the Continent (Westward the Course of Empire Takes its Way)* [*Atravessando o continente (Para oeste o curso do império segue seu caminho)*], de Fanny F. Palmer (Nova York: Currier & Ives, 1868). Esta litogravura justapõe claramente os elementos da civilização branca que avança para Oeste do lado esquerdo do trem a vapor, com a vida nativa americana à direita. À esquerda, os colonos estão cortando as florestas para construir suas escolas, igrejas e cabanas de troncos, além das carroças cobertas que se vê no alto à esquerda da vila sumindo na distância. Postes de telégrafo correm paralelos à estrada de ferro. É evidente que a recepção desta imagem hoje pode diferir consideravelmente do seu apelo popular no século XIX. Ainda assim, o espectador é convidado a compartilhar da perspectiva das duas figuras nativas não simplesmente em virtude do fato que toda a "ação" está localizada do lado dos colonos brancos nos trilhos, mas porque, quando esta estampa foi publicada, os públicos americanos estariam familiarizados com as dramáticas pinturas de paisagens da Escola do Rio Hudson e com o trabalho de artistas como Thomas Cole, Frederic Edwin Church ou Albert Bierstadt. Eles estariam certamente familiarizados com a mensagem nacionalista que esses artistas transmitiam. Mais para o fim da Guerra Civil, foi publicado *The Art Idea* [*A ideia de arte*] (1864) do crítico de arte James Jackson Jarvis, no qual ele notou que o "gênero de pintura genuinamente americano, baseado nos fatos e gostos do povo, é [...] a paisagem". Todavia, a identidade nacional que era informada por e reagia a imagens da grande natureza americana era necessariamente comprometida pela destruição dessa natureza em nome do progresso. Em suma, até mesmo uma litogravura aparentemente singela como a de Palmer não teria sido totalmente isenta de problemas para os públicos contemporâneos. *Cortesia da Library of Congress Prints and Photographs Division (LC-DIG-ppmsca-03213).*

direção leste-oeste, o problema era mais político do que prático. Somente após a Guerra Civil eliminar a oposição sulista do Congresso foi aprovada a primeira Lei da Ferrovia do Pacífico (1862), e a segunda veio dois anos depois. Os sulistas não se opunham ao conceito de uma estrada de ferro transcontinental, longe disso. Eles simplesmente queriam que essa estrada e os benefícios econômicos que ela traria fizessem um desvio pelo Sul.

De fato, a eliminação temporária da voz política do Sul do Congresso dos EUA entre 1861 e 1865 abriu caminho para uma série de leis destinadas a facilitar o movimento da nação para Oeste e o desenvolvimento do Norte. A Transcontinental Railroad, debatida pela primeira vez nos anos 1830, só começou a ser construída em 1863 (e foi completada em 1869). A construção deveria ter sido iniciada simultaneamente de Iowa, sob a égide da Union Pacific, e da Califórnia, pela Central Pacific, com a ideia de que os trilhos se encontrariam no meio. O trabalho na costa do Pacífico começou como planejado, mas no Leste a Guerra Civil atrasou o progresso até o conflito terminar em 1865. O empreendimento proporcionou emprego para um grande número de veteranos da Guerra Civil, muitos dos quais eram imigrantes muito recentes na América e haviam se familiarizado com os requisitos de engenharia das ferrovias durante o conflito. A mão de obra, no entanto, era mais um problema na Costa Oeste, e a solução – o emprego de mão de obra chinesa importada – apresentou seu próprio desafio ao ideal de igualdade republicana na América em longo prazo.

A distância física, no caso dos Estados Unidos, mostrou ser um problema muito mais fácil de contornar do que a diferença física. No processo de unir ambos os lados do continente americano e simultaneamente conduzir um conflito civil em sua porção oriental, os americanos descobriram que não podiam fugir da questão da raça. À medida que os exércitos da União e da Confederação resolviam o problema militarmente, as ferrovias serviram somente para descortinar toda uma nova visão do conflito racial conforme atravessavam passo a passo o continente.

Os escravos do Sul, como se veio a saber, não foram o único povo da América que viu na Guerra Civil uma oportunidade de solapar a hegemonia branca. Outro desafio veio da população indígena, que vivia nas terras que as ferrovias procuravam cruzar. Na época da Guerra Civil, cerca de 2,4 mil quilômetros separavam as fronteiras oriental e ocidental da América, divididas em três áreas principais: as Grandes Planícies, as Rochosas e as Sierras. A primeira presença branca ali consistia sobretudo em assentamentos de garimpeiros, missionários e mórmons no Utah, bem como uma população nômade de caçadores, garimpeiros e comerciantes. Antes da conclusão da estrada de ferro transcontinental, muitos migrantes seguiram para o interior ao longo da rota do Oregon, que saía do Missouri e atravessava os territórios que, na era da Guerra Civil e no fim do século XIX, se tornariam os estados do Oregon (1859), Kansas (1861), Nebraska (1867), Idaho e Wyoming (1890).

A norte da rota do Oregon, territórios como Minnesota, onde o escravo Dred Scott passou grande parte da sua vida, estavam crescendo rapidamente. De cerca de 6 mil em 1850, o número de residentes brancos lá aumentou para aproximadamente 170 mil em 1860. Dois anos depois, a aprovação da Lei da Propriedade Rural [*Homestead Act*], que alocou 65 hectares de terra a qualquer solicitante disposto a beneficiá-la, estimulou novas incursões brancas nos territórios. Até garimpeiros encontrarem ouro nas Black Hills do Dacota do Norte, uma reserva *sioux*, em 1874, atraindo, literalmente dentro de meses, 15 mil colonos brancos para lá, o grosso da população continuava a ser composto de indígenas.

As Grandes Planícies também abrigavam cerca de um quarto de milhão de habitantes nativos na época da Guerra Civil, cuja economia era estruturada em torno das manadas de búfalos que, àquela altura, somavam uns 13 milhões. A população dividia-se entre tribos como *cheyenne*, *arapaho* e *sioux*, todas elas política e culturalmente diversas. A nação *sioux*, por exemplo, contava sete grupos tribais, divididos nos três grupos ocidentais, os *lakota sioux*, e quatro orientais, os dacotas *sioux*. Juntos eles ocupavam uma vasta área de território entre o que se tornou o estado de Minnesota e as Montanhas Rochosas, e inevitavelmente a relação entre eles e os colonos brancos era complexa.

Para muitas tribos indígenas, os colonos brancos eram pouco mais do que um motivo de irritação. Para outras, eles não eram nem isso; mal eram percebidos. Para outras ainda, eles representavam aliados potenciais nas batalhas em curso – não necessariamente físicas, mas políticas – entre os vários grupos de interesse dentro das nações indígenas. Mas o contato produziu o clichê e, com o tempo, forçou indígenas e adventícios em uma configuração: branco ou "índio". Os colonos brancos podem ter reforçado sua ideia de si, de civilização, contra o nativo "pagão", mas ao fazer isso eles produziram uma reação simultânea dos povos nativos. No final do século XIX, as fronteiras tribais foram deformadas pela necessidade de superar diferenças a fim de definir um "indianismo" distinto. Com o tempo, no século XX, ele se transformaria em uma resistência conceitual, e às vezes física, ao angloimperialismo. Como havia ocorrido desde a era colonial e durante a Guerra Civil, as identidades eram construídas no conflito.

O conflito podia ser – e frequentemente era – destrutivo. Assim que estourou uma guerra em Minnesota entre colonos brancos e nativos em 1862, às vezes denominada Grande Levante *Sioux* ou Guerra *Dacota*, a causa imediata não foram diretamente as ferrovias, mas as dificuldades oriundas dos tratados fundiários que, inevitavelmente, decorreram da expansão da ocupação branca. Destinados a transferir a propriedade legal dos territórios ao governo federal e realocar a população nativa para uma quantia cada vez menor de terras de "reserva" na fronteira, esses tratados ofereciam compensação financeira para a perda de terra e meios de subsistência. Mas a distribuição do dinheiro em si não só minava as relações tribais tradicionais, mas muitas vezes estava atrasada. Quando uma safra ruim em 1862 coincidia com o pagamento em atraso dos fundos agora essenciais, alguns dos dacotas mais ao sul passavam fome. Foi nessas circunstâncias difíceis que estourou um conflito que custou centenas de vidas, mas isso era somente o começo do que viria a ser um confronto de décadas entre nativos e recém-chegados no Oeste.

O primeiro bispo da Igreja Episcopal de Minnesota, Henry Benjamin Whipple, temia há muito tempo que a história, no caso da América, se repetisse e a violência passasse a definir a relação entre os colonos brancos e as tribos. "Repetidas vezes", ele recordou nas suas memórias, "eu disse publicamente que, tão certo quanto qualquer fato da história humana, a nação que semeia roubo colhe uma safra de sangue".[127] Ele não foi o primeiro a chegar a essa conclusão. Em um contexto ligeiramente diferente, o abolicionista radical John Brown, líder do ataque fracassado a Harpers Ferry, Virgínia, em 1859, o qual ele esperava que pudesse instigar um levante de escravos em todo o Sul, também professou sua certeza de que "os crimes desta terra culpada nunca serão purgados se não for com sangue". Embora Brown fosse há muito tempo um homem de violência e Whipple um notório homem de paz, suas respectivas perspectivas não eram tão discrepantes como se poderia supor. Suas visões pessoais podiam estar a mundos de distância, mas é deprimente como a paisagem racializada que cada um deles contemplava era semelhante.

Whipple não era ingênuo quanto às causas desses "dias de amargor" em Minnesota. Ele enxergava, para além da hostilidade racial às vezes escancarada, a raiz do problema. As tribos nativas ocupavam um meio-termo instável no que dizia respeito à nação e nacionalidade. Embora as tratasse como uma nação separada, ao mesmo tempo o governo federal declarava que "não pode existir uma nação dentro de uma nação", o que deixava as

---

127 WHIPPLE, Henry Benjamin. *Lights and Shadows of a Long Episcopate*. New York: The Macmillan Company, 1912. p. 105.

tribos em uma terra de ninguém jurídica situada em uma terra real que, como se constatou, muitos homens e mulheres brancos cobiçavam intensamente. Por conseguinte, como reconheceu Whipple, as tribos não dispunham de soberania e, mesmo se dispusessem, era extremamente improvável que a sociedade branca "permitisse que elas a exercessem nas obrigações necessárias à autoexistência de uma nação".[128] A existência nacional era, como entendeu Whipple, a questão principal, tanto nos campos de batalha da Guerra Civil como nos do Oeste: a existência nacional e a cidadania. Essas haviam sido as questões que a América enfrentava desde os seus primórdios, e a conclusão da Guerra Civil não forneceu resposta a elas. Ela somente jogou mais lenha na fogueira do que era e continuaria a ser por muito tempo um debate acalorado.

"A nação", afirmara Whipple, "não pode se permitir ser injusta." No fim da Guerra Civil, com a vitória da União, esse pensamento ocupava o primeiro plano em muitas mentes, e não menos na de Lincoln. Com sua atenção fixada na causa da Guerra Civil e no seu provável término, o presidente recém-reeleito interpretou o conflito intestino como o preço inevitável da escravidão. "Esperamos sinceramente – rezamos com fervor – que esse poderoso flagelo da guerra possa desaparecer rapidamente", declarou Lincoln. "Mas se Deus quiser que ele continue [...] até que cada gota de sangue tirada com o chicote seja paga com outra tirada com a espada", então, ele insistiu, a nação deveria estar preparada para pagar esse preço. Por outro lado, Lincoln enfatizou a necessidade de "maldade para com ninguém e caridade para todos", para restabelecer a União.[129]

Quando Lincoln discursou, uma nação, a Confederação, estava na iminência de ser extinta, pois sua causa encontrava-se tão perdida que alguns dos seus porta-vozes políticos e líderes militares estavam dispostos a destruir a própria pedra angular – a escravidão – em cuja base ela fora construída. Outra, os Estados quase reUnidos enfrentavam o desafio de reconstruir uma América inteiramente nova, uma América na qual a escravidão seria finalmente abolida para sempre por uma emenda constitucional, e a cidadania, definida e protegida por outra (IMAGEM 31). Era uma nação, como Lincoln a descrevera por ocasião da inauguração do cemitério dos mortos da União em Gettysburg, Pensilvânia, em 1863, "concebida na liberdade e dedicada à ideia de que 'todos os homens são criados iguais'".

---

128 WHIPPLE, *op. cit.*, p. 124.

129 LINCOLN, Second Inaugural Address, 4 de março de 1865. *In*: BASLER, *op. cit.*, v. VIII, p. 333.

IMAGEM 31. "Emancipação", de Thomas Nast (Filadélfia: King and Beard, c. 1865). Thomas Nast foi um famoso cartunista político que contribuiu regularmente para a popular revista nortista *Harper's Weekly* durante a Guerra Civil e a Reconstrução, e até o final do século XIX. Suas charges também eram publicadas na *New York Illustrated News* e *The Illustrated London News*. Ele tornou-se mais famoso pela sua campanha contra a corrupção política em Nova York no fim dos anos 1860 e na década de 1870. Grande parte das suas charges tinha por tema as injustiças que afligiam os nativos americanos, trabalhadores chineses e afro-americanos submetidos à segregação no Sul. Esta imagem, que celebra a emancipação dos escravos, oferece uma representação otimista do futuro após a escravidão. O painel central retrata uma família afro-americana segura no seu ambiente doméstico confortável de uma forma que ela nunca poderia estar sob a escravidão. Lincoln é devidamente reconhecido como o autor da Proclamação de Emancipação de 1863: seu retrato está pendurado na parede e figura no painel inserido abaixo. Os horrores da escravidão como sistema (um leilão de escravos, chicoteamento e marcação a ferro) são representados à esquerda, justapostos aos benefícios da liberdade (o lar de um liberto, crianças indo para a escola e o pagamento de salários) à direita. (Filadélfia: King and Beard, c. 1865). *Cortesia da Library of Congress Prints and Photographs Division (LC-DIG-ppmsca-19253)*.

A Guerra Civil estava sendo travada, Lincoln lembrou os ouvintes, para que a América pudesse "nascer novamente da liberdade; e para que este governo do povo, pelo povo, para o povo, não pereça na Terra".[130] Quando ele sancionou a Décima Terceira Emenda em 1º de fevereiro de 1865, a qual declarava que "[nem] a escravidão nem a servidão involuntária [...] existirão nos Estados Unidos, ou em qualquer lugar sujeito à sua jurisdição", ele deixou claro que, para ele, assim como para muitos americanos, a eman-

---

130 LINCOLN, *Address Delivered at the Dedication of the Cemetery at Gettysburg*, 19 de novembro de 1863. *In*: BASLER, *op. cit.*, v. VII, p. 19.

cipação era muito mais do que uma medida de guerra, uma necessidade marcial; era a realização do destino manifesto moral da nação.

O próprio Lincoln, é claro, não viveu para ver esse aspecto do destino da sua nação realizado. Baleado pelo simpatizante confederado John Wilkes Booth, o presidente que preservou a União durante os quatro anos de guerra morreu na Sexta-Feira Santa de 1865. A tarefa de recompor a União, frequentemente definida como o período da Reconstrução (1865-1877), incumbiu a outros. Porém, a reconstrução da nação que Lincoln imaginara envolvia muito mais do que a readmissão política dos estados confederados na União Federal; ela envolvia, na verdade, muito mais do que a estabilização da relação entre Norte e Sul ou a erradicação da escravidão. As relações de raça na América sempre foram mais complicadas do que isso.

A Lei de Naturalização de 1790 havia estipulado que somente "pessoas brancas livres" poderiam ser consideradas para naturalização. Isso foi modificado ao longo dos anos. Em particular e após a promulgação da Décima Quarta Emenda em 1868, a lei foi revista em 1870 para permitir que afro-americanos fossem naturalizados. "Todas as pessoas nascidas ou naturalizadas nos Estados Unidos e sujeitas à jurisdição dos mesmos são cidadãos dos Estados Unidos e do estado onde residem", é o que a Décima Quarta Emenda finalmente deixou claro. "Nenhum Estado promulgará ou aplicará nenhuma lei que reduz os privilégios ou imunidades dos cidadãos dos Estados Unidos", ela também afirmou, "nem privará qualquer pessoa da vida, liberdade ou propriedade sem o devido processo legal, nem negará a qualquer pessoa dentro da sua jurisdição a proteção igualitária das leis". Nessa emenda à sua Constituição, a América definiu a cidadania e negou a legalidade da decisão *Dred Scott* de 1857. Em princípio, nada poderia ser mais claro. Na prática, nada revelou-se mais obtuso.

O PASSO DE UM SÉCULO

A vitória da União na Guerra Civil pode criar fácil demais uma falsa sensação de divisão na paisagem moral e material da América entre a era *antebellum* e as décadas que se seguiram à "guerra entre os estados". A própria ideia da vitória, de fato, torna-se elusiva à medida que nos aproximamos dela. O Norte "venceu" a Guerra Civil, mas o preço dessa vitória é minimizado com demasiada frequência, ao passo que o custo da derrota para o Sul continua a absorver a atenção dos historiadores e do público. A nação, aparentemente, "conquistou" o Oeste nos anos após a guerra. Mas as características e limitações dessa vitória foram simplificadas pela fascinação do século XX com o cinema, particularmente os *"westerns"*. Sua representação da história do Oeste não fez facilmente a transição do preto e branco para o glorioso *technicolor*. Nem o próprio Oeste. E foi lá, na paisagem dramática e evocativa do Oeste, mais do que nos campos de batalha da Guerra Civil, que a paisagem racial da América moderna foi definida e debatida. A ênfase estava muito mais nesta última atividade. Não era de modo algum uma questão simples.

Não que a Guerra Civil fosse necessariamente tão simples como pode parecer. Deixar o centro da ação, por assim dizer, as batalhas entre o general da União Ulysses S. Grant e o confederado Robert E. Lee e o conflito político entre radicais e conservadores quanto à raça, revela uma imagem mais complexa das questões em jogo entre 1861 e 1865 e nos anos seguintes. Para imigrantes recentes nos Estados Unidos, o grosso dos quais chegou e permaneceu no Norte, a guerra ofereceu uma oportunidade de afirmar ou provar a lealdade à sua nação adotada, para alinhar-se com seus ideais de igualdade de oportunidade, mesmo que nem sempre concordassem com sua nova ênfase na igualdade de raça. Mas os regimentos étnicos do Exército da União frequentemente favoreciam múltiplos apontamentos, independente se a etnicidade em questão era irlandesa, "índia" ou afro-americana.

Até mesmo a motivação afro-americana, tão central para a história da Guerra Civil Americana, não deve ser presumida. Frequentemente, a defesa do principal porta-voz afro-americano Frederick Douglass de armar seu povo é posicionada como uma perspectiva universal. "Deixem uma vez o homem negro portar em sua pessoa as letras de latão U.S., deixem-no usar uma águia no seu botão e um mosquete no seu ombro e balas no seu bolso", asseverou Douglass, "e não haverá poder na Terra capaz de negar que ele conquistou o direito à cidadania dos Estados Unidos." Mas outros argumentaram contra, sugerindo que os afro-americanos não tinham "nada a ganhar e tudo a perder ao entrar nas listas de combatentes", nem deveriam sentir-se obrigados "a lutar sob uma bandeira que não nos dá nenhuma proteção".

No entanto, lutar pela inclusão na nação era somente parte da história. Alguns lutavam com a esperança de que, ao fazê-lo, eles pudessem ser mantidos fora dela. As tribos de Green Bay em Wisconsin, as nações *menominee, oneida* e *stockbridge-munsee,* não tinham a cidadania em mente quando se voluntariaram para lutar pela União. Elas simplesmente queriam proteger sua terra de mais usurpação branca e esperavam que servir ao conflito pudesse forçar o governo federal a reconhecer seus direitos. Porém, como foi o caso dos afro-americanos, os serviços das tribos de Green Bay foram inicialmente rejeitados. O general-adjunto de Wisconsin, Augustus Gaylord, não se convenceu "da *propriedade* de se usar *índios* no atual conflito com nossos irmãos, enquanto houver voluntários tão numerosos da civilização". Para Gaylord, o inimigo, os confederados, eram "irmãos", enquanto o aliado em potencial constituía um estrangeiro não civilizado. Essa perspectiva era com certeza racista, mas não necessariamente em total conflito com as ambições separatistas dos próprios voluntários nativos.

Mais a oeste, a multiplicidade de apontamentos que giravam em torno de inclusão e exclusão, assimilação e autoafirmação, para os povos nativos e imigrantes foi ressaltada pela experiência da Califórnia. Enquanto o Congresso, na costa leste, lutava para ratificar e depois implementar a Décima Quarta Emenda, a declaração contratual crucial da cidadania americana, do outro lado do país as pessoas lutavam com as implicações da expansão nacional e imigração. Tensões surgiam do simples fato de que havia dois caminhos para a cidadania, duas rotas para a nacionalidade. A pessoa podia nascer americana. Mas simplesmente nascer na terra chamada América não bastaria, como deixou claro uma decisão judicial de 1884 no caso de nativos americanos, e a qual foi revisitada em 1898 para chegar à conclusão oposta com relação aos filhos de pais chineses. Ou a pessoa podia tornar-se americana. Porém, para conseguir isso, às vezes ela tinha de passar por uma barreira de oposição racial e religiosa frequentemente, mas não exclusivamente, focada nos imigrantes. Na Califórnia, os imigrantes em questão eram chineses.

Bem-vinda – e até incluída às pressas – na União em 1849 graças à descoberta de ouro no ano anterior, a Califórnia tinha uma Constituição original que não era nem um pouco inesperada para um estado americano. Ela começava com a afirmação de que todos "os homens são por natureza livres e independentes", dotados de todos os "direitos inalienáveis" costumeiros à vida, liberdade e propriedade, direitos esses protegidos pelo poder político que reside no povo e que é expresso por intermédio de um governo "instituído para a proteção, segurança e benefício do povo". Nenhuma distinção de etnicidade ou raça era estipulada. Porém, três décadas depois, a Califórnia revisou sua Constituição e a variante de 1879 oferecia uma proposta bem diferente. Nesse ano, embora os "estrangeiros de raça branca ou ascendência africana" gozassem de direitos iguais aos dos "cidadãos nativos", tais direitos não se estendiam a todos. Nenhum "nativo da China, nenhum idiota, pessoa insana ou pessoa condenada por crime infamante" era autorizada a "exercer os privilégios de eleitor neste Estado", ela afirmava. Além disso, nenhum negócio na Califórnia era autorizado a empregar "chineses ou mongóis". Como se isso não fosse o bastante, ela estipulava que "todas as leis do estado da Califórnia" serão "debatidas, preservadas e publicadas unicamente no idioma inglês".

O aspecto mais surpreendente disso não era, talvez, que tais exclusões tenham sido codificadas, mas que tenham sido na Califórnia. No seu ponto de entrada na União, a Califórnia já atraíra um número considerável de imigrantes ansiosos pelas suas riquezas prometidas. Ela também tinha uma população indígena de ex-mexicanos falantes de espanhol, cujo território havia sido a Alta Califórnia. Eles ganharam a cidadania americana por força do Tratado de Guadalupe Hidalgo de 1848, que encerrou a Guerra Mexicano-Americana e cedeu a Alta Califórnia e Santa Fé do Novo México aos Estados Unidos. Por conseguinte, o debate sobre a Constituição estadual na Califórnia era mais complexo quando comparado a muitos estados, mas também, no fim, produziu um conceito inclusivo de cidadania.

Não somente a Califórnia entrou como estado livre, sem escravidão, mas durante os debates constitucionais a igualdade entre os que até recentemente eram "mexicanos" e o povo americano foi enfatizada. Como ressaltou um dos delegados à convenção, Kimball H. Dimmick, originário de Nova York e *alcalde* (magistrado espanhol) de San José em 1849, nenhuma "linha de distinção" podia ser "traçada entre os californianos nativos e os americanos". Seus eleitores, até recentemente mexicanos, agora "afirmam todos serem americanos. Eles não consentiriam em ser colocados na minoria", ele explicou, e "classificavam-se como americanos". Eles estavam, portanto, "autorizados a ser considerados na maioria. Não importa de qual nação eles vieram", concluiu Kimball, "ele confiavam que daqui em diante eles serão classificados com o povo americano".[131] A Constituição final refletiu amplamente essa posição e foi, além disso, distribuída em inglês e espanhol para refletir a natureza bilíngue da população do estado. Não era uma posição que o estado conseguiria manter.

No entanto, a mudança da Califórnia da inclusão étnica e linguística em 1849 para sua posição antichinesa francamente bizarra em 1879 estava,

---

131 Kimball H. Dimmick, 5 de setembro de 1849. *In*: *Report of the Debates in the Convention of California on the Formation of the State Constitution*. Washington: John H. Towers, 1850. p. 23.

de muitas formas, em consonância com tendências nacionais. Essas tendências eram anteriores à Guerra Civil. Em muitos aspectos, de fato, a crescente hostilidade regional entre Norte e Sul no período *antebellum* serviu para desviar a atenção do sentimento anti-imigrante e, especialmente, anticatólico que tinha raízes na era colonial e do qual uma parte permaneceu intrínseca da paisagem política, religiosa e social do Norte. A breve emergência, nos anos 1850, do Partido Americano nativista, ou Know-Nothings, revelou a persistência e as limitações dessa tendência. Certamente, o destaque dado a muitos regimentos étnicos da União, particularmente os irlandeses, procurava contrariar tais vieses anticatólicos. Ele o fez menos efetivamente em um estado como a Califórnia, em parte por causa da distância da Costa Oeste dos campos de batalha do Leste, mas também porque o anticatolicismo era potencialmente muito mais venenoso em um estado onde uma população católica indígena se fundia com imigrantes católicos e protestantes, para a consternação das elites preponderantemente protestantes.

Como aconteceu tantas vezes na história da América, a identificação de uma ameaça externa serviu para unificar uma população disparatada. No caso da Califórnia, a ameaça era identificada com os chineses. Levados à América para proporcionar a mão de obra necessária para unificar o país pelas ferrovias, eles acabaram unificando partes dele, pelo menos, pela raça, transpondo as divisões religiosas que ameaçavam a estabilidade na Califórnia e em toda a nação. Em uma única década, o número de migrantes chineses passou de menos de 100 em 1870 para muito mais de 100 mil em 1880. Depois disso, tal número declinou, sobretudo porque o Congresso codificou o sentimento antichinês em 1882 na Lei de Exclusão dos Chineses, proibindo a imigração de novos trabalhadores dessa etnia para a América.

A Guerra Civil desacelerou, ou até interrompeu inteiramente, a imigração para a América, e também desacelerou, mas não silenciou por completo, o sentimento nativista. Nos anos seguintes à guerra, ambos ganharam força. A hostilidade para com os imigrantes pode parecer paradoxal na terra que Thomas Paine descrevera como um "refúgio para a humanidade", especialmente em um período que literalmente erigiu o projeto utópico de Paine na forma física da Estátua da Liberdade, inaugurada em 1886. Mas os que defendiam direitos iguais para todos os americanos viram que nem a Guerra Civil nem as subsequentes emendas constitucionais – as três "emendas da reconstrução" – estabeleceram, sem sombra de dúvida, as bases sobre as quais uma nova e inclusiva identidade nacional americana seria construída. A escravidão havia sido abolida pela Décima Terceira Emenda; a cidadania definida pela Décima Quarta Emenda; e a Décima Quinta Emenda havia, em tese, garantido o direito de voto para todos, independente da raça, mas, notavelmente, não de gênero. Em tese, armada com essas emendas, a América podia antever um futuro mais positivo. Na prática, revelou-se difícil, ou mesmo impossível, escapar do peso retrógrado do passado.

A nova era de ouro antecipada para a América pelo bispo Berkeley no século XVIII tornara-se, pelo menos segundo um dos principais escritores e satiristas da nação, Mark Twain, nada mais do que uma "era dourada" [*gilded age*]* no final do século XIX. Após a publicação do romance de Twain com esse nome, *The Gilded Age: A Tale of Today* [A era dourada: uma história atual] (1873), em coautoria com seu amigo, o editor Charles Dudley Warner, a denominação "era dourada" é frequentemente aplicada ao período entre a conclusão da Guerra Civil e a virada do século XX. Embora seja uma denúncia espirituosa da corrupção política e dos excessos da elite nesse período, ela é talvez enganadora em termos de como esse meio século é entendido.

A era pós-Guerra Civil constituiu um período de rápido crescimento para os Estados Unidos, impulsionado tanto pela escala imensa da imigração quanto pelos avanços tecnológicos, particularmente a revolução dos transportes, após 1865. Porém, o triunvirato acadêmico da urbanização, industrialização e imigração é talvez invocado rápido demais como o motor dessas forças, positivas e negativas, que empurravam a América para o século XX, para o "Século Americano" de impacto e influência global. Da perspectiva da época, tratava-se de um processo menos decisivo do que a retrospecção faz parecer. Certamente, os americanos entendiam que era um período de transição para a sua nação; mas era uma transição influenciada tanto pelo legado do passado quanto pelo apelo do futuro.

Para o derrotado Sul branco, economicamente devastado pela Guerra Civil, o passado tornou-se uma era de ouro, do mito da plantação. Míope e mítica em igual medida, essa lenda postulava um passado pré-guerra de escravos contentes e belas donzelas, de cavalheiros e vida graciosa. Nem o triste e constante tropel das fileiras dos escravos a caminho do Sul nem as

---

* A expressão opõe a riqueza real de uma "era de ouro" (*golden age*) ao luxo falso e ostentatório de uma "era dourada" (*gilded age*), cuja aparência de opulência esconde uma miséria generalizada, provocada em grande parte pela concentração de renda. O adjetivo *gilded* tem o sentido de "banhado ou folheado a ouro". (N.T.)

agonias do pelourinho ressoavam nessa versão do "Novo Sul" do que se tornou conhecido como o "Velho Sul". Nas suas memórias e nos memoriais aos mortos confederados (IMAGEM 32), o Sul branco construiu uma tradição cívica distinta, baseada na derrota e na diferença do restante da nação. Nos termos das Leis de Reconstrução (1866, 1867), os antigos estados confederados permaneceram sob ocupação militar, alguns até 1877, quando as tropas federais finalmente deixaram o Sul. Obrigados a fazer juramentos individuais de lealdade à nação, e para suas legislaturas estaduais a ratificar a Décima Quarta Emenda, muitos ex-confederados buscaram consolo na construção cultural da "causa perdida" que se desenvolveu após a Reconstrução e persistiu por grande parte do século XX. A ironia, claro, era a de que a principal causa da Confederação, uma divisão racial fixa entre o Sul branco e o negro, mostrou-se muito longe da condição de perdida; ao contrário, acabava de ser descoberta.

A escravidão havia sido muitas coisas. Tratava-se de um sistema de crueldade e medo, de exploração física e privação econômica, mas não um sistema de segregação. Negros e brancos viviam próximos uns dos outros no Sul do *antebellum*. Nas décadas do pós-guerra, eles começaram a se distanciar. O que se seguiu, na forma dos "Códigos Negros" implementados por muitos dos antigos estados confederados, procurava devolver os afro-americanos no Sul a uma posição próxima da escravidão em tudo a não ser na forma jurídica. Na ausência de regras que regessem o contato e a conduta sob a escravidão, surgiram novas baseadas na raça. As regras da escravidão haviam sido concebidas para sustentar a "instituição peculiar" do Sul, mas as raciais que sucederam à escravidão não eram específicas do Sul e havia pouco nelas que era particularmente sulista, como as experiências de nativos e imigrantes, no litoral leste e em todo o Oeste, deixaram claro.

O processo de Reconstrução estava chegando ao fim na América em 1876 e, naquele ano, não era somente o Sul branco que estava contemplando o passado. O ano do centenário da nação viu o poeta Bayard Taylor, compositor da "Ode Nacional" para 4 de julho de 1876, meditar sobre as implicações dos primeiros cem anos da América (IMAGEM 33). Para Taylor, as comemorações do centenário constituíam um

> teste infalível [...] um indicador absoluto da força do nosso entusiasmo concreto [...]. Nossa posteridade não verá aniversário tão solene quanto este. Nossa luta para ganhar a vida é o bastante para nos lembrarmos dela com emoção; memórias vivas ainda nos ligam a ela: está distante o suficiente para se ter se tornado tradicional, venerável.

IMAGEM 32. *The Conquered Banner* [*O estandarte conquistado*] (Nova Orleans: A. E. Blackmar, 1866). Capa da partitura que lamenta a derrota da Confederação. A imagem representa uma bandeira confederada que cobre um canhão, o conjunto cercado de ervas daninhas. O título invoca um poema do "poeta laureado da Confederação", o reverendo Abram Joseph Ryan, publicado nesse mesmo ano. O poema de Ryan, "O estandarte conquistado", diz em parte: "Enrole esse estandarte, pois ele está gasto;/ Em volta do seu mastro ele pende abatido:/ Enrole-o, dobre-o, – é melhor;/ Pois não há homem para agitá-lo,/ E não há espada para salvá-lo... Enrole esse estandarte, suavemente, lentamente!/ Trate-o com delicadeza – ele é santo,/ Pois ele pende acima dos mortos./ Não o toque – nunca o desdobre;/ Deixe-o pender ali, enrolado para sempre, –/ Pois as esperanças de seu povo fugiram". *Cortesia da Library of Congress Prints and Photographs Division (LC-USZ62-91833).*

IMAGEM 33. *The Stride of a Century* [*O passo de um século*] (Nova York: Currier and Ives, c. 1876). Esta figura do centenário é do "Irmão Jonathan", um precursor mais jovem da figura posterior dos Estados Unidos, o "Tio Sam". Ele é retratado a cavalo no continente americano, um continente cruzado, como a imagem deixa claro, pela estrada de ferro. O edifício principal da Feira Mundial de Filadélfia de 1876 está diretamente abaixo dele, no centro da imagem. *Cortesia da Library of Congress Prints and Photographs Division (LC-USZ62-106472).*

O centenário ofereceu aos americanos o refúgio da Revolução, um conflito suficientemente distanciado do passado para adquirir a mística necessária para a consolidação nacional e perto o bastante do presente para abafar as memórias do conflito intestino mais recente que a nação havia sofrido.[132]

Mas a nação que se preparava para comemorar seu centenário em 1876 estava abalada e sofria de depressão econômica, corrupção política e agitação racial, tanto nas ruas da Carolina do Sul como nas da Califórnia e em outros lugares. Em 1876, os americanos podiam sentir uma confiança justificável na soberania do seu país, mas havia pouco espaço para complacência no que dizia respeito à unidade cultural. A América era, em 1876, uma nação bem-sucedida, politicamente unificada e vibrante, mas sua identidade

---

132 TAYLOR, Bayard. What is an American?. *The Atlantic Monthly*, v. 35, n. 211. p. 561-7, citações p. 562 e 565-6, May 1875.

nacional continuava a ser contestada. Os visitantes da Exposição Internacional de Artes, Manufaturas e Produtos do Solo e das Minas de 8 mil metros quadrados – ou Feira Mundial para resumir – na Filadélfia em 1876 não eram convidados a contemplar essa questão. Ao contrário, eles eram apresentados à prova esmagadora da natural abundância e dos progressos tecnológicos da sua nação desde 1776 conforme eram exibidos a eles lado a lado aos de outras nações.

Elevadores, motores e luzes elétricas, minérios, meteoritos e mármore, o telefone, a máquina de escrever e o catchup de tomate Heinz eram apenas algumas das novas maravilhas exibidas na Filadélfia naquele ano. Espécimes de animais empalhados, incluindo um alce, uma morsa e um urso-polar, representavam a fauna indígena que, na época da exposição, já estava ameaçada pela população humana que chegara ao continente. Menos de uma década após a exposição da Filadélfia, os 13 milhões de búfalos que percorriam as Grandes Planícies haviam sido quase dizimados pela caça. Restavam menos de 1 mil em 1883. Esse era o preço do progresso e da produtividade da América.

A América não era feita apenas de produtividade, evidentemente, nem mesmo de produtos, mas sim de pessoas. Quanto a isso, a Feira Mundial era um pouco menos comemorativa e muito mais circunspecta. Quanto às populações indígenas, algumas das quais dependiam das manadas em rápida diminuição das Planícies, seu destino era muito menos inspirador e seu futuro não tão promissor quanto parecia na Feira. Sua existência foi reconhecida como uma presença aborígine pitoresca nos Estados Unidos, mas expressa silenciosamente na forma de manequins em vez de homens e mulheres vivos na Filadélfia em 1876. Contudo, embora eles tenham sido retratados de maneira tão estática quanto os animais empalhados em exposição, os nativos da América estavam muito vivos. Esse fato foi manifestado incisivamente em meio às comemorações do centenário quando chegou à Filadélfia a notícia da derrota do coronel George Custer nas mãos dos *sioux* guiados por Touro Sentado e Cavalo Louco no Rio Little Bighorn no território de Montana.

Logo, no ano do seu centenário, os americanos tinham motivos para contemplar não somente quão longe seu país havia chegado, mas também a distância que ele ainda tinha a percorrer. Toda a questão de quem era o povo, do que era um cidadão americano e de quais direitos pertenciam à cidadania continuou um dilema perene para uma nação de imigrantes. A retórica – e mesmo as regras – que acompanhara o nascimento dessa nação específica era certamente inclusiva. A realidade era bem mais limitada.

Ao longo dos anos, houve muitas variantes do tema de Crèvecoeur sobre "o americano, esse novo homem", da descrição do médico e escritor oitocentista Oliver Wendell Holmes, dos americanos como "os romanos do mundo moderno – o grande povo assimilador", à metáfora do *melting pot* (caldeirão de raças) da sociedade americana popularizada na peça homônima de 1908 de Israel Zangwill.[133] A América dotara-se dos meios de tornar real esse ideal; o que às vezes faltava era a motivação. Os temores de Madison quanto à fragilidade das promessas no papel provaram-se extremamente bem fundados em diversos pontos da história da América. A Carta de Direitos pouco fez para proteger os afro-americanos dos extremos da supremacia branca e nada para defender os direitos constitucionais dos americanos japoneses forçados a entrar em campos de internação durante a Segunda Guerra Mundial.

Pode-se dizer que essa tendência de ignorar as regras básicas atingiu seu potencial mais pleno e venenoso nos temores anticomunistas do século XX e no comportamento do comitê investigativo da Câmara dos Representantes, o Comitê de Atividades Antiamericanas da Câmara (Huac [na sigla em inglês]), na década de 1950. Aqui, a pista para os temores que motivaram o que foi, na essência, uma caça às bruxas moderna estava com toda certeza no título. Porém, tais temores estiveram presentes na criação, no momento em que a nova nação estava tentando entender o que significava exatamente a América e ser americano. Eles persistiram durante o período *antebellum* e os anos da Guerra Civil. E eles realmente vieram à tona na fronteira.

Ao procurar administrar a terra, o governo federal estabelecera, desde o Decreto do Noroeste de 1787, que os territórios eram, em um sentido jurídico e prático, estados transitórios que, com o tempo, se tornariam estados efetivos da União. Ao procurar administrar a população, houve também um elemento transitório na equação, mas restringido por uma pletora de preconceitos e preconcepções que situavam permanentemente uma grande porcentagem da população além das linhas demarcatórias do pertencimento à nação. Com a vitória da União em 1865 e a promulgação da Décima Terceira Emenda seguida de perto pela Décima Quarta, os afro-americanos foram plenamente aceitos como parte integrante do "povo",

---

133 HOLMES, Oliver Wendell. *The Autocrat of the Breakfast-Table*, 1858. p. 18.

pelo menos juridicamente. A escravidão foi finalmente abolida, mas a mentalidade racial que a sustentara provou-se mais resiliente. No século que se seguiu, as distinções e divisões raciais mostraram-se, com demasiada frequência, a pedra angular do desenvolvimento da Nação. E não foram somente os afro-americanos que tiveram de enfrentar essa realidade perturbadora.

capítulo 7

Uma terra prometida: portal para o Século Americano

> *Com uma lágrima para o passado sombrio,*
> *voltemo-nos para o ofuscante futuro e,*
> *velando nossos olhos, sigamos em frente.*
> *O longo e extenuante inverno da raça terminou.*
> *Começou seu verão.*
> *A humanidade rompeu a crisálida.*
> *Os céus estão diante dela.*
>
> (Edward Bellamy,
> Daqui a cem anos: revendo o futuro, 1888)

Ida B. Wells tinha apenas 5 meses de idade quando as forças confederadas do conde Van Dorn atacaram sua cidade natal de Holly Springs, Mississippi, em dezembro de 1862. Seu alvo era o depósito de suprimentos estabelecido ali para apoiar o assalto do general da União Ulysses S. Grant a Vicksburg, Tennessee. Ela era adolescente quando, em 1878, uma epidemia de febre amarela devastou sua comunidade, matando seus pais e um dos seus irmãos. E em 1884, aos 21 anos de idade, ela foi expulsa de um vagão de senhoras quando viajava em Chesapeake, Ohio, pela Southwestern Railroad, sob a alegação de que ali eram permitidos apenas brancos. De certa forma, as experiências de Wells eram muito típicas dos perigos e dificuldades que muitos americanos enfrentavam no final do século XIX, especialmente no Sul, onde o "vômito-negro"* representava uma ameaça persistente, e até perene, à vida. A febre amarela, no entanto, não se im-

---

* O mesmo que "febre amarela", doença grave causada por um vírus e transmitida pelo mosquito *Aedes aegypti*. (N.E.)

porta com a raça. O mesmo não pode ser dito das ferrovias nesse período. Ida B. Wells era tão suscetível quanto qualquer outra americana à ameaça de infecção viral; mas ela era particularmente suscetível à virulência das vendetas raciais, pela simples razão de ser negra.

Ida assumira o fardo de sustentar sua família quando seus pais morreram e não era do tipo que aceitaria docilmente as opiniões reacionárias do condutor da estrada de ferro. Ela processou com êxito a estrada de ferro. Quando a Suprema Corte do Tennessee anulou o acordo realizado – ela havia recebido indenização –, aquilo foi um sinal de alerta para a jovem mulher que, tecnicamente, nascera escrava mas que acreditara, como tantos outros, que a "América do passado acabou para sempre" e que a "nova nação", a América do futuro, "será inteiramente livre. A liberdade, a igualdade perante a lei, será sua grande pedra angular", como afirmou o deputado de Illinois Isaac N. Arnold em 1864.[134] No entanto, com demasiada frequência, essa liberdade tinha de ser defendida de uma oposição frequentemente violenta, em especial por parte de alguns extremistas nos antigos estados confederados. Com o tempo, os aspectos mais destrutivos dessa violência se tornariam o foco da vida de Ida Wells e definiriam seu legado.

Quando Ida ainda era criança, o surgimento em Pulaski, Tennessee, em 1866, do infame Ku Klux Klan, um grupo paramilitar de suprematistas brancos, revelou a determinação de pelo menos parte do Sul branco de solapar os esforços daqueles, como Arnold, que defenderam por muito tempo a abolição e, depois de ela ser obtida, a proteção de direitos iguais para todos na nação. Ligado ao Partido Democrata e composto principalmente, mas não somente, por antigos confederados, o Klan dedicava-se a intimidar simpatizantes da União e republicanos em geral, mais particularmente afro-americanos, e a impedi-los de exercer seus direitos legais à liberdade e propriedade e, em casos extremos, à própria vida. Visitantes de passagem pelo Sul, como o empresário John Murray Forbes, logo reconheceram a mensagem letal contida nos símbolos de "caveiras e ossos cruzados" e "adagas pingando sangue" que "decoravam" tantas cidades sulistas no final dos anos 1860.[135] Porém, se o simbolismo podia ser particularmente sulista, a atitude não se limitava aos antigos estados confederados, mas tratava-se de

---

134 *The New York Times*, 15 de maio de 1864.
135 John Murray Forbes a Charles Sumner, 10 de agosto de 1872. *In*: HUGHES, Sarah Forbes (ed.). *Letters and Recollections of John Murray Forbes*. 2 v. Boston; New York: Houghton, Mifflin and Company, 1899. v. II, p. 178-9.

um elemento intrínseco da retórica racista do Partido Democrata naquela época (IMAGEM 34).

Em 1868, porém, a nação não estava preparada para dar as costas às conquistas da Guerra Civil nem para alinhar-se com uma discriminação racial tão explícita quanto a que o Partido Democrata então representava. Ela deixou isso claro na sua escolha do ex-general da União, Ulysses S. Grant, para presidente. Durante o primeiro mandato de Grant, o governo federal aprovou três leis distintas de defesa de direitos (1870, 1871) destinadas a coibir a violência do Klan, e as fez valer enviando oficiais de justiça federais ao Sul para garantir o cumprimento. Em especial, Grant autorizou Hiram C. Whitley, chefe da Divisão de Serviço Secreto do Tesouro, a colher provas contra membros do Klan. Whitley orgulhou-se de recordar nas suas memórias que ajudou a assegurar "mais de 2 mil indiciamentos" contra "essa infame organização", mas, como ele bem sabia, o custo envolvido para os que testemunharam para obter esses indiciamentos foi alto.[136] Espancamentos impiedosos, mas às vezes também linchamentos, eram a forma mais comum de intimidação, dirigida contra negros e brancos em uma tentativa de silenciar a oposição ao Klan.

Os mundos de Hiram Whitley e Ida B. Wells, totalmente separados em todos os outros sentidos, coincidiam nesse único tema; só que, obviamente, não era apenas um único tema. Não se tratava apenas da agressão branca em choque com a autoafirmação negra, da obstinação branca diante da emancipação. Era muito mais complicado do que isso. Não fosse então um indivíduo como Hiram Whitley, um homem que trabalhara como apanhador de escravos, um homem contrário à abolição e depois à extensão do direito de voto aos afro-americanos, um homem que considerara brevemente a ideia de lutar pela Confederação antes de aderir à União, não teria sido tão ativo na proteção dos direitos civis de pessoas pelas quais, claramente, ele tinha pouca simpatia e com as quais não havia nada em comum. Na figura de Whitley, uma multiplicidade de pautas práticas e pessoais encontravam-se e fundiam-se, assim como o faziam na própria nação no fim do século XIX. Era um mundo de contradições. Era o mundo em que Ida B. Wells crescera.

A América do final do século XIX era um mundo pós-guerra. Esse fato pode tornar-se obscurecido com frequência diante da ascensão veloz das cidades, dos avanços tecnológicos e dos transportes e da expansão da Amé-

---
136 WHITLEY, Hiram C. *In It*. Cambridge, MA: Riverside Press, 1894. p. 104.

IMAGEM 34. "Este é um governo de homem branco" (Thomas Nast). Esta charge, publicada na *Harper's Weekly* em 5 de setembro de 1868, zomba da plataforma do Partido Democrata na eleição de 1868, cujo mote é invocado no título da charge. As três figuras brancas representadas consistem (a partir da esquerda) na imagem caricatural de um imigrante irlandês, de Nathan Bedford Forrest, líder do Ku Klux Klan (cuja fivela do cinturão, "CSA", e faca gravada com "a causa perdida" deixam claro que ele representa os Estados Confederados da América) e de Horatio Seymour, o candidato presidencial democrata que se opôs às "Leis de Reconstrução". Eles são retratados pisando sobre um soldado afro-americano e sobre a bandeira americana que ele levava. O soldado tenta em vão alcançar uma urna de votação fora do seu alcance (embaixo à direita). A legenda no rodapé da imagem diz: "Consideramos as (assim chamadas) Leis de Reconstrução do Congresso como usurpações, inconstitucionais, revolucionárias e nulas". Por meio dessas leis, aprovadas no contexto da retumbante vitória republicana nas eleições parlamentares de 1866, o Sul foi dividido em cinco distritos militares, cada antigo estado confederado foi obrigado a implementar o sufrágio universal masculino e cada um deles teve de redigir uma nova Constituição estadual e ratificar a Décima Quarta Emenda. Aqui, a iconografia do fundo é ainda mais perturbadora. Ela consiste em uma escola ou asilo em chamas e em um linchamento (uma referência clara à oposição violenta à Guerra Civil que eclodiu na cidade de Nova York na Revolta do Recrutamento de julho de 1863, durante o qual o Asilo de Órfãos de Cor na Quinta Avenida foi atacado e vários indivíduos foram linchados). *Cortesia da Library of Congress Prints and Photographs Division (LC-USZ62–121735).*

rica para o Oeste nessa época. Mas tudo isso aconteceu no contexto de uma nação que ainda sofria as sequelas do conflito, física, prática e psicologicamente. A Guerra Civil acabou em 1865, mas deixou mais de 600 mil americanos mortos, quase outros tantos feridos ou permanentemente inválidos, e a economia nacional em uma condição precária. Os mortos podiam ser carpidos. Os sobreviventes, a maioria deles em apuros, tinham de ser sustentados. Esse era o problema que enfrentavam o Norte e o Sul. Não eram apenas as cidades do Sul que precisavam ser reconstruídas, não era somente a economia que precisava ser estabilizada. Muitos dos veteranos sobreviventes da violência que havia sido a Guerra Civil tinham de ser sustentados pelo restante de suas vidas, vidas que se estenderiam, em alguns casos, por grande parte do século XX.

Ademais, como a guerra havia sido um conflito civil, naturalmente, a maior devastação econômica e destruição física sofrida pelo Sul não era um problema que a nação pudesse ignorar, nem era provável que fosse resolvido em um intervalo de poucos anos. O valor das propriedades imobiliárias sulistas havia caído pela metade durante a guerra, e o valor da sua produção agrícola em 1860 não foi igualado até a virada do século, além de ter ficado muito atrás da nação como um todo até depois da Segunda Guerra Mundial. Fazendeiros negros e brancos no Sul pós-guerra logo viram-se presos em um sistema de, efetivamente, servidão por dívidas, ou parceria rural, como era conhecido. Trabalhando em uma terra de propriedade alheia em troca de uma parte da colheita, a maioria viu-se plantando algodão em vez de grãos para reembolsar empréstimos que eles não tinham escolha senão garantir mas nunca conseguiriam pagar. No nível nacional, as coisas eram exacerbadas pelo fato de que Grant, apesar de grande comandante militar, mostrou-se menos eficiente como presidente em tempo de paz. A corrupção política e financeira que maculou seus dois mandatos e que sugeriu a Mark Twain a denominação depreciativa do período de era dourada resultou em uma política federal vacilante com relação ao Sul em geral e aos afro-americanos em especial.

Embora a Agência dos Libertos tivesse sido criada em 1865 com financiamento federal para atenuar a transição da escravidão para a liberdade por meio, entre outras coisas, da construção de escolas e hospitais e do fornecimento de auxílio e aconselhamento geral, ela durou apenas cinco anos e nunca recebeu os recursos necessários para realizar seus ambiciosos fins; nem mesmo aqueles para manter a saúde básica dos libertos e libertas, já comprometida pela escravidão e exacerbada pelas condições nos "campos de contrabando" nos quais muitos foram parar – terreno fértil para a cólera e outras moléstias que punham a vida em risco.

Os problemas enfrentados pela Divisão Médica da Agência dos Libertos eram, em vários sentidos, sintomáticos das questões mais amplas envolvidas na transição da escravidão para a liberdade. Médicos assoberbados enfrentavam uma burocracia federal mais preocupada com protocolo e procedimento do que com o auxílio prático, com a contenção do caos do que gerir imperativos médicos, e muito menos sociais. A presença das tropas da União no Sul também não podia fazer muito para ajudar a implementar essa versão precoce e interna de mudança de regime em uma região onde a oposição popular à interferência federal em geral e à igualdade em particular frequentemente sufocava qualquer tentativa de assegurar uma estabilidade política, econômica e social duradoura.

Em termos legislativos, certamente, houve progressos. As Leis de Defesa dos Direitos do início dos anos 1870, que permitiam a perseguição de crimes raciais em tribunais federais em vez de estaduais, foram seguidas pela promulgação da Lei dos Direitos Civis de 1875. Esta última buscava equilibrar a paisagem social e cultural do Sul prometendo "o gozo pleno e igual de acomodações, vantagens, instalações e privilégios de hospedagens, transportes públicos por terra ou água, teatros e outros locais de diversão pública" aos "cidadãos de toda raça e cor, independente de qualquer condição prévia de servidão". Não obstante, subsistia um abismo imenso entre a afirmação de direitos iguais em princípio e a garantia deles na prática. Alguns, como Whitley, procuravam estreitar o abismo; outros trabalhavam para ampliá-lo.

Críticas ao poder político dos afro-americanos e ao governo republicano em geral, no Sul da Reconstrução, provinham às vezes das fontes mais inesperadas. A perspectiva racial pré-guerra de Whitley pode não ter sido um obstáculo à sua luta contra o extremismo branco no Sul do pós-guerra, mas para outros sua aparente mudança de perspectiva ia em outra direção. Um exemplo era o jornalista James Shepherd Pike, cujas credenciais abolicionistas no *antebellum* deram crédito, na época, ao seu ataque virulento contra a Reconstrução na Carolina do Sul. A Carolina do Sul era um estado incomum, porque a maioria da sua legislatura da Reconstrução era afro-americana, e foi talvez por isso que Pike investiu contra ela. Não obstante, seu ataque foi extremado. Promulgado inicialmente por editoriais de jornais que depois foram publicados como *The Prostrake State* [O Estado prostrado] (1873), Pike apresentou uma imagem realmente deplorável da política pós-emancipação em um estado sulista, uma perspectiva que pode ter surpreendido seu público.

Pike havia sido o correspondente em Washington do radical *New York Tribune* nos anos 1850 e, nessa condição, havia argumentado frequentemente contra a escravidão, que ele denominava como "essa instituição detestável". Porém, por volta de 1870, sua visão havia mudado. Então, ele expressou sua consternação de que a "aristocracia" escravocrata da qual ele fora um crítico tão contundente estivesse "prostrada no pó", governada por um "estranho conglomerado" de líderes políticos afro-americanos, "o rebotalho de uma população trajado nas vestes dos seus inteligentes predecessores", como ele descreveu-os. Esse estado de coisas, argumentou o Pike pós-guerra, era nada menos do que "o governo da ignorância e da corrupção, através do maquinário inexorável de uma maioria numérica. É a barbárie subjugando a civilização por meio da força física", afirmou ele, "é o escravo badernando nos saguões do seu senhor e pondo esse senhor a seus pés".[137]

A mudança de ideia de Pike acerca da escravidão, como a de Whitley, poderia parecer incompreensível se não fosse pelo fato de que, tanto para eles como para muitos outros, as questões em jogo na América do século XIX só estavam relacionadas tangencialmente à moralidade da escravidão. Ambos os homens habitavam um mundo em que a ameaça da "barbárie" parecia muito real e era causa de preocupação constante. Definida amplamente nas mentes da época como a ausência de princípios religiosos e republicanos, a barbárie, de acordo com Horace Bushnell, um dos mais eminentes teólogos da América, era o "primeiro perigo" da nação. Bushnell emitiu sua advertência em 1847, isso em uma época em que a escravidão e a expansão para o Oeste – ou a combinação de ambas – pareciam oferecer a maior ameaça, mas ele situou ambas no contexto do contínuo mais amplo do desenvolvimento nacional da América, ao recordar seu passado colonial e antecipar suas lutas futuras. Para Bushnell, a batalha da América contra a barbárie estava "repetindo-se continuamente sob novas modificações" e seu aviso constituía "um argumento duplo de medo e esperança" para sua nação.[138]

---

137 PIKE, J. S. *First Blows of the Civil War: The Ten Years of Preliminary Conflict in the United States, From 1850 to 1860*. New York, 1879. p. 481 e 511; *The Prostrate State: South Carolina under Negro Government*. New York: D. Appleton and Co., 1874. p. 12-3.

138 BUSHNELL, Horace. *Barbarism the First Danger*. New York: American Home Missionary Society, 1847. p. 16-7.

Salientada pela imprensa e pelo púlpito na era *antebellum*, reinterpretada durante a Guerra Civil como um componente crucial dos argumentos morais e práticos a favor da União, a ameaça da barbárie, como previu Bushnell, nunca foi embora. De fato, os temores pelo futuro da nação parecem muito mais reais na era da "máquina política", e da corrupção ligada a ela, que se seguiu à Guerra Civil. A escravidão fora abolida, mas esta havia sido ao mesmo tempo o sintoma e a causa do declínio social e espiritual que Bushnell havia criticado; de qualquer forma, ela não podia mesmo então ser firmemente isolada no Sul, pois já estava se espalhando para o Oeste. No final do século XIX, os temores de Bushnell foram confirmados, pois a doença do declínio social parecia apresentar-se em uma nova forma nacional mais vigorosa.

As inseguranças raciais inculcadas por Pike em relação à política na Carolina do Sul nos anos 1870 tiveram eco nos estados nortistas e especialmente na cidade de Nova York, onde as engrenagens da máquina política democrata continuavam travadas na marcha a ré no que dizia respeito à igualdade racial. Porém, mesmo quando privado da sua dimensão racial, o quadro político não melhorava. No final dos anos 1860 e início dos 1870, o congressista democrata de Nova York William M. Tweed e seus associados – a infame "gangue Tweed" – operavam um elaborado sistema de propinas, subornos e fraude eleitoral e financeira do seu quartel-general na Rua 14 Leste – Tammany Hall –, embolsando milhões de dólares com isso (IMAGEM 35). Havia sem dúvida um certo elemento "Robin Hood" nas atividades financeiras do "chefão" Tweed. Alguns dos seus ganhos ilícitos acabavam chegando às mãos dos seus eleitores imigrantes, sobretudo irlandeses, na forma de auxílio educacional e prático (por meio de salários exageradamente inchados em alguns casos), e parte do restante era destinada a melhoras cívicas, apesar de absurdamente caras, como, mais notavelmente, o Fórum do condado de Nova York, começado no início da Guerra Civil e finalmente terminado em 1880.

Esse desvio flagrante de fundos públicos a serviço do ganho privado pode não parecer particularmente incomum ao observador moderno. No contexto da corrupção financeira, exacerbada pelo pânico financeiro mundial de 1873, que estava afundando lentamente o governo Grant, as atividades de Tweed tampouco pareciam, ao observador contemporâneo, especialmente destoantes da época. Apesar da redistribuição de seus benefícios econômicos, a "gangue Tweed" certamente não representava uma Távola Redonda arturiana e era amplamente tida como sintomática de uma era definida, como

"STONE WALLS DO NOT A PRISON MAKE."—*Old Song.*
"No Prison is big enough to hold the Boss." In on one side, and out at the other.

IMAGEM 35. "Paredes de pedra não fazem uma prisão" (Thomas Nast). Embora suas charges sobre temas como emancipação e supremacia branca no Sul fossem amplamente distribuídas em meados do século XIX, a reputação de Thomas Nast foi realmente construída graças a seus árduos esforços para denunciar a corrupção política e financeira perpetrada pela "gangue Tweed". Esta charge, publicada no *Frank Leslie's Illustrated Journal* em 6 de janeiro de 1872, mostra o "chefão" Tweed metade dentro e metade fora da prisão. Ela sugere que "nenhuma prisão é grande o bastante para segurar o Chefão". Na verdade, Tweed acabou na prisão e morreu lá em 1878. Cortesia da Library of Congress Prints and Photographs Division (LC-USZ6-951).

disse Hiram Whitley, pela "fraude e transgressão". O combustível para a fraude, na visão de Whitley, era o imigrante. "Pessoas de quase todas as nacionalidades desembarcam continuamente em nossas costas", ele reclamou, muitas das quais eram "bandidos do continente hoje e cidadãos dos Estados Unidos amanhã. Cada ano traz sua leva de anarquistas, falsários, escroques e ladrões", muitos deles tirados das fileiras dos "pobres ambiciosos que adotam um estilo de vida muito além dos seus humildes meios".

Para Whitley, "a pobreza e a doença têm suas localidades, mas o crime infiltra-se em toda parte".[139] E, principalmente, como ele escolheu recordar nas suas memórias, ele infiltra-se vindo do exterior, mas deve ter tido ciência de que a variedade doméstica era igualmente difundida e muito mais potente. Em muitos aspectos, as memórias de Whitley são reveladoras naquilo que escolhem ressaltar e esconder com relação à sua carreira no cumprimento da lei. Ao escolher focar-se nos contrabandistas, escroques e sindicatos do crime das cidades nortistas, Whitley tinha pouco a dizer sobre as atividades de sua divisão no Sul da Reconstrução. Nesse aspecto, ele seguia, ou pelo menos reconhecia, uma tendência nacional que nascia da frustração e lassidão relacionadas ao Sul.

A ideia da Reconstrução nunca fora somente trazer o Sul de volta para a União. Em um nível fundamental, tratava-se de transformar o Sul em uma imagem do Norte, ou pelo menos como o Norte preferia ver a si mesmo. Nas décadas seguintes à Guerra Civil, a constatação de que isso era impossível começou a se formar. À medida que os antigos estados confederados voltavam para a União, o poder do Partido Democrata nesses estados aumentava, enquanto o dos republicanos radicais da Reconstrução declinava. E com a recrudescência democrata veio a segregação racial (IMAGEM 36). Em todo o Sul, mas especialmente na Luisiana, Mississippi e Carolina do Sul, eleitores negros eram afastados à força das urnas à medida que seus estados reestabeleciam o domínio branco e inauguravam um processo lento mas seguro de desmanche da legislação destinada a garantir a igualdade racial.

Em 1875, quando a nação preparava-se para comemorar seu centenário e realizar a eleição presidencial, tanto o presidente quanto o público haviam ficado, se não desiludidos, certamente desanimados com toda a questão do Sul. Quando o presidente Grant enviou seu antigo colega do Exército, o general da União Phillip H. Sheridan, para Nova Orleans a fim de coibir a violência da Liga Branca, na Carolina do Sul os seguidores do antigo general confederado Wade Hampton estavam se preparando para as eleições de governador do estado, nas quais Hampton seria eleito e o estado "salvo" do governo republicano em 1876. Portanto, foi um Grant um tanto abatido que, no começo de 1875, apresentou ao Senado uma litania dos abusos extrajudiciais que haviam ocorrido nos estados sulistas e especialmente na Luisiana. Em particular, ele chamou a atenção do Senado para os acontecimentos ocorridos em Colfax no Domingo de Páscoa de 1873, quando

---

139 WHITLEY, op. cit., p. 5 e 174-5.

IMAGEM 36. "A União como era /A causa perdida pior do que a escravidão". Esta charge de Thomas Nast foi publicada na *Harper's Weekly* em 24 de outubro de 1874, um ano antes de a Lei dos Direitos Civis ser promulgada. Ela destaca incisivamente o fato de que, apesar da promulgação das Leis de Defesa dos Direitos de 1870 e 1871, especificamente a Lei do Ku Klux Klan de 1871 (a terceira Lei de Defesa dos Direitos) e a criação em junho de 1870 do Departamento de Justiça, uma quantidade de grupos supremacistas brancos, como a "Liga Branca" (citada aqui na placa da figura à esquerda) e os "Camisas Vermelhas" no Mississippi e, mais tarde, na Carolina do Sul, continuava a suprimir os direitos civis de afro-americanos no Sul. Cortesia da Library of Congress Prints and Photographs Division (LC-USZ62–128619).

a milícia branca atacou um grupo de negros armados no fórum, matando a maioria deles, mesmo depois de terem se rendido.

Grant, que sabia do que estava falando, descreveu aquilo que ficou conhecido como o "Massacre de Colfax" como um acontecimento "que, em sede de sangue e barbaridade, não é superado por nenhum ato de guerra selvagem". Ele não poupou seus colegas dos detalhes macabros do que ocorrera, nem das provas claras das execuções sumárias à bala de 59 prisioneiros, "a grande maioria na cabeça e a maioria destes na nuca", que haviam ocorrido. "Considerar o povo da Luisiana em geral responsável por essas atrocidades não seria justo", admitiu Grant, mas mesmo assim ele descreveu como "um fato lamentável [e] que sejam levantados obstáculos insuperáveis à punição desses assassinos e que os ditos jornais conservadores do estado não somente tenham justificado o massacre, mas denunciado como tirania e despotismo federal a tentativa de agentes dos Estados Unidos de levá-los à justiça". Grant tinha bons motivos para temer que "não se possa encontrar nenhuma maneira nesta terra que se diz civilizada e cristã para punir os autores desse crime sangrento e monstruoso" e toda razão de acreditar que o "público [americano] está cansado desses surtos que ocorrem todo outono no Sul".[140] Naquele ano, em *United States vs. Cruikshank* (1875), a Suprema Corte revogou algumas das condenações que, por meio da Lei de Defesa dos Direitos de 1870, haviam sido obtidas logo após o Massacre de Colfax.

United States vs. Cruikshank foi um caso com repercussões. Ele restringiu o alcance jurídico do governo federal em casos de direitos civis, invocando uma interpretação da Primeira e da Segunda Emenda à Constituição favorável aos direitos dos estados. A "soberania", dizia, "para a proteção dos direitos à vida e liberdade pessoal nos respectivos Estados, reside apenas nos estados". Além disso, o tribunal afirmou que a acusação de que os réus brancos haviam tentado comprometer os "direitos e privilégios" de suas vítimas por motivo de raça era "vaga demais" para ser provada. "Podemos suspeitar", admitiu, "que a raça tenha sido a causa da hostilidade", mas não foi além disso.[141] Para os suprematistas brancos, *United States vs. Cruikshank* efetivamente constituiu uma carta "saia livre da cadeia" que permaneceu válida por quase cem anos. Em partes do Sul, Grant concluiu, "o espírito de ódio e violência é mais forte do que a lei". Esse espírito se mostraria ainda mais forte e certamente teria mais alcance com a lei ao seu lado.

Nem a Décima Quinta Emenda nem a Lei dos Direitos Civis de 1875 foram capazes de conter a segregação racial gradual mas crescente no Sul, nem a retirada concomitante do direito de voto dos afro-americanos. Por

---

[140] U. S. Grant ao Senado, *The Papers of Ulysses S. Grant*, 13 de janeiro de 1875. *In*: SIMON, John Y. (ed.), 1875. Carbondale, Ill.: Southern Illinois University Press, 2003. v. 26, p. 6-7 e xi–xii.

[141] *United States vs. Cruikshank* (92 U.S. 542 (1875)). Disponível em: http://supreme.justia.com/us/92/542/case.html. Acesso em: 20 mar. 2010.

meio de uma série de leis restritivas, os estados sulistas criaram um sistema de segregação concebido nem tanto para separar as raças quanto para afirmar a supremacia branca e garantir que o voto dos negros não contribuiria para miná-la. Parte dessa legislação era francamente ridícula e contestável. A chamada "cláusula do avô", por exemplo, privou o direito de voto dos descendentes de escravos. Era uma quebra demasiado óbvia da Décima Quinta Emenda e foi derrubada em 1915. Taxas para votar e testes de alfabetismo (IMAGEM 37), embora também impedissem que muitos brancos pobres ou analfabetos pudessem votar, eram o meio legislativo preferido para restabelecer o domínio da elite branca no Sul pós-Guerra Civil; por meio deles, via-se que a "causa perdida" da Confederação tinha sido perdida apenas temporariamente. Ao começar a Segunda Guerra Mundial, somente cerca de 3% dos sulistas negros aptos a votar estavam registrados para fazê-lo.

O efetivo afastamento dos afro-americanos da comunidade política, junto aos *Casos de Direitos Civis* de 1883 que fizeram da discriminação uma questão de consciência privada em vez de preocupação congressual, abriu caminho para uma série de leis estaduais, conhecidas como as leis "Jim Crow", que criaram acomodações separadas e supostamente iguais para americanos negros e brancos. Em 1896, a doutrina "separados mas iguais" foi codificada em um dos casos judiciais mais famosos da América, *Plessy vs. Ferguson*. Nessa decisão, a Suprema Corte confirmou a legalidade da segregação, contanto que as instalações separadas em questão fossem iguais de fato. Obviamente, a maioria não era. Em estradas de ferro e restaurantes, em escolas e ônibus, em hotéis e residências, uma "linha de cor" cada vez mais rígida foi traçada após a decisão *Plessy*. Até a morte, a grande igualadora, era forçada a respeitar a linha de cor: os cemitérios também eram segregados.

Foi um ano após os *Casos de Direitos Civis* que Ida B. Wells confrontou a estrada de ferro. A essa altura, ela estava plenamente consciente de que ser expulsa à força de um vagão ferroviário de senhoras "brancas" não era o pior destino que podia atingir alguém que desafiasse o sistema sulista de segregação. O sistema pode ter-se beneficiado de sanção nacional, ou no mínimo da cumplicidade nacional, mas somente isso não garantiria sua sobrevivência em longo prazo, nem o protegeria de ataques contínuos nos tribunais. A única coisa que podia calar a oposição à segregação era tornar as consequências de desafiá-la sinistras demais para contemplar. A ameaça de violência sempre fizera parte, abertamente ou não, da escravidão e

IMAGEM 37. "A linha de cor ainda existe – neste caso" (1879). Esta charge, que faz troça dos testes de alfabetismo (e das taxas de alfabetismo dos brancos sulistas), impostos para privar os afro-americanos do direito de voto, foi publicada na *Harper's Weekly* em 18 de janeiro de 1879. Ela mostra a figura do "Tio Sam" escrevendo "Eddikashun qualifukashun. The Black man orter be eddikated afore he kin vote with US Wites, signed Mr. Solid South". A charge estava, em certo sentido, adiante do seu tempo. Os anos de 1880 e 1890 foram as décadas que presenciaram a mais determinada "retirada da Reconstrução" em termos de legislação discriminatória, a começar – e facilitada – pelos Casos de Direitos Civis de 1883 que derrubaram a Lei dos Direitos Civis de 1875. Foi a decisão de 1883 que permitiu o desenvolvimento de uma sociedade segregada. A ideia da "linha de cor" também tornou-se mais presente no século XX, especialmente depois que o líder afro-americano W. E. B. Du Bois afirmou, em *As almas da gente negra* (1903), que o "problema do século XX é o problema da linha de cor", e com isso ele não queria dizer somente na América. Contudo, no caso americano, a expressão e a ideia eram comuns no século XIX. O "Mr. Solid South" refere-se ao predomínio eleitoral completo do Partido Democrata na região após o Sul ter sido "salvo" da Reconstrução republicana. O Sul permaneceu razoavelmente "sólido" nesse aspecto até boa parte do século XX. Em muitos aspectos, portanto, esta charge realmente deu ouvidos à profecia. *Cortesia da Library of Congress Prints and Photographs Division (LC-USZ62-83004).*

serviu o mesmo propósito no sistema de segregação que, em muitos sentidos, simplesmente substituiu a servidão escrava. A tragédia da América no fim do século XIX era a de que o fundamento da legalidade sempre dúbia da segregação era a violência mais extrema de todas: o linchamento.

O linchamento, a execução ilegal e às vezes a tortura brutal da vítima não eram exclusivos do Sul ou do final do século XIX e início do XX. As turbas de linchadores tampouco limitavam sua atenção a homens afro-americanos. Chineses, nativos americanos e mexicanos também estavam sujeitos aos piores extremos da violência branca, assim como mulheres afro-americanas e até homens brancos. Mas as razões pelas quais o linchamento ficou associado à execução de afro-americanos no Sul não são muito complexas. Embora números precisos para o que era, afinal, uma ação de justiceiros sejam necessariamente indefiníveis, a maioria dos linchamentos – cerca de 5 mil no total – ocorreu entre os anos 1880 e meados do século XX, culminou nos anos 1890 e ocorreu principalmente – mas com certeza não exclusivamente – no Sul e especialmente no Mississippi, Geórgia, Texas, Luisiana e Alabama. Todos esses cinco estados tiveram mais de 300 linchamentos nesse período. Também não há dúvida de que, embora alguns brancos tenham sido vítimas de linchamento, este era predominantemente um crime racial. No caso do Mississippi e da Geórgia, menos de 10% das vítimas eram brancas. Em Luisiana e no Alabama, pouco mais de 10% eram brancas. Somente o Texas distribuía o linchamento de modo mais equitativo, mas somente em termos relativos: cerca de 25% das vítimas de linchamento no Texas eram brancas.

Independentemente do que fosse o linchamento, não se tratava apenas de implementar uma duvidosa "justiça" extralegal em casos criminais ou mesmo de uma simples questão da "turba de linchadores" fazer justiça com as próprias mãos. No que se refere ao linchamento de afro-americanos, não basta descrevê-lo como uma expressão, ainda que a mais extrema, do impulso branco de controlar a população negra, de afirmar a supremacia branca diante de qualquer contestação. Os extremos de crueldade aplicados a certas vítimas e o fato de que o linchamento era frequentemente associado a um espetáculo público (IMAGEM 38) que atraía multidões de, às vezes, mais de 10 mil pessoas, simplesmente desafiam a análise. O fato de alguns espectadores distribuírem com orgulho as fotografias do linchamento a amigos e parentes é talvez mais perturbador e ainda menos suscetível de explicação.

Justificar o "juiz Linchamento" não fazia sentido, mas justificações eram procuradas e frequentemente encontradas no mito fabricado do estuprador negro. Foi o que aconteceu em 1899 na Geórgia, quando o peão afro-americano Sam Hose foi acusado de estuprar a esposa do seu empregador e foi fisicamente mutilado, desmembrado e queimado vivo perante uma multidão aprobativa de cerca de 2 mil testemunhas brancas. O caso de Hose foi apenas um de muitos que Ida Wells destacou no seu estudo *Lynch Law in Georgia* [A Lei de Linchamento na Geórgia] (1899). Ela notou que a morte de Hose "deu aos Estados Unidos a distinção de ter queimado vivos sete seres humanos nos últimos dez anos" e detalhou para seus leitores a plena extensão das "visões nauseantes do dia", visões que incluíam a retirada de "suvenires" na forma de ossos da vítima por membros da multidão branca.[142]

Poucos anos antes, quando Wells, junto a muitos outros partidários e ativistas afro-americanos, investigou e publicou *The Reason Why the colored American is not the World's Columbian Exposition* [A razão pela qual o americano de cor não está na Exposição Mundial de Colúmbia] (Feira Mundial de Chicago) em 1893, a introdução de Frederick Douglass ressaltou o fato de que o "crime ao qual se diz agora que o negro é tão geral e especialmente propenso é um do qual ele foi, até agora, raramente acusado ou tido como culpado". Embora, como lembrou Douglass, os homens afro-americanos fossem frequentemente acusados de "pequenos furtos", eles nunca foram "denunciados pelo crime atroz de abusar de mulheres brancas. Se acreditarmos nos acusadores", observou Douglass, "trata-se de um novo desenrolar", mas Douglass sabia que era o comportamento dos brancos, e não dos negros, que havia se alterado, e que o que causara a mudança fora "o medo simulado e infundado" da supremacia política negra no Sul.

Para Ida Wells, entender a inclinação branca pelo linchamento era menos importante do que explodir pelo menos alguns dos mitos que a sustentavam. Ela atacou em especial o mito que, como notou Douglass, crescera em paralelo com e como pretexto para muitos linchamentos que aconteceram. Em *Southern Horrors* [Horrores do Sul] (1892), ela acusou o Sul de "esconder-se atrás do véu plausível de defender a honra de suas mulheres", um véu que "fechou o coração, sufocou a consciência, deturpou o juízo e silenciou a voz da imprensa e do púlpito sobre o tema da lei de linchamento

---

142 WELLS-BARNETT, Ida B. *Lynch Law in Georgia*, 1899. p. 7 e 10. Para um estudo moderno do caso Hose, ver ARNOLD, *Edwin T. What Virtue There is in Fire: Cultural Memory and the Lynching of Sam Hose*. Athens: The University of Georgia Press, 2009.

CAPÍTULO 7 – UMA TERRA PROMETIDA: PORTAL PARA O SÉCULO AMERICANO | 263

IMAGEM 38. O corpo de John Heith (às vezes grafado Heath), linchado em fevereiro de 1884, em Tombstone, Arizona. Fotógrafo: Noah Hamilton Rose. Apesar da reputação posterior de Tombstone como epítome do "Oeste Selvagem", promovida pelos "romances de meio vintém" (*dime novels*, ficção popular nos EUA entre os séculos XIX e XX) sobre o Oeste e depois pelo cinema, o linchamento era muito mais comum nos estados da antiga Confederação do que nas localidades de fronteira, e era frequentemente um crime de motivação racial. Não obstante, a ideia de manter a ordem social – definida racialmente ou de outra forma – estava por trás de muitos linchamentos. John Heith havia sido condenado em um tribunal por assassinato e sentenciado à prisão perpétua na Penitenciária Yuma, sentença que alguns claramente julgaram inaceitável por ser demasiado leniente. Nesse caso, o *The New York Times* (24 de fevereiro de 1884) relatou que uma placa (não visível aqui) foi afixada ao poste do telégrafo dizendo que "John Heith foi enforcado neste poste pelos cidadãos do condado de Cochise, por sua participação no massacre de Bisbee como cúmplice comprovado, às 8h20 de 22 de fevereiro de 1884 (aniversário de Washington) para avançar o Arizona". A invocação de Washington e a premissa de que um linchamento pudesse "avançar o Arizona" oferecem algumas pistas dos bizarros processos mentais em ação nesse caso e de uma mentalidade que ligava o "Pai do País" à ideia de preservar a estabilidade na (então) fronteira desse país. Mas o linchamento de Heith foi moderado, se é que esse termo relativo pode ter algum significado em tais casos, comparado a muitos dos assassinatos extralegais excessivamente brutais que ocorreram nos Estados Unidos no fim do século XIX e no século XX. *Cortesia da Library of Congress Prints and Photographs Division (LC-USZ62–109782).*

por toda esta 'terra da liberdade'".[143] Aqui, como na sua contribuição em *A razão pela qual* e *A Lei de linchamento na Geórgia*, ela expôs em vívidos detalhes a natureza horripilante do linchamento, forneceu os dados numéricos junto a provas descritivas e visuais perturbadoras da sua difusão e crescente barbaridade, e lembrou seus leitores que, apesar da ênfase no estupro que frequentemente o motivava, na verdade era um crime que não poupava mulheres nem crianças.

 A escravidão já estava a caminho da extinção quando Ida Wells nascera em 1862, mas suas repercussões ofuscaram toda a sua vida e, em muitos aspectos, a da sua nação. O tipo de "horrores sulistas" detalhados por ela e por outros teve impacto nacional e invocou uma aversão natural que, infelizmente, não resultou em muita coisa em termos de ação decisiva. Quando ela morreu em 1931, a segregação ainda estava firmemente arraigada no Sul, e a desigualdade – racial e econômica –, arraigada nacionalmente. Ao escrever a John Murray Forbes em 1891, o célebre poeta John Greenleaf Whittier comentou que era "grato por termos sobrevivido à escravidão", mas expressou seu pesar de que "os direitos do cidadão de cor sejam negados [...]. Quando chegará a época", perguntou ele, "em que o Sermão da Montanha e a Declaração de Independência influenciarão na prática nossa propalada civilização e cristianismo?".[144] Era uma boa pergunta, a qual preocupou muitas mentes à medida que o século XIX chegava ao final e o século XX se anunciava.

Olhando para trás

Para muitos americanos, o linchamento parecia apenas uma parte nefanda da ascensão mais ampla da "barbaridade" em todo o país, prova do declínio social e nacional contra o qual ministros como Bushnell haviam advertido e que agentes da lei como Whitley haviam identificado como algo trazido pelo imigrante. Ao fornecer provas nem tanto de xenofobia, mas de um reconhecimento prático, embora cínico, de que as fronteiras eram talvez mais fáceis de policiar que o Sul, a reação americana ao que se via como a corrupção e as crueldades da era dourada tomaria o partido de Whitley e começaria a fechar as portas até então relativamente abertas da nação. Foi

---

143 WELLS-BARNETT, Ida B. *Southern Horrors: Lynch Law in all its Phases*. New York, 1892.
144 John Greenleaf Whittier a John Murray Forbes, 12 de junho de 1891. *In*: HUGHES, *op. cit.*, v. II, p. 227.

uma era na qual a Estátua da Liberdade fora erigida como o símbolo e ao mesmo tempo a salvaguarda de tudo o que os Estados Unidos representavam, mas com ênfase crescente neste último. O braço erguido da liberdade foi entendido com demasiada frequência como o guardião contra, em vez do farol de boas-vindas para, os despossuídos do mundo.

Seis meses antes da inauguração da estátua, distúrbios trabalhistas em Chicago revelaram algumas das divisões da sociedade americana, dessa vez entre o trabalho e o capital, divisões que pareciam estar se aprofundando no contexto da imigração. Tais preocupações foram confirmadas pela explosão de uma bomba e o tumulto resultante, no qual oito policiais e um número indeterminado de civis morreram durante um comício trabalhista em Haymarket Square, o centro do distrito manufatureiro em Chicago, no dia 4 de maio de 1886. Supostamente obra de anarquistas (seis dos quais foram identificados como imigrantes), a tragédia só reforçou o sentimento anti-imigrante que já existia na época. E o que é mais importante, ela estabeleceu uma ligação entre anarquistas e imigrantes na mente do público, um medo exagerado de que subversivos socialistas estavam atuando para derrubar o republicanismo americano. As origens desse primeiro "Pânico Vermelho" na história da América foram identificadas na "Revolta de Haymarket", mas esta, na melhor das hipóteses, foi somente a catalisadora. Forças sociais, políticas e econômicas mais difusas estavam em ação nesse período, as quais impactavam imigrantes e indígenas.

O sentimento anti-imigração, obviamente, não era inédito. Em 1855, Abraham Lincoln, ao criticar o partido nativista "Know-Nothing" da época, observara que como "nação começamos declarando que *'todos os homens são criados iguais'*. Agora praticamente interpretamos isso como 'todos os homens são criados iguais *exceto os negros'*. Quando os Know-Nothings tomarem o controle, será 'todos os homens são criados iguais exceto os negros, *estrangeiros e católicos*'".[145] Porém, os imigrantes eram um elemento necessário, talvez a contribuição crucial, para o desenvolvimento da nação, nas décadas anteriores e seguintes à Guerra Civil. Entre 1870 e 1900, no período da chamada Nova Imigração, cerca de 12 milhões de imigrantes chegaram e muitos – mas de forma alguma todos – permaneceram, recursos humanos muito necessários que permitiram a ascensão da América como potência econômica e industrial.

---

145 Abraham Lincoln a Joshua Speed, 24 de agosto de 1855. *In*: BASLER, *op. cit.*, v. II, p. 323.

Embora significativa para o crescimento da nação, puramente em termos de porcentagem, a imigração não era a força súbita e avassaladora que a linguagem usada para descrevê-la costuma sugerir (TABELA 2). Situada em torno de 13% (em 1880) até quase 15% (em 1890) da população americana como um todo (aproximadamente a mesma porcentagem da população afro-americana), o índice de nascidos no estrangeiro permaneceu constante de 1860 a 1920. Embora a queda da taxa de natalidade no período possa ter intensificado as preocupações, na verdade a nação corria pouco perigo de ser invadida por forasteiros no fim do século XIX e início do XX, assim como o Sul branco não corria o risco de dominação política pelo Sul negro. Não obstante, o que o historiador Roger Daniéls criticou com o nome de "metáforas hidráulicas", frequentemente usadas para descrever as "ondas" de migrantes que iam dar nas costas da América nesse período, era cada vez mais a perspectiva de época, tanto na América como no exterior.[146]

Essa perspectiva tinha menos a ver com números do que com a natureza. O historiador e comentarista político britânico oitocentista Lord Bryce diferenciou, no seu levantamento de *The American Commonwealth* [A comunidade americana] (1888), os "imigrantes iniciais" e os da era dourada.

Ano	População dos EUA (total)	Número de nascidos no estrangeiro	Porcentagem de nascidos no estrangeiro
1850	23.191.876	2.244.602	9,7
1860	31.443.321	4.138.697	13,2
1870	38.558.371	5.567.229	14,4
1880	50.155.783	6.679.943	13,3
1890	62.622.250	9.249.547	14,8
1900	75.994.575	10.341.276	13,6
1910	91.972.266	13.515.886	14,7
1920	105.710.620	13.920.692	13,2

TABELA 2. População estadunidense de origem estrangeira, 1850-1920.

Fonte: U.S. Bureau of the Census, *Statistical Abstract of the United States, 1999*. Washington, D.C.: Government Printing Office, 2000.

---

146 DANIELS, Roger; GRAHAM, Otis L. *Debating American Immigration, 1882 – Present*. Lanham, MD: Rowman and Littlefield, 2001. p. 7.

Os primeiros, sugeriu ele, podiam ser "incultos", mas eram mesmo assim "camponeses inteligentes de estirpe forte, diligentes, vigorosos e capazes de se acomodar rapidamente às condições de sua nova terra e misturar-se com seu povo". Os últimos, por contraste, estavam, segundo Bryce, "em um grau mais baixo de civilização" e eram "de todas as formas mais alheios aos hábitos e padrões americanos".[147] Muitos americanos concordaram com a conclusão de Bryce. Mas por que a nova nação, tanto naquela época como no século XVIII, revelou uma tendência tão marcada a aceitar as opiniões não somente de forasteiros mas de forasteiros aristocráticos deve ter algum mistério. As opiniões de Bryce em 1888, como as de Crèvecoeur em 1782, não eram regras sobre as quais se pudesse erigir uma República. Mas essas opiniões estrangeiras claramente encontravam repercussão em uma nação informada desde os seus primórdios pelo desejo de criar uma "cidade na colina" e estorvada pelo fato de que as cidades e suas populações eram aglomerações complexas de pessoas, pressões e perspectivas políticas.

Todavia, a ascensão da cidade foi um dos aspectos definidores da expansão da América entre 1870 e 1900. Nessas três décadas, o número de comunidades urbanas, tal como definidas pelo censo, junto a suas populações, triplicou no total, e algumas cidades tiveram um crescimento populacional fenomenal. Em 1870, por exemplo, a população de Nova York estava pouco abaixo de 1 milhão, a de Filadélfia pouco acima de 0,5 milhão e a de Chicago pouco acima de 0,25 milhão. Em 1900, somente essas três cidades viram sua população aumentar para, no caso de Nova York, quase 3,5 milhões, da Filadélfia para 1,3 milhões e em Chicago – então a segunda maior cidade da nação –, que possuía 1,7 milhão de habitantes.

Embora poucos americanos nas décadas de 1880 e 1890 ainda aderissem à visão de Jefferson de uma República agrária, muitos percebiam, no crescimento da América urbana e especialmente na emergência do que eram efetivamente guetos de imigrantes em muitas cidades, uma ameaça potencial à estabilidade e segurança da nação. A literatura desse período explorou amiúde a paisagem cambiante da cidade e da sociedade, procurando situar o indivíduo no novo mundo industrial e urbano que surgia. Era o mundo da Maggie Johnson de Stephen Crane, descrito no seu romance *Maggie: A Girl of the Streets* [Maggie: uma menina das ruas] (1893), ambientado no distrito Bowery de Nova York, no qual a heroína epônima

---

147 BRYCE, James. *The American Commonwealth*, 1888. v. I. rev. ed. New York: The Macmillan Company, 1923. p. 472. 2 v.

luta e – talvez inevitavelmente – sucumbe quando a pobreza a empurra para a prostituição.

O romance de Crane, entre outros, foi tido, na época e desde então, como criador de um novo realismo, ou naturalismo, na literatura. Na verdade, Maggie Johnson era descendente direta de um sem-número de heroínas infelizes que vieram a padecer no ambiente urbano, quer a cidade em questão fosse a Londres de William Hogarth no século XVIII, a Boston nos anos 1830 ou Nova York na década de 1890. Os homens saíam-se pouco melhor na crítica literária e social da cidade, embora os detalhes da sua derrocada fossem frequentemente mais variados do que a sina exclusivamente sexual que a maioria dos escritores imaginava para as mulheres. *The Rise of Silas Lapham* [A ascensão de Silas Lapham] (1885), de William Dean Howell, acompanhava a ascensão e queda de um herói cuja progenitura literária acabaria contemplando a visão da ponte do Brooklyn, ou possivelmente saltando dela, quando escritores como Eugene O'Neill e Arthur Miller abordaram o tema das forças sociais impessoais e esmagadoras que cerceavam o idealismo americano em meados do século XX.

O problema no fim do século XIX residia no fato de que os críticos sociais tendiam a dar um rosto pessoal às forças essencialmente impessoais contra as quais a infeliz Maggie Johnson e Silas Lapham lutavam, e que era o rosto do imigrante. Foi o período que viu o surgimento do movimento do Evangelho Social, cujo fundador, o ministro protestante Josiah Strong, proclamou seus pensamentos sobre os males sociais e econômicos da época em *Our Country: Its Possible Future and its Present Crisis* [Nosso país: seu possível futuro e sua crise atual] em 1885. As crises em questão comportavam, na visão de Strong, uma combinação de sete pecados capitais: romanismo (catolicismo), mormonismo, intemperança, riqueza, socialismo, urbanização e – claro – imigração. Esta última, segundo Strong, "fornece o solo que alimenta a vida de várias das mais nocivas excrescências da nossa civilização". Embora Strong reconhecesse que muitos imigrantes "vêm até nós com toda a simpatia pelas nossas instituições livres", o "típico" imigrante, acreditava ele, era "um camponês europeu cujo horizonte sempre foi estreito, cuja formação moral e religiosa foi débil ou falsa e cujos ideais de vida são ínfimos".[148]

---

[148] STRONG, Josiah. *Our Country: Its Possible Future and its Present Crisis*. New York: The American Home Mission Society, 1885. p. 40-1.

A imigração, advertiu Strong, aumentava a criminalidade e corroía a "moral da população nativa" em igual medida; ela era "a mãe e ama do socialismo americano", e seus efeitos eram especialmente agudos nas "cidades governadas pela ralé", onde blocos de eleitores irlandeses e alemães já comprometiam o processo democrático. Estudos sociais como *How the Other Half Lives: Studies among the Tenements of New York* [Como a outra banda vive: estudos nos cortiços de Nova York] (1890) de Jacob Riis, uma exploração fotojornalística das favelas e guetos de imigrantes onde vivia a "outra metade" menos afortunada, tendiam apenas a reforçar tais sentimentos anti-imigrantes. Tal publicação não era anti-imigrante em si, tampouco apresentava uma visão especialmente animadora do estado da cidade ou de seus habitantes. Suas vidas, tal como Riis as descreveu e retratou (IMAGEM 39), eram bem difíceis, mas eram suas mortes que realmente revelavam a extensão da sua pobreza e suas repercussões sociais. Nos "últimos cinco anos", relatou Riis, "uma pessoa em cada dez que morreram nesta cidade foi enterrada em uma vala comum" – crítica feroz de uma sociedade que se orgulhava das oportunidades que tinha a oferecer.

Riis, ele próprio um imigrante, era motivado pelo forte propósito moral de expor as duras condições de vida do Lower East Side de Nova York, mas as provas que ele apresentava, combinadas com seu próprio impulso de distinguir os pobres/imigrantes merecedores dos não merecedores, acabavam borrando a distinção, com a qual todas as nações lutam até hoje, entre causa econômica e efeito social. Quando, uma década mais tarde, o jornalista Lincoln Steffens apresentou sua visão em *The Shame of the Cities* [Vergonha das cidades] (1904), era menos a privação social do que a corrupção política que o preocupava. Steffens, que tal como Riis representava uma nova raça de comentaristas sociais e jornalistas ditos *muckraking*, dedicados a revelar o crime e a corrupção em todos os níveis da sociedade, atacou o que ele identificava como a "fraqueza moral [da América]; uma fraqueza bem ali onde pensamos ser os mais fortes". Se a corrupção política existia, sugeriu ele, era ainda assim uma desonestidade democrática. O chefe político, argumentou Steffens, "não é um político, ele é uma instituição americana, o produto de um povo livre que não tem a coragem de ser livre".

Steffens julgava o povo americano cúmplice da corrupção que ele investigava. Ele identificava "a senhora na alfândega, o linchador com sua corda e o capitão de indústria com sua propina e seu suborno" como pouco mais do que elementos componentes da displicência moral nacional. Ficou

IMAGEM 39. "Gotham Court". Esta ilustração foi publicada no artigo de Jacob Riis de 1889 que antecedeu seu livro, *How the Other Half Lives: Studies among the Tenements* [Como a outra banda vive: estudos nos cortiços], *Scribner's Magazine*, v. VI, n. 6, Dec. 1889. Nele, como no livro que o seguiu, Riis salientou o fato de que Nova York – e por implicação a nação como um todo – tinha "perdido oportunidades de crescimento saudável que passaram para não mais voltar". Era em parte uma crítica de classe da expansão gradual de Nova York para o norte da ilha de Manhattan, um processo que afastou o indivíduo do seu ponto de chegada original e da sua condição original de imigrante despossuído, levando-o inexoravelmente mais para cima da ilha em direção à riqueza e ao sucesso. Como metáfora de como tornar-se americano, essa renovação urbana constante e a mobilidade ascendente eram difíceis de superar; porém, como enfatizou Riis, elas eram, para muitos e muitos, impossíveis de alcançar. "Foi nos velhos lares históricos do centro", ele propôs, "que o cortiço nasceu da ignorância e cresceu na cobiça [...]. Afaste-se uma dúzia de passos da correria e do rugido da Ferrovia Elevada onde ela mergulha sob a ponte do Brooklyn em Franklin Square e, com seu estrondo ecoando em seus ouvidos, você virou a esquina da prosperidade para a pobreza" (p. 643).

famosa sua acusação de que "o espírito de corrupção e de ausência de lei é o espírito americano". Contudo, no fim das contas, a condenação aparentemente definitiva de Steffens de uma nação que perdera sua bússola moral não era sem esperança. Steffens tinha certeza de que os americanos eram culpados por tolerar uma má administração, mas ele tinha igualmente certeza de que eles eram mais do que capazes de exigir um bom governo. "Existe orgulho no caráter da cidadania americana", afirmou ele, e "esse orgulho pode ser um poder na terra".[149]

Os argumentos de Riis e Steffens não eram exclusivos dos Estados Unidos; havia mais que um laivo de Charles Dickens em ambos. Mas suas preocupações tinham uma influência peculiar do Novo Mundo quando foram expressas, pois Steffens acreditava explicitamente, e Riis mais implicitamente, que essas condições, essa corrupção, não deveriam existir na "terra dos livres". Era a esperança de que a América ainda pudesse aproximar-se da utopia que seus primeiros colonizadores buscaram, a qual movia parte dessa crítica social e informava, em especial, uma das obras de maior sucesso e influência da época, *Daqui a cem anos: revendo o futuro* [*Looking Backwards*] (1888),* de Edward Bellamy. O herói de Bellamy, cujo nome sugestivo é Julian West, é projetado no futuro e descobre, no ano 2000, que os Estados Unidos foram transformados em uma utopia socialista na qual a desigualdade fora abolida. A visita de West ao futuro o faz reavaliar o presente: o "véu caiu dos meus olhos desde que vi outro século", ele relata. Ao retornar a um jantar em 1897, ele recriminou os convivas, amparado no seu novo entendimento do mundo que eles habitam. "Eu estive no Gólgota", anuncia ele.

> Eu vi a Humanidade suspensa em uma cruz! Nenhum de vocês sabe que espetáculos o sol e as estrelas contemplam nesta cidade? Como vocês podem pensar em e falar de qualquer outra coisa? Vocês não sabem que junto às suas portas uma grande multidão de homens e mulheres, carne da sua carne, vive vidas que são de agonia, do nascimento até a morte?

A realidade de 1897, assim como a de 1887, quando Bellamy escreveu seu romance, era a de que muitos americanos não considerariam os habitantes das favelas urbanas carne da sua carne. Como eles não tinham o privilégio de ver o futuro, tudo o que eles podiam observar era o passado, que parecia muito familiar em alguns aspectos. Nem a corrupção política exemplificada pelo "chefão Tweed" e Tammany Hall em Nova York, nem

---

149 STEFFENS, Lincoln. *The Shame of the Cities*, 1902. Rep. New York: Hill and Wang, 1957. p. 7-8 e 18.
* A tradução literal do título é: *Olhando para trás*. (N.E.)

os contrabandistas e criminosos que Whitley combatera tinham ido embora; ao contrário, o problema tornara-se mais grave. Isso parecia sugerir a alguns que a perspectiva de Bryce – e sua visão do futuro da América, publicada no mesmo ano em que Bellamy olhava para trás – sobre o imigrante como politicamente ingênuo e propenso à corrupção não estava muito equivocada. Bryce não acreditava que a maioria dos imigrantes chegasse aos Estados Unidos trazendo tendências anarquistas ou socialistas, nem que eles viessem com intenções criminosas. No entanto, se Crèvecoeur bajulara os americanos na sua descrição do "americano, esse novo homem", uma união utópica do melhor que o Velho Mundo tinha a oferecer, Bryce delineou as limitações desse ideal, lembrando os americanos que transformar o imigrante no "novo homem" não era um processo fácil nem garantia de sucesso.

Os imigrantes, de fato, não se viam como somente uma porção de argila moldável do Velho Mundo pronta para ser reformada no Novo Mundo; muito longe disso. Um migrante romeno, o escritor e rabino Marcus Eli Ravage, recordou seu "choque inicial" ao chegar na América, uma reação que ele atribuiu parcialmente à sua própria bagagem cultural. Como explicou Ravage:

> O estrangeiro que chega aqui vindo da Europa não é a matéria bruta que os americanos acreditam que seja. Ele não é uma folha em branco apta a ser escrita como se achar melhor. Ele não brotou do nada. Muito pelo contrário. Ele traz consigo uma tradição arraigada, um sistema de cultura e gostos e hábitos – um ponto de vista que é tão antigo quanto a sua experiência nacional e que foi engendrado nele pela sua raça e seu ambiente. E é essa coisa – toda essa sua alma do Velho Mundo – que entra em conflito com a América assim que ele desembarca.[150]

A "alma do Velho Mundo" de Ravage levou algum tempo para aclimatar-se no seu novo ambiente e com seus habitantes, muitos dos quais viam o imigrante, na melhor das hipóteses, como "algo meio cômico" ou, na pior, como "a escória da Europa". Na época em que Ravage chegou, o direito e a prática da imigração na América estavam se fortalecendo. O ano de 1882 viu a introdução da primeira lei federal de imigração. Ela excluía condenados, lunáticos, indigentes e aqueles passíveis de se tornarem um encargo público para a nação. No mesmo ano, a Lei de Exclusão dos Chineses de 1882 foi aprovada. Embora inicialmente concebida para barrar a importação de

---

150 RAVAGE, Marcus Eli. *An American in the Making: The Life Story of an Immigrant*. New York; London: Harper and Brothers, 1917. p. 60.

mão de obra chinesa barata no Oeste, ela mostrou-se o modelo não só para o controle da imigração, mas para atitudes raciais em geral, à medida que a América expandia sua esfera de influência – ou operações, pelo menos – para além das suas próprias costas. Mais perto de casa, claro, a América já havia testado os procedimentos seguintes, ainda que até então regionalmente específicos. Somente uma década depois de a Estátua da Liberdade ser inaugurada, foi proposto (em 1897) pela Liga de Restrição da Imigração que novos imigrantes, tal como os afro-americanos buscando o voto no Sul, fossem submetidos a testes de alfabetismo.

A Liga de Restrição da Imigração, criada por um grupo de diplomados de Harvard em 1894, consistia em um grupo de pressão poderoso, para não dizer privilegiado, mas não era de forma alguma o único formador de opinião sobre a imigração na nação. Suas posições, na verdade, sofriam forte oposição, e seu projeto de lei de alfabetismo foi vetado no Congresso por vários presidentes do período: Grover Cleveland (1893-1897), William Howard Taft (1908-1912) e Woodrow Wilson (1912-1920) procuraram barrar sua aprovação.

Cleveland, em especial, denunciou a própria ideia "como iliberal, estreita e antiamericana", e a proposta como "desnecessariamente rígida e opressiva". Ela representava, afirmou Cleveland, um "afastamento radical da nossa política nacional relativa à imigração", uma política que "incentivou aqueles que vêm de países estrangeiros unir seu destino ao nosso e juntar-se ao desenvolvimento do nosso vasto território, obtendo em troca uma parcela das bênçãos da cidadania americana". Ele lembrou o Congresso que o "crescimento estupendo do século, devido em grande parte à assimilação e prosperidade de milhões de cidadãos adotados robustos e patrióticos, atesta o sucesso dessa política generosa e liberal" e atacou o tipo de alarmismo que relacionava o imigrante ao desemprego, criminalidade e declínio social e econômico. "É de memória muito recente o tempo", lembrou Cleveland, "em que a mesma coisa era dita de imigrantes que, com seus descendentes, hoje são contados entre nossos melhores cidadãos".[151]

O último argumento de Cleveland pôs o dedo na ferida. Alguns dos melhores cidadãos da América não necessariamente apreciavam lembretes da sua origem europeia. E imigrantes eram realmente lembretes muito poderosos do mundo e, em muitos casos, do indivíduo que havia sido deixado

---

151 Grover Cleveland, *Veto Message*, 2 de março de 1897. Disponível em: http://www.presidency.ucsb.edu/ws/index.php?pid=70845. Acesso em: 20 abr. 2010.

para trás (IMAGEM 40). Eles eram talvez também um lembrete de algo mais do que isso. "É o americano livre", argumentara Ravage, "que precisa ser instruído pelas raças ignaras na palavra edificante que a América diz a todo o mundo. Somente com o imigrante humilde, ao que me parece, ele pode aprender exatamente o que a América representa na família das nações". O imigrante, em suma, era um desafio à complacência, um sinal de alerta para uma nação que parecia ter esquecido suas origens e seus ideais fundadores, que procurava negar "o fato patente de que o americanismo é um compromisso [...], que o americano adotivo sempre foi e sempre será um americano mestiço".[152]

Muitos americanos aceitavam plenamente o fato de que o americanismo era um compromisso; mas exatamente que tipo de compromisso ele era, no que dizia respeito à cidadania, era algo mais incerto. No começo do século XIX, o debate sobre o americanismo havia girado em torno sobretudo dos desafios internos à "norma" branca anglo-saxã provocados pela mão de obra migrante composta por afro-americanos, mexicanos, chineses e pelos habitantes indígenas nativos no Oeste. O influxo maciço de imigração irlandesa após a fome da batata na década de 1840 e início da década de 1850 gerou uma comoção anticatólica em algumas partes do Nordeste, mas as tensões separatistas e a resultante Guerra Civil dos anos 1850 e 1860 desviaram a atenção do anticatolicismo e fizeram o sentimento anti-imigrante parecer rude, na melhor das hipóteses, dado que muitos imigrantes lutaram e morreram para defender a União.

À medida que a nação recobrava-se do conflito, o desenvolvimento industrial e urbano, alimentado pelo influxo de imigrantes após 1870, mudou a face da nação economicamente, assim como os imigrantes mudaram-na fisicamente, o que provocou novos ataques contra os nascidos no estrangeiro. Mas a oposição ao imigrante expressa por homens como Strong e organizações como a Liga de Restrição da Imigração, junto à defesa de uma política de portas abertas propugnada por Cleveland, eram simplesmente as etapas mais recentes do debate sobre identidade americana, ideologia e imigração que, pode-se dizer, estava em curso desde a época colonial. Esse debate justapusera as perspectivas colonial e nativa, legalista e revolucionária, nortista e sulista, negra e branca. A era dourada, por sua vez, destacou o choque entre "americanos" e "imigrantes", mas isso representava apenas

---

152 RAVAGE, *op. cit.*, p. 156-7.

CAPÍTULO 7 – UMA TERRA PROMETIDA: PORTAL PARA O SÉCULO AMERICANO

IMAGEM 40. "Olhando para trás" (Joseph Keppler). Esta charge foi publicada na *Puck Magazine* em 11 de janeiro de 1893. Ela representa uma poderosa expressão visual da afirmação feita mais tarde por Grover Cleveland de que os americanos relutavam em admitir suas origens no "Velho Mundo" porque elas mostravam a sombra, ou espectro, por trás dos bem-sucedidos empresários da nação, que são retratados tentando barrar a entrada do imigrante na América. A figura do imigrante remete à observação perspicaz do rabino Ravage de que o "próprio estrangeiro, na sua roupagem inverossímil, enquanto desce a prancha, parece um tipo de estranho pacote que se move. E ele sempre carrega mais pacotes [...]. Ele é, seguramente, um personagem apto para uma farsa". (*Imagem em domínio público.*)

uma permutação adicional na luta perene entre os que acreditavam manter a linha da identidade nacional americana e os que procuravam cruzá-la.

Manter a linha não era somente uma posição combativa direta; às vezes tratava-se de uma posição cultural mais sutil. Edward Bellamy não era o único americano que olhava para trás nesse período. O fim do século XIX presenciou uma onda de interesse pela genealogia quando algumas das famílias brancas mais estabelecidas da América procuraram confirmar sua validade diante dos recém-chegados. Elas tentaram estabelecer uma tradição que negava qualquer resquício de imigração recente e, ao contrário, remontava ao passado colonial ou revolucionário. O culto aos mortos confederados, que era a causa perdida do Sul nos anos 1890, encontrou seu eco no Norte e nacionalmente em novas associações, como os Filhos da Revolução Americana (SAR) e as Filhas da Revolução Americana (DAR),[*]

---

[*] Ambas as siglas em inglês. (N.E.)

mas essas eram apenas as organizações mais proeminentes; havia dúzias de outras, em todo o Nordeste e também no Meio-Oeste.

Esses corpos patrióticos organizavam reuniões e erigiam por toda a paisagem americana marcos históricos que afirmavam a importância para a história nacional americana de pessoas e lugares celebrados, e estabeleciam firmemente aqueles envolvidos no ato de celebrar como parte vital e permanente dessa história. Não era tanto uma questão de "a América primeiro", mas de "nós estávamos aqui primeiro". Mas havia nisso algo mais do que estabelecer a longevidade das credenciais nacionais e culturais de cada um. Havia um viés nitidamente anglo-saxão nesse impulso, e um viés marcial ainda por cima.

No Sul, o guerreiro confederado morto era alinhado com um passado europeu romantizado. Isso é ilustrado mais graficamente na J. E. B. Stuart Memorial Window na igreja episcopal de St. James em Richmond, que retrata o soldado confederado supremo da Cavalaria, Stuart, como um cavaleiro andante medieval. Ao mesmo tempo, no Oeste, escritores como Owen Wister criaram um novo tipo de herói literário, o caubói, dotando-o de uma ascendência aristocrática anglo-saxã semelhante que, não obstante, encontrou sua melhor e mais plena expressão na fronteira da América. "Assim que o fidalgo inglês sentiu o cheiro do Texas", observou Wister num de seus contos, "o saxão indômito que nele dormia despertou" e, fazendo valer os genes aprimorados por séculos de justas e caçadas, ele mostrou-se "um cavaleiro nato, um atleta perfeito, e, apesar da nobreza e goles e prata, fundamentalmente um familiar dos vagabundos errantes que juravam e galopavam a seu lado". No entanto, se o caubói era "familiar" dos "vagabundos errantes", ele não tinha relação alguma com as "hordas da canalha estrangeira invasora" que, na visão de Wister, estavam transformando as "cidades [da América] em Babéis e nossa cidadania em uma farsa híbrida, que faz nossa sociedade decair de nação para algo que é meio loja de penhores, meio agência de corretagem".

A fronteira simbolizava a liberdade. Para Wister, isso acontecia com relação à cidade e aos "poloneses, húngaros ou judeus russos" que contaminavam os espaços urbanos da nação. A fronteira permanecia "imaculada", o último bastião do "espírito de aventura, coragem e autossuficiência" que definia a América. Mais importante, na fronteira, notou Wister, "fala-se inglês".[153] Isso realmente era um triunfo da fantasia sobre os fatos; infeliz-

---

153 WISTER, Owen. The Evolution of the Cow-Puncher. *Harper's Magazine*, v. 91, p. 602-17, citações 603-4, Sept. 1895.

mente, tratava-se também de um indício precoce da futura direção que o debate sobre cidadania americana e nacionalismo tomaria, um debate que perdura até hoje.

O americanismo, o nacionalismo americano, sempre foi uma proposta otimista e aberta, por um lado, e um constructo opositivo e fechado, por outro: uma tensão constante entre teoria e prática, entre o ideal e a realidade e, em grande medida, entre os que falavam inglês e os que não falavam. Para muitos americanos como Wister, a cidade era, e foi por muito tempo, um foco para seus temores, ilhas de heterogeneidade desestabilizadora em uma nação que se vira há muito tempo como homogênea. Mas a cidade era somente um elemento, uma localização dos processos de transição que a América estava atravessando nesse período. Muito além do Bowery, a discussão sobre o americanismo continuou, com diferentes atores, diferentes permutações, muito mais, na verdade, do que a fronteira fictícia de Wister preocupava-se em admitir.

Uma nação progressista

No fim do século XIX, à inquietação com a imigração somou-se uma série de temores financeiros, dos quais o pior durou de 1893 a 1897. Nesse contexto, os novos magnatas industriais da nação atraíram quase tantas críticas quanto os imigrantes. Homens como John D. Rockefeller, Andrew Carnegie, Andrew W. Mellon, J. P. Morgan, Cornelius Vanderbilt, homens cujo dinheiro vinha do transporte (transporte marítimo e estradas de ferro), fábricas, finanças, petróleo, ferro e aço, impulsionaram o desenvolvimento material da nação, mas também levantaram questões sobre sua direção moral. Nas suas críticas quanto ao desequilíbrio da riqueza que definia cada vez mais a sociedade americana, jornalistas como Riis e Steffens e escritores como Bellamy estavam de fato levantando a rocha sobre a qual o crescente poder econômico da América fora construído, e o que eles descobriram era preocupante. A desaprovação literária encontrou eco no movimento antitruste do fim da década de 1880 e da década de 1890, disseminado entre o público em geral por, entre outros, o popular cartunista Thomas Nast, codificado em 1888 na Lei Sherman Antitruste e quase imediatamente tornado irrelevante no chamado "Caso do Truste do Açúcar", *United States vs. E. C. Knight Co.*, em 1895.

A criação da legislação antitruste e o primeiro desafio significativo a ela cruzaram uma divisa histórica virtual: a transição da era dourada para a "era progressista". Obviamente, tais divisões atendem à conveniência dos historiadores; elas não significavam nada na época. Embora o Pânico de 1893 seja apontado geralmente como o "ponto de partida" da era progressista, as forças financeiras e sociais que influenciaram a América após 1893 não eram inéditas em si; mas a forma que elas assumiram, sim. O que impulsionava o crescimento industrial da Nação nesse período não eram somente as ambições pessoais de indivíduos como Rockefeller, Morgan ou Carnegie, nem mesmo a força de trabalho majoritariamente imigrante que eles empregavam; eram seus métodos empresariais. Homens como Rockefeller ganharam dinheiro, essencialmente, impondo ordem a um mercado até então relativamente sem restrições ou, dito de outra forma, absorvendo ou aniquilando a concorrência.

A Standard Oil Company de Ohio de Rockefeller, fundada em 1872, tornou-se o Standard Oil Trust dez anos mais tarde. Era um dos exemplos mais poderosos do "Big Business" americano, o primeiro e mais exitoso dos trustes, tão popular junto aos comentaristas sociais conservadores quanto era condenado pelos críticos sociais inquietos. A rigorosa racionalização de cada fase do processo produtivo por Rockefeller – ele construiu seus próprios oleodutos, e seus próprios armazéns, e negociou contratos de transporte competitivos – certamente melhorou a eficiência.

Uma abordagem semelhante foi adotada por J. P. Morgan, que tirou as estradas de ferro da beira da falência antes de voltar sua atenção para o negócio do aço e fundar, em 1901, a United States Steel. Em termos empresariais, a Standard Oil e as estradas de ferro "morganizadas" eram realmente um caso de força alcançada pela unidade. Pode não parecer uma ideia especialmente desafiadora em uma nação a poucas décadas de uma Guerra Civil travada, pelo menos em parte, para fazer exatamente essa afirmação. Porém, quando as finanças estão envolvidas, a fé era e continua a ser o radical livre em qualquer sistema; e nem todos eram vendidos à religião do *laissez-faire* que se tornou conhecida como o evangelho da riqueza.

Todavia, os que eram viam em empresários como Rockefeller e Morgan uma aproximação, ou até a epítome, do ideal masculino autônomo, um indivíduo que avança na fronteira financeira e, ao fazê-lo, abre panoramas inéditos de oportunidades para a nação. Porém, como acontecia com os caubóis de Wister, havia um elemento ligeiramente exclusivo na equação de riqueza com saúde e vigor nacionais. A linguagem usada para debater o tema revelava frequentemente os vieses que a informavam. Como disse o próprio Rockefeller, o "crescimento de um grande negócio é simplesmente a sobrevivência do mais apto". Não era nada além do "funcionamento da lei da natureza e da lei de Deus".[154] Mais uma vez, não havia nada obviamente antiamericano em tais sentimentos, que ecoavam em grande medida a perspectiva puritana seiscentista. Por outro lado, nem todos estavam convencidos de que a natureza ou Deus dispunha de rédeas livres em um livre mercado do qual muitos afro-americanos e outros grupos de imigrantes eram excluídos ou no qual eram incluídos somente em termos brancos anglo-saxões.

Apesar do fato de que o evangelho da riqueza, tal como pregado por Rockefeller, Carnegie e outros, incluía um elemento substancial de filantropia pública, e diante de preços em queda que contradiziam a crítica de que o "Big Business" era ruim para os negócios, as forças de oposição uniram-se em torno da ideia de que essa mentalidade de "darwinismo social" era imoral e restritiva. A Lei Sherman Antitruste tentou coibir o poder dos trustes, restringir o crescimento de associações comerciais de toda forma e proporcionar um nível de proteção à concorrência garantido pelo governo federal. Tentativas anteriores de regulamentação estadual haviam se mostrado ineficazes porque tudo que uma empresa tinha de fazer para evitar a restrição era mudar-se para um estado menos inclinado a impô-la. Mas a Lei Sherman não foi muito mais eficiente. Quando desafiada e efetivamente derrotada na Suprema Corte, como foi no Caso do Truste do Açúcar de 1895, a fundamentação jurídica estava clara para uma consolidação crescente, para o desenvolvimento desimpedido do "Big Business" no século XX.

O que não cresceu nos Estados Unidos foi uma organização trabalhista coerente em paralelo com a consolidação das empresas. Isso em si serviu somente para alimentar o sentimento anti-imigrante, porque era essencialmente o emprego de uma força de trabalho majoritariamente imigrante em uma nação já cindida por antagonismos raciais que impedia o desenvolvimento de organizações sindicais comerciais comuns na Europa daquela época. Na condição de estranhos em uma terra estranha, os trabalhadores do mundo tiveram dificuldades para unir-se na América, o que não quer dizer que tal tentativa não fora feita. Os Cavaleiros do Trabalho, fundados na Filadélfia em 1869, pregavam uma variante precoce do evangelho da riqueza, desposada anteriormente por presidentes como Andrew Jackson e Abraham Lincoln.

---

154 ROCKEFELLER apud HOFSTADTER, Richard. *Social Darwinism in American Thought*. rev. ed. Boston: The Beacon Press, 1955. p. 45-6.

Na essência, os Cavaleiros também olhavam para trás, para uma época em que a ideia de cada homem tornar-se seu próprio senhor parecia viável. No seu mundo ideal, como disse Lincoln em 1861, o trabalho não era somente "anterior ao e independente do capital", mas era fundamentalmente "superior ao capital". Tratava-se de um mundo onde não havia, "por necessidade, algo como o trabalhador assalariado livre permanecer preso a essa condição por toda a vida". A expectativa de Lincoln de que "aquele que se inicia no mundo com prudência e sem um tostão trabalhe por salário por algum tempo" e depois "trabalhe por conta própria" era um artigo de fé fundamental para muitos, mesmo no fim do século XIX. Era o sonho que, como afirmara Lincoln, "abre caminho para todos – dá esperança a todos e, por conseguinte, energia, progresso e melhora de condição para todos".[155] Essa era a esperança de Lincoln e foi esse sonho, antes de mais nada, que atraiu tantos imigrantes para a América, evidentemente, mas para muitos era a realidade de Rockefeller que eles encontravam.

Nem todos aceitaram essa versão do admirável Novo Mundo em que a nação havia se transformado, e alguns tentaram combatê-la de frente. Com o tempo, os Cavaleiros do Trabalho cederam espaço para a mais pragmática Federação Americana do Trabalho (AFL [na sigla em inglês]), fundada em 1881, mas as últimas décadas do século XIX presenciaram surtos persistentes, quase perenes, de conflito industrial. Começando com a greve dos ferroviários de 1877, passando pela Revolta de Haymarket e pela greve na siderúrgica de Homestead de Carnegie em 1892, à mais famosa greve Pullman em 1894, o choque entre o homem e a máquina que era a nova nação industrial intensificou-se. E no centro de tudo isso estava o imigrante. A arena política até sustentou, durante um breve período, um partido político – o Partido Populista ou do Povo – que desafiou a ascensão do "Big Business" e ao mesmo tempo exigia a restrição da imigração. A solução para os males da nação residia, ao que parecia, nos negócios e na fronteira. Regulamentem-se ambos, afirmavam alguns, e tudo ficará bem.

Para alguns, os conflitos do final do século XIX, seja por causa das relações industriais, seja devido à restrição da imigração, eram um estágio inevitável no desenvolvimento da América. O sociólogo Simon Nelson Patten, por exemplo, acreditava que grande parte do problema estava no fato de que os "instintos cívicos" da nação ainda estavam na sua "infância".

---

155 LINCOLN, Abraham. Annual Message to Congress, 3 de dezembro de 1861. *In*: BASLER, *op. cit.*, v. V, p. 52.

Isso valia para toda a nação e superava raça e classe, cidade e fronteira, para criar oposições formadas no debate em curso acerca do americanismo. Cada "classe ou seção da nação está se tornando consciente de uma oposição entre seus padrões e as atividades e tendências de alguma classe menos desenvolvida", observou ele:

> O Sul tem seu negro, a cidade tem suas favelas, o trabalho organizado tem seu trabalhador pelego e o movimento da temperança tem seu bêbado e bodegueiro. Os amigos das instituições americanas temem o imigrante ignorante e o trabalhador não gosta dos chineses. Cada qual está começando a diferenciar aqueles com qualificações apropriadas para a cidadania de alguma classe ou classes que ele deseja reprimir ou excluir da sociedade.[156]

Patten era otimista diante do fato de que os "instintos cívicos" da América se desenvolveriam com o tempo e que o resultado final seria "uma integração social através da qual uma sociedade verdadeiramente americana será formada". A integração social, no entanto, era um conceito tendencioso no fim do século XIX. Para alguns, a integração definida era o que importava; a integração informada pela norma branca anglo-saxã.

"Nenhum homem", afirmara Josiah Strong, "mantém-se de pé simplesmente pela força de suas próprias raízes; seus ramos entrelaçam-se com os de outros homens e assim a sociedade é formada." Mas Strong não antecipava que, por meio da imigração, um novo híbrido nacional, o americano mestiço que Ravage descrevera, seria produzido; muito pelo contrário. A imigração era, para Strong, não apenas "desmoralizante", mas os imigrantes representavam uma doença no corpo político e era a doença, insistiu ele, "e não a saúde que é contagiosa".[157] A cura para esse contágio, como ele a percebia, estava na americanização, uma panaceia para os males da nação e, como alguns a interpretariam no futuro, para os males do mundo.

Podia-se contar com a recém-construída estação de imigração na ilha Ellis, inaugurada em 1892, para manter afastados os portadores de doenças físicas óbvias, mas o tipo de doença que preocupava Strong e outros não era uma queixa médica mas cultural, e pará-la na fronteira não era uma opção. "Muitos cidadãos americanos são não americanizados", observou Strong consternado, uma situação tão "infeliz" quanto "natural". Embora Strong viesse a desenvolver mais tarde seu argumento sobre a necessidade

---

156 PATTEN, Simon Nelson. *The Theory of Social Forces*. Philadephia: The American Academy of Political and Social Science, 1896. p. 143.

157 STRONG, *op. cit.*, p. 41, 44 e 48.

de americanizar as hordas urbanas num subsequente estudo da cidade, nos anos 1890 seu foco particular de preocupação era o Oeste. Ele não era o único. Muitos reformadores viam com algum alarme a parte da nação já designada, com certa razão, de "selvagem", quer sua preocupação fosse com os habitantes nativos, quer com os imigrantes mais recentes.

Escritores como Wister – e depois Hollywood – podem ter elevado a história das lutas na fronteira ocidental em algo que se aproxima de um rito de passagem nacional, mas havia pouco romance real no "Oeste Selvagem". As "guerras indígenas" das décadas de 1870 e 1880 certamente excederam a Guerra Civil nacional quanto à extensão de sua brutalidade e seu custo em vidas. A descrição posterior de muitos desses fatos como massacres transmite bem os níveis gerais de violência. Ao mesmo tempo, destacar choques específicos entre colonos brancos e nativos – o Massacre de Sand Creek, Little Bighorn, ou até Wounded Knee – situa-os como incidentes isolados de conflito em vez do que eles realmente foram: uma parte fundamental da (re)construção da nação após o conflito civil de meados do século XIX. E como todas as guerras da América, nunca se tratava apenas do combate, mas sim dos corações e mentes.

Porém, a batalha pelos corações e mentes nas últimas décadas do século XIX não pode ser divorciada de outra justaposição: a de acomodação e privação, independente se enquadrada no contexto de trazer os estados da antiga Confederação de volta para a União, enfrentando a violência extremista branca, lidando com as implicações do aumento da imigração ou aclimatando-se ao cenário mutável da economia e do emprego inculcado pelo *Big Business* e a instabilidade industrial que se seguiu. O que estava em jogo era a questão do que era o americano, o que a América representava, uma questão que se tornou urgente diante dos grandes desafios industriais, urbanos e da imigração ao ideal nacional. Às vezes é difícil distinguir a multiplicidade de problemas que ocupavam os reformadores americanos com relação ao ambiente urbano, de tão entrelaçados com relação ao triunvirato de industrialização, urbanização e imigração.

Na fronteira, as motivações dos reformadores podem ter sido não menos complexas, mas suas ações foram bem diretas. Em algum ponto, a guerra aberta entre nativos e adventícios tinha de cessar. Resistir às forças combinadas da industrialização e imigração não era uma opção de longo prazo para as nações nativas a oeste do Mississippi. O advento inevitável da estrada de ferro e do telégrafo, acompanhados por colonos e soldados, mineiros e missionários, os que tencionavam ficar ou os que simplesmente estavam de passagem a caminho da Costa Oeste, anunciou o fim de um modo de vida, um fim efetuado em grande medida por meio da erradicação das manadas de búfalos nessas planícies.

Mas não foi simplesmente a perda da terra ou dos meios de subsistência que minou as nações nativas; foi um ataque cultural muito mais insidioso – hoje alguns chegam até a chamá-lo de etnocídio – por meio do qual sua cultura foi eliminada. Foi o custo da entrada na comunidade política americana. Foi, de fato, o custo cobrado de quase todos os imigrantes no fim, mas no Oeste o processo foi acelerado pela política deliberada de mudança de regime incentivada ou às vezes imposta.

Fundir os nativos com a nação, no entanto, era particularmente problemático e certamente não foi completado no fim do século XIX. Em 1816, o Congresso aprovou a Lei de Civilização dos Índios, que incentivava a assimilação como meio de facilitar a expansão dos colonos brancos nos territórios aborígines. Os nativos americanos tinham então a opção, presumindo que rejeitassem sua filiação tribal, de naturalizar-se como cidadãos da nação que crescia em torno deles, mas somente até certo ponto. O direito de voto não era concedido automaticamente (IMAGEM 41), e muitos nativos ocupavam uma posição jurídica intermediária, detentores de uma dupla nacionalidade que comprometia sua posição tribal, tampouco lhes conferia condição igual aos americanos estabelecidos ou imigrantes naturalizados. Como observou o bispo de Minnesota Henry Benjamin Whipple na sua introdução a uma das críticas mais ferozes do tratamento dado pela América aos nativos, o livro *A Century of Dishonor* [Um século de desonra] (1881), de Helen Hunt Jackson, o "índio é o único ser humano no nosso território que não tem direito individual ao solo [...] seu título confunde-se com o da tribo – o homem não tem capacidade de ser parte em um processo jurídico".[158]

No final do século XIX, o impulso de assimilar o "índio" nos Estados Unidos tinha paralelos na abordagem adotada alhures por sociedades com origem na dominação colonial branca e britânica, notavelmente a Austrália e o Canadá. Na América, antigos abolicionistas como William Lloyd Garrison e Wendell Phillips tornaram-se muito ativos no movimento de reforma dos índios, que agia por meio de entidades como a Associação dos

---

158 WHIPPLE, Henry Benjamin. Prefácio a JACKSON, Helen Hunt. *A Century of Dishonor*. New York: Harper and Brothers, 1881. p. vi.

IMAGEM 41. "'Circulando!' Será que o nativo americano não tem direitos que o americano naturalizado seja obrigado a respeitar?" (Thomas Nast). Esta charge foi publicada na *Harper's Weekly* em abril de 1871. Ela mostra um policial afro-americano afastando um homem nativo de uma urna de votação, que está cercada por alguns dos americanos "naturalizados" estereotipados de modo muito típico por Nast. Nast pode ter sido um firme defensor dos direitos de afro-americanos e nativos americanos, mas sua caricatura de imigrantes não era, talvez, tão nobre em intenção ou execução. Não obstante, existem múltiplas camadas de ironia nesta imagem, a começar pelo título. A invocação direta da famosa decisão *Dred Scott* de 1857, na qual o presidente da Suprema Corte, Roger B. Taney, concluiu que, juridicamente, o afro-americano "não tem direitos que o homem branco é obrigado a respeitar", era um lembrete apropriado de que, no século XIX, a nação não estava andando para frente, mas em círculos cada vez menores no que dizia respeito ao debate sobre os direitos de cidadania. *Cortesia da Library of Congress Prints and Photographs Division (LC-USZ62-77909).*

Direitos dos Índios e a Associação Nacional de Defesa dos Índios. Elas geriam um sistema de internatos que tiravam as crianças nativas do seu ambiente familiar e social, em uma tentativa de inculcar nelas os valores religiosos, educacionais e linguísticos da sociedade branca. Essas tentativas gritantes de afirmar os valores nacionalistas brancos em detrimento daqueles dos nativos foram reforçadas por uma série de medidas de apoio, das quais a mais notável foi a Lei de Loteamento Geral (Lei Dawes) de 1887. Ela oferecia a cidadania aos nativos dispostos a abandonar a afiliação tribal e subdividia as reservas em propriedades familiares autônomas, para aproximar-se mais do ideal agrário jeffersoniano no Oeste.

Por mais idealista que a Lei Dawes pudesse ser em tese, talvez tudo o que ela tenha feito na prática tenha sido inevitavelmente facilitar a aquisição da terra por brancos. Entre a promulgação da lei em 1887 e 1934, ano do chamado "*New Deal* indígena", 35 milhões de hectares – mais de 60% da base restante de terras indígenas – passou para o controle de não nativos. Naturalmente, houve uma reação contra essa aculturação e redistribuição forçada de terras, e uma das formas que ela assumiu foi o surgimento, em 1889, da religião Dança dos Fantasmas. Foi uma reação ritual óbvia, mas de forma alguma universalmente adotada, de rejeição da intrusão e dominação cultural branca que teve um certo papel em fomentar o confronto armado final, e talvez mais infame, entre os *sioux* e o governo americano no século XIX. Embora sua fama tenha garantido por si própria a sobrevivência das questões em jogo por grande parte do século XX, a Batalha de Wounded Knee, em Dacota do Sul, em 1890, marcou um ponto final, para todos os fins práticos, no controle do Oeste.

O ano de 1890, evidentemente, marcou também um ponto final de outra maneira significativa. Foi o ano em que o superintendente do Censo declarou que "atualmente a área desocupada foi quebrada em tantos corpos isolados de ocupação que não se pode dizer que existe uma linha de fronteira". Nesse aspecto, pelo menos, o Destino Manifesto da América de cobrir o continente havia sido realizado. Em outros aspectos, as implicações raciais, religiosas e sociais da própria ideia do Destino Manifesto da nação haviam apenas começado a serem exploradas.

Na última década do século XIX, a América tinha duas narrativas em curso, ambas desenvolvidas no século por vir; ambas olhavam para frente e para trás. Uma era uma história de supressão, segregação e sofrimento, a outra de persistência diante dessas realidades demasiado humanas, uma visão alternativa de esperança e expectativa de que, com esforço, a terra prometida poderia ser criada. Era a visão de Ida Wells e Grover Cleveland contra a de Owen Wister e da Liga de Restrição da Imigração, a verdadeira batalha pelos corações e mentes que viria a definir o "Século Americano".

capítulo 8

A FÉ DO SOLDADO:
CONFLITO E CONFORMIDADE

*O dia da vida do nosso país acaba de alvorecer.
Não vistam uniformes. Vistam a armadura do presente.
Ergam os olhos para os grandes campos de vida
a serem conquistados no interesse da justa paz,
da prosperidade que reside no coração do povo
e que dura mais do que todas as guerras
e os erros dos homens.*
(Woodrow Wilson, Discurso de Gettysburg,
4 de julho de 1913)

O atentado a bala contra o presidente William McKinley pelo anarquista Leon Czolgosz em Nova York, no dia 6 de setembro de 1901, marcou o fim de uma era da maneira mais trágica possível. McKinley morreu em 14 de setembro de 1901, quase exatos vinte anos depois de outro presidente, James A. Garfield, sucumbir, em 16 de setembro de 1881, também em decorrência da bala de um assassino. A começar com o assassinato de Abraham Lincoln em 1865, McKinley tornou-se o terceiro presidente americano a ser assassinado e o último da geração de líderes americanos cujas vidas haviam sido moldadas – e, no caso de Lincoln, abruptamente encerradas – pela Guerra Civil. Garfield e McKinley eram veteranos da União da Guerra Civil, como todo presidente eleito desde 1868. A atuação de Garfield na Guerra Civil tinha sido notável. Ele fora promovido a major-general antes de assumir um cargo político no fim de 1863. McKinley, por contraste, foi o único presidente republicano desde Lincoln que não havia sido general na Guerra Civil, mas sua vida pública começou com esse conflito. Ele juntou-se à Infantaria Voluntária de Ohio com apenas 18 anos de idade e acabou a guerra como major comissionado.

A carreira de McKinley na Guerra Civil teve papel significativo na sua campanha presidencial e consequente vitória em 1896, quando ele concorreu pela primeira vez contra o populista/democrata William Jennings Bryan. Bryan, de 36 anos de idade, foi o candidato presidencial mais jovem já proposto por um dos principais partidos americanos, mas sua idade pesou contra ele. Quando se tratava das principais questões do momento – e em 1896 elas giravam basicamente em torno das tarifas e da estabilidade da moeda –, os americanos ainda não estavam preparados para confiar na geração jovem. Durante a campanha, uma charge famosa que retratava McKinley no seu uniforme da Guerra Civil era justaposta à imagem de Bryan no berço (IMAGEM 42). A mensagem era clara. A nação estaria mais segura nas mãos de um homem forjado na fornalha da guerra do que de outro simplesmente animado por sua ambição juvenil.

A eleição de 1896 evocou a Guerra Civil em muitos níveis. Alguns dos maiores figurões do antigo Exército da União, incluindo Dan Sickles, que lutara em Gettysburg, e Oliver Otis Howard, que depois chefiou a Agência dos Libertos, apoiaram McKinley. Por serem veteranos inválidos (Sickles perdera uma perna em Gettysburg em 1863 e Howard um braço na campanha da Península no ano anterior), ambos serviam de lembretes visuais potentes de algumas questões em jogo. O campo de McKinley invocou as dificuldades do conflito civil da nação no contexto da crise financeira que começara em 1893 para reforçar seu argumento de que a estabilidade econômica – e, por extrapolação, social – da América dependia de "dinheiro sólido". Isso, afirmavam eles, só seria obtido se a nação mantivesse o padrão-ouro, favorável aos negócios. O campo de Bryan, ao contrário, defendia basear o dólar na prata. A nação tinha prata de sobra desde a descoberta da mina de prata Comstock Lode em Nevada em 1859. Usar a prata como segurança, argumentavam seus proponentes, aumentaria a oferta de dinheiro e aliviaria as agruras financeiras de, entre outros, as viúvas e os veteranos da Guerra Civil – tanto da União como dos confederados –, tema de muitas charges publicadas durante a campanha.

Em muitos aspectos, o debate acerca da moeda, embora fosse obviamente uma questão genuína por conta própria, dado que a nação sofria uma crise econômica severa, servia de símbolo para um desacordo mais fundamental sobre a estabilidade moral e monetária da América. Além dis-

CAPÍTULO 8 – A FÉ DO SOLDADO: CONFLITO E CONFORMIDADE | 289

IMAGEM 42. "Os paralelos mortais" (Artista: W. A. Rogers). Esta charge foi publicada na capa da *Harper's Weekly* em 29 de agosto de 1896. McKinley concorreu contra Bryan e derrotou-o duas vezes, em 1896 e 1900, com uma margem de vitória ainda maior em 1900 do que em 1896. *Cortesia da Library of Congress Prints and Photographs Division (LC-USZ62-97504).*

so, não havia de modo algum uma divisão político-partidária clara entre republicanos e democratas. Existiam "ouromaníacos" [*gold bugs*] entre os democratas e havia também um terceiro partido potencial na equação: os populistas. A origem dos populistas estava na Aliança dos Fazendeiros de 1876, e o núcleo do seu eleitorado consistia na América rural, atingida duramente pela queda dos preços agrícolas e que se sentia excluída da nação industrial e urbana em rápido crescimento e ameaçada pelo aumento da imigração desde 1870. Os padrões em jogo na eleição de 1896, portanto, envolviam muito mais do que a variedade financeira, e os precedentes que ela estabeleceu repercutiram muito além da esfera política, ou melhor, permitiram à esfera política repercutir com mais força em toda a nação.

A retórica da campanha de 1896 era emotiva e marcial na sua estridência e na sua iconografia, particularmente no campo democrata, dividido quanto à extensão com que deveria absorver a pauta populista, indicar Bryan como candidato e assim manter o sistema político bipartidário. Os próprios populistas dividiram-se em torno dessa questão. Os chamados fusionistas defendiam a adesão aos democratas, enquanto os populistas mais radicais preferiam almejar o poder político por conta própria. Durante a convenção de nomeação democrata em Chicago, logo ficou claro que a opção fusionista era o desfecho mais provável. Isso em si representa parte da transição regional no sistema político americano. A ascensão econômica do Oeste e a recuperação política do Sul – que juntas formavam a "plataforma de Chicago" na convenção de nomeação democrata – representavam um claro desafio às estruturas tradicionais de poder e à influência nacional das cidades do Leste. E Bryan era bem claramente a voz do Oeste. Ele falava em nome dos "valorosos pioneiros que enfrentaram todos os perigos da terra selvagem, que fizeram o deserto florescer como a rosa".[159]

Mas nem todos os democratas estavam contentes com as implicações de adicionar uma tábua populista à sua plataforma. Tanto Bryan como indivíduo quanto os ideais que ele desposava eram demasiado radicais para alguns deles (IMAGEM 43). O ex-senador democrata pelo Missouri, J. B. Henderson, um dos coautores da Décima Terceira Emenda, denunciou a plataforma de Chicago como uma recrudescência da "velha doutrina de resistência estadual à autoridade federal". Se os espectros gêmeos dos direitos dos estados e da secessão tinham de fato alguma substância, declarou Hen-

---

[159] *Official Proceedings of the Democratic National Convention Held in Chicago, Illinois, July 7, 8, 9, 10, and 11, 1896.* Logansport, Indiana, 1896. p. 226-34.

IMAGEM 43. "A História se repete" (Louis Dalrymple, 1896). Esta charge foi publicada em Puck em 28 de outubro de 1896. Ela mostra uma caricatura de William Jennings Bryan segurando um papel que diz: "Denunciamos a interferência arbitrária das autoridades federais em assuntos locais como uma violação da Constituição etc.", acima de um grupo de figuras que incluem Ben Tillman, John P. Altgeld e Eugene Debs, que estão erguendo juntos a bandeira da "desordem" e do "mau governo". Ben Tillman "Pitchfork" foi o ex-governador da Carolina do Sul (1890-1894), cujos "camisas vermelhas" haviam "salvado" o estado do domínio republicano em 1876 e ajudado a estabelecer a supremacia política branca. John Peter Altgeld era o governador de Illinois e um democrata de esquerda, considerado por muitos como o poder por trás da plataforma de Chicago na Convenção Democrata que indicou Bryan. Eugene Debs era um dos mais eminentes socialistas da América e líder sindical. Membro fundador dos Trabalhadores Industriais do Mundo e do Sindicato Trabalhista Internacional, ele concorreu à eleição por conta própria em 1900 e na maioria das eleições até 1920. À direita da imagem, enfatizando o argumento de que Bryan oferecia uma ameaça de instabilidade ou até desunião, o presidente confederado Jefferson Davis segura um papel idêntico diante de Abraham Lincoln e do Exército da União. *Cortesia da Library of Congress Prints and Photographs Division (LC-USZC4-4361).*

derson, os democratas deveriam "fazer como fizeram os homens de 1861. Pedimos então simplesmente que a Constituição que Washington e outros redigiram fosse preservada e vamos defendê-la agora [...] como fizemos em 1861-1865".[160]

Contudo, a perspectiva desse veterano militar e político não convenceu os democratas opostos a Bryan. Quando se tratava de invocar o passado para

---

160 Discurso de J. B. Henderson, Wilmington, Delaware, 19 de outubro de 1896, *apud St. Louis Post-Dispatch*, 30 de outubro de 1896.

persuadir o presente, os Pais Fundadores levavam a melhor sobre a geração da Guerra Civil. E era isso essencialmente o que Bryan oferecia. Ele retomou a visão de Jefferson do sonho americano agrário, ainda que não exatamente arcádico, e ressaltou a importância de apoiar os fazendeiros da nação. Criticando o impacto prejudicial do padrão-ouro sobre "o povo da planície deste país", Bryan argumentou que "não se trata de uma competição entre pessoas", mas "da causa da humanidade". Ele reconheceu a sombra da Guerra Civil na sua descrição da batalha dos padrões, na qual "irmão foi arrojado contra irmão e pai contra filho", em que os "laços mais ternos de amor, afinidade e associação foram desprezados". Mas isso não era uma reprise da "guerra entre os estados". Na verdade, declarou Bryan, era uma guerra entre "os detentores ociosos de capital ocioso" e "as massas necessitadas". Por meio da invocação de *Daqui a cem anos* de Edward Bellamy, que deve ter tido impacto certeiro junto ao público da época, Bryan lançou aos ouromaníacos um desafio que ficou famoso: "[V]ocês não calcarão sobre a fronte do trabalho esta coroa de espinhos", ele proclamou. "Vocês não crucificarão a humanidade em uma cruz de ouro."

O discurso apaixonado da "cruz de ouro" de Bryan valeu-lhe a nomeação democrata, mas acabou fracassando em garantir a vitória para o partido em 1896. Sua derrota também significou o fim dos populistas como força política potencial e inaugurou dezesseis anos de governo republicano. Porém, apesar de fracassada, a candidatura de Bryan, junto à campanha de McKinley, marcou um novo começo da política americana, nas campanhas políticas em geral e na percepção pública do processo político.

Foi o uso intenso da mídia que distinguiu a campanha de McKinley de 1896 dos esforços eleitorais das décadas anteriores e fixou a agenda para o futuro. O impacto de Bryan dependia do seu envolvimento pessoal com seu público, mas o de McKinley contava com o envolvimento preponderantemente impessoal do seu público com ele. Na condição de zebra na corrida presidencial de 1896, Bryan não teve escolha senão levar sua mensagem diretamente ao povo realizando pessoalmente a campanha de um lado a outro da nação. A campanha de McKinley, em contrapartida, financiada e organizada por Mark Hanna, empreendedor e entusiasta político de Ohio, permitiu ao candidato permanecer alheio à frenética captação de recursos e esforços de propaganda realizados em seu nome. E tais esforços eram consideráveis. O que Hanna construiu foi, na verdade, uma máquina McKinley que promoveu o candidato republicano, segundo a famosa expressão de

Theodore Roosevelt, "como se ele fosse um remédio patenteado".[161] O que deu potência a esse remédio em especial foi o uso da mídia, na forma da imprensa, periódicos e, mais importante, um novo meio – o cinema.

Mostrado pela primeira vez em Nova York em outubro de 1896, *McKinley at Home* [McKinley em casa], um curta-metragem (menos de um minuto) do futuro presidente lendo um telegrama no seu jardim, era silencioso, claro, mas eloquente de uma forma que o eleitorado de hoje, quase sofisticado demais para a televisão, mais acostumado com Tweeter e Facebook, internet e smartphone, mal pode imaginar. Um jornal de Nova York observou que a gravação era tão "perfeitamente natural que somente aqueles informados com antecedência saberão que estão vendo uma sombra e não substância".[162] A contraposição de sombra e substância resume tudo. No seu nível mais básico, por ser a primeira campanha presidencial a usar o cinema, a imagem de McKinley – e sua vitória – podia ser disseminada para um público mais amplo de uma maneira muito mais direta.[163] Combinada a um controle mais rígido da imprensa, à qual declarações selecionadas do candidato eram distribuídas, a campanha de 1896 foi verdadeiramente o começo da nova era do som (e da frase de efeito) e da visão. Embora ainda não conectados, seu impacto combinado não deve ser subestimado.

Contudo, os filmes de McKinley, em casa ou na sua cerimônia de posse em 1897, não foram os primeiros a serem mostrados. Já em 1894, o público urbano americano teve a oportunidade de se maravilhar com esse vislumbre do futuro do que viria a se tornar um negócio multimilionário. Não que os primeiros produtos desse novo meio de comunicação fossem necessariamente voltados especificamente para americanos. As implicações comerciais e de custo do cinema direcionavam-no para um mercado mundial, mesmo nesse estágio inicial de desenvolvimento. Ao contrário da Europa, o mercado doméstico da América era grande o bastante para sustentar a nascente indústria cinematográfica da nação, mas étnica e linguisticamente diverso o bastante para incentivar – e até necessitar de – uma abordagem internacional. Portanto, o primeiro cinema americano, com raízes no *vaudeville* e no teatro, apresentava imagens – acrobatas, dançari-

---

161 ROOSEVELT apud BRANDS, H. W. *The Reckless Decade: America in the 1890s*. New York: St. Martin's Press, 1995. p. 258.

162 *New York Mail e Express* apud AUERBACH, Jonathan. McKinley at Home: How Early American Cinema Made News. *American Quarterly*, 51, 4, p. 797-832, Dec. 1999.

163 A primeira posse de McKinley pode ser vista no YouTube. Disponível em: http://www.youtube.com/watch?v=F4uOmSEw5-U.

nos e boxeadores – e indivíduos – William Frederick "Buffalo Bill" Cody, a atiradora de elite e mulher-espetáculo Annie Oakley e o nativo americano Last Horse – que eram culturalmente específicos dos Estados Unidos, particularmente do Oeste, e tinham apelo internacional.

No entanto, uma das primeiras experiências cinematográficas que o público americano pôde apreciar tinha um nítido viés nacionalista. Poucos meses antes de os americanos terem a oportunidade de assistir a *McKinley at Home*, a companhia Vitascope produziu um filme que demonstrou uma antevisão notável no que dizia respeito à presidência de McKinley. O tema de *The Monroe Doctrine* [A Doutrina Monroe], mostrado pela primeira vez em abril de 1896, era a invocação pela América da sua autoridade hemisférica contra a ameaça de intrusão pela Grã-Bretanha na disputa entre a Venezuela e a Guiana Britânica.

Essa escaramuça de fronteira forneceu uma oportunidade rara para a América invocar uma doutrina que há muito tempo corria perigo de acumular pó. Como nação, os Estados Unidos haviam tido sorte no momento e na localização de sua fundação. Os conflitos europeus, combinados com o relativo isolamento geográfico da América, faziam que, com exceção da guerra de 1812, a nova República fosse pouco perturbada pelos desígnios ou desafios europeus relacionados à sua soberania. Não obstante, em 1823, o então presidente James Monroe (1817-1825) procurou eliminar qualquer dúvida restante a esse respeito e asseverou "como princípio [...] que os continentes americanos, pela condição livre e independente que assumiram, daqui em diante não devem ser considerados alvo de futura colonização por qualquer potência europeia".[164]

O filme que invoca a famosa, ainda que um tanto irrelevante, Doutrina Monroe retratava o estereótipo nacional americano do "Tio Sam" prestes a impedir a usurpação do britânico "John Bull" na esfera de influência autoatribuída da América, para a grande diversão da plateia. Sua aprovação significava não somente anglofobia – embora houvesse uma boa dose dela, sem dúvida –, mas também um sentimento crescente entre muitos americanos de que novos horizontes estavam entrando em foco junto ao novo século. Vender a nação na telona, ou nas primeiras versões tremeluzentes dela, oferecia uma centelha de futuro global, a promessa de um impacto internacional que poderia fundir poder com lucro – em suma, um merca-

---

[164] MONROE, James. Mensagem Anual ao Congresso, Senado, 2 de dezembro de 1823, *Annals of Congress*, 18º Congresso, 1ª sessão, p. 13-4.

do moral convidativo, no qual se poderia vender, metafórica mas também materialmente, a visão colonial da "cidade na colina".

A Revolução Americana, como deixou claro a afirmação de Monroe, inaugurou um período no qual os americanos estavam menos preocupados em promover a "cidade na colina" do que em protegê-la. O aviso de Washington à nação para evitar envolvimentos europeus, emitido no seu Discurso de Despedida de 1796, tornou-se, no século seguinte, algo como um artigo de fé. Porém, por ser uma fé que nunca foi realmente testada, ela logo desapareceu, substituída por uma determinação expansionista – alguns diriam agressiva – alimentada em parte pela crise financeira que a nação atravessava, de expandir a influência da América e de seus mercados no exterior. Nesse aspecto, o que às vezes é chamado de "novo" imperialismo da última década do século XIX não passava de um retorno aos primeiros princípios da nação americana, cuja origem havia sido tão ambiciosa e contraditória, fundada por pioneiros movidos pela piedade e pelo lucro.

A própria noção de uma nação de imigrantes que de alguma forma permaneceriam alheios aos assuntos internacionais era, evidentemente, em parte absurda. Dado que o mundo estava decidido a ir para a América, era inevitável que a América fosse forçada a envolver-se não só com os mundos atlântico e pacífico mais amplos nos quais ela estava geograficamente situada, mas com os mundos europeu e africano além dela: laços preexistentes de comércio e o influxo de imigrantes tornavam o isolacionismo impossível na prática, mesmo se a ideia fosse proclamada em princípio. De fato, a imigração informou, em um sentido muito real, os impulsos imperialistas que a América exprimiu no fim do século XIX. Nunca esteve claro que a nação, tendo realizado seu Destino Manifesto de conquistar o continente – como sugeriu o "fechamento" da fronteira em 1890 –, voltaria de repente sua atenção para além-mar.

Não obstante, esse argumento meticuloso foi proposto por, entre outros, Alfred T. Mahan, o proeminente oficial naval e autor de *The Influence of Sea Power Upon History* [A influência do poder marítimo na história] (1890). Na visão de Mahan, os americanos tinham estabelecido autoridade sobre a terra e agora era hora de voltar sua atenção para o mar, por razões de lucro e proteção, assim como de poder. Durante muito tempo, afirmou ele, as indústrias americanas concentraram-se no mercado interno, uma prática que "ganhou força de tradição" e vinha "revestida da malha do conservadorismo". Por isso, essas indústrias agora lembravam "as evoluções de um encouraçado moderno que tem armadura pesada, mas um motor inferior e nenhum canhão; poderoso para a defensiva, fraco para a ofensiva". Mas o "temperamento do povo americano", sugeriu ele, era "alheio a essa atitude morosa", e ele previu que "quando as oportunidades de vitória no exterior forem compreendidas, o curso da empreitada americana escavará um canal por meio do qual poderá alcançá-las".

Mahan era, talvez inevitavelmente, afeiçoado às suas metáforas navais. Ele animava-se ainda mais com a ideia de que a empreitada americana pudesse resultar em um império americano, que rivalizaria – ou no mínimo se igualaria – com os das nações europeias. Sua visão teve ampla circulação em uma época em que tais nações estavam envolvidas na "corrida pela África" e, embora poucos na América considerassem que valia a pena meter-se nessa confusão, o argumento geral sobre as oportunidades de expansão não caiu em ouvidos moucos. Em comparação com outras, a proposta de Mahan era relativamente coerente. Tanto pela sua carreira como pela sua inclinação, ele tendia para a crença em uma expansão do poder marítimo americano porque detectava "uma inquietação no mundo em geral", que temia tornar-se problemática para sua nação a longo prazo. A segurança da América, observou ele, naquelas condições, devia-se a "vantagens naturais" e não a "preparações inteligentes" e, por conseguinte, a nação estava, advertiu ele, "terrivelmente despreparada [...] para exercer no Caribe e na América Central um peso de influência proporcional à extensão de seus interesses".[165]

Para outros, como o clérigo Josiah Strong, o impulso para o império era parte integrante de seus temores acerca do impacto da imigração sobre a nação. O desejo de garantir um domínio político e cultural anglo-saxão na América – "a conquista moral desta terra" – levou-os à conclusão um tanto ambiciosa de que ele poderia ser alcançado inculcando-o também fora da América. De fato, assim como presidentes isolados – na verdade, líderes mundiais em geral – frequentemente procuram desviar a atenção da desordem interna enfocando assuntos estrangeiros, alguns dos reformadores da América nesse período debateram um Destino Manifesto moderno e mais expansivo para sua nação. Em parte, eles procuravam simplesmente justificar sua agenda de reforma e esperavam que outras nações, outros povos, pudessem ser mais receptivos aos seus preceitos do que os indígenas nati-

---

[165] MAHAN, Alfred Thayer. The United States Looking Outward. *The Atlantic Monthly*, 66, 398, p. 816-34, Dec. 1890.

vos no Oeste e os imigrantes recentes nas cidades em crescimento haviam se mostrado até então. Em grande parte, eles eram cruzados por uma causa, e essa causa era a América.

Seu evangelismo era exercido pela ideia de conflito. "Nossa salvação nacional", afirmou o clérigo congregacionista Austin Phelps na sua introdução a *Our Country* [Nosso país] de Strong, "exige o exercício supremo de certas virtudes militares". E as virtudes militares que Phelps tinha em mente eram as da Guerra Civil. "O que a campanha na Pensilvânia foi para a Guerra Civil", ele propôs, "o que a batalha de Gettysburg foi para essa campanha, o que a luta por Cemetery Hill foi para essa batalha, assim é a atual oportunidade para a civilização cristã deste país." A batalha na qual a obra de Strong se concentrava, obviamente, era a do nacionalismo. Os americanos, enfatizou ele, estavam "forjando uma nação", e uma nação anglo-saxã (com isso ele queria dizer anglófona, e não uma etnia específica). A América, na visão de Strong, já estava "na senda das nações" e estava portanto destinada a ser "a grande casa dos anglo-saxões, sua principal sede de poder, o centro de sua vida e influência". A partir da América, a influência desse nacionalismo anglo-saxão iria se expandir para fora, para benefício incontestável dos "povos inferiores" do mundo. Seu argumento, concluiu, em um eco de seus antecessores seiscentistas, era, portanto, "não a América para o bem da América, mas a América para o bem do mundo".[166]

Essa fusão da perspectiva marcial com a moral em nome da nação – e, na verdade, do mundo – tornou-se mais do que um encontro teórico de mentes entre homens como Strong e Mahan em 1898, quando a América interviu na luta pela independência em curso em Cuba. De fato, Cuba, uma exceção à Doutrina Monroe, foi apenas uma de várias colônias espanholas que mudaram de mãos após 1898. Guam, as Filipinas e Porto Rico também estavam sob jurisdição espanhola, mas foi Cuba que serviu de catalisador para um conflito que dominou, em grande medida, o primeiro mandato de McKinley. Apesar do idealismo que informava a intervenção, a guerra para libertar Cuba lançou a América nas tempestuosas águas internacionais da *Realpolitik*.*

Fomentada por relatos de atrocidades espanholas transmitidos por vários jornais da época, em especial o *New York World* de Joseph Pulitzer e o

---

166 STRONG, Josiah. *Our Country: Its Possible Future and Its Present Crisis*. New York: The American Home Mission Society, 1885. p. v, 165, 177 e 218.

* Termo alemão que significa "política real", utilizado de modo pejorativo para indicar políticas imorais. (N.E.)

New York Journal de William Randolph Hearst, a indignação americana diante da opressão do povo colonial tão próximo de suas costas atingiu o ápice no ano da eleição de McKinley. Mas o presidente estava inicialmente relutante em envolver o país em um conflito cujo apoio popular era motivado em grande medida pela chamada imprensa marrom e informado pelas guerras de circulação de dois gigantes rivais da mídia (IMAGEM 44). Contudo, no início de 1898, um deslize diplomático menor – a publicação de uma carta escrita pelo ministro espanhol em Washington que criticava McKinley – foi seguido por uma catástrofe importante. Uma explosão a bordo do encouraçado americano Maine ancorado em Havana destruiu o navio e matou mais de 260 tripulantes. Era generalizada, ainda que sem fundamento, a pressuposição de que a destruição do Maine fora um ato deliberado de sabotagem dos espanhóis. O clamor "Lembrem o Maine! Às favas a Espanha!" [*Remember the Maine! To hell with Spain!*] resumiu a reação da América. No final da primavera daquele ano, os Estados Unidos estavam em guerra.

Apesar do apelo de "Lembrem o Maine" e de um monumento imponente em Columbus Circle, Nova York, erigido em sua memória, possivelmente poucos americanos hoje situariam a Guerra Hispano-Americana como central para a história da nação, para o seu nacionalismo. Menos ainda identificariam a subsequente guerra com as Filipinas (1899-1903), como um ponto de virada crucial para a América. Mas ambas foram conflitos decisivos em diversos níveis. O que começara como uma tentativa limitada de simplesmente liberar Cuba acabou se tornando o meio pelo qual a América assumiu o controle das antigas colônias espanholas das Filipinas, Guam e Porto Rico e, além disso, do Havaí, que não tinha nada a ver com a Espanha. A América já tinha negociado um acordo com o Havaí para garantir Pearl Harbor para a base naval e anexou formalmente as ilhas em 1898 porque elas eram cruciais para o comércio americano com a China e o Japão. De fato, no negócio de porteira fechada que foi a aquisição pela América do que era, na verdade, um império já pronto, o que dominava era o desejo de comércio, não o de território. O comércio, não o colonialismo, era o que os americanos mais tinham em mente quando foi tomada a decisão de desafiar a Espanha.

Em decorrência disso, a América estava despreparada para a guerra em que se encontrava, mas felizmente para ela, não tão despreparada quanto os espanhóis. Os quatro meses da Guerra Hispano-Americana foram desde o início um embate desigual, o que de forma alguma diminuiu a represen-

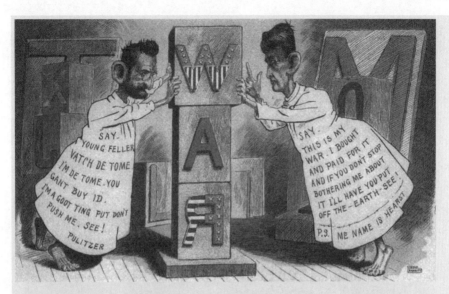

IMAGEM 44. "A guerra de tipos grandes dos *yellow kids*" (Leon Barritt). Esta charge, datada de 29 de junho de 1898, retrata Joseph Pulitzer e William Randolph Hearst vestidos como o *"yellow kid"*. O *"yellow kid"* era um personagem de quadrinhos na popular tira "Hogan's Alley", a qual era publicada no *New York World*, mas o personagem também apareceu no *New York Journal* quando seu criador, Richard Outcault, mudou do primeiro para o segundo em 1896. O *kid* era retratado como um garoto da favela, vestido com uma camisola na qual era inscrita sua fala. A descrição depreciativa do *World* e do *Journal* como exemplos de "imprensa amarela" ou "jornalismo amarelo" deriva desta tira e sugere – acertadamente – que ambos os jornais raramente deixavam os fatos atrapalharem uma boa história. Sua popularidade baseava-se em grande parte na combinação vencedora de histórias sensacionalistas que alimentavam o temor dos leitores de crime, corrupção e declínio social em geral – especialmente nas cidades – e um patriotismo um tanto chauvinista, quase jingoísta. Hoje essa abordagem da cobertura das "notícias" não causaria espanto em muitos países europeus, mas era uma novidade para o capitalismo impresso americano da época. No caso específico de Cuba, a perspectiva de ambos os jornais era fortemente antiespanhola e favorável à intervenção dos EUA, como esta charge deixa claro. Ironicamente, ela foi publicada em uma época em que a guerra de circulação entre Pulitzer e Hearst estava arrefecendo, mas o fervor marcial que ambos haviam ajudado a inculcar já havia degenerado em conflito aberto. *Cortesia da Library of Congress Prints and Photographs Division (LC-USZC4-3800).*

tação das vitórias americanas pela mídia como uma vindicação da superioridade marcial da nação, e especialmente naval. O público dos cinemas americanos logo pôde vibrar à vista das batalhas navais, quando a projeção do seu poderio nacional no Caribe e no Pacífico foi reproduzida na telona (IMAGEM 45). A incerteza quanto ao mérito da expansão e qualquer desejo remanescente de esconder-se atrás da Doutrina Monroe sumiram diante do apoio generalizado, embora certamente não universal, às novas ambições imperiais da nação.

Inicialmente, tal entusiasmo repercutiu nas Filipinas, em Cuba e em Porto Rico, cujos habitantes perceberam novas oportunidades na derrubada

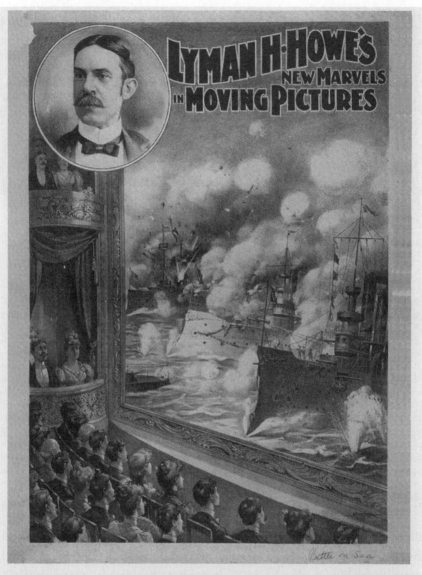

IMAGEM 45. "As novas maravilhas cinematográficas de Lyman H. Howe" (*Courier Lithograph Company, Nova York, c. 1898*). Este cartaz, que anuncia uma projeção de uma batalha naval da Guerra Hispano-Americana, não era, evidentemente, uma filmagem real do confronto representado, mas uma encenação, mais precisamente uma simulação, dos fatos construída em um estúdio cinematográfico com o uso de modelos. Dado que o público do fim do século XIX já estava familiarizado com a ideia e a realidade de fatos históricos "encenados" – que já eram uma forma popular de entretenimento –, isso não era incomum, nem teria sido visto como impostura em qualquer sentido. A mensagem que o público buscava e recebia desse entretenimento era essencialmente de validação, não verossimilhança; essas produções tinham intuito e efeito patrióticos, e nisso foram precursoras da pletora de filmes de guerra de uma perspectiva americana com que os séculos XX e XXI estão familiarizados. *Cortesia da Library of Congress Prints and Photographs Division (LC-DIG-ppmsca-05942).*

dos velhos regimes coloniais. Contudo, quando ficou claro, especialmente nas Filipinas, que tais oportunidades não eram previstas para a população local, a resistência armada ao envolvimento americano aumentou. O conflito resultante, que durou até 1903, não foi somente destrutivo em termos de vidas perdidas – mais de 100 mil filipinos e pouco mais de 4 mil americanos –, mas, afirmaram alguns, em termos dos valores americanos. Vozes de alerta tentaram fazer a nação retornar ao enunciado original de sua missão, para prevenir o que a Liga Anti-Imperialista (criada em 1899) descrevera como a traição da "liberdade americana em busca de fins anti-americanos". A "influência apropriada dos Estados Unidos", afirmou a Liga, era "moral, comercial e social", mas essa influência era ameaçada pela determinação da América de obter o controle das Filipinas.[167]

Pior ainda era a tentativa por parte do governo McKinley, na percepção da Liga, "de extinguir o espírito de 1776 nessas ilhas" (as Filipinas adotaram uma Constituição moldada na americana) e estender "a soberania americana segundo métodos espanhóis". A América, enfatizou a Liga, tinha o dever moral de não impor a outros o tipo de domínio colonial que ela própria havia deposto. O imperialismo, advertiu a Liga, era "hostil à liberdade e tende ao militarismo, um mal do qual é nossa glória ser livre". Nesse último ponto, a Liga expressava uma visão em conflito com a realidade americana do começo do século XX, como qualquer nativo americano poderia lembrar. O "espírito de 1776" havia sido, afinal, expresso de maneira marcial, sejam quais forem os imperativos morais que se tornaram associados a ele nos anos que se seguiram. E o espírito que informava grande parte da política e sociedade americana nas últimas décadas do século XIX também fundia o marcial com o moral. No fim do século, os exércitos da Guerra Civil tinham se dispersado há muito tempo, mas sua influência, não.

Para a geração que lutara na Guerra Civil ou que fora criada com reminiscências desse conflito, a guerra com a Espanha pode ter parecido, como a descreveu o então secretário de Estado e ex-secretário particular de Abraham Lincoln, John Hay, uma "esplêndida guerrinha", ainda que alguns vissem suas repercussões como nada diminutivas e, em certos aspectos, não inteiramente esplêndidas. A Guerra Hispano-Americana foi um conflito que viu antigos inimigos lutarem lado a lado em vez de um contra o

---

167 Platform of the American Anti-Imperialist League. In: BANCROFT, Frederick (ed.). *Speeches, Correspondence, and Political Papers of Carl Schurz*. v. 6. New York: G. P. Putnam's Sons, 1913. p. 77. WINSLOW, Erving. *The Anti-Imperialist League: Apologia Pro Vita Sua*. Boston: Anti-Imperialist League, 1908. p. 14.

outro pela primeira vez. O conflito de classe, em 1896, também funcionou como força divisória, especialmente para os democratas, e a sombra da Guerra Civil serviu apenas para recordar aos americanos velhas feridas. Porém, dentro de poucos anos, essas feridas foram mais ou menos cicatrizadas no contexto de um conflito muito diferente que unificou antigos adversários sob a bandeira de um nacionalismo americano mais ambicioso.

Mas esse nacionalismo olhava tanto para dentro quanto para fora, e a aquisição de um império ultramarino, ainda que acanhado, não era sua única força motriz. A geração da Guerra Civil havia deixado um legado complexo à nação. Não era simplesmente o fato de que o Executivo havia sido dominado por veteranos desde 1868. O impacto cultural e ritualístico do conflito, incentivado pelas diversas organizações de veteranos do Norte e do Sul, mas especialmente o Grande Exército da República (GAR [na sigla em inglês]) da União, não se limitava às celebrações do Dia da Recordação. Ele espalhou-se pelas salas de aula de todo o país à medida que uma nova geração de americanos aprendia a recitar diariamente o Juramento de Lealdade e a saudar uma bandeira que passara a demarcar mais do que fronteiras nacionais. Em suma, tratava-se de um símbolo de uma missão nacional e um legado militar.

Falando a essa nova geração em 1895, o ex-soldado da União e futuro juiz associado da Suprema Corte Oliver Wendell Holmes Jr. invocou o que ele chamou de "fé do soldado". A guerra, observou Holmes, estava "fora de moda" no fim do século XIX; as "aspirações do mundo", notou ele, eram agora "as do comércio". Mas o próprio Holmes tinha pouco respeito por um mundo em que "filantropos, reformadores trabalhistas e homens de moda" sentiam-se "confortáveis e brilham sem muito problema nem qualquer perigo", em que o "amor pelo país" não era mais do que "conto da carochinha". Foi com mais que um certo desdém que Holmes criticou a moderna "revolta contra a dor em todas as suas formas" e aconselhou circunspectamente seus ouvintes a "rezar, não por conforto, mas por combate; a manter a fé do soldado contra as dúvidas da vida civil".[168] Antes da aurora do novo século, a prece particular de Holmes nesse sentido havia sido atendida. Porém, nos anos que se seguiram, não foram poucos os seus ouvintes, além da própria

---

168 HOLMES JR., Oliver Wendell. The Soldier's Faith: An Address Delivered on Memorial Day, May 30, 1895, Harvard University. *In*: POSNER, Richard A. (ed.). *The Essential Holmes: Selections from the Letters, Speeches, Judicial Opinions, and Other Writings of Oliver Wendell Holmes, Jr.* Chicago; London: Chicago University Press, 1992. p. 87-8 e 92.

nação, que tiveram motivo para contemplar as ramificações plenas da fé do soldado, bem como o caminho pedregoso entre comércio e combate que levou ao século XX.

O NOVO NACIONALISMO

"Do heroísmo nasce a fé no valor do heroísmo", afirmou Holmes, e para um certo indivíduo essas palavras tiveram um impacto profundo. Theodore Roosevelt viu o poder presidencial subitamente lançado sobre ele quando McKinley foi assassinado, mas a autoridade não era algo de que Roosevelt carecia; ele se preparara para ela por toda a sua vida. Em 1901, o presidente mais jovem da América, de 42 anos de idade, já tinha estabelecido uma reputação de homem de ação. No seu caso específico, a ação em questão fora a tomada bem-sucedida da colina de San Juan, perto de Santiago de Cuba, em 1898. Mas Roosevelt e seus "Rough Riders", a unidade voluntária de Cavalaria que ele arregimentara, não foram os únicos soldados a ganhar fama naquele combate específico. Os regimentos afro-americanos haviam sido decisivos para a vitória americana naquele dia, fato salientado pelo futuro comandante das forças americanas na Europa na Primeira Guerra Mundial, o então tenente John J. Pershing. "Regimentos brancos, regimentos negros, regulares e Rough Riders, representando a jovem virilidade do Norte e do Sul, lutaram ombro a ombro", exaltou Pershing, "indiferentes à raça ou cor, ao fato de serem comandados por um ex-confederado ou não, e ciosos somente de seu dever comum como americanos".[169]

O orgulho de Pershing diante da capacidade das tropas que ele comandava para deixar de lado as diferenças raciais não significa que ele tenha conseguido fazê-lo, a longo prazo, tampouco Roosevelt. Ambos lutaram com as ramificações raciais do nacionalismo cívico inclusivo que eles desejavam em tese, mas negavam-no na prática com demasiada frequência. A narrativa dominante que desceu do topo da colina de San Juan não era a de uma nova nação racialmente inclusiva, mas de heroísmo individual, e esse heroísmo era o de Roosevelt. De fato, em Roosevelt, muitos aspectos contraditórios do nacionalismo e da mitografia americana encontraram-se e se fundiram. Ele era um indivíduo que parecia sintetizar o sonho americano: não a vertente da-miséria-à-riqueza – ele havia nascido rico – mas o ideal de forjar seu próprio destino na fronteira.

---

169 PERSHING *apud* GERSTLE, Gary. *American Crucible: Race and Nation in the Twentieth Century*. Princeton; Oxford: Princeton University Press, 2001. p. 35.

Roosevelt relatou suas experiências sertanejas naquele que era ainda o território do Dacota em, entre outras publicações, *Ranch Life and the Hunting Trail* [A vida no rancho e o rastro da caça] (1888). O ímpeto emocional da obra, ilustrada por seu amigo e também entusiasta do Oeste, o celebrado artista Frederic Remington, era resumido pela epígrafe escolhida pelo autor: uns versos do "Saul" de Robert Browning que discorriam sobre o "vigor primevo da virilidade", no qual "Nenhum espírito é desperdiçado./ Sequer um músculo é detido no seu esforço e nenhum tendão é relaxado".[170] Ela refletia não somente a abordagem de Roosevelt de sua própria vida e das oportunidades oferecidas pelo Oeste, mas era a essência de sua visão para a nação que ele se viu liderando em 1901.

Roosevelt defendia o que ele chamava de "a vida árdua", uma expressão associada a ele para sempre depois de fazer um discurso com esse título em Chicago, no ano de 1899. Ele afirmou, como Holmes, que os americanos deviam cultivar "não a doutrina do ócio ignóbil, mas a doutrina da vida árdua, a vida de labuta e esforço, de liça e trabalho [...]. Uma vida de ócio preguiçoso", enfatizou ele, "é tão pouco digna da nação como de um indivíduo". Um "Estado saudável", na opinião de Roosevelt, dependia de seus cidadãos levarem "vidas limpas, vigorosas, saudáveis" e de criarem seus filhos "não para fugir das dificuldades, mas para superá-las; não para buscar a facilidade, mas para saber como arrancar triunfo da labuta e do risco".[171] O que é, na essência, uma moralidade marcial de classe média foi, obviamente, expressa em muitas outras nações e por muitos outros povos, mas raramente de forma tão exaustiva como na América no começo do século XX. Ao defender a "vida árdua", Roosevelt refletiu e reforçou um impulso de reforma já bem arraigado na cultura, na sociedade e, cada vez mais, na política americana.

Uma vez que a própria carreira de Roosevelt começou na Marinha (e sua primeira publicação foi sobre a Guerra de 1812), talvez não surpreenda o fato de que ecos da perspectiva de Mahan sobre o poderio naval e nacional da América possam ser ouvidos em discursos de Roosevelt, ou que a defesa de Strong do ideal anglo-saxão também possa fornecer outro elemento da filosofia do presidente. De fato, Roosevelt juntou Strong e Mahan na mesma página, literalmente, quando apresentou um ao outro em 1900. A con-

---

170 ROOSEVELT, Theodore. *Ranch Life and the Hunting Trail*. Rep. New York: The Century Company, 1911 [1888]. p. 2.

171 ROOSEVELT, Theodore. The Strenuous Life. In: Id.. *The Strenuous Life: Essays and Addresses*. New York: Cosimo, 2006. p. 1 e 3.

tribuição de Mahan para a composição de uma das obras tardias de Strong, *Expansion: Under New World-Conditions* [Expansão: nas condições do Novo Mundo] (1900), foi abundantemente reconhecida pelo autor, mas não foi somente a influência de Mahan que informou a prescrição de Strong para a pauta doméstica da América e um novo imperativo global; foi o espírito da época, e muitos presumiram, com alguma razão, que aquela seria uma era americana.

Expansion foi concebida como um sinal de alerta para os Estados Unidos na virada do século. No seu argumento de que a Guerra Hispano-Americana havia dotado a América de "um novo temperamento, uma nova consciência nacional, uma nova apreensão de destino", ela aproximava gerações e planos. Ela apelava a muitos dos que haviam lutado na Guerra Civil e àqueles, como Roosevelt, nascidos tarde demais para esse conflito específico e que, talvez, tentavam provar que, não obstante, não careciam de espírito marcial. Mais importante, ao postular o que era essencialmente um paradigma de "guerra sem fim" para os Estados Unidos, ela apelava tanto ao reformador social quanto ao soldado. Ambos podiam identificar-se com a proposta de que "na grande bigorna de guerra de Deus são desferidos os golpes poderosos que moldam a nação para fins maiores" e situá-la no seu próprio quadro de referência.[172] Ambos podiam perceber, nas condições do Novo Mundo que Strong especificava, a oportunidade de lutar – literal e metaforicamente – pela nação, de defendê-la de ameaça internas e externas.

Sobre o tema de corpos estrangeiros potencialmente hostis, de fato, reformadores americanos como Strong mostraram-se expansivos nos seus pensamentos. Na virada do século, não eram apenas homens mas micróbios que os preocupavam. O perigo de contágio do exterior, como Strong o percebia em 1900, era agora mais do que metafórico. O medo da doença, como o temor da diluição dos valores democráticos por imigrantes, era uma parte fundamental da mentalidade defensiva que dominava a América no começo do século XX, interna e externamente. A ameaça oferecida pelo que Strong percebia como as "raças insalubres [...], selvagens e parcialmente civilizadas", que compreendia a doença e a ignorância, devia, afirmou ele, "ser controlada pelas nações esclarecidas tanto para seu próprio bem quanto para o bem do mundo" (IMAGEM 46). Mas a defesa de Strong

---

172 STRONG, Josiah. *Expansion: Under New World-Conditions*. New York: Baker and Taylor Co., 1900. p. 18-9.

IMAGEM 46. "Volta às aulas" (Louis Dalrymple, 1899). Esta charge, publicada em *Puck Magazine* em 25 de janeiro de 1899, condensa algumas das preocupações em torno da nova empreitada imperial da América e da perspectiva de inculcar em não brancos o *ethos* americano anglo-saxão. Ela mostra a figura do "Tio Sam" como mestre-escola diante de quatro crianças, na fileira da frente, que representam as Filipinas, o Havaí, Porto Rico e Cuba. A fileira do fundo mostra pupilos mais estudiosos que seguram cada qual um livro com o nome de um estado diferente. Sentada junto à porta, a figura de um nativo americano é retratada segurando um livro de cabeça para baixo enquanto uma criança chinesa hesita na soleira. Atrás do "Tio Sam", um afro-americano limpa as janelas. *Cortesia da Library of Congress Prints and Photographs Division (LC-USZC2-1025).*

do que um historiador descreveu como "diplomacia missionária" não era exclusiva dos Estados Unidos nesse período.[173] A América não era a única nação a se apresentar como especialmente esclarecida, mas demorou talvez mais do que outras a seguir a ideia até sua conclusão lógica. Um empurrãozinho era necessário, e logo este chegaria.

O poeta inglês Rudyard Kipling sabia bem que estava se dirigindo a um público transatlântico quando aconselhou os Estados Unidos a "assumir o fardo do homem branco/ Livrar-se dos dias pueris" e lembrou que "Venha agora, procurar sua virilidade/ Por todos os anos ingratos/ Frio, talhado com custosa sabedoria,/ O julgamento de seus pares!". A perspectiva de Kipling pode ter sido informada pela fronteira imperial da Grã-Bretanha, mas, como deixou claro o subtítulo do poema, Os Estados Unidos e as Ilhas Filipinas, ele reconheceu seu provável impacto em uma nação que luta-

---

173 LINK, Arthur S. *Woodrow Wilson and the Progressive Era*, 1910-1917. New York: Harpers, 1954.

va com sua própria dinâmica racial desestabilizadora enquanto procurava explorar as possibilidades de influência estrangeira e enviar suas Forças Armadas ainda segregadas ao exterior em busca desse fim sempre elusivo. Outros eram mais cínicos quanto à aptidão da América para o império ou influência de qualquer tipo. Uma reação satírica ao poema de Kipling, composta por seu conterrâneo, o político Henry Labouchère, intitulada *The Brown Man's Burden* [O fardo do homem pardo], terminava com os versos: "Sobrecarregue o fardo do homem pardo,/ E proclame por todo o mundo/ Que vocês são os agentes da liberdade/ Não há negócio mais rentável!/ E, se a sua própria história/ For jogada direto na sua cara,/ Retruque que a independência/ Só é boa para os brancos".[174]

A reação de Roosevelt à crítica de Labouchère não foi registrada. No entanto, no que diz respeito a Kipling, ele considerava *The White Man's Burden* [O fardo do homem branco] má poesia, mas bom conselho. A América sob a liderança de Roosevelt certamente procurou novas oportunidades tanto além de seu litoral como em casa. A ansiada aquisição do local do Canal do Panamá em 1903 (a construção começou no ano seguinte), por exemplo, ofereceu mais oportunidades estratégicas e comerciais para os Estados Unidos. As negociações, que envolveram alguma intervenção por parte da América no conflito entre Colômbia e Panamá – os EUA enviaram o USS Nashville para ajudar o Panamá –, introduziram uma nova expressão, um novo conceito no debate acerca da política externa americana: a diplomacia das canhoneiras. À primeira vista, parecia uma proposta diferente da diplomacia missionária. Após um exame mais minucioso, o marcial e o moral reforçavam-se mutuamente nesse caso, assim como fizeram a partir da era colonial, assim como fizeram, com efeito poderoso, na própria era Roosevelt.

O programa de Roosevelt, o primeiro dos três presidentes chamados progressistas (os outros foram William Howard Taft e Woodrow Wilson), para sua nação era ao mesmo tempo inovador e reacionário. Seus projetos de afeição pessoal, seja o Canal do Panamá, o ambientalismo e a conservação, ou a influência internacional da América, giravam todos, em graus variados, em torno da ideia de "americanismo". Trata-se de outro conceito associado com frequência a Roosevelt após sua discussão do "verdadeiro

---

174 KIPLING, Rudyard. The White Man's Burden. *McClure's Magazine*, 12 Feb. 1899; The Brown Man's Burden foi publicado pela primeira vez em *Truth* e depois reimpresso no *Literary Digest*, 25 Feb. 1899.

americanismo" em 1894, mas era um tema perene ao qual muitos políticos e porta-vozes retornavam. No começo do século XX, a ideia de "verdadeiro americanismo" foi invocada mais frequentemente, como foi por Roosevelt, no contexto da imigração e da luta da nação para conjugar os sonhos de igualdade econômica, racial e política com a dura realidade da pobreza industrial e urbana generalizada, de responsabilidades globais com insatisfação doméstica. Ela significava muito mais do que simplesmente a necessidade de inculcar nos imigrantes um patriotismo visivelmente americano; significava antes de mais nada definir esse patriotismo.

Para Roosevelt, o americanismo era ao mesmo tempo uma proposta comunitária e combativa que incorporava várias vertentes. Apenas uma delas envolvia "a americanização dos recém-chegados às nossas costas" e a garantia de que "será em inglês e em nenhuma outra língua que todos os exercícios escolares serão realizados". No seu nível mais básico, o americanismo era, como declarou Roosevelt, retomando Lincoln: "uma questão de espírito, convicção e propósito, não de credo ou lugar de nascimento". Ele tinha pouco tempo para os que aderiam às suas origens europeias, que "com incrível e menosprezível loucura retrocedem para curvar-se perante os deuses estrangeiros que nossos antepassados renegaram". A imitação, na visão de Roosevelt, longe de ser a forma mais sincera de elogio, era ao contrário um sinal de fraqueza. Quando os americanos "tentaram com mais afinco encaixar-se nas formas europeias convencionais", sugeriu ele, "eles tiveram menos sucesso". Em contraste com uma cultura europeia "supercivilizada, supersensível, super-refinada", o americanismo residia na "robustez e coragem viril" que Roosevelt tanto prezava e tentava obstinadamente incorporar; acima de tudo, ele consistia em "travar uma guerra implacável contra males pestilentos de todos os tipos".[175]

A perspectiva progressista, tal como expressa por Roosevelt e outros, era decididamente otimista na sua previsão, mas essencialmente pessimista na sua premissa de que existia uma profusão de males a combater. Ela dividia-se, basicamente, em dois campos principais: social e conservador. O primeiro centrava-se em melhorar as vidas das classes mais pobres da América e visava sobretudo o que era visto como os males do ambiente urbano: desigualdades ligadas à habitação e à saúde, leis contra o trabalho infantil, crime – organizado ou não – prostituição e temperança eram apenas

---

175 ROOSEVELT, Theodore. True Americanism. *The Forum Magazine*, Apr. 1894. Disponível em: http://www.theodore-roosevelt.com/trspeeches.html. Acesso em: 20 jun. 2010.

algumas das questões que preocupavam o progressista social. O segundo tinha uma abordagem mais ampla da necessidade de equilibrar os excessos da era industrial e os imperativos de uma sociedade orgânica, o consumidor e o capitalista, a nação e seus recursos naturais. Centrado mais no nível federal, ele empenhava-se na "caça aos trustes" para expandir o poder do Estado central com relação, por exemplo, às taxas e ao imposto ferroviário, e em fazer campanha pela promulgação de leis como a jornada de trabalho de oito horas. Seus sucessos incluem a criação do Departamento de Trabalho e do Agência Federal da Infância, junto a uma série de leis voltadas para a proteção de empregados e consumidores. Mas o que os progressistas sociais e conservadores tinham em comum era o fato de que funcionavam por meio de uma combinação de fé e medo.

Embora baseada em uma tradição protestante evangélica que remontava aos primórdios da própria nação, a mentalidade progressista também era frequentemente exercida pelo intermédio do medo. Os reformadores e políticos da América viam males em toda parte, e os esforços de jornalistas futriqueiros e da "imprensa marrom" garantiam que o público americano nunca perdesse de vista o perigo que corria. Esse perigo rondava na ameaça dupla oferecida pelo anarquismo e pelo socialismo, residia na cidade e nas suas favelas e bares, na imigração e na industrialização, no desequilíbrio entre trabalho e capital, na criminalidade e seu corolário, na punição e nas disparidades de classe, raça, saúde e gênero que aviltavam o ideal republicano. A privação social já era ruim o bastante, mas o perigo que ela representava para o "verdadeiro americanismo" exigia ação.

Uma solução era combinar a elevação moral com sua variante material. O experimento foi tentado, com certo sucesso, por, entre outros, Jane Addams e Ellen Gates Starr na Hull House em Chicago. Inspirada no Toynbee Hall de Londres, a Hull House – o primeiro (foi fundada em 1889) e mais famoso exemplo do que ficou conhecido como "casa de amparo" – era destinada a paliar algumas das dificuldades práticas enfrentadas principalmente por famílias de imigrantes no West Side de Chicago. Com sua combinação de programas práticos, sociais e educacionais – uma creche e uma biblioteca, palestras, oficinas e concertos eram oferecidos –, a Hull House era particularmente valiosa para as mulheres que batalhavam para equilibrar as exigências do emprego com o cuidado dos filhos. A Hull House não promovia a americanização em si. Embora oferecesse, entre outros serviços educacionais, aulas de língua inglesa, o aprendizado da nova língua não era visto como o catalisador para o abandono total da cultura anterior. A Hull House antecipava a prática de informar, e não doutrinar, os imigrantes.

Ao partir do pressuposto tradicional de que a mulher funcionava como arrimo moral da família, mulheres brancas de classe média como Addams e Starr, entre as quais algumas não tinham família, voltaram suas energias para orientar as vidas de outros em direção a uma família nacional segura – esperava-se – e mais estável, mas não necessariamente homogênea. Porém, muitos dos problemas que Addams e Starr tentavam resolver certamente não eram específicos dos imigrantes que lutavam para sobreviver no Novo Mundo, mas intrínsecos às exigências da nação capitalista/consumidora na qual a América se tornara. A corrupção política, condenada de modo tão intransigente por Lincoln Steffens em *The Shame of the Cities* [A vergonha das cidades] (1904), foi acusada em publicações posteriores – notavelmente *The Jungle* [A selva] (1906), de Upton Sinclair – de comprometer não apenas o bem-estar moral da nação, mas a saúde física de seus habitantes. Crítica feroz das condições de trabalho e higiene na indústria de embalagem de carne de Chicago, *The Jungle* foi, em grande parte devido à sua descrição detalhada de coisas "que eram indizíveis" (especialmente a possibilidade de partes de corpos humanos no toucinho bovino), um sucesso de vendas instantâneo.

Na verdade, os horrores dos abatedores – uma certa fascinação perene dos americanos, como mostrou o sucesso de *Fast Food Nation* [Nação fast-food] (2001), de Eric Schlosser – eram insignificantes comparados às vidas degradadas de sua mão de obra majoritariamente imigrante que Sinclair descrevera. Ali estava um mundo que continha reminiscências perturbadoras das plantações oitocentistas do Sul, habitado por "uma população de classe baixa e majoritariamente estrangeira, sempre a ponto de morrer de fome e dependente para suas oportunidades de vida do capricho de homens tão brutais e inescrupulosos quanto os comerciantes de escravos de antanho". Tais comparações não eram imediatamente óbvias, asseverou Sinclair, porque nos currais, ao contrário do Sul *antebellum*, "não havia diferença de cor entre senhor e escravo".[176]

Mas a evocação de um passado incômodo talvez teve menos impacto do que a ideia de que comida contaminada estava indo parar nos jantares americanos. A aprovação da Lei de Inspeção da Carne e da Lei da Pureza de Alimentos e Remédios no mesmo ano da publicação de *The Jungle* pa-

---

176 *Fast Food Nation* de Schlosser foi publicado originalmente como série na *Rolling Stone* em 1999. SINCLAIR, Upton. *The Jungle*, 1906. Harmondsworth: Penguin Books, 1984. p. 129.

receu mostrar como a incipiente nação *fast-food* podia agir rápido quando queria. Mas exatamente quão longe ela devia avançar na direção de soluções legislativas federais para os problemas sociais e econômicos era algo irrelevante. Em uma nação baseada na ideia de individualismo, a perspectiva de um Estado intervencionista era um anátema. Conciliar a vida árdua com a ideia de, na essência, um programa de bem-estar social nunca seria tarefa fácil.

Adicionar um fardo ultramarino – do homem branco ou de outro tipo – à equação não ajudava em nada, mas em termos de propaganda, pelo menos, a América esteve à altura do desafio. Tudo era considerado inédito no novo século. Roosevelt prometeu um "Novo Nacionalismo", que enfatizava um Estado central mais forte como meio para obter a igualdade social e econômica – o que ele chamava de "acordo justo" [*square deal*] –, como o postulado central de sua campanha presidencial de 1912. Woodrow Wilson ofereceu o conceito contrário de "Nova Liberdade", que enfatizava uma abordagem mais *laissez-faire* do problema candente de equilibrar o poder e lucro privado com a paridade pública e política. Tudo, em suma, era estimulante e novo. Só faltava a palavra "otimizado".

A melhora era, obviamente, o cerne dos impulsos nacionalista e de reforma atuantes na América nesse período, bem como nos que precederam. O ideal – e mesmo a realidade – dos EUA sempre oferecera a esperança, e até o imperativo, de melhora para o individual e o coletivo, dentro de certos parâmetros raciais, religiosos e de gênero, é evidente. Esses parâmetros continuaram firmemente estabelecidos mesmo depois de 1900. Nesse sentido, havia pouca coisa nova no "Novo Nacionalismo" ou na "Nova Liberdade" do início do século XX, exceto, talvez, as ambições da nação que tais expressões invocavam.

Roosevelt deixou o cargo de presidente em 1908. Como se poderia esperar, ele saiu em grande estilo. Um dos seus últimos atos como presidente foi orquestrar a circum-navegação do globo por dezesseis encouraçados da Frota do Atlântico – que passou a ser conhecida como a Grande Frota Branca – em uma viagem de catorze meses que começou em dezembro de 1907 e terminou em fevereiro de 1909. O mundo ficou impressionado como devia, e as multidões americanas que acorriam para ver esses navios confirmavam que o mercado interno apreciou igualmente essa demonstração explícita de seu poderio naval nacional (IMAGEM 47). Contudo, longe dos altos-mares pairava o medo de que os Estados Unidos estivessem de-

IMAGEM 47. "Bem-vindos ao lar!" (William Allen Rogers, 1909). Esta charge de vigoroso teor patriótico foi publicada no *New York Herald* em 22 de fevereiro de 1909 (a data está no chapéu de Washington). Ela retrata (a partir da esquerda) as figuras do "Tio Sam", George Washington e Theodore Roosevelt dando as boas-vindas à Grande Frota Branca de volta ao estaleiro naval de Hampton Roads após sua viagem de volta ao mundo. *Cortesia da Library of Congress Prints and Photographs Division (LCUSZ62-136026).*

senvolvendo um poder sem responsabilidade, um capitalismo sem consciência, e que as demonstrações patrióticas do alcance internacional da nação simplesmente ofuscassem as desigualdades internas que arruinavam tantas vidas americanas.

Apesar da popularidade de *The Jungle*, devaneios literários sobre a questão certamente não limitaram o impacto de forças capitalistas impessoais sobre os trabalhadores imigrantes da indústria de embalagem de carne. Os altos escalões da sociedade pareciam igualmente vulneráveis aos caprichos do mercado e dos costumes modernos. Upton Sinclair tinha pelo menos postulado uma miséria compartilhada entre os oprimidos, mas escritores igualmente populares como Edith Wharton delinearam um "novo" mundo de riqueza, no qual o individualismo poderia virar isolamento rápido demais. Esse mundo era inerentemente instável do ponto de vista econômico e, na prática, espiritualmente falido. As heroínas de Wharton, ao contrário das de Stephen Crane, não corriam o risco de cair na prostituição, mas de fato escorregavam na escala social em romances como o *The House of Mirth*

[A casa da alegria] (1905). A pista da crítica social de Wharton, é claro, está no título: "o coração dos sábios está na casa do luto", segundo o Eclesiastes (7,4), "mas o dos insensatos na casa da alegria".

Porém, na segunda década do século XX, o sentimento americano tinha toda razão de tender mais para a alegria do que para o luto, mas isso não fazia dos americanos tolos. Todavia, Roosevelt estava preocupado com a possibilidade de que a prosperidade talvez os tivesse tornado esquecidos, ou até complacentes, e ele tinha confiança suficiente nas suas próprias capacidades para tentar guiá-los de volta ao rumo. Tendo fundado um novo partido – o Partido Progressista –, ele tentou a reeleição para presidente em 1912. Dado que Roosevelt prenunciou pela primeira vez sua noção do Novo Nacionalismo em 1910 no Kansas, com sua conexão histórica com o abolicionista radical John Brown e que seu público incluía membros da GAR, era talvez inevitável que ele salientasse a "luta heroica" que havia sido a Guerra Civil. Ele destacou "os homens do passado em parte", nas suas palavras, "que eles sejam honrados por nosso louvor deles, e mais: que eles sirvam de exemplo para o futuro".[177] Porém, a essa altura, a nação já tinha avançado. A referência de Roosevelt à Guerra Civil em apoio de um nacionalismo supostamente "novo" já parecia datada para um corpo de cidadãos dos quais muitos não tinham ligação direta com o meio do século XIX e cujos antepassados estavam em outro lugar, enquanto a América estava se despedaçando.

Três anos mais tarde, o homem que derrotou a tentativa de reeleição de Roosevelt, Woodrow Wilson, também viu-se diante de um público de veteranos de guerra quando falou em uma reunião comemorativa do quinquagésimo aniversário de Gettysburg, a Batalha de Três Dias (1-3 de julho de 1863) que, em retrospecto, foi considerada o ponto de virada da Guerra Civil e, por conseguinte, da nação. Na verdade, Wilson não previra comparecer ao evento e, embora persuadido a fazê-lo, uma certa relutância em demorar-se demais no passado insinuou-se no seu discurso naquele dia. Wilson, como Roosevelt, reconheceu a "devoção viril" dos "homens veneráveis" aos quais ele se dirigia, mas estava talvez mais ansioso por enfatizar que "sua tarefa foi cumprida" do que seu "dia virou noite". O dia da América, em contraste, salientou Wilson, "não acabou; ele está diante de nós com todo o vigor". E embora ele aceitasse o bastão da responsabilidade transmitido pela geração da Guerra Civil, mesmo assim Wilson antecipou que o

---

177 ROOSEVELT, Theodore. *The New Nationalism*. Osawatomie, Kansas, 31 Aug. 1910. Disponível em: http://www.theodore-roosevelt.com/trspeeches.html. Acesso em: 20 jun. 2010.

futuro seria de "deliberação tranquila, ali onde o clangor das trombetas não é nem ouvido nem escutado".[178]

Infelizmente para Wilson, como para a nação cuja liderança ele acabara de assumir, esse realmente foi o triunfo do otimismo sobre a realidade. A América, em 1913, tinha toda razão de presumir que tanto Roosevelt quanto Wilson estavam certos: o primeiro na sua afirmação de que do sucesso da América dependia "o bem da humanidade"; o segundo na sua asserção de que a influência internacional da América garantiria um futuro em que "são feitas coisas que tornam abençoadas as nações do mundo em paz, retidão e amor". Os dois não eram necessariamente compatíveis e, de qualquer forma, após 1914, o mundo pensava diferente.

A eclosão da guerra na Europa foi um choque para a América, mas não uma causa imediata de preocupação. Como Roosevelt dizia-lhes sem parar, os americanos gozavam da segurança de "um continente onde realizar nosso destino", um continente onde lutar pela justiça, por um "acordo justo" para todos. A retórica marcial de Roosevelt, assim como a dos progressistas em geral, continuava em grande parte metafórica. No entanto, ao escolher formular sua campanha na linguagem da batalha, Roosevelt estava consciente do poder unificador do conflito em uma nação tão heterogênea como os Estados Unidos. Divisões políticas, reformas progressistas, dissenso público, todos podiam encontrar uma causa comum no chamado às armas em nome da nação. Nesse aspecto, a fé do soldado mostrou-se persistente em tese e, no fim, presciente na prática. Embora a viagem da Grande Frota Branca tivesse enfatizado como o mundo, em termos reais, era pequeno, os campos de batalha da Europa ainda pareciam estar a uma distância segura quando Roosevelt fez a América aderir à sua causa política, no fim das contas, fadada ao fracasso. "Lutamos de maneira honrada pelo bem da humanidade; sem medo do futuro; indiferentes a nossos destinos individuais; com corações inquebrantáveis e olhos limpos; estamos diante do Apocalipse", declarou ele, "e batalhamos pelo Senhor".[179]

A NOVA LIBERDADE

Tendo obtido a vitória sobre Roosevelt, e apesar da turbulência europeia, Woodrow Wilson não tinha intenção nenhuma de transformar as metáfo-

---

178 WILSON, Woodrow. "Address at Gettysburg, July 4, 1913". Disponível em: http://www.presidency.ucsb.edu/ws/index.php?pid=65370. Acesso em: 20 jun. 2010.

179 ROOSEVELT, Theodore. *Case Against the Reactionaries*, Chicago, 17 Jun. 1912.

ras militares do campo de batalha político da América em um conflito real. "Estamos em paz com o mundo", declarou ele. A guerra europeia, ressaltou ele, era um conflito "com o qual não temos nada a ver, cujas causas não podem nos afetar".[180] Imparcialidade era o que ele defendia; mas quão imparcial uma nação de imigrantes poderia esperar ser? Essa questão precisava de resposta, mas não agora. A curto prazo, o imperativo progressista continuava a ser a única questão em jogo, mantendo a atenção da nação fixada em um planejamento doméstico complexo com suas próprias batalhas a serem travadas e vencidas. Uma delas foi a luta pelo sufrágio feminino. Com sua ênfase na vida árdua, Roosevelt pode ter oferecido à América uma introdução ao século XX com altas doses de testosterona, mas no mesmo ano em que as nações europeias lançaram-se na "guerra para pôr fim a todas as guerras", alguns americanos pelo menos estavam debatendo se as mulheres, no século XX, podiam finalmente votar ou não.

O credo nacionalista cívico da América estava racialmente comprometido há muito tempo, mas as implicações de gênero da cidadania foram frequentemente absorvidas pelos impulsos de reforma mais amplos que ocuparam a América do abolicionismo no período *antebellum* aos debates acerca da imigração e do verdadeiro americanismo no começo do século XX. A primeira grande convenção sobre os direitos das mulheres ocorreu em Seneca Falls, Nova York, em 1848, mas a renomada jornalista Margaret Fuller publicara *Woman in the Nineteenth Century* [A mulher no século XIX] (1845) três anos antes. Embora plenamente consciente, como ela disse, de que "existe na mente dos homens um tom de sentimento com relação às mulheres assim como aos escravos", mesmo assim Fuller considerou "inevitável que uma liberdade externa, uma independência das interferências de outros homens, tal como foi conquistada para a nação, o seja também para todo integrante dela".[181]

A Convenção de Seneca Falls reforçou a mensagem de Fuller ao adotar uma "Declaração de Sentimentos" que evocava deliberadamente a Declaração de Independência para formular seu argumento. "Consideramos estas verdades autoevidentes", anunciava ela, "de que todos os homens e mulheres são criados iguais", antes de dar em detalhes uma lista de ofensas perpetradas contra as mulheres, que incluíam negar a elas "o direito inalienável de votar", um direito, notou a Declaração, concedido "ao mais igno-

---

180 WILSON, Woodrow. Segunda Mensagem Anual ao Congresso, 8 de dezembro de 1914.
181 FULLER, S. Margaret. *Woman in the Nineteenth Century*. London: George Slater, 1850 [1845]. p. 21 e 27.

rante e degradado dos homens – tanto nativo quanto estrangeiro". Tendo em vista que "metade do povo deste país é totalmente privada do direito de votar", concluía, "e como as mulheres sentem-se ofendidas, oprimidas e fraudulentamente destituídas de seus direitos mais sagrados, insistimos que elas tenham acesso imediato a todos os direitos e privilégios que lhes pertencem enquanto cidadãs dos Estados Unidos".[182]

No caso dos EUA, a ideia de direitos inalienáveis deu peso à reivindicação de igualdade entre os sexos. A retórica do experimento republicano, em tese pelo menos, tornava muito mais difícil excluir as mulheres da comunidade política; na prática, é claro, as coisas eram diferentes. A legislação estadual havia garantido, por exemplo, o direito de propriedade às mulheres, e em vários estados (todos do Oeste) as mulheres tinham o direito de voto, mas o objetivo principal de representação plena continuava sendo negado a elas. No momento em que Wilson assumiu a presidência, as mulheres ainda estavam fazendo campanha pelo sufrágio nacional. Parte do problema referia-se à posição dos direitos das mulheres dentro do contexto mais amplo de reforma. A Convenção de Seneca Falls ocorrera em parte em decorrência dos esforços de Elizabeth Cady Stanton e Lucretia Mott, cuja conexão foi inicialmente forjada no contexto antiescravidão. Mais de seis décadas depois, os direitos das mulheres e a igualdade racial ainda eram questões em grande parte geminadas, inseridas no debate mais amplo acerca da cidadania e da nacionalidade americana que a Décima Quarta Emenda tinha resolvido apenas parcialmente e a Primeira Guerra Mundial ressuscitaria.

"É difícil acreditar", observou a ativista afro-americana Mary Church Terrell, "que qualquer indivíduo nos Estados Unidos com uma gota de sangue africano nas suas veias se oponha ao sufrágio feminino." A oposição de homens negros parecia a Terrell mais bizarra que a de mulheres. Escrevendo em *The Crisis*, o jornal da Associação Nacional para o Progresso das Pessoas de Cor (NAACP [na sigla em inglês]), ela descreveu como "deveras bizarro e curioso" o fato de uma mulher opor-se ao sufrágio para o seu sexo, mas a oposição masculina parecia-lhe "a coisa mais insensata e ridícula do mundo. O que poderia ser mais absurdo", perguntou, "que ver um grupo de seres humanos privados de direitos que eles estão tentando obter para si mesmos trabalharem para impedir outro grupo de obter esses mes-

---

[182] STANTON, Elizabeth Cady. *A History of Woman Suffrage*. v. 1. Rochester: Fowler and Wells, 1889. p. 70-1.

mos direitos?". Terrell pode ter achado isso absurdo mas, em termos globais, e muito mais americanos, não era nada atípico.

Todavia, no contexto americano, o argumento a favor do sufrágio feminino era influenciado por e, inversamente, representava questões étnicas e de classe que persistiam desde a Declaração de Sentimentos. O argumento de Terrell, de fato, pouco diferia do de 1848. Ao invocar a criação de um "governo do povo, para o povo e pelo povo" pelos Fundadores, Terrell revelou que ela, assim como os reformadores *antebellum*, traçava uma distinção entre os "inteligentes, virtuosos e cultos" que eram privados do voto e os "analfabetos, degradados e viciosos", a quem ele era automaticamente conferido.[183] Esse argumento para o que consistia efetivamente em um requisito moral para ser membro da nação não era, obviamente, exclusivo dos ativistas sufragistas, mas, misturado à noção de vida árdua de Roosevelt, contribuiu para um conceito bastante exclusivo de cidadania e um nacionalismo um tanto estreito que ficou conhecido como "100% americanismo".

A ideia de 100% americanismo surgiu com a entrada da América na Primeira Guerra Mundial em 1917, embora a guerra não tivesse sido a causa, simplesmente o catalisador. Wilson tinha a expectativa de que a América pudesse intermediar uma paz entre os beligerantes e que, apenas com seu exemplo, a nação pudesse mostrar "o que a liberdade e as inspirações de um espírito emancipado podem fazer pelos homens e sociedades, pelos indivíduos, pelos estados e pela humanidade". Mas nenhum dos lados do conflito europeu acolheu a tentativa de Wilson de arbitragem moral. Como a reeleição de Wilson em 1916 parecia confirmar a abordagem de não intervenção da América, nem a Alemanha nem os Aliados sentiam necessidade de sentar-se a uma mesa americana. Porém, a garantia que Wilson ofereceu em 1914 de que as causas do conflito europeu não poderiam afetar a América acabou comprometida pelo fato de que seus efeitos certamente podiam.

A Alemanha, em especial, estava preparada para arriscar o envolvimento material da América conduzindo uma campanha submarina que ela sabia que poderia atrair os Estados Unidos para a guerra. O infame torpedeamento do transatlântico Lusitania da Cunard em 1915, com a perda de 128 vidas americanas, não foi um incidente isolado que tirou a América

---

183 TERRELL, Mary Church. The Justice of Woman Suffrage. *The Crisis*, Sept. 1912, *apud* WHEELER, Marjorie Spruill (ed.). *Votes for Women: The Woman Suffrage Movement in Tennessee, the South, and the Nation*. Knoxville: The University of Tennessee Press, 1995. p. 152 e 154.

da neutralidade, mas a campanha submarina acabou surtindo efeito. No dia 2 de abril de 1917, Wilson anunciou ao Congresso que a América estava em guerra com a Alemanha. "Aceitamos este desafio de intento hostil", ele informou o povo americano, porque diante do "poder organizado [da Alemanha], sempre à espreita para perpetrar não se sabe qual propósito, não pode haver segurança garantida para os governos democráticos do mundo". Por fim, asseverou Wilson, o "mundo deve ser tornado seguro para a democracia. Sua paz deve ser plantada sobre as fundações comprovadas da liberdade política" (IMAGEM 48). Ele também garantiu ao mundo que, ao abandonar a neutralidade, a América não tinha "nenhum fim egoísta a perseguir. Não desejamos conquista alguma, domínio algum. Não buscamos indenizações para nós mesmos, nenhuma compensação material pelos sacrifícios que faremos livremente", ele prometeu. "Somos apenas um entre os muitos campeões dos direitos da humanidade".[184]

A guerra tem a tendência óbvia de suspender, mesmo que apenas temporariamente, certos direitos da humanidade, e a América descobriu que nisso não há exceção. Após assumir relutantemente o fardo de beligerante em 2 de abril, a declaração de guerra formal de Wilson veio quatro dias depois. Então, os imperativos práticos da posição americana, não seu propósito moral ou político, assumiram a prioridade. A necessidade para a identificação e possível contenção ou expulsão de "inimigos estrangeiros" ocupou o grosso da mensagem de 6 de abril de Wilson; mas uma medida necessária em tempo de guerra podia facilmente oferecer uma oportunidade para a aprovação de uma legislação que, em tempo de paz, poderia ter enfrentado maior oposição, e a expressão pública de sentimentos que, em tempo de paz, não seria facilmente tolerada. Os americanos alemães, naturalmente, logo caíram sob suspeita, e sua língua e cultura, sob ataque.

Se parece vagamente risível, em retrospecto, o fato de que tocar Beethoven tenha sido proibido em Boston ou o de que o chucrute tenha sido renomeado "repolho da liberdade", isso não foi uma questão insignificante na época. O entusiasmo com que, por exemplo, alguns americanos aderiram à Liga Protetora Americana (APL [na sigla em inglês]), um órgão essencialmente paramilitar formado para ajudar a extirpar radicais, revela o lado sombrio da democracia e uma determinação doentia de suprimir a oposição doméstica. Era a aldeia puritana em escala aumentada, o puritanismo

---

184 WILSON, Woodrow. Discurso em sessão conjunta do Congresso, 2 de abril de 1917.

IMAGEM 48. "Para que a liberdade não pereça na Terra" (Joseph Pennell, 1918). Para angariar fundos para o esforço de guerra, o governo federal emitiu Títulos da Liberdade, que eram divulgados como investimentos patriótica e economicamente seguros. Este cartaz ressalta o modo como o apoio americano aos Aliados durante a Primeira Guerra Mundial estava ligado ao sentido histórico de missão da nação, que se expandira, como disse Wilson, para tornar o mundo "seguro para a democracia". Este cartaz anunciando Títulos da Liberdade oferece uma representação imaginativa da carnificina que poderia advir se o mundo não fosse tornado seguro – a imagem de Liberdade está em ruínas – e sugere que a América não ficaria imune dos efeitos do conflito global. À luz dos acontecimentos subsequentes quase um século depois nos Estados Unidos, esta imagem é particularmente emotiva, mas também o era na época, embora por razões bem diferentes. A ironia, claro, foi o fato de que a liberdade, apesar de não ter ficado necessariamente em ruínas, foi comprometida em grande medida pelo patriotismo agressivo que prevaleceu na América após 1917. *Cortesia da Library of Congress Prints and Photographs Division (LC-DIG-ppmsca-18343).*

a serviço do patriotismo, o que não era a combinação mais salubre no melhor momento e fixou um precedente nefasto para o futuro.

Mais sérios foram os efeitos da Lei de Espionagem (1917) e da Lei de Sedição (1918), e a maneira como elas foram empregadas para impor uma conformidade que, na maioria dos casos, nunca fora comprometida, um patriotismo que só se acreditava ter sido inapropriado. O líder socialista Eugene V. Debs foi relativamente sortudo por ter sido apenas encarcerado durante dez anos em 1918 por ousar questionar o esforço de guerra americano (ele foi solto pelo sucessor de Wilson, Warren Harding, em 1921). Já o líder dos Trabalhadores Industriais do Mundo (IWW [na sigla em inglês]), Frank Little, não teve tanta sorte e foi linchado pela multidão em Montana. São exemplos extremos, mas somente a ponta de um iceberg que ganhou força e tamanho durante décadas: a necessidade premente de definir o americanismo, e fazê-lo de modo a excluir aqueles julgados indignos dos direitos da cidadania americana ou forçá-los a seguir uma norma americana mais homogênea. Em 1917, por exemplo, diante da oposição do presidente, o projeto de lei do alfabetismo, que fora por muito tempo a bandeira da Liga de Restrição da Imigração, foi finalmente inserido à força nos códigos de leis.

A exclusão não foi, obviamente, a única reação ao conflito. A guerra apressou a transformação em lei de programas progressistas mais positivos, mais notavelmente o sufrágio feminino. A Décima Nona Emenda, que conferiu às mulheres o direito de voto, foi aprovada pela Câmara de Representantes no início de 1918. A intransigência sulista atrasou-a um pouco no Senado, mas em 1919 ela foi ratificada e entrou em vigor no ano seguinte. Contudo, o Senado dos EUA não representava a única oportunidade para a oposição a essa medida específica. Em muitos estados sulistas, a segregação, bem como as duvidosas de taxas de votação e legislação sobre alfabetismo que a sustentavam, ainda vigorava. Logo, mesmo que em tese as mulheres afro-americanas do Sul pudessem votar após 1920, na prática muitas ainda eram privadas desse direito.

Para os homens afro-americanos, ao contrário, a entrada da América na Primeira Guerra Mundial pareceu – como todas as guerras anteriores – oferecer mais uma oportunidade de provar seu patriotismo e assim promover a causa da igualdade. Se os ativistas sufragistas do século XX assemelhavam-se muito a seus equivalentes do *antebellum*, esse também era o caso dos porta-vozes negros que lidavam com a questão do que a guerra significava para os afro-americanos. Ambos acreditavam, ou pelo menos esperavam, que o serviço da nação nesse tempo de crise resultaria em aceitação por parte do país, uma permutação da fé do soldado que nem Holmes nem Roosevelt haviam antecipado plenamente. "Desta guerra se erguerá", opinou um escritor em *The Crisis*, "um negro americano com direito de voto e direito de trabalhar e direito de viver sem insulto".[185] Mas os afro-americanos ainda lutavam em um Exército segregado e nenhum deles na Marinha, que – em contraste agudo com a Marinha da Guerra Civil – os excluía totalmente. Seus comandantes brancos certamente demonstravam uma certa preocupação com o impacto do conflito sobre os soldados negros, mas não exatamente do modo como os líderes negros imaginavam.

John J. Pershing, agora general, havia claramente abandonado sua aparente aprovação das implicações de soldados negros e brancos guerreando juntos na colina de San Juan em 1898. Vinte anos depois, ele emitiu uma diretiva para informar os aliados franceses da América "sobre a posição ocupada pelos negros nos Estados Unidos" de modo que tal posição não fosse comprometida por qualquer inclinação liberal europeia. "A opinião americana é unânime acerca da 'questão da cor' e não admite qualquer discussão", asseverou Pershing, um tanto cinicamente dado à demografia. O que os franceses podiam não ter percebido, sugeriu Pershing, era o fato de que os afro-americanos representavam para a "raça branca da República uma ameaça de degeneração se não fosse pelo abismo intransponível que fora criado entre eles". Ele desencorajou, portanto, qualquer "familiaridade e indulgência" por parte dos franceses com relação aos soldados afro-americanos. Qualquer familiaridade seria, enfatizou ele, uma "afronta" à "política nacional" americana e, pior, poderia até "inspirar nos negros americanos aspirações que a eles (os brancos) parecem intoleráveis".

Essa era uma história terrivelmente familiar – embora fosse uma provável novidade para os franceses – que ativistas negros como Frederick Douglass e Ida B. Wells haviam combatido a vida toda. "Embora cidadão dos Estados Unidos", explicou Pershing, "o homem negro é considerado pelo americano branco como um ser inferior com quem apenas relações de negócio ou serviço são possíveis. O negro é constantemente censurado pela sua falta de inteligência e discrição", asseverou ele, "sua falta de consciência cívica e profissional e sua tendência para a familiaridade indevida". Como se isso não fosse o bastante, Pershing apresentou a acusação de "ten-

---

[185] *The Crisis*, p. 60, Jun. 1918.

tativa de estupro" como outra "prova" de que os afro-americanos eram "uma ameaça constante ao americano, que tem de reprimi-los com severidade".[186] Quer Pershing estivesse expressando sua própria visão ou simplesmente reconhecendo o racismo generalizado nas Forças Armadas americanas e em Washington, tratava-se um discurso agressivo, e os líderes afro-americanos não demoraram a reagir.

W. E. B. Du Bois, eminente intelectual e porta-voz afro-americano, co-fundador com (entre outros) Ida B. Wells da NAACP em 1909 e fundador, no ano seguinte, de *The Crisis*, traçou claramente as linhas de batalha em 1919. Os soldados afro-americanos, salientou ele, "lutaram de bom grado e até a última gota de sangue" em nome da nação "vergonhosa" que ainda os linchava, destituía e perseguia. "Este é o país", observou Du Bois com uma certa ironia, "ao qual nós, Soldados da Democracia, retornamos. Esta é a pátria pela qual lutamos! Mas", ele lembrou aos leitores, "é a nossa pátria. Era correto que lutássemos". Porém, agora que a guerra na Europa acabara, afirmou Du Bois, uma nova guerra na América acabava de começar, "uma batalha mais rigorosa, mais longa, mais implacável contra as forças do inferno em nosso próprio país". Em um eco de Wilson e da retórica progressista em geral, mas de um ponto de vista quase diametralmente oposto ao deles, Du Bois declarou: "Abram alas para a Democracia! Nós a salvamos na França e, pelo Grande Jeová, vamos salvá-la nos Estados Unidos da América, ou saber o porquê disso".[187]

Woodrow Wilson e possivelmente Pershing podem ter ficado estarrecidos com essa retórica, mas seria difícil culpar os franceses por inculcar a raiva afro-americana sobre este e outros assuntos. A eclosão de revoltas raciais em East St. Louis, Illinois, em 1917, e em Chicago em 1919 – uma delas em decorrência do assassinato de um jovem negro que cruzara a "linha de cor" em uma praia do Lago Michigan – sugeria um futuro de violência pelo menos esporádica entre negros e brancos na América. Não era nada do que Wilson esperava, nem para sua nação nem para o mundo. Ele acreditava que a América pudesse, sozinha, por seu próprio exemplo, indicar o caminho para um futuro mais pacífico, dentro das nações e entre elas. Com isso em mente, ele compôs seus "Catorze Pontos" idealistas para

---

[186] [To the] French Military Mission stationed with the American Army. August 7, 1918, publicado como "A French Directive", *The Crisis*, XVIII, p. 16-8, May 1919. Disponível em: http://www.yale.edu/glc/archive/1135.htm. Acesso em: 22 jun. 2010.

[187] DU BOIS, W. E. B. Returning Soldiers. *The Crisis*, p. 13, May 1919. Disponível em: http://www.yale.edu/glc/archive/1127.htm. Acesso em: 22 jun. 2010.

o acordo pós-guerra e a futura cooperação internacional – incluindo a Liga das Nações –, que ele apresentou nas negociações de paz em Paris no começo de 1919.

Nem a própria nação de Wilson nem a liderança aliada apoiaram totalmente sua visão de uma nova ordem mundial. Os Aliados pelo menos aceitaram a ideia da Liga cooperativa e ela foi criada pelo Tratado de Versalhes (1919), que encerrou oficialmente a Primeira Guerra Mundial. Wilson recebeu o Prêmio Nobel da Paz pelo seu trabalho na Liga mas, ironicamente, a nação que ele tentou influenciar acima de tudo rejeitou seus esforços. Os Estados Unidos nunca aderiram à Liga das Nações. No fim, a paz proposta por Wilson mostrou-se elusiva; a paz em geral, de fato, mostrou-se elusiva. A Primeira Guerra Mundial acabou não sendo a "guerra para pôr fim a todas as guerras", mas a precursora de um século de conflito. Em termos materiais, os Estados Unidos estavam em melhores condições de enfrentá-lo. Eles não foram devastados no mesmo grau que as nações europeias. Porém, suas perdas no conflito – pouco mais de 100 mil – foram altas, especialmente dado o tempo breve em que se envolveram. Elas foram leves em comparação com as baixas europeias, evidentemente, mas altas demais para uma nação que nem queria ter se envolvido.

O impacto da Primeira Guerra Mundial sobre a América não foi, portanto, físico, mas psicológico e, em alguns aspectos, prático. Pode-se dizer que a guerra realizou um tipo de fusão entre o Novo Nacionalismo de Roosevelt e a Nova Liberdade de Wilson. O Estado central americano nunca fora – pelo menos não desde a Guerra Civil – mais poderoso e, com cerca de 5 milhões de homens uniformizados, tão unido exteriormente. A necessidade de apoiar o esforço de guerra resultou em uma legislação federal que teve impacto sobre mais áreas de indústria e negócio, todas sob a alçada do Conselho das Indústrias de Guerra. Tratava-se do comércio controlado em nome do conflito. Muitos progressistas viam isso como um corolário positivo da guerra, e poucos teriam feito qualquer conexão cínica entre a padronização industrial em nome da eficiência nacional e seu equivalente social em nome do nacionalismo, embora ambos claramente derivassem de impulsos semelhantes.

Na Primeira Guerra Mundial a América também foi o Estado que procurou inculcar o tipo de patriotismo tão necessário para o moral em tempo de guerra. Se órgãos privados, religiosos e seculares, haviam interpretado a Guerra Civil para os americanos do século XIX, durante a Primeira Guerra Mundial foi o Comitê de Informação Pública (CPI [na sigla em inglês]) que disseminou a propaganda de guerra e definiu, para o público americano, as causas em jogo. Isso representava o que um de seus membros, o futuro especialista em relações públicas Edward Bernays, descreveria mais tarde como a "engenharia do consentimento" – um conceito que ele percebia como "a própria essência do processo democrático, a liberdade de persuadir e sugerir".[188]

O fato de que, às vezes, o consentimento não foi fabricado mas imposto na América após 1917 não erodiu, de forma alguma, a mensagem nacionalista propagada pelo CPI. Sua própria existência representava uma certa culminação de, ou pelo menos o próximo passo rumo a uma revolução das comunicações que começara com os primeiros cartazes coloniais, acelerou-se quando Samuel Morse permitiu que os americanos telegrafassem uns aos outros, ganhou força quando as ferrovias cruzaram as Planícies e finalmente chegou à telona na produção da indústria cinematográfica nascente. O CPI era simplesmente a face federal do não tão Novo Nacionalismo, baseado na ideia de liberdade, de fé na democracia americana, de fé no futuro. Mas não era a fé baseada na liberdade com relação ao conflito que Wilson imaginara. Era a versão de Theodore Roosevelt, Oliver Wendell Holmes e W. E. B. Du Bois. Tratava-se de uma fé do soldado que definira a democracia americana após 1917, e muito em breve a nação precisaria dela novamente.

---

188 BERNAYS, Edward L. The Engineering of Consent. *Annals of the American Academy of Political and Social Science*, 250, p. 113-20, citação 114, March 1947.

capítulo 9

Além da última fronteira: um *New Deal* para a América

U.S.A. é uma fatia de um continente.
U.S.A. é um grupo de companhias controladoras,
alguns agregados de sindicatos comerciais,
um conjunto de leis encadernadas em velino,
uma rede de rádio, uma cadeia de cinemas...
U.S.A. é um monte de homens enterrados
com seus uniformes no cemitério de Arlington.
U.S.A. são as letras no fim de um endereço
quando você está fora de casa.
Mas sobretudo, U.S.A. é a voz do povo.
(John Dos Passos, *U.S.A.*, 1938)

A chuva persistente e o céu cinza tornavam difícil avistar o USS Olympia enquanto ele subia o Rio Potomac na quarta-feira, 9 de novembro de 1921. Antiga nau almirante do comodoro George Dewey, tornada famosa por sua ação na baía de Manila durante a Guerra Hispano-Americana, ela teve como um de seus últimos atos, antes de ser desativada, trazer para casa o corpo de um desconhecido soldado americano da Grande Guerra. Mesmo se não conseguiam distinguir bem o navio na penumbra geral, os espectadores conseguiam acompanhar o Olympia pelo som dos canhões que saudavam seu avanço em direção a Washington naquele dia. O corpo que ele levava foi velado na rotunda do Capitólio em Washington, D.C., onde permaneceu com uma guarda de honra durante a noite. A cerimônia solene que acompanhou a chegada dos despojos foi breve, relatou a imprensa, e envolveu apenas o presidente, Warren Harding, sua esposa, o general Pershing e alguns outros dignitários militares. Porém, no dia seguinte, as nuvens dissiparam-se e, após a deposição formal de coroas oficiais, a multidão chegou para prestar sua homenagem. Foi, como relatou o *The New York Times*, um verdadeiro "rio de humanidade, homens, mulheres e crianças americanas, americanos por herança, americanos por eleição", que "fluiu como o sangue vital da própria nação – uma torrente lenta mas avassaladora de humanidade, reunida para atestar o valor dos mortos da América na França".

No dia seguinte – Dia do Armistício – o Soldado Desconhecido foi sepultado no cemitério de Arlington, onde seu enterro, como o presidente lembrou ao público, era "mais do que um sinal de gratidão do governo, era um símbolo da tumba no coração da nação" (IMAGEM 49). Arlington representava nada menos do que o lugar de descanso final para os "expoentes armados da consciência nacional", cuja tarefa havia sido mais recentemente travar um novo tipo de guerra, que não era mais "um conflito cavaleiresco, um teste de virilidade militante", mas simplesmente "uma destruição cruel, deliberada, científica".[189]

IMAGEM 49. Multidão na cerimônia fúnebre do Soldado Desconhecido em Arlington (1921). *Cortesia da Library of Congress Prints and Photographs Division (LC-USZ6–1754).*

---

189 A descrição das cerimônias que acompanharam o retorno e enterro do Soldado Desconhecido foi retirada do *The New York Times*, 9-11 de novembro de 1921.

No centro da cerimônia solene, portanto, estava a ideia ainda mais atemorizante de que, no coração da nação, jazia uma tumba. É preciso lembrar que essa retórica, com a qual o público moderno está tão acostumado, ainda não era, em 1921, familiar aos americanos. Por um lado, a noção de "mortos heroicos" não era estranha a uma nação a cinco anos apenas do cinquentenário de sua Guerra Civil; por outro lado, a destruição extrema da Primeira Guerra Mundial deu mais crédito, na época, do que nos proporciona a retrospecção à crença de que, como a Guerra Civil da América, a Grande Guerra era um tipo de aberração, uma loucura da qual a humanidade emergia ferida porém mais sábia. Para os americanos que o presenciaram, o enterro do Soldado Desconhecido marcou, portanto, um fim e não um começo. Eles acreditavam, como prometera Harding, que "um tal sacrifício nunca mais será pedido".

É claro que isso não aconteceu. As cerimônias que acompanharam esse que é o símbolo mais famoso do sacrifício da América certamente representam um fim e um começo, mas não o término do envolvimento americano em conflitos globais, mas o início do que se tornaria um engajamento muito maior com o mundo e suas guerras. Mas não havia pressa – muito pelo contrário. Chocada pela Primeira Guerra Mundial, a América retirou-se, como bem se sabe, se não exatamente em isolamento, certamente em uma relutância em reconhecer, e muito menos assumir, seu novo papel mundial. Essa relutância nascera parcialmente do desgosto de ter sido, como viam alguns americanos, arrastada para uma guerra na qual as ações da nação, embora decisivas para o seu desfecho, não foram dominantes. Por outro lado, o enterro do Soldado Desconhecido teve repercussão especial em uma nação da qual muitos dos mortos de guerra não voltaram para casa. Os cemitérios de guerra americanos na Europa ofereciam prova suficiente de que a nação deixara pelo menos uma parte de si para trás; a inumação de solo francês junto ao soldado desconhecido – trazido especialmente do cemitério de Suresnes – reafirmou o elo entre o Velho Mundo e o Novo que a Primeira Guerra Mundial não havia forjado mas sim, da maneira mais trágica, reforçado.

O fato de que as perdas americanas na Primeira Guerra Mundial representavam cerca de 1% das baixas totais do conflito não significava que o período pós-guerra nos Estados Unidos fora necessariamente mais fácil para os americanos do que para os europeus. A essência da América da era progressista havia sido, acima de tudo, o estabelecimento da ordem, a qual tinha sido ameaçada pela guerra. Pode-se dizer que a essência da América pós-revolucionária, de fato, sempre fora o estabelecimento da ordem diante do caos potencial, a construção de uma nação a partir de estados independentes, a derrota militar de forças separatistas, a formação do americano baseada no imigrante e, acima de tudo, a criação de um nacionalismo unificado a partir de muitas lealdades conflitantes de classe, de estado e de raça. Esta última continuava a exercitar as imaginações e a inspirar preocupação. A multidão que se reuniu em Arlington em novembro de 1921 para ouvir seu presidente falar de um "mundo despertado" pelo sacrifício altruísta do Soldado Desconhecido acabara de sobreviver a um dos piores períodos de tumulto doméstico e violência racial que a nação já vira.

Começando no verão de 1919 – o "Verão Vermelho" – em cidades de toda a nação, incluindo Washington, a histeria cresceu e americanos voltaram-se contra si mesmos em um frenesi de fúria inspirada pelo medo, suscitada em parte pelo "Pânico Vermelho" que se seguiu à Revolução Russa e à formação da Terceira Internacional em março de 1919. A crença de que as forças do socialismo, ou até da anarquia, haviam sido desencadeadas em um mundo pós-guerra vulnerável, também alimentadas pela instabilidade industrial na própria América, traduziu a retórica de liberdade do tempo de guerra em uma nova linguagem legislativa como o único meio pelo qual essa liberdade poderia ser garantida. De fato, um surto de patriotismo intenso induzido pela guerra, conjugado com o temor de forças radicais operando na América, produziu uma atmosfera intolerante que transformou o medo de extremistas em uma forma de extremismo. Grande parte dele foi relativamente efêmera e, como mostrava o caso do encarceramento do líder socialista Eugene Debs, não durou muito após a guerra. Parte dele tinha um toque bizarro, mais notavelmente o caso judicial *United States vs. The Spirit of '76,* o qual indiciou um produtor de cinema por tentar distribuir um filme antibritânico – intitulado *The Spirit of '76* (1917) –, mas igualmente breve. Na verdade, o filme em questão, que com certeza era abertamente antibritânico, caiu mais uma vez nas graças do público americano depois da guerra, quando aquele mostrou-se mais receptivo ao seu sentimento.

Outras decisões da Suprema Corte, especialmente *Schenck vs. United States* (1919), mantiveram a legalidade da Lei de Espionagem diante da contestação da Primeira Emenda (liberdade de expressão). O réu, Charles Schenck, secretário do Partido Socialista, foi acusado de distribuir panfletos contra o recrutamento. O então juiz associado Oliver Wendell Holmes Jr. argumentou que o direito à liberdade de expressão pode não ser mantido em tempo de conflito. "A questão", argumentou ele, era "se as palavras usadas são usadas em circunstâncias tais e são de natureza tal a criar um perigo claro e presente [...]. Quando uma nação está em guerra", sentenciou Holmes, "muitas coisas que poderiam ser ditas em tempo de paz são um tal obstáculo ao seu esforço que sua expressão não será tolerada enquanto homens estiverem lutando".[190] O perigo real aqui foi o peso jurídico que esse caso dera à ideia de que um desafio interno de qualquer tipo poderia constituir em si mesmo um "perigo claro e presente" para os Estados Unidos. A reação americana ao dissenso doméstico podia funcionar às vezes como uma verdadeira forma de guerra não declarada de baixa intensidade; e, de qualquer forma, o século XX não propiciou aos Estados Unidos muitos anos sem mobilizar homens e mulheres de uniforme.

O caso mais infame que derivou da síndrome do "Pânico Vermelho" foi o dos anarquistas Nicola Sacco e Bartolomeo Vanzetti. Sacco e Vanzetti, ambos imigrantes italianos, foram acusados de roubo à mão armada e assassinato em Massachusetts em maio de 1920. Seu julgamento subsequente dividiu a nação, e sua execução na cadeira elétrica em 1927 atraiu a condenação mundial. Embora provas balísticas ulteriores – não disponíveis antes dos anos 1960 – tenham sugerido que os tiros fatais partiram, de fato, da arma de Sacco, a opinião contemporânea julgou as provas muito frágeis para assegurar uma condenação segura e o juiz parcial demais contra os imigrantes e radicais para proferi-la. Sacco e Vanzetti foram rapidamente transformados em vítimas da guerra de classe, símbolos de uma nação dividida. O romancista John Dos Passos expressou o sentimentos de muitos quando traçou uma distinção, em *Dinheiro graúdo* (1936), entre os "velhos juízes os pequenos homens com reputações" e as multidões que eles "retiraram [...] das ruas a pancadas", entre "a multidão surrada" e os "opressores" da América. "A América, nossa nação, foi surrada por estranhos que viraram nossa língua do avesso, que pegaram as palavras puras que nossos pais disseram e as tornaram sórdidas e asquerosas", acusou Dos Passos, antes de concluir que "tudo bem, somos duas nações mesmo".[191]

A noção de "duas nações" não teve origem, evidentemente, com Dos Passos, nem mesmo com o primeiro-ministro britânico Benjamin Disraeli,

---

190 A opinião de Holmes pode ser acessada em: http://caselaw.lp.findlaw.com/scripts/getcase.pl?court=US&vol=249&invol=47. Acesso em: 10 jul. 2010.

191 *Dinheiro graúdo* constitui a última parte da trilogia que também inclui *Paralelo 42* (1930) e *1919* (1932), publicados juntos em 1938 como *U.S.A.* Citação de John Dos Passos. *U.S.A.* Harmondsworth: Penguin Books, 1986. p. 1.105.

cujo romance *Sybil, or the Two Nations* [Sybil, ou as duas nações] (1845) popularizou o termo no século XIX e início do XX. A origem da ideia de divisão permanente entre as duas nações dos ricos e dos pobres pode ser identificada já em *A República** de Platão, mas o poder da afirmação de Dos Passos está no fato de que, na República americana, essa divisão não havia sido antecipada. Supunha-se que a América seria um novo tipo de República, uma República de igualdade, de oportunidade para todos e exclusão para nenhum, uma nação cívica que não conhecia distinções de raça, religião ou classe. Porém, após a Primeira Guerra Mundial, a América conheceu uma onda de greves trabalhistas em cidades de Seattle a Boston e em indústrias de estaleiros a siderúrgicas. Isso levou muitas pessoas a associar o trabalhismo com o radicalismo e a confundir a oposição justificável ao que eram, em muitos casos, condições de trabalho terrivelmente exploratórias com uma insidiosa consciência de classe socialista que ameaçava a estabilidade da nação.

No caso de Seattle, a greve de 1919 transbordou do estaleiro onde se originara e levou a cidade inteira a uma paralisação de uma semana. Em Boston, a lei e a ordem foram ameaçadas quando dezenove policiais foram despedidos pelo crime de pertencer a um sindicato, e a greve resultante de seus colegas levou – como era de se esperar – a saques e violência generalizados. Uma série de ameaças de bomba no começo da primavera daquele ano contra adversários do trabalho organizado só fez exacerbar uma situação já tensa. O procurador-geral A. Mitchell Palmer reagiu promovendo o que ficou conhecido como as "batidas Palmer" [*Palmer raids*] contra os sindicatos e seus apoiadores, que continuaram até o início de 1920. Coordenadas pelo então diretor da Divisão Radical do Departamento de Justiça, J. Edgar Hoover, as batidas Palmer revelaram-se a gota d'água. No fim de 1920, os americanos estavam fartos. O espectro do "Pânico Vermelho" parecia menos aterrorizante à luz fria da aurora da nova década e da possibilidade de uma nova presidência. A explosão de uma bomba no coração de Wall Street em setembro de 1920 chocou os americanos, certamente, mas não os instigou a conferir apressadamente se havia "vermelhos" sob suas camas.

Embora o medo seja frequentemente uma poderosa arma política e fiscal que os líderes da América usariam novamente, nenhuma população

---

* PLATÃO. *A República*. Trad. Edson Bini. 2. ed. São Paulo: Edipro, 2014 [com a numeração de Stephanus]. (N.E.)

pode permanecer indefinidamente em um estado de tensão exacerbada. Nenhuma população pode tampouco sustentar uma exigência contínua de reforma. Com sua profusão de programas, o progressismo foi, em muitos sentidos, muito exaustivo, e a campanha de Wilson pela Liga das Nações parecia prometer responsabilidades globais ainda maiores além das domésticas. Portanto, foi com certo alívio que os americanos ouviram o senador de Ohio Warren Harding afirmar que a "necessidade atual [da nação] não é o heroísmo, mas a cura; não as panaceias, mas a normalidade; não uma cirurgia, mas a serenidade" e prometer-lhes "não um experimento, mas um equilíbrio; não um mergulho na internacionalidade, mas a manutenção da nacionalidade triunfante".[192]

Harding falava assim com frequência. Embora soasse impressionante, o que isso significou na prática quando ele tornou-se presidente foi menos do que o somatório da declaração feita. A normalidade na ação traduziu-se em um programa progressista atenuado que desmantelou, em grande medida, muitas das restrições do Estado em tempo de guerra, incentivou as empresas, introduziu cortes de impostos para estimular os negócios e procurou melhorar as condições de trabalho, por exemplo, ao impor uma jornada de trabalho de oito horas, uma antiga reivindicação dos sindicatos trabalhistas e seus membros. A morte súbita de Harding em 1923 levou Calvin Coolidge ao poder, mas no que dizia respeito às políticas de Coolidge, tudo continuou como antes. Na verdade, ficou famosa a observação de Coolidge de que "o principal negócio do povo americano são os negócios". E nos anos 1920, era mesmo.

Os anos 1920 foram uma década de expansão sem precedentes e de inovação para os Estados Unidos. Mensurado puramente em termos do produto nacional bruto (PNB), que passou de US$ 72,4 bilhões em 1919 para US$ 104 bilhões em 1929, o mercado americano estava em franca expansão. Parte desse crescimento era arquitetônica; para muitos negócios, os arranha-céus alimentavam os egos e a economia, e logo se tornaram um dos traços característicos da paisagem urbana americana e um símbolo da nação que literalmente subia no mundo (IMAGEM 50). "Há uma implicação épica no desafio lançado pelo homem às leis da gravidade", exaltou-se o crítico de arquitetura Sheldon Cheney, autor de *The New World Architeture*

---

[192] Uma gravação de áudio do discurso de Harding, pronunciado em Boston a 24 de maio de 1920, está disponível na Biblioteca do Congresso em: http://memory.loc.gov/ammem/nfhtml/nfexpe.html. Acesso em: 10 jul. 2010.

IMAGEM 50. Empire State Building, cidade de Nova York. Vista do Chrysler Building e da Ponte do Queensboro ao fundo. Esta fotografia de 1932 foi tirada do topo do Empire State Building, que fora completado no ano anterior. Era o prédio mais alto do mundo na época. Dele os americanos podiam contemplar uma paisagem urbana modernista que refletia a competência técnica e o poderio econômico de Nova York, que então, como agora, muitas vezes simbolizava a nação como um todo. O edifício *art déco* no centro da fotografia é o Chrysler Building; concluído em 1930, ele deteve o título de prédio mais alto do mundo por menos de um ano (mas continua o edifício mais espetacular de Nova York). *Foto tirada por Samuel H. Gottscho, 19 de janeiro de 1932. Cortesia da Library of Congress Prints and Photographs Division (LC-G612-T01–17578).*

[Arquitetura do Novo Mundo] (1930). "Talvez", meditou ele, "o comercialismo seja um novo Deus, demasiado poderoso e sedutor, ao qual os homens agora constroem suas estruturas mais altas e mais laudatórias".[193] A visão metropolitana da América de 1925 era francamente otimista, regida por um entusiasmo arquitetônico anterior à Primeira Guerra Mundial e que parecia fazer pouco caso do conflito. Era a América da Exposição Internacional Panamá-Pacífico da década anterior, organizada em São Francisco para comemorar a conclusão do canal. Foi uma exposição estruturada em torno de "ideias de vitória, realização, progresso e aspiração" e destinada a exibir "a perfeita cooperação de arquitetos, escultores e pintores americanos".[194]

---

193 CHENEY, Sheldon *apud* HUGHES, Robert. *American Visions: The Epic History of Art in America.* New York: Alfred A. Knopf, 1997. p. 405.

194 CHENEY, Sheldon. *An Art-Lover's Guide to the Exposition.* Berkeley: Berkeley Oak, 1915. p. 7.

O *boom* da construção era somente a expressão mais óbvia desse otimismo e do novo consumo industrial e doméstico ostensivo da nação. A década de 1920 introduziu muitos dos apetrechos do mundo moderno que hoje são considerados básicos. Refrigeradores, fogões e ferros elétricos ainda não eram as mercadorias produzidas em massa que são hoje, mas logo passariam a sê-lo. Cerca de 16% dos americanos em 1912 tinham eletricidade em casa, mas em 1927, 63% dos lares podiam plugar seus novos eletrodomésticos na tomada. Os americanos podiam, em tese, armazenar comida nas suas novas geladeiras, higienicamente acondicionada nos potes de plástico recém-inventados. Na prática, eles tendiam cada vez mais a comer comida enlatada, cujo uso dobrou entre 1914 e 1929. Podiam usar louça de Bakelite para cozinhar (embora seu uso principal fosse nos estojos de rádios e telefones); e vestir-se com um novo tecido de fabricação humana, o *rayon* (embora ele tornasse o ferro de passar roupa redundante). Podiam literalmente sintonizar-se com sua nação pelo rádio, porque, à medida que as vendas desses aparelhos dispararam, as emissoras de rádio entraram no ar para informar e entreter esse novo mercado.

Fora de casa, novas estradas eram construídas a um custo de mais de US$ 1 bilhão anual, nas quais os americanos podiam dirigir seus automóveis cada vez mais acessíveis. O custo do Ford Modelo T caiu de US$ 805 em 1908 para US$ 290 em 1925, o que equivale a cerca de US$ 3.500 em termos de poder de compra hoje. A velocidade da sua fabricação também aumentou. As novas linhas de montagem de Ford reduziram o tempo que levava para construir um Modelo T de umas 14 horas para apenas 93 minutos. E havia filas de americanos esperando que esses carros saíssem do chão de fábrica. De aproximadamente 9 milhões de carros no início da década, no fim dela havia cerca de 27 milhões. Nesse nível de crescimento, a indústria automotiva realmente impulsionou a economia americana nos anos 1920, não somente em termos de vendas a particulares, mas no número de trabalhadores que empregava direta e indiretamente em indústrias de apoio como aço, borracha e petróleo. Outras formas de transporte também exigiam tais mercadorias, é claro, mas ainda não no mesmo grau. O transporte aéreo continuava privilégio dos ricos, mas decolou depois de Charles Lindbergh voar no Spirit of St. Louis de Nova York a Paris em 1927. No fim da década, aproximadamente 0,5 milhão de americanos viajavam anualmente pelo ar.

Se o chão sob seus pés – ou pneus – e o espaço aéreo acima deles estavam mudando rapidamente, não obstante havia algumas coerências deprimentes na vida dos americanos nos anos 1920. A maioria dos grandes industriais da nação, apoiada pelo governo, combatia insistentemente os sindicatos e procurava desfazer a legislação progressista relativa ao trabalho infantil ou ao salário das mulheres. Alguns empresários faziam tudo que podiam para proteger suas práticas de emprego. O fabricante de automóveis Henry Ford, por exemplo, mantinha sua usina livre de sindicatos por meio de violência e intimidação, táticas nitidamente em conflito com a visão progressista de paraíso dos trabalhadores que ele propalava para consumo público. Espiões pagos pela companhia asseguravam que os trabalhadores de Ford seguissem o modo de vida estrito que Ford impunha: nada de fumar ou beber, nada de se sentar para descansar; as casas tinham de ser pintadas, os gramados cuidados, as crianças educadas; tudo segundo as noções, frequentemente contraditórias, da sociedade ideal de Ford. Ford, que ficara famoso por notificar os clientes que podiam ter qualquer cor de carro que quisessem, "contanto que fosse preto", nos anos 1920 insistia que seus trabalhadores também podiam comprar qualquer carro que quisessem, contanto que fosse da Ford.

Mas o medo de Ford do que seus empregados poderiam tramar se fossem deixados a seu bel-prazer era pouco mais do que uma versão extrema do impulso progressista de controle. Afinal, Ford atuava em uma nação que não confiava na sua população para beber com responsabilidade e que tinha aprovado, em 1918, a Décima Oitava Emenda, ou Lei Nacional de Proibição (comumente conhecida como Lei Volstead), que entrou em vigor no começo de 1920 e permaneceu vigorando até 1933 (IMAGEM 51). A abstinência, evidentemente, tinha uma longa tradição nos Estados Unidos, que remontava a 1840 pelo menos, e no século XX, antes mesmo da aprovação da Lei Volstead, vários estados já tinham banido a venda de bebidas alcoólicas. A decisão de implementar essa política nacionalmente derivou de uma combinação de fatores: ao lançar descrédito sobre o produto de cervejarias teuto-americanas, a saber, a cerveja, a Primeira Guerra Mundial teve seu papel, assim como a pressão de empresários como Ford que queriam trabalhadores mais disciplinados – ou melhor, queriam discipliná-los. Mas o argumento a favor da Lei Seca derivou sobretudo de reformadores sociais, religiosos e políticos, cujos temores quanto ao ambiente da cidade concentraram-se cada vez mais em bares como locais nefastos de decadência social e maquinação política.

Porém, não é necessário ser um ébrio inveterado para querer beber ocasionalmente. Muitos americanos desaprovavam a Lei Seca e procuravam

IMAGEM 51. O vice-delegado geral da cidade de Nova York, John A. Leach (dir.), supervisiona agentes que despejam bebida alcoólica no esgoto após uma batida policial no período da Lei Seca (c. 1921). A Lei Seca durou nos Estados Unidos até 1933, quando o *lobby* "molhado" (oposto ao "seco") conseguiu argumentar com sucesso que a indústria cervejeira era um elemento importante da tentativa de recuperação econômica após a quebra de Wall Street em 1929 e a subsequente Grande Depressão. A Vigésima Primeira Emenda, promulgada em dezembro de 1933, revogou a Décima Oitava Emenda e finalmente aboliu a Lei Seca. *Cortesia da Library of Congress Prints and Photographs Division (LC-USZ62-123257).*

contornar a legislação de qualquer forma que pudessem. Nesse aspecto, uma das conquistas da Lei Volstead foi a criminalização efetiva de uma parcela da população até então cumpridora da lei. Outrossim, se a intenção dos reformadores da abstinência havia sido a supressão dos males sociais e políticos oriundos dos bares, a Lei Seca mostrou-se um meio particularmente malsucedido de alcançá-la. Destilarias e cervejarias ilegais, bem como o contrabando (a distribuição ilegal, nesse caso, de álcool), disseminaram-se. Cidades como Nova York e São Francisco tiveram uma proliferação de "*speakeasies*", bares que supostamente vendiam álcool em segredo, embora sua localização e atividade fossem um segredo muito bem divulgado. Apenas em Nova York, o período da Lei Seca viu dobrar os bares; em 1929, havia cerca de 32 mil deles.

Assim, a década cujo autor talvez mais destacado, F. Scott Fitzgerald, denominou a "Era do Jazz" ficou famosa por um excesso de bebida, em vez de uma sobriedade generalizada. É claro que não ficou famosa só por isso. Certamente, o consumo de bebidas alcoólicas e as doenças relacionadas a elas declinaram na década de 1920 e houve menos prisões por embriaguez, mas a criminalidade em geral aumentou em vez de diminuir na ausência de bebidas. O crime organizado não era bem o tipo de controle do consumidor que os reformadores da abstinência tinham em mente, claro, mas nem eles podiam negar que, nos anos 1920, o crime tornou-se realmente muito bem organizado.

A distribuição ilegal de álcool foi o catalisador para uma rede expandida de atividades ilegais tangenciais, incluindo o jogo, a fabricação e o consumo de drogas e a prostituição, que se concentrava nos *speakeasies* e explorava o fato de que, tendo cruzado a linha da legalidade no que tangia ao álcool, muitos clientes poderiam ser induzidos a arriscar-se só um pouco mais além dela. Com a oportunidade de lucro que a Lei Seca oferecia, agentes municipais e federais, agentes da lei e juízes eram facilmente corrompidos para favorecer as gangues criminosas que tomaram o controle do comércio de álcool, ou eram intimidados para ignorá-las totalmente. Foi um período que viu a ascensão de um dos mais infames de todos os gângsteres, Al "Scarface" Capone, que criou em Chicago um império criminoso brutalmente eficiente, o qual, no seu apogeu, movimentava cerca de US$ 60 milhões por ano. A extensão do poder de Capone era tamanha que ele julgava desnecessário, ou talvez imprudente, agir discretamente e andava pela cidade em um Cadillac blindado – ele tinha vários, naturalmente – precedido por batedores. Durante uma década ele escapou à lei, até ser finalmente indiciado em 1931 por, imaginem só, evasão fiscal.

No fim, a fascinação exercida por Capone na época e nos dias de hoje reside no fato de que sua história parecia ser bem americana, cuja moral era a de que o crime certamente não compensa, mas somente quando o criminoso em questão deixa de pagar seus impostos. Como indivíduo, Capone parecia encarnar a conformidade e a rebelião que caracterizavam os anos 1920, e ele certamente estava em passo com a nova pauta empresarial da nação. De fato, os sindicatos do crime – e o de Capone era apenas o mais conhecido – de certa forma não se desviavam muito dos negócios legítimos do lado administrativo e comercial de suas operações; o lado criminoso da equação era outra questão totalmente diferente, claro. Ford pode ter mobilizado homens com conexões com a máfia de Detroit para assegurar o cumprimento da política da companhia, mas o custo da desobediência implicava, no pior dos casos, a perda temporária do meio de subsistência, não a perda permanente da vida. O glamour midiático do gângster americano persiste até hoje, mas na realidade ele representa apenas mais uma fonte e símbolo de medo em uma época em que os americanos realmente não tinham nada a temer a não ser o próprio medo; e mesmo assim eles tinham medo.

De fato, a denominação da década de 1920 como Era do Jazz ou "*Roaring Twenties*" [Loucos Anos 20] disfarça a tensão a que a América estava submetida nessa década, tensão essa que a exuberância do período negava em parte e contra a qual era parcialmente uma reação natural. Em muitos aspectos, a acusação de Dos Passos de que a América era "duas nações" resumia a situação, mas a justaposição não era somente entre ricos e pobres, mas entre nativos e imigrantes, negros e brancos, homens e mulheres, criminosos e cidadãos cumpridores da lei, a cidade e o campo, e em grande medida ela concentrava-se na Primeira Guerra Mundial.

A literatura da época tanto reagia como informava essas divisões. Escritores como Dos Passos, em *Três soldados* (1921), E. E. Cummings, em *A cela enorme* (1922), Ernest Hemingway, em *Adeus às armas* (1929), e T. S. Elliot, em *A terra devastada* (1922), exploraram a desilusão que se seguiu diretamente à guerra. Outros como Sinclair Lewis, em *Rua principal* (1920), e *Babbit* (1922), F. Scott Fitzgerald, em *Deste lado do paraíso* (1920) e *O Grande Gatsby* (1926), e Thomas Wolfe, em *Olhe para casa, anjo* (1922), reconheceram a guerra indiretamente ao enfocar a alienação do indivíduo americano no admirável novo mundo material dos anos 1920. Muitos desses escritores faziam parte do tênue coletivo conhecido como "Geração Perdida", que se reuniu em Paris após a Primeira Guerra Mundial. Por verem a nação de longe, foi a luta pessoal contra forças essencialmente impessoais que eles identificaram como o motivo central do período.

Tratava-se de um período que não via utilidade em conceitos como "glória, honra, coragem", observou Hemingway, em um eco de Harding em Arlington. Tais palavras, propôs Hemingway, haviam se tornado "obscenas diante dos nomes concretos de aldeias, dos números de estradas, dos nomes de rios, dos números de regimentos e das datas". Mas essa perda da individualidade não era algo que podia ser atribuído apenas à Primeira Guerra Mundial. A industrialização era uma força cada vez mais impessoal e não simplesmente de maneira literária ou metafórica; ela erodia a capacidade individual. A indústria automotiva em Detroit, por exemplo, que antes empregava 75% de trabalhadores qualificados em 1910, passou para 10% de qualificados dez anos depois. O enterro do Soldado Desconhecido em 1921 erigiu seu anonimato em símbolo emotivo da nação, mas para muitos americanos não foi a guerra, mas o trabalho, não o conflito armado, mas o advento da linha de montagem, que os tornou anônimos. Eles também estavam perdidos, em um certo sentido, mas na multidão, não em Paris. Era o preço do progresso e, temiam alguns, parte do seu significado para a América.

Escala de *blues*

Hemingway e Harding postularam uma divisão clara entre os valores tradicionais percebidos e o modernismo que veio a definir a transição cultural e social que a Primeira Guerra Mundial produzira na Europa. À primeira vista, isso não parece aplicar-se à América, haja vista sua economia pujante e sua cultura vibrante após 1921. Mas essa cultura ainda era movida, em grande medida, pela perturbadora dialética americana de classe e de raça. Esta última, ademais, já não podia ser limitada ao "Sul", seja como isso fosse definido, mental, moralmente ou em um mapa. Era um debate nacional. Sempre havia sido, mas antes do século XX era quase possível fingir o contrário. Mas não após 1910. A "Grande Migração" de afro-americanos para fora do Sul rural entre 1910 e os anos 1930 (bem mais de 1 milhão somente na década de 1920), bem como o subsequente crescimento de comunidades negras em, entre outras, Detroit, Chicago e Nova York, misturou-se com um novo influxo de imigrantes vindos das Índias Ocidentais, o que diversificou uma mistura social e cultural já eclética nas cidades do Norte.

Os recém-chegados ficaram extremamente surpresos com a extensão do racismo nos Estados Unidos naquela época. Os migrantes sulistas talvez a achassem menos surpreendente, mas ambos os grupos encontraram um ambiente urbano bifurcado que era, para eles, assim como ainda era para muitos migrantes europeus, economicamente excludente e às vezes abertamente hostil. O ressurgimento do Ku Klux Klan nesse período (que pretendia representar o patriotismo americano) era só um exemplo extremo do modo como a pujança econômica dos anos 1920 trouxe novas oportunidades para a América e ao mesmo tempo exacerbou velhos problemas (IMAGEM 52). No contexto da ascensão do "100% americanismo" e graças a uma campanha agressiva e muito moderna, o Klan expandiu-se de cerca de 5 mil membros em 1920 para vários milhões em meados da década.

IMAGEM 52. Parada do Ku Klux Klan, Washington, D.C. (Pennsylvania Avenue), 13 de setembro de 1926. Grande parte do simbolismo associado ao KKK veio da sua segunda encarnação no começo do século XX e por meio do tipo de manifestações públicas como esta da imagem, que situa o KKK, visualmente pelo menos, no coração da nação. Porém, no momento em que essa demonstração do seu "poder" ocorreu, o Klan já não era a poderosa força política que havia sido no começo dos anos 1920, embora claramente tampouco estivesse inteiramente extinta. *Cortesia da Library of Congress Prints and Photographs Division (LC-USZ62-59666).*

O Klan também expandiu seu alcance desde sua primeira encarnação no período pós-Guerra Civil. Em reação às tensões produzidas pela imigração, pelo progressismo e pela Primeira Guerra Mundial, ele quase atingiu um ponto em que parecia inexato acusá-lo de preconceito, uma vez que parecia opor-se a tudo e todos por todo e qualquer motivo, de raça a religião e todos os pontos intermediários. Ele também tornou-se uma organização mais focada nas cidades, parcialmente em reação à migração de sulistas, negros e brancos, às cidades nortistas, especialmente aquelas como Detroit, onde havia oportunidades de emprego na florescente indústria automotiva. Mas o epicentro da influência do Klan era o Meio-Oeste, e especialmente Indiana, onde ele efetivamente controlava o Partido Republicano no estado. No entanto, quando o líder do Klan David C. Stephenson foi condenado pela agressão e assassinato em segundo grau da jovem Madge Oberholtzer em 1925, e subsequentemente tornou pública uma lista de eminentes políticos e juízes a soldo do Klan em Indiana, sua influência começou a declinar, pelo menos politicamente.

Culturalmente era outra história. O Klan capturou pelo menos uma parcela do *zeitgeist** da década de 1920 na sua oposição à imoralidade – amplamente definida, mas o álcool geralmente estava incluído nela – e à imigração. Em grande parte, ele explorou as tensões inevitáveis entre a nação moderna, movida pelos negócios, heterogênea e secular, na qual a América estava se tornando, e a suposta nação tradicional, voltada para a família, homogênea e temente a Deus, que se supunha popularmente que ela tivesse sido antes da Primeira Guerra Mundial. O fato de que a América nunca nem se aproximara de uma tal nação restrita e constrita era irrelevante. Assim como a Grã-Bretanha do pós-guerra comprazia-se com uma fantasia pré-guerra construída em torno da suposta estabilidade e segurança da Inglaterra eduardiana, a América também inventou para si – e não pela primeira vez – uma história mítica que não tinha absolutamente nenhuma relação com a realidade de seu passado, mas certamente influenciou seu futuro, o que também envolveu uma certa dose de invenção – a do americano ideal.

A urgência de definir o americano e, por extrapolação, o americanismo poderia pelo menos ser genuinamente descrita como uma tradição americana que tinha sua origem remota na famosa pergunta de Crèvecoeur em 1783: "O que, então, é o americano, esse novo homem?". O que o século XX trouxe para o debate, no entanto, foi uma perspectiva científica e pseudocientífica sobre o que fora considerado até então um processo social

---

* Termo alemão que significa "espírito da época". (N.E.)

e cultural. Quanto à imigração, os anos 1920 viram entrar em vigor novas restrições, baseadas cada vez mais na vaga concepção de raça. Os ideais do nacionalismo cívico, o Novo Nacionalismo expresso pela primeira vez por Crèvecoeur e refinado por Roosevelt, baseavam-se na rejeição do que Crèvecoeur denominou "antigos preconceitos e modos" a favor de um "novo modo de vida".

Contudo, na década de 1920, isso foi deturpado – ou talvez infectado – por algo perigosamente próximo de uma interpretação determinista biológica do nacionalismo que rejeitava a noção do americano ideal como uma "estranha mistura de sangue" e, ao contrário, enfatizava a exclusividade étnica. Essa ideia teve sua expressão mais famosa em uma popular publicação do período, *The Passing of the Great Race: The Racial Bases of European History* [O desaparecimento da grande raça: a base racial da história europeia] (1916), de Madison Grant. Grant, presidente da Sociedade Zoológica de Nova York e eugenista notório, postulou uma tese da superioridade "nórdica" que caiu nas graças daqueles já inclinados para uma perspectiva anglo-saxã. De fato, em comparação com a recepção de suas ideias na Europa do entreguerras, é ainda mais notável que a América tenha se mostrado relativamente imune aos extremos do seu argumento, dado especialmente que muitos líderes da nação não o eram.

Há uma certa ironia no fato de que Calvin Coolidge, quando ainda era vice-presidente, publicou uma autêntica diatribe anti-imigração, e logo na revista *Good Housekeeping*. Muito do que ele tinha a dizer quase reproduzia a análise da americanização de Roosevelt, mas no fim revelava a perniciosa influência de Grant. Os imigrantes deviam, afirmou Coolidge, demonstrar "uma capacidade de assimilação" se esperavam ser autorizados a "cruzar os portões da liberdade". Mas Coolidge não acreditava que todos os povos tinham essa capacidade. "Existem considerações raciais demasiado graves para serem desconsideradas por quaisquer razões sentimentais", proclamou ele. "As leis biológicas nos dizem que certos povos divergentes não se mesclam ou misturam. Os nórdicos propagaram-se com sucesso. Com outras raças, o resultado mostra deterioração de ambos os lados. A qualidade de mente e corpo", concluiu ele, "sugere que a observância da lei étnica é uma necessidade tão grande para uma nação quanto a da lei de imigração". Exatamente quais "leis biológicas" espúrias Coolidge tinha em mente era um mistério, mas ele parece ter confundido os "portões da liberdade" com os do Céu, de tão seguro de que o "único imigrante aceitável é aquele que pode justificar nossa fé no homem pela constante revelação do propósito divino do Criador".[195]

O secretário do Trabalho de Coolidge, James J. Davis, tinha visões igualmente firmes sobre o tema das leis biológicas e da imigração. Baseado na sua crença na tenacidade – e superioridade – de sua herança galesa (ele migrara para os Estados Unidos quando tinha 8 anos), ele concluiu "que as características raciais não mudam. Ao deixar imigrantes entrarem neste país, precisamos lembrar-nos disso". Ao dividir a humanidade em dois tipos de animais – castores e ratos –, ele moralizou uma mensagem tirada diretamente de um livro de histórias para crianças: que castores constroem casas e guardam comida, e os ratos entram no sótão e a roubam. "Uma civilização prospera", ele pontificou, "quando os homens-castor excedem os homens-rato [...]. Cuidado", avisou ele, "para não criar ratos na América".[196]

As visões de Davis, por mais incomuns que pareçam hoje, eram simplesmente uma mutação metafórica do medo exprimido por muitos legisladores da América na época, cujo grande e crescente terror era o de que a nação estava prestes a ser infestada de estrangeiros indesejáveis. Na ausência da pressuposição otimista de que qualquer recém-chegado poderia ser americanizado, e no contexto das preocupações induzidas pelas estatísticas de criminalidade, muitos concordaram com o deputado de Indiana Fred S. Purnell de que havia "pouca ou nenhuma semelhança entre os de clara opinião, autogovernados que engendraram o povo americano e essa torrente de restolhos rotos e irresponsáveis que está despejando no sangue vital da América as doenças sociais e políticas do Velho Mundo".[197] Em 1921, o Congresso aprovou uma legislação emergencial para restringir o número de migrantes do Sul e Leste Europeu, e lançou-se depois num debate acerca da desejabilidade de uma restrição permanente.

O debate era fortemente alimentado por pressuposições eugenistas. Ele chamou como perito judicial Harry H. Laughlin, diretor do Centro de Registro da Eugenia [*Eugenics Record Office*] e proponente desinibido do que se chamava de "esterilização eugênica", uma variante extrema do impulso progressista para a melhora da população americana. "A questão de

---

[195] COOLIDGE, Calvin. Whose Country Is This? *Good Housekeeping*, 72, 2, p. 13-110, Feb. 1921.

[196] DAVIS, James J. *The Iron Puddler: My Life in the Rolling Mills and What Came of It*. Indianapolis: The Bobbs-Merrill Company, 1922. p. 27 e 60.

[197] PURNELL apud GERSTLE, Gary. *American Crucible: Race and Nation in the Twentieth Century*. Princeton; Oxford: Princeton University Press, 2001. p. 105.

segregar, esterilizar ou tornar de outra forma não reprodutivas as linhagens humanas degeneradas na América", afirmou Laughlin, "está de acordo com o espírito de nossas instituições". Se "o plantel humano da nossa população deve ser purgado de sua progenitura defeituosa", propôs, então o governo federal deve estar preparado "para aplicar leis que têm a aparência de discriminação racial mas que", enfatizou ele, "não o seriam". Por fim, a "política de imigração do eugenista, que leva no cerne a preservação, ampliação e especialização de nossas melhores estirpes familiares", informou Laughlin, "é basear o critério para admissão de candidatos a imigrantes principalmente na posse de qualidades naturais impecáveis, independentemente de raça, língua ou condição social ou econômica atual".[198]

Com essa nova ênfase na reprodução e nas leis biológicas, a mensagem que vinha do alto na década de 1920 era a de que o americano ideal era nascido, não feito. Coolidge e Davis enfatizaram a importância da educação para construir a nação, mas ao mesmo tempo afirmaram que certas etnias nunca poderiam ser educadas segundo o modo de vida americano. A exclusão, então, era a única solução segura, e a Lei de Imigração de 1924 a garantiu. Ao estender a Lei da Quota de Emergência de 1921, ela fixou uma quota mais baixa para o número de imigrantes autorizados a entrar nos Estados Unidos com base na sua origem nacional; em tese, ela era de 2% da população de cada nação residente antes de 1890 – em outras palavras, antes do aumento da imigração do Leste Europeu – embora não houvesse limites para os emigrantes da América Latina e uma proibição completa para os de países asiáticos. De refúgio para os oprimidos, a América, com essa única lei, transformou-se em um condomínio fechado reluzente; a cidade na colina agora tinha muros muito altos, apropriados para um santuário de valores anglo-saxões. Essa, pelo menos, era a teoria.

Na prática, esse fechamento da "Porta Dourada" veio tarde demais. Para alguns, isso parecia prenunciar a destruição da nação, mas foi, no fim, sua salvação. Sem dúvida, o Klan marchando no coração da capital não oferecia um exemplo edificante de uma nação supostamente baseada na crença de que todos os homens são criados iguais; tampouco era uma variante americana dos comícios de Nurembergue. É crucial lembrar que, no mesmo ano em que a América finalmente trancou sua política de portas abertas, ela também aprovou a Lei de Cidadania Indígena (1924), que finalmente

---

198 LAUGHLIN, Harry Hamilton. *Eugenical Sterilization in the United States*. Chicago: Published Psychopathic Laboratory of the Municipal Court, 1922.

reconheceu o direito de voto dos nativos americanos. Não era uma panaceia para as relações entre colonos e nativos porque, por ser um direito atribuído aos estados, não foi plenamente implementado até 1948. Não obstante, ela destacou o interesse crescente pela singularidade de culturas "minoritárias", que estava começando a suplantar o ideal do *melting pot* de um nacionalismo baseado na assimilação.

Em meados dos anos 1920, a América já era demasiado diversa étnica e culturalmente, demasiado fundada em um ideal cívico democrático que enfatizava a igualdade para todos e demasiado aferrada ao republicanismo como meio para alcançá-lo para ser inteiramente suscetível aos argumentos de homens como Grant ou Laughlin, ou para seguir, até sua conclusão lógica, seu plano eugenista. O que não quer dizer que alguns estados não tenham seguido esse caminho, pois o fizeram.

Vários estados já tinham leis nos seus códigos que permitiam a esterilização involuntária dos insanos (mas mesmo nessa época a insanidade não era um diagnóstico descomplicado e, no caso de mulheres, muitas vezes era sinônimo simplesmente de ser sexualmente ativa fora do casamento). Em 1927, a Suprema Corte validou a constitucionalidade dessa legislação em *Buck vs. Bell*, um caso movido para testar a Lei de Esterilização Eugênica da Virgínia (1924). O juiz da Suprema Corte Oliver Wendell Holmes Jr. observou que seria "melhor para todo mundo se, em vez de esperar para executar rebentos degenerados por crime, ou deixá-los morrer de fome pela sua imbecilidade, a sociedade pudesse impedir aqueles que são manifestamente inaptos a continuar sua espécie", antes de sustentar a lei e concluir: "Três gerações de imbecis é o bastante".[199]

A esterilização involuntária – no fim, mais de 60 mil americanos foram esterilizados nesse programa – era, em muitos aspectos, somente mais uma faceta da predisposição política para a conformidade forçada, moral, médica e mental nesse período. A proibição e a prevenção forçada da gravidez eram apenas os extremos de um espectro de conservadorismo racial, religioso e cultural que ia de restrições ao jogo, ao planejamento familiar e à contracepção, à censura de livros, manuais, peças de teatro e filmes. No fim, era uma disputa por controle e por liberdade, em sentido positivo e negativo. A perspectiva da controvertida defensora do controle de natalidade Margaret Sanger, fundadora da Liga Americana de Controle da

---

[199] *Buck vs. Bell* (1927). Disponível em: http://caselaw.lp.findlaw.com/cgi-bin/getcase.pl?court=us&vol=274&invol=200. Acesso em: 18 jul. 2010.

Natalidade (ABCL [na sigla em inglês]) em 1921, oferece um exemplo pertinente. Por um lado, sua campanha para livrar as mulheres do fardo de uma gravidez perpétua e das mortes horrorosas que decorriam frequentemente de abortos clandestinos era destinada a aliviar o sofrimento. Por outro, os argumentos eugenistas que ela propôs, os quais concordavam com os do juiz Holmes, às vezes transferiam a ênfase da liberdade positiva de escolher por si mesma para a liberdade negativa de impor as próprias crenças aos outros. Um exemplo extremo de aonde essa lógica podia levar ocorreu em Dayton, Tennessee, em 1925. Aqui, fundamentalistas religiosos de fato adotaram o argumento do *lobby* eugenista de que os americanos eram nascidos e não feitos, e aplicaram-no à evolução.

O "Julgamento Scopes" (às vezes chamado de "Julgamento do Macaco") enfocou um professor de Biologia ginasial do Tennessee, John T. Scopes, e seu direito de ensinar aos seus alunos *A origem das espécies* de Charles Darwin. Tal como *Buck vs. Bell*, tratava-se de um caso teste, movido pela União Americana das Liberdades Civis (ACLU [na sigla em inglês]) para contestar a "Lei Butler" do estado, a qual estipulava que somente a versão bíblica da criação do homem (a Lei Butler não se aplicava a animais ou plantas) devia ser ensinada nas escolas públicas. O julgamento tornou-se uma comoção nacional – podia até ser acompanhado pelo rádio – em parte porque William Jennings Bryan foi chamado como perito judicial pelos antievolucionistas. Mas não foi por causa da presença de Bryan mas apesar dela que a constitucionalidade da Lei Butler foi mantida (e não revogada até 1967). Scopes foi julgado culpado, mas o desempenho menos do que convincente de Bryan no tribunal e sua morte poucos dias após o fim do julgamento abrandaram o entusiasmo antievolucionista. A condenação de Scopes foi revogada no ano seguinte devido a uma questão técnica (a multa imposta – US$ 100 – era alta demais), mas o ponto principal, que a Lei Butler não contrariava a separação entre Igreja e Estado estipulada na Primeira Emenda, foi mantido.

As representações contemporâneas e subsequentes do Julgamento Scopes (um filme vagamente baseado nele, *O vento será tua herança*, saiu em 1960, com Spencer Tracy e Gene Kelly) tendiam a retratá-lo como uma atração cômica de circo que fazia pouco mais além de entreter, ou mesmo constranger profundamente, amplos segmentos da nação. Na verdade, no recurso subsequente, *Stokes vs. State* (1926), o próprio tribunal referiu-se a ele como "este caso bizarro". Porém, dado que o impulso antievolução continua uma força poderosa em partes da América até hoje, era talvez mais do que isso. Certamente o Julgamento Scopes foi um produto de sua época, em que as forças da tradição chocaram-se com as do Estado secular moderno. Tratava-se, em alguns aspectos, de um choque de fés, entre Deus e a ciência, mas era também um produto do medo: medo do crime, de imigrantes, da cidade, de excessos de todo tipo e, acima de tudo, de desafio e mudança. O fato de que uma pequena cidade do Tennessee pudesse sentir-se não somente defasada, mas ameaçada pela cultura vigente, revelava apenas algumas das pressões que a nação sofria, bem como a persistência da divisão urbana/rural na América.

Quando não sintonizavam os acontecimentos em Dayton, Tennessee, os habitantes das cidades americanas, especialmente Nova York, tinham entretenimento de sobra para distraí-los dos julgamentos da vida provinciana e dos seus próprios. De fato, a imagem dos Loucos Anos 20 era e continua a ser litorânea. Representações populares da Era do Jazz tendem a situá-la em Nova York, em uma variante ligeiramente diferente, na Califórnia e – com exceção de Chicago – em nenhum outro lugar. Talvez seja verdade que nenhuma cidade exemplificou o lado otimista dos anos 1920 mais do que Nova York, que parecia oferecer, como sempre fizera, um refúgio e uma entrada para um mundo maior. O Harlem de Nova York, por exemplo, abrigara famílias imigrantes por décadas. O bairro tinha passado de uma comunidade irlandesa para predominantemente judaica, mas nos anos 1920 tornou-se o *locus* da comunidade afro-americana e da efervescência cultural que ficou conhecido como a "Renascença do Harlem". Obviamente, a cultura afro-americana não surgiu em Nova York na década de 1920, mas a cidade serviu de prisma através do qual seus numerosos raios, musicais, literários e políticos, podiam ser mesclados à cultura consagrada e até então predominantemente branca. Do Harlem, muitos dos principais estudiosos e escritores negros da época, incluindo Langston Hughes, poeta de jazz e autor do *Weary Blues* (*Blues maçante*, 1926), e a antropóloga e escritora Zora Neale Hurston, abriram caminho para um público nacional.

O acompanhamento musical para toda essa atividade, seja nos clubes de Nova York ou nacionalmente, em clubes, *speakeasies* e por meio do rádio, cada vez mais onipresente, era, claro, o jazz, em todas as suas muitas variedades. Popularmente identificado como o som do Sul na cidade nortista, o jazz era a metáfora suprema da América nesse período, no seu som individual e na sua estrutura improvisatória, na sua energia de música para dançar e na sua influência, mais notavelmente por meio da *Rhapsody in Blue* (1924) de George Gershwin, sobre o que era tido como composições "clássicas" tradicionais. O jazz pode ter nascido afro-americano, mas evoluiu para uma forma tipicamente americana de expressão musical. Mas o jazz era apenas um elemento daquela era. Ele fornecia a trilha sonora da nova modernidade, mas a imagem popular da era foi registrada para a posteridade por Hollywood. De filmes mudos como *Luar, música e amor* (1925), estrelando Clara Bow, a primeira e mais famosa "melindrosa", ao primeiro longa-metragem falado, *O cantor de jazz* (1927), estrelando Al Jolson, a indústria cinematográfica americana, agora estabelecida e em expansão, entretinha o público contemporâneo e informava – embora não necessariamente com algum grau de precisão – os públicos futuros sobre "o louco turbilhão" (*The Mad Whirl*, outro filme, de 1924) que era a América nos anos 1920.

Com aproximadamente 50 milhões de americanos (cerca de metade da população) que frequentavam regularmente o cinema no início da década de 1920 e mais de 80 milhões no fim da década, o capitalismo editorial havia sido transformado em entretenimento popular. A "comunidade imaginada" da Nação havia atingido a maioridade, mas qual tipo de imaginação Hollywood induzia não importava. Como a indústria cinematográfica de então, como agora, preferia retratar os jovens e belos, a mensagem popular que a América envia a si mesma e, por extrapolação, ao mundo, era a de juventude e vigor, energia e excesso econômico. Mas não eram poucos os americanos que concordavam com a descrição de Scott Fitzgerald da geração da Era do Jazz em *Os belos e os malditos* (1922). E eles estavam especialmente preocupados com Hollywood.

Quando se tratou de vender sexo e o culto às celebridades, Hollywood começou do modo como pretendia continuar, mas a publicidade adversa decorrente de vários escândalos notórios incitaram-na à autocensura antes que o governo a atingisse. O Código Hays (do nome do antigo diretor-geral dos Correios, Will H. Hays), introduzido em 1922, era destinado a impedir os filmes de exibir qualquer coisa que pudesse ofender as sensibilidades morais do público. Ele recomendava que, entre outros atos potencialmente repreensíveis, representações de homossexualidade, relações inter-raciais, nudez, beijos excessivos e adultério não aparecessem na telona.

Apesar do Código Hays, Hollywood, inevitavelmente, apresentava nada mais do que uma máscara da modernidade americana, particularmente no que dizia respeito às mulheres. O público americano logo acostumou-se com um suprimento constante de belas e jovens mulheres que frequentemente desafiavam as convenções – dentro dos limites prescritos –, de Greta Garbo em *Love* [Amor] (1927) e *Anna Karenina* (1935) a Bette Davis em *Jezebel* (1938). Tal escapismo tornou-se mais popular do que nunca durante a Depressão dos anos 1930, mas era escapismo especialmente para as mulheres cujas vidas não se pareciam com as que elas viam na tela, nem nunca se pareceriam (o que possivelmente é um certo alívio, dados os temas de muitos dos primeiros filmes). A ênfase continuada na mulher como o coração moral do lar não havia mudado muito desde o começo do século (IMAGEM 53) e contradizia o estereótipo da melindrosa, a jovem mulher dos anos 1920 que vivia rápido, bebia muito e fumava sem parar, e que, apesar de todo o cigarro e bebida, conseguia dançar a noite toda de um jeito que muito provavelmente romperia as barreiras do Código Hays.

Não era, obviamente, somente a realidade da vida das mulheres que tinha pouca semelhança com as representações da Era do Jazz no cinema ou na mídia popular. É possível que cerca de 40% das famílias americanas possuíssem um rádio em 1930, mas isso significava que 60% não o tinham. A riqueza da América não era distribuída nem um pouco igualmente, e mais de 70% da população ganhava menos do que na época era considerado o salário-mínimo tolerável – US$ 2.500 ao ano. O abismo entre as "duas nações", urbana e rural, ricos e pobres, estava aumentando, e as opções estavam se reduzindo. A fabricação de automóveis era um bom exemplo. As estradas, o tempo livre para dirigir nelas e o salário necessário para comprar um carro, tudo isso estava aumentando. Contudo, a fabricação de automóveis restringia-se quase inteiramente a somente três companhias: Ford, General Motors e Chrysler. Mas ninguém estava preocupado. Embora suas práticas de emprego e seu antissemitismo vituperioso tivessem maculado um pouco sua imagem pública, Ford continuava um herói nacional – e até internacional –, símbolo da aplicação bem-sucedida da linha de montagem americana. O jargão da administração tinha um novo conceito, o fordismo, símbolo de padronização e da eficiência produtiva resultante. O fordismo, de fato, virou sinônimo de americanismo como modelo econômico do futuro, um futuro de confiança do consumidor e de poder econômico sempre crescente.

Quando, em 1929, Ford organizou uma celebração de outro tipo de poder, o da lâmpada elétrica – e a abertura de seu próprio Instituto Edison de

IMAGEM 53. Esta ilustração foi publicada pela Profa. e Sra. John W. Gibson, *Social Purity: or, The Life of the Home and Nation* (Nova York: J. L. Nichols, 1903). Ela mostra os dois caminhos possíveis oferecidos à bonequinha de 7 anos de idade, retratada no alto, no centro. À esquerda, uma combinação de literatura inapropriada (francesa) lançou-a no caminho sem volta da exclusão social; à direita, temas de leitura mais edificantes e frequentação regular da igreja asseguraram-lhe um futuro estável. Dado que a menina em questão teria seus vinte e poucos anos quando os "*Roaring Twenties*" (Loucos Anos 20) começaram, o lado esquerdo da equação era um risco real, pelo menos aquilo que se supunha popularmente ser o medo persistente dos pais em toda a América. Na realidade, a bonequinha tinha mais chances de se divorciar do que sua mãe tivera e provavelmente geraria menos filhos (a taxa de natalidade caiu de pouco menos de 30% em 1920 para pouco mais de 20% em 1930). Ela também teria uma gama muito mais ampla de empregos potenciais a escolher e, embora a maioria deles fossem em escritórios ou hospitais, nem todos eram. Foi nesse período, afinal, que Amelia Earhart ganhou os céus pela primeira vez, cruzando o Atlântico (acompanhada) um ano depois de Lindbergh (1928) e repetindo a façanha solo em 1932. Embora o custo de um avião fosse inacessível à maioria das mulheres, no fim dos anos 1920 mais de 10 milhões delas foram trabalhar. *Cortesia da Library of Congress Prints and Photographs Division (LC-DIG-ppmsca-02925).*

Tecnologia – foi uma ocasião para otimismo. O presidente recém-eleito, Herbert Hoover, compareceu e pronunciou um discurso vibrante (transmitido ao vivo para a nação pelo rádio). A pesquisa científica, declarou Hoover, "é um dos mais potentes impulsos do progresso". Ela fornecia "um padrão de vida melhor e mais estabilidade no emprego, diminuía o esforço, estendia a vida humana e diminuía o sofrimento. No fim", afirmou ele, "nosso lazer se expande, nosso interesse pela vida aumenta, nossa visão se amplia. Há mais alegria na vida". Acima de tudo, entusiasmou-se Hoover, Thomas Edison tinha "convertido a física pura da eletricidade em um produto tributável".[200] Apenas três dias depois dessa previsão confiante dos benefícios econômicos da racionalidade científica e social, o mercado de ações da América quebrou, mergulhando a nação – e com ela o restante do mundo – na derrocada econômica da Grande Depressão.

Admirável Mundo Novo

Em 1925, os nova-iorquinos puderam contemplar o possível futuro do comercialismo e da construção em uma exposição, "A Cidade Titânica: uma Profecia Pictórica de Nova York, 1926-2006". Aqui a cidade era imaginada como uma metrópole futurista, mas não a versão distópica concebida pelo cineasta alemão Fritz Lang apenas dois anos depois (em *Metrópolis*, 1927). A metrópole americana era um mundo futurista de edifícios altos, um mundo ordenado, feito sob medida para os povos do Novo Mundo. Para uma nação tão sistematicamente em conflito com a própria ideia de cidade, ainda assombrada pela visão arcádica de Thomas Jefferson, isso representava uma mudança substancial da perspectiva a respeito da cidade, da nação e dos valores americanos.

Essa visão de mobilidade física ascendente era também símbolo de uma transição social e demográfica fundamental. Se a década de 1920 celebrou o consumo ostensivo nas cidades, nas áreas rurais os fazendeiros ainda penavam, literalmente deixados para trás enquanto a nação precipitava-se em direção à vida urbana com sua comida enlatada e seus eletrodomésticos, seus cinemas, bares e arranha-céus. No começo do século XX, mais da metade da população americana vivia em comunidades rurais de menos

---

200 HOOVER, Herbert. "Address of the 50th Anniversary of Thomas Edison's Invention of the Incandescent Electric Lamp", 21 de outubro de 1929. Disponível em: http://www.presidency.ucsb.edu/ws/index.php?pid=21967&st=&st1=. Acesso em: 20 jul. 2010.

de 2,5 mil habitantes; em 1930, eram pouco mais de 40%. Evidentemente, isso ainda deixava um bom número no ambiente rural, mas era indicativo da tendência, expressa mais obviamente na arquitetura, que privilegiava a centralização à descentralização, a cidade grande à pequena, a economia urbana/industrial à agrária.

Diante da quebra do mercado de ações, o público do cinema foi dirigido novamente para essa visão na agora quase esquecida comédia *Fantasias de 1980* (1930), ambientada em uma paisagem urbana de arranha-céus dos anos 1980. Apesar da sua leveza deliberada, o filme fazia alusão ao lado sombrio de uma utopia em que as pessoas haviam se tornado números e a vida era controlada por comitês. Esse espectro distópico do futuro da humanidade, que fora invocado anteriormente em romances tão antigos quanto o *Cândido** de Voltaire (1759), despontou mais graficamente em 1932, no *Admirável mundo novo* de Aldous Huxley.

O romance de Huxley era ambientado em uma Londres futurista, não Nova York, mas uma Londres datada de 1908, quando o primeiro Modelo T foi produzido. Nessa era d.F. (depois de Ford), o "princípio da produção em massa" havia sido "aplicado à biologia" e a população resultante, cientificamente separada em Alfas, Betas, Gamas e Epsilons, divertia-se frequentando os "filmes sentidos" (em vez de "filmes falados") e recordando com uma leve indulgência a tolice da época de seu próprio fundador, em que as pessoas eram autorizadas a jogar jogos que não faziam "absolutamente nada para aumentar o consumo". Seu interesse pelo passado só ia até aí, porque o mote desse admirável mundo novo era a famosa acusação de Ford de que "a História é balela". Tratava-se de uma civilização que não precisava do passado e não tinha "absolutamente nenhuma necessidade de nobreza ou heroísmo", não porque a Primeira Guerra Mundial tornara tais conceitos obsoletos ou obscenos, mas porque eles eram considerados "sintomas de ineficiência política".

Apesar da sua crítica aberta ao fordismo (e ao próprio Ford), o romance de Huxley operava em diversos níveis no que dizia respeito aos ideais utópicos e não consistia em um ataque simplista aos Estados Unidos como tais. Não obstante, o contexto imediato de sua composição e recepção foi a explosão, ou implosão, do sonho econômico do experimento republicano. Na "Terça-Feira Negra" (29 de outubro de 1929), os mercados americanos perderam uns US$ 14 bilhões em um único dia, US$ 30 bilhões até o fim

---

* VOLTAIRE. *Cândido ou o otimista*. Trad. Jorge Silva. São Paulo: Edipro, 1996. (N.E.)

da semana. Esses números são suficientemente assombrosos em si mesmos, mas no contexto de hoje o equivalente seria (e, como aconteceu em 2008, foi mesmo) de aproximadamente US$ 170 bilhões e US$ 360 bilhões, respectivamente.

Os mercados continuaram em queda livre no três anos seguintes. Nessa época, os preços caíram (cerca de 40%), enquanto o desemprego subiu (para cerca de 14 milhões), bem como o valor das ações prosseguiu na sua espiral descendente aparentemente inexorável. As ações da U.S. Steel, por exemplo, caíram de US$ 262 em 1929 para US$ 22 em 1932, e o número de empregados da companhia de cerca de 225 mil para exatamente zero. Bancos em todo o mundo quebraram quando seus clientes correram para retirar suas economias, temerosos de que o padrão-ouro não sustentasse (como de fato não sustentou) esse ataque repentino. Como avisara William Jennings Bryan, a humanidade estava, metaforicamente, sendo crucificada em uma cruz de ouro. Foi um desastre global, mas na América pareceu muito pior por causa da confiança do consumidor, da construção e do comércio que caracterizaram a década de 1920. Contudo, foi exatamente isso, pelo menos em parte, que provocou a quebra. A pressuposição otimista de que a nação estava, em termos econômicos e sociais, avançando sempre para o alto e avante produziu um entusiasmo excessivo quanto à produção que ultrapassou sua capacidade de consumo.

Mas o problema era decorrente apenas em parte das desigualdades de riqueza da América. A questão principal era a igualdade de expectativa. Com uma população – e um mercado internacional – que pensava poder comprar ou emprestar sua entrada no sonho americano, além de um excesso de bancos preparados para satisfazer esse sentimento por meio de uma combinação de baixas taxas de juros e empréstimos sem garantia, tanto para outras nações quanto para clientes internos, a América atingiu rapidamente um ponto em que o próprio mercado de ações, e não as indústrias cujas ações eram negociadas, tornou-se o motor econômico da nação. De fato, a América estava negociando com base apenas na fé. Por isso, quando a bolha estourou, não foi somente dinheiro que se perdeu – foi o moral. Não foram somente as finanças que falharam, mas a fé na América como uma nação cuja população tinha, como lhes disse Hoover ao ser eleito em 1928, "atingido um grau de conforto e segurança mais alto do que jamais existira antes na história do mundo". "Graças à liberação da pobreza generalizada", afirmou ele, "atingimos um grau de liberdade individual mais alto do que nunca", e com base nessa liberdade "estamos construindo com segurança uma nova raça – uma nova civilização, grande nas suas próprias conquistas".[201]

A reação de Hoover à crise monetária que transformou em piada sua confiança no crédito americano – material e moral – foi aferrar-se aos princípios que ele havia adotado durante sua campanha eleitoral. Ele recorreu à caridade particular e às autoridades estaduais para minorar os piores efeitos da perda de empregos, buscando uma cooperação voluntária entre os empregadores e os trabalhadores que eles não podiam mais pagar. Ele continuou aderindo ao credo do Partido Republicano de que a força da América estava no que ele chamou de "individualismo robusto" de seus cidadãos. Os americanos, acreditava Hoover, eram "autossuficientes em um grau extraordinário" e logo "liderariam a marcha da prosperidade" novamente. Ele rejeitou os apelos dos democratas de maior intervenção federal com o argumento de que a "depressão [econômica] não pode ser curada por ação legislativa ou pronunciamento executivo. As feridas econômicas devem ser sanadas pela ação das células do corpo econômico – os próprios produtores e consumidores". A intervenção federal era, concluiu Hoover, não somente errada, mas fundamentalmente contrária ao modo de vida americano.[202]

Uma vez que a América tinha claramente perdido seu rumo, essa reação foi inadequada, na melhor das hipóteses, e interpretada por alguns como insensível, no pior dos casos. O auxílio federal às empresas acabaria chegando sob os auspícios da Agência de Reconstrução Financeira (RFC [na sigla em inglês]), mas subsistia a pressuposição de que cada americano se beneficiaria indiretamente com essa ajuda. Ainda acreditava-se que o apoio federal direto para o povo era um passo perigoso em direção ao socialismo. E, no entanto, à medida que a depressão se arrastava, ficou claro que era preciso mais do que a tradicional invocação do individualismo americano. Quando mais de 20 mil veteranos marcharam em Washington no início de 1932 exigindo o pagamento do bônus prometido a eles pelo serviço na Primeira Guerra Mundial, a reação desproporcional por parte do governo revelou o tamanho que tinha atingido a fissura entre os líderes e o povo americano. O general Douglas MacArthur dispersou os veteranos com ar-

---

201 HOOVER, Herbert. Discurso Inaugural, 4 de março de 1929. Disponível em: http://www.presidency.ucsb.edu/ws/index.php?pid=21804. Acesso em: 22 jul. 2010.

202 *Idem*. Discurso de campanha, Nova York, 22 de outubro de 1928. Mensagem Anual ao Congresso sobre o Estado da União, 2 de dezembro de 1930.

mas, tanques e gás lacrimogêneo; não era um gesto destinado a reanimar uma nação já desesperada e, para os republicanos, não era o melhor curso de ação em um ano eleitoral.

Mesmo deixando de lado esse surto de violência contra os veteranos, a eleição de um democrata em 1932 era, dadas as circunstâncias, talvez inevitável. O democrata em questão, Franklin Delano Roosevelt (FDR), em uma expressão que viria a definir não somente sua presidência mas uma nova direção política e social para a América, prometeu um "novo acordo [New Deal] para o povo americano". Não era, claro, o primeiro acordo que um Roosevelt lhes oferecia. O presidente Roosevelt anterior (na verdade, um primo distante do novo presidente) prometera à nação um "acordo justo" [Square Deal], no sentido de que realizaria a quadratura do círculo entre trabalho e capital, recursos naturais e necessidades industriais, empresas e consumidores. Cabia agora ao novo Roosevelt tentar recapturar esse idealismo de uma era anterior, fornecer um "New Deal", informado, como tinha de ser agora, por alguns acontecimentos econômicos e sociais indesejados ocorridos desde a época de Theodore Roosevelt.

Roosevelt podia, às vezes, soar pessimista na sua avaliação dos problemas que a América enfrentava nos anos 1930. "Uma visão geral na situação de hoje", sugeriu ele em um dos primeiros discursos de campanha, "indica com demasiada clareza que a igualdade de oportunidades como nós a conhecemos não existe mais [...]. Nossa última fronteira foi atingida há muito tempo e praticamente não há mais terra livre". E a terra, como entendia Roosevelt, fora há muito uma "válvula de segurança" prática e psicológica para o povo americano; o Oeste, em especial, sugeriu ele, soando muito como o primeiro Roosevelt, representara um santuário "para onde os que foram privados de trabalho pelas máquinas econômicas do Leste podem ir para começar de novo". Tudo isso tinha acabado. "Não somos capazes de convidar a imigração da Europa para compartilhar nossa abundância infinita", observou ele, e pior, tudo que a América podia oferecer era "uma vida maçante" para sua própria população. Chegara a hora, afirmou Roosevelt, de "uma reavaliação de valores".

Na verdade, o que Roosevelt oferecia não era uma reavaliação de valores como tal, mas mais uma reafirmação dos primeiros princípios. O presidente que tanto faria para moldar o futuro da nação era especialmente habilidoso em usar o passado para promover suas propostas e encorajar a população. Para aplacar temores de que algum tipo de Estado socialista estava na agenda democrata, Roosevelt invocou a Revolução como uma época em que a ameaça do governo provocara mudanças; agora, afirmou ele, eram "unidades econômicas" que representavam uma ameaça. Elas precisavam simplesmente ser reformadas, sugeriu ele, não totalmente descartadas. O governo tinha agora de "amparar o desenvolvimento de uma declaração econômica de direitos, uma ordem constitucional econômica" destinada "não a tolher o individualismo, mas a protegê-lo". Nesse sentido, o que Roosevelt resumiu como "os novos termos do velho contrato social" exigia simplesmente uma reafirmação de fé. "A fé na América, a fé em nossas instituições, a fé em nós mesmos exige", salientou ele, a crença de que americanos podiam criar "a utopia aparente que Jefferson imaginou para nós em 1776".[203] Por fim, o que Roosevelt fez foi jogar a cartada revolucionária; uma maneira tradicional de impor qualquer argumento na política americana. Foi a fé que ele invocou: a fé dos Pais Fundadores da nação.

Porém, para além da crença de que, com uma certa ajuda, o navio do Estado americano poderia se reerguer, o novo presidente não tinha em mente um mapa da utopia. Por conseguinte, o *New Deal* era mais evolucionário que revolucionário. Ele consistia em uma combinação às vezes contraditória de legislação e vastos programas de obras públicas – frequentemente dividida pelos historiadores como o *New Deal* e, após 1935, o Segundo *New Deal* – cujas intenções eram duplas: recuperação econômica de curto prazo e reforma econômica e social de longo prazo. Ele também presenciou a emergência do que passou a ser chamado a "coalizão" do *New Deal*, a combinação do trabalho organizado com grupos de eleitores que, até o advento do *New Deal*, estavam mais geralmente em conflito: brancos sulistas com negros nortistas, protestantes rurais com católicos urbanos e judeus, minorias com intelectuais. Essa coalizão mudou o cenário da política partidária americana; o mais notável foi talvez ter demovido os afro-americanos do Partido Republicano – o partido de Lincoln, da emancipação – e arrebanhado-os para os democratas, onde ficariam em maioria.

Em um sentido mais amplo, o *New Deal* representou a segunda de três grandes mudanças transformadoras do desenvolvimento social e político americano, mudanças efetuadas pelo poder expandido do Estado federal. A primeira aconteceu em decorrência da vitória da União na Guerra Civil no século XIX, não somente no crescimento da autoridade do Estado central durante e após o conflito, mas especificamente com relação às cha-

---

203 ROOSEVELT, Franklin D. Discurso no Commonwealth Club, 23 de setembro de 1932.

madas emendas da Reconstrução, as Décima Terceira, Décima Quarta e Décima Quinta emendas à Constituição que erradicaram a escravidão, definiram a cidadania e estabeleceram o direito de voto, fornecendo juntas uma poderosa reinterpretação judicial da liberdade. A terceira consistia na legislação de direitos iguais promulgada durante a "Segunda Reconstrução" nos anos 1960. A ponte entre elas foi o *New Deal*, que procurou estender o poder do Estado central para assegurar uma maior extensão da ideia de liberdade: liberdade da pobreza, segurança econômica, oportunidades iguais para todos.

Embora tenha começado com a Lei Emergencial de Socorro Bancário, no cerne do programa econômico do "primeiro" *New Deal* estava a Lei Nacional de Recuperação Industrial (1933), que criou a Agência Nacional de Recuperação (NRA [na sigla em inglês]), sob a qual o comércio, tal como havia sido sob a égide do Conselho de Indústrias de Guerra criado durante a Primeira Guerra Mundial, podia ser organizado e controlado (a participação era voluntária, mas fortemente encorajada), mas dessa vez em nome da guerra à pobreza. Outras agências, cada qual com sua alçada específica, logo se seguiram.

A Lei de Ajuste Agrícola (AAA) lidou com o problema da queda dos preços agrícolas restringindo a produção, oferecendo compensação aos fazendeiros caso limitassem sua produção. Ela teve o efeito desejado de aumentar os preços agrícolas, mas também o indesejável de despejar muitos parceiros-produtores e arrendatários mais pobres de terras cuja exploração já não era mais rentável; eles tinham de recorrer ao auxílio do Estado ou juntavam-se ao êxodo em massa de desempregados nas autoestradas da nação (IMAGEM 54). O Corpo Civil de Conservação (CCC) procurou dar emprego por meio de uma série de projetos voltados para a conservação do meio ambiente. A Agência de Obras Públicas (PWA) tentou a mesma coisa nas cidades por meio de um programa de construção de estradas, pontes e edifícios, e no Sul rural a Autoridade do Vale do Tennessee (TVA) instigou um programa de prevenção de enchentes e construção de barragens no rio Tennessee que finalmente permitiu a milhares de lares a instalação de eletricidade. Na verdade, alguns dos efeitos mais visíveis e de longo prazo do *New Deal* eram os projetos monumentais de construção ao longo dos rios da América, dos quais o maior foi a represa Grand Coulee Dam no Colorado, que, com o tempo, chegou a produzir quase metade da força hidrelétrica da nação.

CAPÍTULO 9 – ALÉM DA ÚLTIMA FRONTEIRA: UM *NEW DEAL* PARA A AMÉRICA | 357

IMAGEM 54. Refugiados da Depressão vindos de Iowa (Dorothea Lange, 1936). Esta fotografia mostra três membros de uma família (de nove) no Novo México, refugiados vindos de Iowa, no auge da Depressão. Ela foi tirada pela célebre fotojornalista Dorothea Lange como parte do seu trabalho no Projeto Fotográfico, organizado por conta da Agência de Reassentamento (1935), umas das agências de reforma criadas sob os auspícios do Segundo *New Deal* (depois ela foi incorporada à Agência de Segurança Agrícola [também de 1935]). Mais tarde Lange registrou outro exemplo inconveniente de reassentamento, o de cidadãos nipo-americanos removidos à força pela Autoridade de Relocalização de Guerra (WRA) e detidos em campos durante a Segunda Guerra Mundial. *Cortesia da Library of Congress Prints and Photographs Division (LC-USZ62-130926).*

Tomados em conjunto, esses diversos programas – e havia um monte deles – representavam uma tentativa ambiciosa de promover a recuperação econômica, mas eles sofreram críticas. Chamados de "agências alfabeto" pelos seus adversários (que chegaram ao ponto de apelidar os programas do *New Deal* de "sopa de letrinhas", como o prato infantil), seu sucesso em alcançar a estabilidade econômica e social foi duvidoso. Não foi inteiramente culpa das próprias agências. A natureza não estava do lado do *New Deal*. Uma seca prolongada (que durou a maior parte da década em algumas regiões) produziu violentas tempestades de poeira que transformaram as Grandes Planícies no "Dust Bowl" [bacia de pó], o qual, talvez mais que nada, acabou definindo a devastação da Grande Depressão na América. Os piores efeitos foram sentidos nas "alças de panela"* do Texas e de Oklahoma (mais bem descritas como penínsulas internas; na Europa, o termo corrente é corredor) e espalharam-se até o Novo México, Kansas e Colorado. As populações dessas regiões, deixadas sem auxílio, tornaram-se trabalhadores migrantes na sua própria terra; capturados pelas lentes de fotógrafos como Dorothea Lange e na literatura por escritores como John Steinbeck (cujo romance *As vinhas da ira* [1939], sobre uma família carente de Oklahoma, é a mais famosa descrição literária da Depressão), sua desventura virou símbolo do sofrimento generalizado da nação na década de 1930.

A fase pós-1935, o chamado Segundo *New Deal*, foi construído em torno da Lei de Segurança Social (1935), a qual implementou um programa de bem-estar social que incluía seguro-desemprego e pensões. Ela também deu um passo à frente na criação de empregos, por meio da Agência de Execução de Obras (WPA). Esta última chegou a empregar quase 9 milhões de pessoas em toda a América, muitas delas escritores, músicos e artistas, encarregados de produzir obras que iam de murais em prédios do correio a guias turísticos dos estados, a realizar concertos e espetáculos teatrais e a criar arquivos do folclore. Na verdade, no que tange à historiografia da América, umas das iniciativas da WPA, o Projeto Federal de Escritores, ao produzir volumosos índices de jornais, registros históricos e arquivos ou ao entrevistar e gravar as vozes dos afro-americanos que ainda se lembravam da escravidão, organizou grande parte da matéria-prima para a narrativa do passado da nação, a qual os historiadores ainda consultam e reinterpretam para o presente.

Porém, mesmo atividades aparentemente inócuas como encenar uma peça podiam atrair suspeita, como de fato fizeram, e fomentar o medo de que, por trás do *New Deal*, havia uma pauta socialista ou, pior, fascista, destinada a replicar nos Estados Unidos o que um crítico, o jornalista Raymond Gram Swing, descrevera como "o padrão da Alemanha e da Itália, a coalizão entre os radicais e os conservadores em nome da unidade nacional".

---

*   Faixas de terra com este formato. (N.E.)

Isso era apenas o primeiro passo, avisou Swing, em direção ao admirável mundo novo do fascismo americano, um mundo em que o individualismo seria erradicado e os americanos "informados de que é antiamericano contestar e criticar".[204] A voz de Swing, já familiar dos ouvintes americanos de rádio há muito tempo, e ainda mais à medida que os acontecimentos na Europa suscitavam uma cobertura maior das notícias internacionais, não era a de um profeta solitário em um deserto isolacionista intocado por ou não interessado na ascensão do fascismo na Itália ou do nacional-socialismo na Alemanha. *It Can't Happen Here* [Isso não pode acontecer aqui] (1935), de Sinclair Lewis, cuja premissa, obviamente, era a de que "isso" podia facilmente acontecer, foi um dos livros mais populares da década. Patrocinada pelo Projeto Federal de Teatro, a peça baseada nele teve cobertura nacional; as versões em inglês e iídiche abriram ao público de Nova York, em 1936, uma versão iídiche em Los Angeles, uma versão espanhola em Tampa e uma versão negra em Seattle.

Na verdade, as chances de a América tornar-se uma versão de um Estado nacional-socialista no Novo Mundo nos anos 1930 eram poucas. Tomado como um todo, durante o período entreguerras nos Estados Unidos o significado de liberdade e democracia estava novamente sendo debatido, mas não corria perigo real de ser destruído. Herbert Hoover pode ter atacado o *New Deal* como "a mais colossal invasão do espírito de liberdade que a nação presenciou desde os dias da América colonial", mas Roosevelt retrucou enfatizando (como Lincoln fizera durante a Guerra Civil) a necessidade de uma "definiçao mais ampla de liberdade", que proporcionaria "maior liberdade" e "maior segurança para o homem médio do que ele jamais conhecera antes na história da América".[205]

Se isso era verdade ou não, tratava-se de algo irrelevante e dependia muito de como se definia o homem "médio". O sofrimento da Grande Depressão era distribuído desigualmente, e alguns programas do *New Deal*, embora tencionassem minorar o problema, só o exacerbaram. O chamado *New Deal* indígena foi um desses casos. A Lei de Reorganização Indígena (IRA) de 1934 tentou promover uma inversão das políticas anteriores de assimilação. Ela procurou recuperar o que o recém-nomeado superinten-

---

204 SWING, Raymond Gram. *Forerunners of American Fascism*. New York: Julian Messner, 1935.

205 HOOVER, Herbert. The Challenge to Liberty. *Saturday Evening Post*, 8 Sept. 1934; ROOSEVELT, Fireside Chat, 30 Sept. 1934. Disponível em: http://www.presidency.ucsb.edu/ws/index.php?pid=14759. Acesso em: 22 jul. 2010.

dente da Agência de Assuntos Indígenas, John Collier, acreditava que não somente as nações nativas haviam perdido, mas a nação americana como um todo, com a destruição da cultura nativa e a divisão das terras tribais em propriedades particulares pela Lei Dawes. No que pode ser visto como uma versão microeconômica (e cultural) do *New Deal*, Collier almejou uma reconsolidação das terras nativas, uma soma forçada de recursos para o bem comum. Obviamente, nem todos os nativos americanos estavam dispostos a ver suas terras cuidadosamente geridas desaparecer em uma propriedade comum. Eles tinham talvez ainda mais suspeita e resistência com relação a esse súbito entusiasmo por parte de burocratas de Washington pelo retorno de tradições que alguns deles haviam deixado para trás há muito tempo. Muitas das nações nativas queriam o progresso e a promessa de um futuro, e não um retorno forçado a uma versão idealista branca de um passado que estava longe do ideal.

Outros grupos da sociedade americana viram-se não tanto direcionados para o passado, mas incapazes de fugir dele. Os afro-americanos, mais dependentes de modo geral do cultivo do algodão, tiraram pouco benefício das tentativas de ajuste agrícola do *New Deal*. Também aconteceu que a maioria das iniciativas do *New Deal* eram segregadas, quer fossem os CCC ou as novas cidades-modelo criadas pela Agência de Reassentamento. É claro que a segregação não teve origem com o *New Deal*. Nas décadas de 1920 e 1930, a América continuou a ser uma nação em que livre não queria dizer igual, pois ainda era movida, em certa medida, por uma perspectiva suprematista anglo-saxã que era revelada, e até certo ponto reforçada, pela cultura popular da época. Tanto a literatura quanto o cinema do período revelavam as tensões entre a nova cultura comum nacionalista cívica que Roosevelt defendia e a persistência do "individualismo robusto", paradigma que seus adversários preferiam. Contudo, em ambos os casos, o ideal americano era racialmente codificado, seu nacionalismo cívico etnicamente exclusivo e o individualismo bem-sucedido era raramente o do imigrante.

O romance – e depois o filme – produzido na década de 1930 que mais vendeu durante maior período de tempo foi, evidentemente, o épico da Guerra Civil de Margaret Mitchell, *E o vento levou...* (1936). Ele oferecia uma fuga dos dilemas da Depressão na sua ambientação histórica, mas também uma afirmação da ideia de que, da adversidade, viria o triunfo se o indivíduo em questão se mostrasse à altura dele. Havia pouca coisa de solidariedade fraterna ou mesmo social no seu personagem central, Scarlett

O'Hara, que, tirando o fato de ser mulher, representava a epítome cultural dos heróis cinematográficos da época. Quase todos eles eram homens, mas dividiam-se entre o nobre homem comum como em *A mulher faz o homem* (1939), e o ignóbil criminoso, como em *Inimigo público* (1931) ou *Scarface* (1932).

De fato, a fascinação com o gângster que começou com Al Capone nos anos 1920 virou uma certa fixação da ficção americana e do público dos cinemas na década de 1930. Mas a mensagem aqui era vaga, não na perspectiva moral dos filmes em questão, mas na origem imigrante do anti-herói criminoso e sua destruição final dentro da organização que o definiu e acabou por aniquilá-lo. Para Scarlett O'Hara, assim como para Scarface, o sonho americano era uma proposta precária, especialmente para aqueles à margem da respeitabilidade social. A incerteza subjacente na representação da vida americana na telona era resolvida de modo mais consistente na ficção de detetive "durão" ou "*pulp*", cada vez mais popular no período. Ela também oferecia uma combinação de escapismo e confirmação, e frequentemente apresentava um personagem central de homem comum, seja o Sam Spade de Dashiell Hammett ou o Philip Marlowe de Raymond Chandler, que triunfava, até certo ponto, de quaisquer adversidades do enredo que seus criadores inventavam para eles.

A representação da vida urbana americana nessa ficção era decididamente pessimista, como convinha à era da Depressão na qual grande parte dela era ambientada, mas a ideia era justamente essa. A essência da ficção de detetive nos anos 1930 era o que pode ser descrito como o triunfo do idealismo informado sobre a adversidade da realidade. No seu cerne estava o otimismo cínico do detetive anglo-saxão que defende os valores "americanos", ao mesmo tempo que reconhece a corrupção e o compromisso que existem por trás do sonho. "Por essas ruas ruins deve ir um homem", observou Chandler, "que por sua vez não é ruim, não tem mácula nem medo". E cada vez mais americanos passaram a identificar-se – ou a esperar que pudessem identificar-se – com esse homem "comum" porém "inabitual" que Chandler descreveu posteriormente.[206] Ainda que o "crime" em questão fosse a ameaça do nazismo, ou justamente porque o crime em questão era a ameaça do nazismo, a cultura popular americana no final da década de 1930 aproveitou a oportunidade para definir o indivíduo americano e,

---

206 CHANDLER, Raymond. The Simple Art of Murder. *The Atlantic Monthly*, 1944; reimpresso em *The Chandler Collection*. v. 3. London: Picador, 1984. p. 191.

por extrapolação, a nação e seus ideais, contra essa ameaça. Na cena do julgamento que encerra *Confessions of a Nazi Spy* [Confissões de um espião nazista] (1939), o primeiro filme de propaganda abertamente antinazista lançado nos Estados Unidos, o promotor proclama: "A América não é simplesmente uma das últimas democracias. A América *é* a democracia. A democracia que tem uma inspiração dada por Deus de homens livres determinados a defender para sempre a liberdade que herdamos".

Obviamente, ao mesmo tempo que o público americano assistia a esse filme, a Europa estava à beira da guerra. A Alemanha invadiria a Polônia cinco meses apenas após seu lançamento. A essa altura, o *New Deal* também perdeu muito do seu ímpeto, minado pela instabilidade industrial persistente e um novo colapso econômico no começo do verão de 1937. Uma saraivada de novas leis tentou estabilizar a economia, proteger os fazendeiros e estabelecer um salário-mínimo, mas Roosevelt teve de brigar para implementá-lo e, na sua Mensagem Anual ao Congresso em janeiro de 1939, reconheceu que a principal prioridade para os americanos poderia ser não mais a recuperação, mas a defesa nacional. Não que os Estados Unidos sofressem qualquer ameaça imediata. Quando a Segunda Guerra Mundial começou, Roosevelt, como fizera Wilson, emitiu uma proclamação de neutralidade com o adendo de que armas e suprimentos poderiam ser vendidos aos Aliados; a democracia poderia assim ser defendida, esperava Roosevelt, mas de longe.

A máquina de guerra nazista, infelizmente, podia cobrir distâncias em uma velocidade considerável e não era por nada que foi denominada *Blitzkrieg* (guerra-relâmpago). Dentro de semanas, a partir da primavera de 1940, a Alemanha tinha ocupado a Dinamarca e a Noruega, os Países Baixos, a Bélgica e o Luxemburgo, escorraçado os britânicos para fora da França em Dunquerque e forçado a França a se render. Restava somente a Grã-Bretanha entre a Alemanha e o controle completo da Europa Ocidental e – o que era mais importante – do Atlântico Leste. Nos Estados Unidos, Roosevelt reforçou o apoio aos Aliados junto às defesas da nação. Ele aumentou o gasto militar, criou o Comitê de Pesquisa da Defesa Nacional e fez aprovar a Lei de Serviço Seletivo e Treinamento, a primeira medida de recrutamento em tempo de paz da América, apesar da relutância do Congresso. O apoio para suas ações vinha do Comitê para Defender a América por meio da Ajuda aos Aliados, e a oposição, do Primeiro Comitê da América; juntos, eles representavam uma mistura de opinião nos Estados Unidos acerca da factibilidade, ou mesmo desejabilidade, de imiscuir-se em um conflito que ainda parecia distante o bastante para não oferecer ameaça ao povo americano.

Mas o povo americano e o poderio de sua nação eram uma ameaça para outros. A decisão da guerra, no fim, não coube à América. A Segunda Guerra Mundial foi, em um certo sentido, a confluência violenta de três pautas expansionistas distintas: a dos fascistas italianos e alemães, na Europa, e a dos japoneses no Sudeste Asiático. O perigo que representava para os Estados Unidos veio, no fim, não da guerra europeia do outro lado do Atlântico – embora em 1941 a nação já estivesse envolvida em uma guerra incerta e não declarada com a Alemanha envolvendo os ataques submarinos aos cargueiros americanos –, mas das ambições japonesas no Pacífico.

Para os japoneses, a presença da Frota do Pacífico dos EUA em Pearl Harbor, no Havaí, representava um problema potencial no que dizia respeito às suas ambições imperiais – e eles decidiram eliminá-lo. Na manhã de 7 de dezembro de 1941, a aviação japonesa lançou um ataque súbito e devastador a Pearl Harbor (IMAGEM 55). No fim, depois de todas as negociações entre políticos nos dois anos anteriores, dos debates acalorados no Congresso acerca do fornecimento de armas aos Aliados e da conveniência de estender o envolvimento americano num conflito que muitos continuavam a esperar que não afetaria os Estados Unidos, foi necessária apenas cerca de uma hora e meia para destruir grande parte da Frota do Pacífico dos EUA, matar com isso mais de 2 mil americanos e arrastar a nação para a Segunda Guerra Mundial.

Duas décadas antes de Pearl Harbor, Harding prometera que o sacrifício de vidas americanas na guerra nunca mais seria solicitado. Sempre fora uma afirmação irrealista, que nenhuma nação moderna realmente pode fazer. Mas muitos americanos nas décadas de 1920 e 1930 esperaram, assim como o protagonista de *3 soldados* (1921) de Dos Passos, que "nunca vestiriam um uniforme de novo".[207] No fim da guerra, cerca de 16 milhões de americanos o haviam feito e perto de 0,5 milhão morrera trajado nele. Na verdade, ao vestir as fileiras crescentes de desempregados com uniformes militares, a Segunda Guerra Mundial realizou o que o *New Deal*, no fim das contas, não pôde fazer: a recuperação econômica da nação. Mas fez muito mais do que isso.

---

207 PASSOS, John dos. *Three Soldiers*. Rep. California: Coyote Canyon Press, 2007 [1921]. p. 282. [Edição em português: *3 soldados*. Tradução de Enéas Camargo. Curitiba: Guaíra, 1932 (N.E.)].

IMAGEM 55. Pearl Harbor, dezembro de 1941 (fotografia oficial da Marinha dos EUA). Um barco de salvamento dirige-se ao USS West Virginia (primeiro plano), um encouraçado da classe Colorado, em chamas; atrás está o USS Tennessee. O West Virginia acabou afundando, levando consigo mais de sessenta membros da tripulação. Ele foi reconstruído posteriormente e retornou ao Havaí em setembro de 1944 como parte da invasão das Filipinas, e depois participou da batalha de Iwo Jima. *Cortesia da Library of Congress Prints and Photographs Division e do Office of War Information (LC-USW33–018433-C).*

Em 1776, o caminho para se tornar a América, para se tornar americano, passara pela guerra, e muitos líderes da nação, nas décadas que se seguiram, invocaram isso como lembrete do que a América representava, do que significava ser um americano. O ex-presidente Herbert Hoover, que se opusera à entrada da América na Segunda Guerra Mundial, não obstante relacionou o sacrifício americano na guerra ao conceito de liberdade: "em Plymouth Rock, em Lexington, em Valley Forge, em Yorktown, em Nova Orleans, em cada passo da fronteira ocidental, em Appomattox, na colina de San Juan, na Argonne", ele lembrou à nação, "estão os túmulos de americanos que morreram por esse fim".[208] A extensão do que eles haviam conquistado, é claro, permanecia aberta ao debate. Enquanto a América

---

208 HOOVER, *op. cit.*

preparava-se para enviar suas Forças Armadas ainda segregadas ao campo de batalha, o significado da liberdade americana viria a ser contestado e reformado, mais uma vez, no crisol de um conflito que muitos esperavam que pudesse finalmente forjar o nacionalismo cívico plenamente inclusivo que o *"New Deal"* lutara para alcançar, mas não conseguira obter.

capítulo 10

UM PAÍS EM TRANSIÇÃO:
A AMÉRICA NA ERA ATÔMICA

*As coisas que eles levavam eram determinadas
em grande parte pela necessidade.*
(Tim O'Brien, *The Things They Carried*
[*As coisas que eles levavam*], 1990)

"Em primeiro lugar", começava a carta furiosa, "um uniforme do Exército dos EUA para um homem de cor o torna tão livre quanto um homem em uma *chain gang** na Geórgia, e você sabe que isso é o fim da picada." Ao longo dos dois dias de "movimentação de tropas de Camp Lee, Virgínia, durante a longa marcha que nos levaria ao interior do Sul de coração negro", continuava, "tivemos uma refeição para nos sustentar." Escrevendo do seu leito de hospital no Mississippi, o soldado raso Norman Brittingham também estava passando por maus bocados. "Os médicos nos tratam como se fôssemos cães", reclamou, e "os brancos espancam e xingam os soldados de cor [e] às vezes os põem na prisão sem nenhum motivo." "Nós nos apresentamos como homens", escreveu outro soldado, "e nós esperamos ser tratados como homens, mas fomos tratados mais como cães do que como homens". "Sentimos que nosso país nos desprezou", observou James Henry Gooding, "agora que juramos servi-lo. Por favor", suplicou ele ao presidente, "dê-nos um pouco de atenção".[209]

---

* Grupo de presos acorrentados juntos. (N.T.)
209 Anônimos (trezentos soldados) ao Editor, *Baltimore Afro-American*, 23 de novembro de 1942; soldado Norman Brittingham a Truman K. Gibson Jr., 17 de julho de 1943; ambos em McGUIRE, Phillip (ed.). *Taps for a Jim Crow Army: Letters from Black Soldiers in World War II*. Rep. Lexington: The University Press of Kentucky, 1993 [1983]. p. 11 e 18; soldado negro anônimo de Maryland ao secretário da Guerra, 2 de outubro de 1865. *In*: BERLIN, Ira *et al*. (ed.). *Freedom: A Documentary*

Quatro cartas diferentes, mas essencialmente uma só queixa: a de que o soldado afro-americano não recebia tratamento igual ao dos seus camaradas brancos. Isso unia os autores das cartas. O que os separava era a maior parte de um século. As primeiras duas cartas foram redigidas por soldados durante a Segunda Guerra Mundial, enquanto as outras duas, por soldados que serviram no Exército da União durante a Guerra Civil. A guerra de Norman Brittingham estava mais de uma geração adiante da de James Henry Gooding. Sua nação, porém, parecia estar presa em um vórtice temporal no que dizia respeito às experiências de seus soldados negros. Como observou um oficial em 1943, a segregação no Exército era um resquício indesejado do passado, que forçava seus homens a suportar "costumes e tradições separatistas que foram derrotados na guerra 75 anos atrás". O Exército, afirmou ele, "não serve apenas para formar soldados, mas cidadãos úteis no pós-guerra, independente da raça. Contudo", concluiu ele, "se tais injustiças continuarem a existir, temo que os Estados Unidos vejam um décimo de seu Exército indiferente e um tanto desapontado na sua crença no nosso credo, 'Liberdade e justiça para todos'".[210]

A ideia de que eram as Forças Armadas, e não as escolas e comunidades da nação, que eram responsáveis por formar cidadãos úteis, já era reveladora das atitudes americanas acerca da relação entre o Exército e a nação em meados do século XX. Essa relação foi reforçada pelo fato de que os americanos foram, como era de se esperar, bombardeados por uma propaganda militar maciça após 1941. Mas a propaganda de guerra assumia várias formas e, no caso da América, ia muito além de simples estímulos a manejar um rifle, construir um tanque ou cuidar dos feridos – embora houvesse muito disso – e abordava novamente a questão do que era um americano e do que significava o nacionalismo americano. Para uma nação de imigrantes que tinha saído tão recentemente de um conflito que havia provocado uma certa introspecção sobre a questão do americanismo relacionada a imigrantes alemães, isso era talvez inevitável.

Nesse contexto, o argumento de que, enquanto a nação permanecesse segregada, o credo nacional continuaria a ser comprometido era espe-

---

History of Emancipation, 1861–1867, Series II, The Black Military Experience. New York; Cambridge: Cambridge University Press, 1982. p. 654; James Henry Gooding a Abraham Lincoln, 28 de setembro de 1863. *In*: GOODING, Caporal James Henry. *On the Altar of Freedom: A Black Civil War Soldier's Letters from the Front.* Ed. Virginia M. Adams Amherst: The University of Massachusetts Press, 1991. p. 120.

210   Anônimo ao sr. Carl Murphy, 26 de junho de 1943. *In*: McGUIRE, *op. cit.*, p. 42-4.

cialmente pertinente. Afinal, Roosevelt tinha asseverado que a nação em guerra "deve ser particularmente vigilante contra a discriminação racial em qualquer uma de suas formas abomináveis. Hitler tentará novamente fomentar a desconfiança e suspeita entre os indivíduos", avisou ele; mas a desconfiança entre americanos negros e brancos não poderá ser atribuída ao ditador alemão.[211] O que tornava a situação especialmente ultrajante para os afro-americanos era o choque entre a imagem pública de sua nação em guerra com as perseguições particulares que eles sofriam. Diante de um dos mais famosos e perenes cartazes de propaganda produzidos durante a Segunda Guerra Mundial (IMAGEM 56), o qual afirmava que "Os americanos sempre lutarão pela liberdade", não eram poucos os soldados negros que se perguntavam pela liberdade de quem, exatamente, eles estavam lutando.

Os pilares duplos que constituíam a linha oficial sobre o motivo pelo qual a América lutava eram informados por duas das declarações mais famosas de Roosevelt, ambas feitas antes de os Estados Unidos unirem-se às forças aliadas, mas quando já as apoiava. A primeira era sua descrição da América como o "Arsenal da Democracia". A segunda derivava da enumeração do presidente do que seria mais caro a um mundo dedicado aos valores democráticos, ou o que passou a ser conhecido como as "Quatro Liberdades": liberdade de expressão, liberdade de culto, ausência de carência e ausência de medo. Ambos os pilares eram sustentados pelo imperativo nacionalista que depositava sobre os ombros americanos todo o peso da tradição e situava o povo americano em um *continuum* histórico que começara com a Revolução.

"Na época de Washington, a tarefa do povo foi criar e cimentar a nação", declarou Roosevelt. "Na de Lincoln, a tarefa do povo foi preservar a nação da cisão interna. Na nossa época, a tarefa do povo é salvar a nação e suas instituições da cisão externa." Roosevelt instou os americanos a considerar qual havia sido seu "lugar na história" e lembrou-lhes de que o "espírito" da nação, sua própria "vitalidade estava escrita no nosso Pacto do Mayflower, na Declaração de Independência, na Constituição dos Estados Unidos, no Discurso de Gettysburg".[212] A mensagem de Roosevelt foi reforçada por exposições itinerantes e publicações patrióticas, todas destinadas

---

211 ROOSEVELT, Franklin D. Discurso sobre o Estado da União, 6 de janeiro de 1942. Disponível em: http://www.presidency.ucsb.edu/ws/index.php?pid=16253. Acesso em: 1 ago. 2010.

212 *Id*. Discurso Anual sobre o Estado da União, 6 de janeiro de 1941; e Discurso Inaugural, 20 de janeiro de 1941.

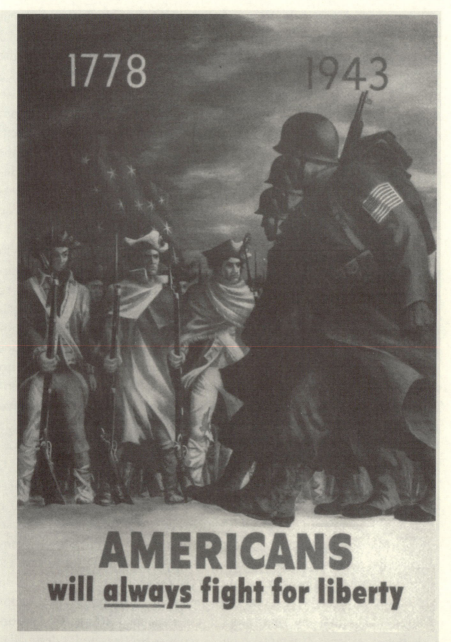

IMAGEM 56. "Os americanos sempre lutarão pela liberdade", cartaz produzido pelo Escritório de Informação de Guerra dos EUA. Ele continua a ser muito reproduzido até hoje (talvez especialmente hoje); cópias podem ser compradas na Amazon. Ele justapõe o soldado da Segunda Guerra Mundial e seu equivalente revolucionário para gerar um apelo emotivo ao patriotismo, fundado no reconhecimento e reforço das origens militares da nação americana. *Cortesia da Library of Congress Prints and Photographs Division (LC-USZC4-9540).*

a inculcar nas mentes americanas a posição crucial que sua nação ocupava como exemplar democrático em um mundo que já havia afundado na destruição promovida pelos ditadores. Um cartaz gigante representando as Quatro Liberdades e a nação como o Arsenal da Democracia foi exposto em Defense Square, Washington, D.C., em novembro de 1941, antes de percorrer as cidades do país.

A mais famosa concepção visual das Quatro Liberdades, porém, foi criada pelo artista Norman Rockwell, que compôs uma série de quatro imagens reconfortantes (uma para cada Liberdade) que representam a vida provinciana: uma assembleia municipal; uma variedade de grupos religiosos rezando juntos; um jantar de Ação de Graças; e os pais junto à cama de seus dois filhos adormecidos (IMAGEM 57). Elas também foram disseminadas na forma de um cartaz do Escritório de Informação de Guerra, mas cuja mensagem era mais ambivalente do que talvez parecesse óbvio à primeira vista. Na essência, com sua ênfase na esfera privada oposta à pública, as Quatro Liberdades de Rockwell eram uma representação idealizada bastante conservadora e introspectiva do modo de vida americano. Apesar da sua enorme popularidade, ela estava estranhamente fora de sintonia com uma nação que estava se conciliando gradualmente com a expansão de sua influência no que Roosevelt descreveu como "o círculo decrescente do mundo". Mas essa, obviamente, era a raiz do seu apelo. O que Rockwell oferecia não era simplesmente uma imagem idealizada de um mundo do outro lado da guerra, mas de um mundo que não era nem desafiado nem alterado pelo conflito. Sua representação da América era a de uma terra de abundância, certamente, mas não de um arsenal, muito menos uma defensora da democracia.

A América pacífica, gentil e majoritariamente branca de Rockwell não estava somente em conflito com a realidade do período em que a imagem foi composta, mas em nenhum sentido refletia as aspirações dos numerosos afro-americanos descontentes que serviam no Exército. No fim, foi a mensagem mais explícita e agressiva de "lutar pela liberdade" que se mostrou mais útil para os membros da sociedade americana que procuravam estabelecer – e forçar a nação a reconhecer – sua reivindicação de direitos plenos e iguais de cidadãos e que via na Segunda Guerra Mundial uma oportunidade para tornar real sua variante do sonho americano em casa e no exterior. Em 1938, o escritor e poeta Langston Hughes publicou um apelo à ação nessa direção no seu emotivo "Que a América seja a América

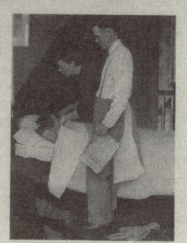

IMAGEM 57. "Devemos lutar por elas..." (Norman Rockwell, 1943). Estas quatro imagens foram publicadas inicialmente no *Saturday Evening Post* em 1943, junto a ensaios que ressaltavam a "americanidade" essencial das liberdades retratadas. As imagens ficaram imediata e imensamente populares e também formaram a peça central da exposição itinerante – a Exposição das Quatro Liberdades – destinada a incentivar o investimento em títulos de guerra. *Cortesia da Norman Rockwell Family Agency, Inc.*

de novo". Nesse poema, Hughes justapôs o chamado "Let America Be America Again" [Que a América seja a América de novo] ao refrão repetido "America never was America to me" ["A América nunca foi a América para mim"], não somente para destacar a natureza excludente da segregação, mas para enfatizar o potencial de mudança da nação. "Nós, o povo, devemos salvar", concluiu ele, "A terra, as minas, as plantas, os rios,/ As montanhas e a planície sem fim/ Toda, toda a extensão desses grandes estados verdes/ E fazer a América novamente!".

O poema de Hughes acabou parando em *The Pocket Book of America* [O livro de bolso da América], uma publicação de 1942 que procurava captar, entre suas capas, a própria essência da nação. O livro, que continha uma miscelânea de contos, peças de teatro, documentos históricos, poemas, canções e dados sobre os Estados Unidos, concluía com uma descrição detalhada de como exibir, dobrar e saudar a bandeira americana. O intuito abertamente patriótico do livro era escancarado; tratava-se de uma coletânea composta no contexto do conflito e destinada não somente a inculcar um sentimento nacionalista mas a direcioná-lo. "Em épocas de grande crise", começava sua introdução, "as nações, tal como os indivíduos, precisam redescobrir pelo que elas vivem." A América, continuava, era uma nação fundamentada numa "fé social", que era "o milagre da América". Um americano, afirmava, era identificável "pelo modo como pensa e pelo comportamento baseado nesse pensamento. E sem os laços de tradição comum e ideias compartilhadas, este país afundará em uma anarquia maior do que a que ameaça a Europa".[213]

Como foi editado por Philip Van Doren Stern, um historiador da Guerra Civil, a Revolução foi abordada no livro, mas era um conto da Guerra Civil de Edward Everett Hale, *The Man Without a Country* [O homem sem país] (1863), que abria o volume e dava o tom para o que seguia. Essa fábula moral de meados do século XIX detalhava a terrível sina que se abateu sobre um homem, Philip Nolan, que no calor do momento e levianamente, como ficaria claro, declarou: "Danem-se os Estados Unidos! Não quero nunca mais ouvir falar dos Estados Unidos". O preço dessa deslealdade para com a nação foi ser banido para o alto-mar pelo restante de sua vida, em um navio com capitão e tripulação instruídos para nunca pronunciar, na presença de Nolan, o nome dos Estados Unidos. "Durante mais de meio

---

213 STERN, Philip Van Doren (ed.). *The Pocket Book of America*. Int. Dorothy Thompson. New York: Pocket Books, 1942. p. v e vii.

século", sentenciou Everett, "ele foi um homem sem país". O argumento da história não era a punição excessiva aplicada a um rompante impatriótico como esse, mas o efeito psicológico de ser "um homem sem país" sobre o protagonista, que, no fim, encontra Deus e um amor renovado pelo país bem a tempo de render a alma.[214]

Não foi de maneira alguma culpa de Van Doren Stern que essa história específica tenha sido, em retrospecto, um exemplo infeliz, dado que um grupo de americanos descobriu, logo após o ataque a Pearl Harbor, o que era não ter país, apesar de não haver qualquer comportamento impatriótico de sua parte. Havia muitas coisas de que os Estados Unidos podiam se orgulhar no que dizia respeito à Segunda Guerra Mundial, mas o tratamento dado aos americanos japoneses da Costa Oeste não foi uma delas (IMAGEM 58). A Ordem Executiva 9066, assinada por Roosevelt em fevereiro de 1942, foi talvez o ataque mais vergonhoso e gritante às liberdades civis que a América perpetrara até então contra os seus cidadãos. O pior foi que nenhum outro grupo de ação minoritário – nem a NAACP, nem o Comitê Judaico Americano – dispôs-se a defender os americanos japoneses. Banidos para campos de concentração (a terminologia oficial era "centro de relocalização"), sua propriedade foi confiscada e sua própria identidade de americanos japoneses foi posta, temporariamente pelo menos, em uma suspensão imposta pelo Estado.

A ironia de se esperar que os afro-americanos lutariam pela liberdade em forças segregadas já era ruim o bastante. Para os americanos japoneses, muitos dos quais também se alistaram, a situação estava além do bizarro, já que a questão de sua lealdade diferia conforme a localização. Os americanos japoneses que não viviam na Costa Oeste, especialmente os do Havaí – que era um maior alvo de invasão potencial do que a Califórnia –, não foram considerados inimigos potenciais do Estado nem enviados para campos de relocalização. Pode parecer ainda mais notável que mais de 30 mil americanos japoneses escolheram servir um país que comprometia, e de modo tão contraditório, sua reivindicação de cidadania. É claro que nem todos o fizeram e, após a guerra, uns 5 mil renunciaram à cidadania e deixaram os Estados Unidos. Porém, para a maioria dos americanos japoneses, bem como para os soldados afro-americanos e nativos americanos, lutar uma guerra no exterior em nome de uma nação que negava a

---

214 HALE, Edward Everett. The Man Without a Country. In: Id.. *The Man Without a Country and Other Stories*. Hertfordshire: Wordsworth Editions, 1995. p. 7-8.

IMAGEM 58. Alunos da primeira série da escola pública Weill em São Francisco juram lealdade à bandeira (Foto de Dorothea Lange, abril de 1942). Muitos deles acabariam em campos de concentração localizados em estados como Arizona, Colorado, Wyoming e Arkansas, alguns deles em terras de reservas indígenas. Após a Segunda Guerra Mundial, obviamente, a expressão "campo de concentração" assumiu um significado bem diferente, mas era assim que Roosevelt chamava os centros de "relocalização" na época. Dorothea Lange criou esta imagem a pedido da Autoridade de Relocalização de Guerra, mas a WRA, incomodada com a mensagem que a foto transmitia, confiscou-a junto às outras que ela tirou da experiência dos americanos japoneses na Califórnia em 1942. *Cortesia da Library of Congress Prints and Photographs Division (LC-USZ62-42810).*

muitos deles a igualdade em casa oferecia não somente uma oportunidade de provar sua lealdade à nação, mas de assegurá-la para com eles.

Ao operar dentro da cultura de conflito necessariamente invocado como incentivo para o moral durante a Segunda Guerra Mundial, os americanos até então relegados à margem da nação foram capazes, como haviam sido durante a Revolução, a Guerra Civil e a Primeira Guerra Mundial, de posicionar-se mais perto do centro. Nesse aspecto, eles também seguiam uma tradição nacional informada pelo conflito. Os americanos, como sugeriu a propaganda, sempre lutaram pela liberdade: do que passou a ser visto como dominação imperial no século XVIII, da escravidão e da cisão da nação no século XIX e da desigualdade o tempo todo. Os americanos, negros e brancos, enfatizou Langston Hughes na sua canção de 1942, "Estrada da Liberdade", estavam "marchando [juntos] pela estrada da liberdade": "Unidos resistimos, divididos tombamos/ Tornemos esta terra segura para todos", proclamou; "Tenho uma mensagem e você sabe que é certa/ Negros e brancos juntos se unem e lutam". Para Hughes, como para outros, a América era "um país em transição", no qual, apesar da segregação, apesar da desigualdade, ainda era possível fazer a jornada "de uma cabana de troncos à riqueza e à fama", mesmo apesar da oposição. Tratava-se de um país onde "uma democracia mais bela e melhor do que qualquer cidadão conhecera antes" continuava uma opção.[215]

Todavia, no século XX, a própria ideia de democracia passou por uma transição – de um ideal nacional a um preceito imperialista, sobretudo por causa da Segunda Guerra Mundial. Para a América, essa guerra diferia dos conflitos anteriores de duas maneiras principais: primeiro, o novo imperativo global que ela impunha ao idealismo americano e, segundo, o peso descomunal de material que os Estados Unidos podiam mobilizar em meados do século XX a serviço de sua mensagem moral. Essa distinção foi expressa sucintamente na promessa do general George C. Marshall de "que antes do sol pôr- se sobre esta terrível luta nossa bandeira será reconhecida no mundo todo como um símbolo de liberdade por um lado e de força avassaladora por outro".[216]

Na primavera de 1945, a previsão de Marshall parecia ter sido cumprida. O poderio militar americano mostrara-se decisivo para a vitória aliada sobre a Alemanha, e bandeiras americanas, simbólicas do patriotismo e poder da nação, haviam sido firmemente plantadas no topo do Monte Suribachi em Iwo Jima, hasteada em balcões por toda a Europa à medida que cidades eram liberadas da ocupação alemã e, no "VE Day" (Dia da Vitória na Europa), agitadas acima das e pelas multidões delirantes de todas as nacionalidades em Nova York, Paris, Londres e todos os outros lugares. A capa da revista *Life* de 14 de maio de 1945 não mostrava a bandeira, mas apresentava uma fotografia de Robert Capa de um G.I. americano posando em frente à suástica gigante do estádio de Nurembergue. Intitulada "Ianque Vitorioso", ela oferecia uma expressão mais pessoal da combinação de alívio e orgulho com que os americanos saudaram o fim da guerra na Europa. Também servia de contrapeso às imagens propagandistas de bandeiras

---

215 HUGHES, Langston. My America. *Journal of Educacional Sociology*, 16, 6, p. 334-6, citação 336, Feb. 1943.

216 MARSHALL, George C. Speech to the Graduating Class, United States Military Academy, 29 May 1942. Disponível em: http://www.marshallfoundation.org/Database.htm. Acesso em: 10 ago. 2010.

agitadas que eram tão onipresentes quanto a própria bandeira parecia ser e que escondiam tantas realidades da guerra por trás desse embandeiramento patriótico.

Porém, enquanto a Europa celebrava a liberação, centenas de milhares de soldados americanos ainda estavam se arrastando ao longo das defesas japonesas, de Iwo Jima – uma pequena ilha vulcânica à direita da cadeia de Ilhas Ryukyu que leva à extremidade do Japão – a Okinawa, a maior ilha da cadeia. Foram vitórias renhidas, com baixas americanas acima de 50 mil omente em Okinawa. O hasteamento simbólico da bandeira americana em Iwo Jima em fevereiro de 1945 – uma imagem capturada para a posteridade pelo fotógrafo Joe Rosenthal e desde então duplicada em cartazes e selos postais, parodiada pelo movimento pacifista e revisitada inúmeras vezes por artistas e fotógrafos para fazer uma afirmação séria ou cínica – era uma afirmação poderosa do tipo de força avassaladora que Marshall tinha em mente (IMAGEM 59). Ao mesmo tempo, o fato em si não representou uma vitória avassaladora, somente um acontecimento em uma batalha em curso que duraria mais um mês dentro de uma guerra que exigiria a expressão suprema do poder americano, a bomba atômica, para ser encerrada mais de seis meses depois. Para a América, a guerra começara no Pacífico e terminaria ali, mas não antes de agosto de 1945.

Para muitos americanos, por conseguinte, o teatro do Pacífico era e continua a ser o *locus* emocional de sua nação em guerra, principalmente porque foi o ataque a Pearl Harbor que lhes conferiu o estatuto de beligerante. O conflito no Pacífico, em contraste com aquele na Europa, também era mais definido, conceitualmente, para uma nação que há muito desconfiava dos envolvimentos europeus e, em 1940, estava tão perplexa quanto horrorizada pela ascensão do nazismo. A relutância inicial, ressaltada pelo professor de literatura inglesa e veterano de guerra Paul Fussell, por parte de muitos jovens americanos em aderir ao que o general Dwight D. Eisenhower descrevera como uma "Grande Cruzada" para liberar a Europa revelava que não eram somente os soldados afro-americanos que questionavam a pertinência de lutar pela liberdade de outros. Alguns viam pouco motivo para envolver-se com a "maldita Europa", na expressão desdenhosa de um G.I., e muito menos com a Grã-Bretanha, a antiga potência imperial que, como Winston Churchill foi forçado a lembrar aos deputados britânicos, eles haviam repelido em 1776.[217]

217　G.I. apud FUSSELL, Paul. *The Boys' Crusade, American G.I.s in Europe: Chaos and Fear in World War Two*. London: Weidenfeld & Nicolson, 2004. p. 41.

IMAGEM 59. "Erguendo a bandeira em Iwo Jima" (23 de fevereiro de 1945). Esta imagem é possivelmente o símbolo mais icônico da América em guerra. Tirada pelo fotógrafo Joe Rosenthal, da Associated Press, ela ganhou o prêmio Pulitzer de fotografia em 1945 e foi reproduzida e parodiada inúmeras vezes desde a sua primeira publicação. Em especial, ela foi reproduzida no Memorial do Marine Corps dos EUA (USMC), do lado de fora do cemitério de Arlington em Washington, D.C., inaugurado por John F. Kennedy em 1961. *Inserida com a permissão da Associated Press*.

O ressentimento compreensível dos americanos ao se verem além-mar era igualado pelo ressentimento que eles encontravam em uma população que via – como era de se esperar – o que os americanos queriam que ela visse em termos da força avassaladora e do otimismo explícito que representavam a face pública dos Estados Unidos. É claro que ela também via o que os americanos estavam menos ansiosos por destacar: as instalações segregadas que eram impostas às Forças Armadas e às cidades e vilas onde elas estavam estacionadas. De qualquer ângulo, o poder, o orgulho e – no que dizia respeito às relações de raça – o preconceito americano nem sempre tornavam os Estados Unidos benquistos dos seus aliados, mas não eram seus aliados que os líderes militares e políticos da América tinham de persuadir quanto ao valor do envolvimento americano, e da necessidade de pagar o preço por ele.

Quando, às vésperas dos desembarques do Dia D na Normandia em 6 de junho de 1944, o general George Patton, do 3º Exército dos EUA, declarou que todos os "americanos autênticos amam o ardor e o choque da batalha", e preveniu suas tropas de que "os americanos nunca perderam nem jamais perderão uma guerra", ele não o fez necessariamente porque acreditava ser verdade, obviamente, mas para dar inspiração. Ele invocou uma tradição marcial, como fazia grande parte da propaganda da época, que teve origem com a Revolução Americana e da qual poucos americanos discordariam. Talvez seja irrelevante saber se essa tradição ajudou a sustentar os soldados nos assaltos do Dia D nas praias de Omaha e Utah, na Batalha das Ardenas, que custou quase 20 mil vidas americanas (o mesmo número de civis foram mortos na libertação da Normandia), em Iwo Jima, em Okinawa, ou quando eles atingiram Dachau e foram confrontados às realidades da "solução final" nazista. O que é certo é que a força avassaladora revelou ter um custo avassalador. Não simplesmente, ou não somente, em termos de baixas e vidas perdidas: o custo, no fim, foi o compromisso, o da nação com um conflito quase contínuo após 1945 e, por conseguinte, o realinhamento de sua identidade nacional com a guerra.

Nesse aspecto, a Segunda Guerra Mundial foi a derradeira força de transição, no nível pessoal para os americanos que lutaram nela e no nível político para a América enquanto nação. Ela a demoveu do que sempre fora um isolamento imperfeito (na verdade, isolamento apenas da Europa) para o que é frequentemente apresentado como um envolvimento global relutante inflado pelo idealismo wilsoniano. Todos os aspectos do poder econômico, político e ideológico que os Estados Unidos pós-guerra exerceram no mundo da Guerra Fria foram motivados pela destruição provocada pela Segunda Guerra Mundial, a qual pareceu, pelo menos superficialmente, não ter afetado a América – muito pelo contrário. Em termos materiais, os Estados Unidos emergiram da guerra como a nação mais poderosa da Terra. Entre 1940 e 1945, eles conseguiram um crescimento industrial e consolidação nacional inéditos devido à entrada do país todo no esforço de guerra.

A expansão militar foi, obviamente, drástica e imediata. Os empregos militares passaram de um efetivo de cerca de 300 mil na década de 1930 para cerca de 12% da população (em torno de 16 milhões) durante a guerra, e nunca retornaram aos níveis pré-guerra. Eles caíram brevemente para cerca de 1,5 milhão antes de subir novamente no contexto da Guerra Fria. Os gastos militares totais subiram de 1,7% do PIB em 1940 para 37,8% em 1944.

E a mobilização militar, dirigida por agências federais como o Conselho de Produção de Guerra (que se tornou, em 1943, o Escritório de Mobilização de Guerra) e a Comissão de Mão de Obra de Guerra, necessariamente teve um impacto em todos os níveis do comércio e da comunidade à medida que as indústrias civis eram incorporadas a uma máquina militar dirigida pelo governo federal. Tanques, caminhões e os novos "Jeeps" com tração nas quatro rodas saíam das linhas de montagem onde antes eram feitos carros; a produção de aviões, sobretudo militares, aumentou quase dez vezes em cinco anos; e navios cargueiros construídos mais rapidamente (porque eram soldados em vez de rebitados), conhecidos como navios da "Liberdade", eram produzidos em um ritmo de mais de um por dia durante a guerra.

Desempenhar toda essa atividade exigia trabalhadores e, mais importante, trabalhadoras. O desemprego caiu de cerca de 9 milhões em 1940 para pouco mais de 700 mil em 1943, e uma escassez generalizada de mão de obra para as indústrias expandidas em tempo de guerra levou muito mais mulheres – 50% a mais – para locais de trabalho tradicionalmente definidos como exclusividade masculina. Mas essa igualdade de oportunidades repentina não foi acompanhada por uma igualdade de remuneração, e a presença maior (até 1/5 do total) de mulheres nos sindicatos trabalhistas pouco fez para sanar as disparidades de pagamento ou os preconceitos de gênero. De fato, os níveis de renda geralmente eram um problema no contexto de tais gastos federais súbitos e significativos. Como disparou a participação nos sindicatos (agora fortemente incentivada pelo governo), o aumento de salários e de horas extras tornou-se corriqueiro no cotidiano em tempo de guerra, o que levou ao risco de uma inflação descontrolada. O Conselho Nacional de Mão de Obra de Guerra reagiu diante do que ficou conhecido como a fórmula "Little Steel", que restringia o aumento do custo de vida a 15%. Mas essa linha mostrou-se impossível de se manter diante das inevitáveis reviravoltas do padrão de trabalho em tempo de guerra e, em 1943, uma greve dos Trabalhadores Unidos da Mineração gerou acordos salariais acima do limite do Little Steel.

A greve de 1943 foi um lembrete incisivo de que outras pressões além daquelas provocadas diretamente pela guerra influenciaram os Estados Unidos entre 1941 e 1945. A greve tampouco foi o único indício de que, sob a superfície do que ficou conhecido como a "boa guerra", estavam algumas ideias tradicionalmente más. Uma das reviravoltas mais importantes que a guerra produziu foi um novo movimento de muitos afro-americanos – cerca de 700 mil – saindo do Sul para as cidades nortistas, muitos mais do que na "Grande Migração" do início do século XX. As tensões resultantes explodiram no Harlem no verão de 1943, quando uma revolta eclodiu após um policial branco balear um soldado negro. A revolta, segundo o *The New York Times*, representou "uma explosão social em um barril de pólvora que levou anos para encher".[218] O barril estava sendo enchido em ambos os lados do país. Nesse mesmo verão, choques violentos entre marinheiros brancos e americanos mexicanos, as chamadas Revoltas *Zoot Suit* (do estilo de roupa adotado na época por rapazes latinos), deram novas provas dos limites da solidariedade em tempo de guerra em uma nação ainda dividida, em grande medida, pela discórdia racial.

    Se os esforços individuais de americanos para apoiar a mobilização econômica e militar eram inflados por injunções pessoais e propagandistas acerca da necessidade de cerrar fileiras, não obstante a guerra não poderia, o que de fato não ocorreu, erradicar as forças – financeiras, sociais, religiosas, raciais ou políticas – que sempre dividiram os americanos. O que a guerra fez foi ressaltar as discrepâncias entre a retórica e a realidade, especialmente com relação à raça. A justaposição entre os valores americanos e os da Alemanha Nazista – o pilar de grande parte da propaganda difundida durante a guerra – foi o catalisador crucial que trouxe à tona um sentido mais estridente da importância dos direitos civis, de fazer o credo americano, popularmente definido nas Quatro Liberdades, equivaler às condições nas quais os americanos viviam suas vidas. O salto da participação na Associação Nacional para o Progresso das Pessoas de Cor (NAACP) durante a guerra – de cerca de 50 mil para 400 mil – e a formação do Congresso da Igualdade Racial (Core) são reveladores dessa nova estridência, um novo otimismo de que a igualdade podia ser alcançada, e a democratização plena da América, finalmente realizada.

    Claramente, um nacionalismo americano construído em torno de um ideal anglo-saxão não era mais sustentável diante da "Solução Final". Como foi salientado em *The Nation* em 1943, os americanos "não podem combater o fascismo no exterior ao mesmo tempo que fecham os olhos para o fascismo em casa. Não podemos inscrever nas nossas bandeiras 'Pela democracia e por um sistema de castas'. Não podemos liberar povos oprimidos ao mesmo tempo que mantemos o direito de oprimir nossas próprias

---

218 *The New York Times*, 8 de agosto de 1943.

minorias".[219] Nesse clima, a ideia do *"melting pot"* gradualmente cedeu espaço a uma concepção mais heterogênea da nação, embora não sem luta. Ao mesmo tempo, garantir as Quatro Liberdades exigia que a América passasse de uma estratégia puramente defensiva a outra mais abertamente ofensiva acerca dos seus ideais democráticos. Nesse sentido, assim como a Segunda Guerra Mundial havia sido, para os Estados Unidos, uma guerra em duas frentes, a Guerra Fria que se seguiu também foi travada em casa e no exterior. O resultado – um malabarismo conturbado entre política interna e externa – sustentaria, mas também às vezes minaria, os esforços da América para defender seus interesses nacionais e definir sua identidade nacional no pós-guerra.

O Século Americano

"Nós americanos", declarou o editor Henry Luce em *The American Century* [O Século Americano] (1941), "somos infelizes. Não estamos felizes com a América. Não estamos felizes conosco em relação à América." E os americanos, segundo Luce, deveriam estar felizes porque, em termos materiais e em contraste com a maioria do mundo, os Estados Unidos eram "simplesmente ricos [...] ricos em comida, ricos em roupas, ricos em entretenimento e diversão, ricos em lazer, ricos". Os problemas do corpo político americano, na visão de Luce, estavam todos na mente. Essencialmente, eles se reduziam ao fato de que, embora "sua nação tenha se tornado no século XX a mais poderosa e mais vital nação do mundo, não obstante os americanos são incapazes de acostumar-se espiritual e praticamente a esse fato. Por isso eles não conseguiram desempenhar seu papel de potência mundial", acusou Luce, "um fracasso que teve consequências desastrosas para eles mesmos e para toda a humanidade". Enquanto sua nação estava em cima do muro entre o mundo livre e o fascismo, Luce tentou invocar uma nova "visão da América como uma potência mundial que é autenticamente americana e que pode nos inspirar a viver e trabalhar e lutar com vigor e entusiasmo" pela criação de um "Século Americano".[220]

Para outras nações, é claro, a própria ideia de um "Século Americano" já era exasperante, mas nem todos os americanos estavam inteiramente

---

219 Defeat at Detroit. *The Nation*, p. 4, 3 July 1943.
220 LUCE, Henry R. The American Century. *Life*, 17 Feb. 1941. Rep. *In*: HOGAN, Michael J. (ed.). *The Ambiguous Legacy: U.S. Foreign Relations in the "American Century"*. Cambridge; New York: Cambridge University Press, 1999. p. 12, 20 e 26.

persuadidos. Eles podem ter concluído, diante das atrocidades nazistas na Europa, que sua guerra havia sido mais uma cruzada do que eles tinham originalmente acreditado, mas isso não se traduzia necessariamente no desejo, como instou Luce, "de promover, incentivar e incitar os chamados princípios democráticos por todo o mundo". Luce clamou por um maior internacionalismo, mas para alguns isso deve ter soado demais como imperialismo. Outros, como o vice-presidente Henry A. Wallace, proclamavam uma mensagem semelhante mas tentavam minimizar o predomínio da América no departamento das democracias amantes da liberdade. Em vez disso, Wallace enfatizava a cooperação internacional entre as nações – um "*New Deal*" para o mundo, na verdade –, que resultaria não em um "Século Americano", mas em um "século do homem comum", construído a partir da "paz do povo". Esta era, no fim, a grande cruzada, não a guerra em si, mas seu significado, não a ideia de vitória como conclusão, mas como o início da "revolução do povo" dedicada à liberdade. Isso, segundo Wallace, era "o preço da vitória do mundo livre".[221]

Ao defender um processo de democratização universal inspirado – mas ainda não imposto – pelos EUA, Wallace citou a batalha da sua própria nação no século XIX entre liberdade e escravidão. A Segunda Guerra Mundial, como a Guerra Civil, era "uma luta entre um mundo escravo e um mundo livre", e assim como "os Estados Unidos em 1862 não podiam permanecer meio escravo e meio livre", assim também a batalha de meados do século XX pela liberdade, essa luta pelo renascimento da democracia, tinha de ter um desfecho decisivo. Contudo, para a América, os paralelos entre as duas guerras eram mais do que morais. Em 1945, pela segunda vez na história da nação, em um momento crítico dessa história, a América perdeu seu líder. A morte súbita de Franklin D. Roosevelt em 12 de abril de 1945 provocou um choque generalizado em toda a nação.

Poucos sabiam que a saúde do presidente estava declinando; na verdade, até a sua morte, a maioria dos americanos não sabia que Roosevelt era paralítico desde 1921 e usava uma cadeira de rodas a partir daquela época. Roosevelt tinha sido tão habilidoso ao manipular sua própria imagem como se mostrou mestre em gerir a autoimagem da América em meio à turbulência e crise financeira dos anos 1930 e depois ao trauma e caos da Segunda Guerra Mundial. Por mais de uma década, ele havia conduzido a nação em

---

221 WALLACE, Henry A. The Price of Free World Victory. *In*: LORD, Russell (ed.). *Democracy Reborn*. New York: Reynal and Hitchcock, 1944. p. 190.

direção a uma nova visão econômica e ideológica de si mesma, que a levaria além dos confins de sua zona de conforto, para além da "cidade na colina", e a forçaria a contemplar não somente uma nova relação entre Estado e cidadão – na forma do *New Deal* –, mas uma nova relação entre os Estados Unidos e o mundo na forma das Nações Unidas. Com a morte do presidente que ainda figura, ao lado de Lincoln, como um dos maiores líderes da nação, os americanos foram forçados a negociar a paisagem do pós-guerra sem a voz reconfortante de Roosevelt transmitindo seus "Fireside Chats" [bate-papos ao pé da lareira] na rádio para lembrá-los de que eles eram uma parte crucial de um movimento internacional em direção à democracia, para louvar a "magnífica capacidade e energia do povo americano" e para assegurá-los que, em casa e no exterior, eles faziam diferença.[222]

À medida que os Estados Unidos, agora liderados por Harry Truman, entravam no mundo pós-guerra, um dos maiores problemas enfrentados pela nação era quão grande seria a diferença que ela deveria – ou poderia – continuar a fazer. A América encerrara a guerra com uma demonstração de força devastadora ao usar a bomba atômica, desenvolvida no laboratório de Los Alamos, no Novo México, como parte do que ficou conhecido como o Projeto Manhattan. O lançamento dessas armas de destruição em massa sobre Hiroshima e Nagasaki em agosto de 1945 foi controverso, e não apenas por causa da perda de vidas e devastação material generalizada que se seguiu (cerca de 80 mil pessoas morreram e 70% da cidade foi destruída só em Hiroshima). A tecnologia atômica e os programas estatais que a desenvolveram apresentavam questões desafiadoras sobre a relação entre Estado, ciência e sociedade em muitos níveis, não somente em termos de futuro uso militar. Em pouco mais de uma década, a pesquisa científica mudara, na percepção política e pública, da descrição relativamente simples de Herbert Hoover como "um dos mais poderosos impulsos do progresso" e de uma força destinada a estender a vida humana e minorar o sofrimento a uma ameaça perigosa e letal, não só à vida, mas à segurança nacional.

O monopólio atômico da América, embora tão devastador no seu uso quanto decisivo para pôr fim às hostilidades, não durou muito depois da guerra. Tampouco foi o caso do mapa para a futura cooperação internacional e criação de governos democráticos traçados por Roosevelt, Churchill e Stalin em Ialta de 4 a 11 de fevereiro de 1945. Menos de um mês após a

---

222 ROOSEVELT, Franklin D. "Fireside Chat 36", 5 Jun. 1944. Disponível em: http://www.presidency.ucsb.edu/ws/index.php?pid=16514. Acesso em: 20 ago. 2010.

conferência de Ialta, a União Soviética, ao impor um regime comunista à Romênia, deixou claro que estava seguindo sua própria agenda e não a de qualquer aliança. Quando a nova escalação de líderes Aliados, Truman, Clement Attlee (Grã-Bretanha) e Stalin, reuniu-se em Potsdam em julho de 1945, estava claro que as regras do jogo haviam mudado. A cooperação já estava se esfacelando e, em vez de agir em uníssono, os antigos Aliados trabalhavam unilateralmente para efetuar as mudanças de regime que queriam nas partes da Europa que eles agora controlavam.

Da parte da América, o temor de que a Europa devastada pela guerra fosse vítima de uma tomada comunista em bloco resultou em uma abordagem mais estridente do que parecia ser uma crescente ameaça soviética/comunista; a contenção, ou o que ficou conhecido como a Doutrina Truman. Essa tentativa de restringir a difusão do comunismo foi o mote da América na Guerra Fria, um conflito econômico e ideológico que se desenvolveu rapidamente entre as potências ocidentais – mas sobretudo a América – e o bloco soviético, e ofuscou o restante do século XX. A escolha que o mundo podia fazer, como explicitou Truman, era entre as "instituições livres, governo representativo, eleições livres, garantias de liberdade individual, liberdade de expressão e religião e liberdade da opressão política" da América e "terror e opressão, imprensa e rádio controlados, eleições fixas e a supressão das liberdades pessoais" ao estilo soviético. Ele insistiu que "a política dos Estados Unidos [deve ser a de] apoiar os povos livres que estão resistindo à tentativa de subjugação por minorias armadas [...]. Os povos livres do mundo", ressaltou ele, "olham para nós em busca de apoio para manter sua liberdade".[223]

Apesar da sugestão de intervenção militar na declaração de Truman, a América travou inicialmente a Guerra Fria em uma frente financeira. Ainda seguindo o que era essencialmente um mapa rooseveltiano para a cooperação internacional, os Estados Unidos implementaram o Plano Marshall (do nome do general do Exército que era então secretário de Estado). Embora condenado por seus críticos como um "Plano Marcial" disfarçado, tratava-se de um programa econômico destinado a ajudar a recuperação europeia e, por tabela, revigorar a economia americana assim que a Europa revivificada pudesse novamente comprar dos mercados americanos. "A prosperidade", dizia seu mote propagandista, "torna você livre". Ou pelo menos

---

[223] TRUMAN, Harry S. "Mensagem Especial ao Congresso", 12 Mar. 1947. Disponível em: http://www.presidency.ucsb.edu/ws/index.php?pid=12846&st=&st1=. Acesso em: 20 ago. 2010.

livre do comunismo, o que era a ideia. O Plano Marshall foi a suprema reação capitalista ao comunismo. Foi muito bem-sucedido e simbólico do sucesso da nação, mas somente até certo ponto. A América podia certamente pagar pela Lei de Cooperação Econômica (1948), que alocou mais de US$ 13 bilhões em ajuda ultramarina; mas depois ela não podia se permitir ver sua imagem conflitar com seus ideais. A liberdade era o que a América prometia aos povos do mundo, mas em casa, para alguns, ela continuava elusiva.

Não obstante, por trás dos salvos retóricos inaugurais da Guerra Fria ocorreu um espetáculo patriótico cuja escala somente a América podia ter concebido. O Trem da Liberdade – sete vagões de cores vermelho-branco-e--azul puxados pela locomotiva chamada "O espírito de 1776" – levou uma seleção significativa de americana* – incluindo o Pacto do Mayflower, a Declaração de Independência, a Proclamação de Emancipação e a bandeira de Iwo Jima – a todos os estados da União entre 1947 e 1949. O trem tinha sua própria canção, composta por Irving Berlin e cantada por Bing Crosby e as Andrews Sisters: "Lá vem o Trem da Liberdade/ é melhor se apressar/ tal como Paul Revere/ ele está chegando à sua cidade natal". Tinha sua própria história em quadrinhos (*Capitão Marvel e o Trem da Liberdade*), e praticamente todos os personagens populares de quadrinhos da época, de Mickey Mouse a L'il Abner, foram mostrados visitando o Trem da Liberdade enquanto ele cruzava a nação. Imensamente popular, ele recebeu uns 3,5 milhões de visitantes, que eram incentivados a fazer um Juramento da Liberdade e assinar um Pergaminho da Liberdade que depois foi apresentado ao presidente Truman. "A liberdade", anunciava a exposição, "é tarefa de todo mundo".

É claro que a ideia por trás do Trem da Liberdade não era nova. As Feiras Higiênicas** organizadas durante a Guerra Civil do século XIX exibiam documentos patrióticos e simbólicos, bandeiras e armamento para lembrar ao público as questões em jogo, e *The Pocket Book of America* teve uma finalidade semelhante durante a Segunda Guerra Mundial. O Trem da Liberdade representava igualmente um movimento de consenso concebido no conflito, embora a guerra fosse virtual, e seu armamento, principalmente de palavras. Mesmo assim, o trem atravessou uma paisagem marcada pela guerra, que tinha passado recentemente pela desmobilização e sofrido

---

* Conjunto de material cultural próprio dos EUA. (N.E.)

** Eventos organizados, no início, para arrecadar fundos a fim de ajudar os soldados que se encontravam em péssimas condições de higiene durante a guerra. Mais tarde, tais feiras passaram a auxiliar organizações de caridade. (N.E.)

novas greves nas indústrias siderúrgica, mineradora e automotiva e nas estradas de ferro. No ano anterior à sua partida, uma greve nacional dos ferroviários levou o presidente a sugerir que os grevistas fossem recrutados para o Exército. E junto à instabilidade industrial havia as grandes questões que haviam preocupado Luce e Wallace sobre as novas responsabilidades globais da América, as quais a detonação de uma bomba atômica soviética em setembro de 1949 – antes do que os americanos haviam antecipado – tornou mais prementes do que nunca (IMAGEM 60). Menos de um ano após o Trem da Liberdade chegar a Washington, D.C., em janeiro de 1949, concluindo sua viagem na posse de Truman, o futuro não estava garantido, e muito menos a liberdade.

A perda do monopólio atômico da América em 1949 elevou significativamente as apostas em uma Guerra Fria complicada quase que de início pela vitória comunista na Guerra Civil chinesa nesse mesmo ano. Internacionalmente, a criação da Organização do Tratado do Atlântico Norte (Otan) pelos Estados Unidos, Canadá e Europa Ocidental oferecia alguma sensação de proteção mútua, mas para a América a segurança externa representava apenas um lado da equação da Guerra Fria. No que dizia respeito aos assuntos internos, a ameaça nuclear parecia mais capaz de contenção do que o próprio comunismo, que se supunha ameaçar as fundações da identidade americana. À medida que a nação evoluiu para um credo cívico nacionalista mais inclusivo depois da Segunda Guerra Mundial, baseado na importância da inclusividade, já não eram os forasteiros que muitos americanos temiam, mas aqueles que já faziam parte, uma parte estabelecida, da nação; em suma, a América ficou obcecada – e em alguns aspectos continuou assim – com "o inimigo interior". O resultado na década de 1950 foi um novo "Pânico Vermelho", mais extremo mas também mais contraditório do que aquele que se seguiu à Primeira Guerra Mundial, com implicações mais destrutivas, a longo prazo, para as liberdades americanas do que o que o comunismo ameaçava ostensivamente.

As raízes do segundo Pânico Vermelho estavam, obviamente, na sua primeira encarnação, mas em 1950 o contexto era irreconhecível. Após a Segunda Guerra Mundial, nenhum presidente deveria prometer à América, como fizera Warren Harding, que poderia haver um retorno à "normalidade", e Truman não tentou fazê-lo. Na verdade, depois de pronunciar seu discurso da "contenção" em março de 1947, Truman indicou em que direção soprava o vento criando o Programa Federal de Lealdade do Funcionalismo, que impedia aos membros e simpatizantes do Partido Comunista o

IMAGEM 60. Esta imagem é da explosão atômica sobre Nagasaki em 9 de agosto de 1945. Testes atômicos continuaram no Pacífico após 1945, especialmente no Atol de Bikini entre 1946 e 1958. A extensão com que a ameaça nuclear impactou o mundo nas décadas seguintes à Segunda Guerra Mundial não pode ser superestimada; ela ainda não havia sido relegada a segundo plano na escala das preocupações pela "guerra ao terror" do século XXI. As reações culturais da época à ameaça incluem o romance pós-apocalíptico de Nevil Shute *A hora final* (1957), depois transformado em um filme (1959) estrelando Fred Astaire e Ava Gardner, e o filme satírico mais famoso de Stanley Kubrick de 1964, *Dr. Fantástico*. O tratamento literário do tema começou com a descoberta da radiação no fim do século XIX, o qual foi tratado por Robert Cromie em *Alvorada da destruição* (1895) e em inúmeros romances e filmes desde então, nos quais a destruição nuclear é uma ameaça em si mesma ou uma metáfora para a angústia do mundo moderno. Porém, havia pouca coisa metafórica no medo das décadas de 1950 e 1960 de que o mundo acabaria, não como propôs T. S. Elliot, com um suspiro, mas com uma explosão gigantesca, e muito em breve.

acesso aos cargos públicos. Se os Juramentos da Liberdade eram pensados como uma parte divertida (e educacional) da experiência do Trem da Liberdade, os Juramentos de Lealdade viraram uma parcela muito séria da vida americana. Eles haviam sido antes, é claro, mas apenas em épocas de conflito armado. Sua versão da Guerra Fria revelava a extensão com que os Estados Unidos haviam realmente embarcado em uma guerra sem fim. E como acontece com todas as guerras, houve baixas. A ordem executiva 9835 de Truman que instituiu "uma investigação da lealdade" dos funcionários federais fez várias centenas deles perderem o emprego. Não era uma estatística avassaladora, dado que mais de 4 milhões foram investigados, mas o estrago maior veio de suas consequências.

O ano de 1938 vira a criação do Comitê da Câmara sobre Atividades Antiamericanas (que se tornou o Comitê de Atividades Antiamericanas da Câmara [Huac] em 1945), cuja atribuição fora prevenir a infiltração nazista na sociedade americana. Agora, no contexto da Guerra Fria, ele voltou sua atenção para a ameaça comunista, apoiado competentemente pelo FBI sob o comando de J. Edgar Hoover e por órgãos recém-criados, como a Agência Central de Inteligência (CIA), que assumiu o lado internacional da segurança americana, e o Conselho Nacional de Segurança. Encarregados de procurar perigo, era inevitável que o achassem e, ao fazê-lo, gerassem uma histeria anticomunista nacional. Esta última passou a ser chamada de "macarthismo", do nome de Joseph R. McCarthy, senador republicano de Wisconsin, que, no início de 1950, anunciou que possuía uma lista com os nomes de cerca de duzentos simpatizantes comunistas que trabalhavam para o Departamento de Estado. A lista nunca se materializou, mas a ideia de que poderia aparecer alimentou os temores populares de subversão. Não que não houvesse risco de subversão; havia, mas possivelmente não concentrado em dormitórios universitários ou na indústria cinematográfica de Hollywood no mesmo grau que as investigações subsequentes do FBI e audiências do Huac sugeriram.

O anticomunismo como força cultural e política na América pós-guerra foi estimulado pelo julgamento (ou julgamentos, pois houve dois) em 1949-1950 de Alger Hiss, eminente ex-executivo do Departamento de Estado, como espião comunista. Hiss acabou condenado por perjúrio e encarcerado por cinco anos, mas foi seu processo que capturou a atenção da América e do mundo. O caso Hiss foi simbólico, como disse o renomado jornalista Alistair Cooke, de *A Generation of Trial* [Uma geração em julgamento] (1951), e mostrou-se tão fascinante de acompanhar quanto seu desfecho foi sinistro. A culpa ou inocência de Hiss tornou-se irrelevante quando um cientista britânico, o dr. Klaus Fuch, admitiu ter entregue segredos atômicos aos soviéticos. Isso resultou na talvez mais infame das condenações anticomunistas, a de Julius e Ethel Rosenberg, que foram executados pelo crime de vazar segredos atômicos com base em provas que, na época, foram consideradas controversas. Na verdade, o Projeto Venona – uma operação secreta conjunta EUA-Reino Unido de contrainteligência para quebrar códigos destinada a interceptar a ameaça soviética e defender-se contra ela, que foi iniciada durante a Segunda Guerra Mundial – revelou que Julius Rosenberg de fato envolveu-se em espionagem e na transmissão de segredos atômicos aos soviéticos.

O problema com a inteligência secreta, obviamente, é sua tendência, no que tange ao consumo público, de fomentar o medo diante da ausência de fatos, de incentivar a paranoia sem fornecer provas, e a América nos anos 1950 não precisava de incentivo nesse departamento. Sem dúvida, os soviéticos comprometeram a segurança americana no que dizia respeito à pesquisa atômica, mas McCarthy, com a ajuda do FBI, conseguiu elevar a (talvez inevitável) ameaça de espionagem oferecida por uma nação estrangeira a um medo mais difuso da subversão generalizada na América e, além disso, a associar esse potencial de subversão à esquerda liberal. Esse processo, que foi denominado "alquimia da Guerra Fria" pelo cientista político canadense Reg Whitaker, conseguiu turvar a distinção entre espionagem e subversão e ajudou a criar o clima de medo que tomou conta da América no período pós-Segunda Guerra Mundial.

Essa não era, evidentemente, a primeira vez que a nação sofria um "Pânico Vermelho", mas nos anos 1950 a paleta de cores do "estilo paranoico", um fenômeno identificado já no século XIX, ampliou-se: o Pânico Vermelho foi seguido por Pânicos Rosa, Lavanda e Negro, direcionados contra os direitos das mulheres, a homossexualidade e os direitos civis dos afro-americanos, respectivamente. E a Guerra Fria pode não ter sido o único catalisador nesse aspecto, dado que temores de subversão nos anos 1950 eram acompanhados por reminiscências da crítica contra o "Grande Governo" e os perigos do Estado socialista que haviam sido expressos por adversários do *New Deal*. Em 1950, as Companhias de Luz e Força Elétrica publicaram um anúncio em *U.S. News and World Report* alertando os leitores para o que chamaram de "esse passo na direção de um governo socialista". O simbolismo que o acompanhava oferecia, nas mãos de um menino, uma versão simplificada das Quatro Liberdades por meio das quais os americanos poderiam conter a ameaça às suas liberdades: uma Bíblia, uma chave, um lápis e uma cédula de votação, mas restava saber se a chave simbolizava a capacidade de trancar ou de abrir.

Deixando de lado seu legado propagandístico – que se mostrou persistente –, o macarthismo esgotou-se em 1954. Em muitos aspectos, ele representou um nacionalismo insular na construção do que era, na essência, nada mais do que um espectro de subversão em interesse próprio, gerado quando as ambições demagógicas de um homem encontraram eco na campanha do Partido Republicano na eleição de 1952. O novo presidente, Dwight D. Eisenhower, abominava pessoalmente McCarthy mas julgava conveniente dar anuência oficial às suas acusações. Todavia, a disposição do público americano de cooperar com isso indicava a precariedade da ideologia e identidade americanas em um mundo pós-guerra em que os Estados Unidos estavam penando para achar seu lugar; mas essa precariedade tinha um aspecto positivo. O lado sombrio da democracia representado pelo macarthismo era apenas um exemplo da tendência americana, em momentos de crise, de voltar-se contra si mesma de maneira crítica. Embora as consequências do "Pânico Vermelho" sejam geralmente localizadas na conformidade generalizada de uma sociedade americana petrificada pelo medo da subversão comunista, havia uma área em que muitos americanos não estavam mais preparados para se conformar às normas tradicionais: a da desigualdade racial.

Enquanto Luce e Wallace estavam contemplando as possibilidades e desafios oferecidos pelo Século Americano ao homem comum, o economista sueco Gunnar Myrdal vinha examinando o problema perene das relações de raça americanas. Seu relato exaustivo, publicado sob o título de *An American Dilemma: The Negro Problem and Modern Democracy* [Um dilema americano: o problema do negro e a democracia moderna] (1944), foi de muitas maneiras uma crítica feroz e imensamente influente da desigualdade na América, especialmente no Sul, que, segundo Myrdal, continuava em conflito com o "credo americano" de liberdade e oportunidade para todos. Poucos sulistas devem ter apreciado as descrições de Myrdal da "monotonia e insegurança" do Sul rural, sua dominação por uma "religião puritana emocional" e sua "ênfase mórbida no sexo", e tudo isso, concluiu o economista, desempenhava um papel na violência e intimidação usada para controlar a população afro-americana da região.[224]

---

224 MYRDAL, Gunnar. *An American Dilemma: The Negro Problem and Modern Democracy*. Rep. New Brunswick, NJ: Transaction Publishers, 2003 [1944]. p. 562.

Obviamente, vários escritores sulistas contemporâneos, do romancista William Faulkner ao dramaturgo Tennessee Williams, chegaram a conclusões semelhantes sobre a relação entre sexo e violência no Sul; mas as representações fictícias tinham para o público um certo apelo que faltava no relato de um economista, com bem mais de 1 mil páginas. Do linchamento ao sistema jurídico, Myrdal mostrou como a América negra e a branca, particularmente no Sul, estavam presas numa relação destrutiva de medo e agressão, que tinha raízes na escravidão e era perpetuada por atitudes americanas mais gerais com relação à pobreza, criminalidade e desunião social. De fato, o preconceito racial não foi o único dilema que Myrdal identificou, mas era, no contexto da Guerra Fria, o predominante.

Três anos depois da publicação do relato de Myrdal, a Comissão de Direitos Civis criada por Truman, publicou *The Secure These Rights* [Para garantir estes direitos] (1947). Menos volumoso do que *An Americam Dilemma* porém mais amplo na sua avaliação dos grupos minoritários – incluindo nativos americanos, os cidadãos dos protetorados americanos, americanos japoneses e afro-americanos e imigrantes mexicanos –, ele conclamava a ação federal contra a segregação. A discriminação, dizia, não era somente antitética ao "credo americano", mas oferecia uma séria ameaça à saúde e ao bem-estar da população como um todo, não somente dos grupos que sofriam a discriminação. O relato demoliu a doutrina "separados mas iguais" da "segregação racial em instituições públicas e privadas que permeia o cotidiano de cidadãos sulistas do berço ao túmulo". Ele a condenou como um dos "mitos remanescentes da História americana, pois é quase sempre verdade", asseverou, "que, embora sejam realmente separadas, essas instalações estão longe de ser iguais", e afirmou:

> A doutrina "separados mas iguais" é condenada por três motivos. Ela contraria o espírito igualitário da herança americana. Ela fracassou na sua aplicação, pois a história mostra que a desigualdade de serviço é a consequência onipresente da separação. Ela institucionalizou a segregação e manteve grupos afastados, apesar das provas incontestáveis de que os contatos normais entre esses grupos tendem a promover a harmonia social.

O relato concluía com uma breve resenha da história da América. "Por duas vezes antes", notou, "a nação julgou necessário rever o estado de seus direitos civis": no período entre a Declaração da Independência e a adoção da Carta de Direitos e durante a Guerra Civil. "É nossa convicção profunda", declarou, "que chegou a hora do terceiro reexame da situação" por razões "de consciência, autointeresse e sobrevivência em um mundo ameaçador. Ou, dito de outra forma", concluiu, "temos uma razão moral, uma razão econômica e uma razão internacional para acreditar que agora é hora de ação".[225]

Truman foi convencido, mas o Congresso não. Porém, as guerras, mesmo frias, sempre foram de valor para os líderes americanos que procuravam promulgar leis impopulares; em 1948, portanto, Truman formalmente dessegregou as Forças Armadas da nação. Ao travar uma Guerra Fria, Truman percebeu que não poderia haver discrepâncias gritantes entre os ideais que a América desposava e as práticas que ela tolerava. Infelizmente, não foi com essa lei isolada que a segregação terminou, muito longe disso. Todavia, quando os Estados Unidos enviaram suas forças em campo novamente, assim como o fizeram dois anos depois na Coreia, já não contavam com um Exército segregado. A Guerra da Coreia, um conflito frequentemente obscurecido pelo impacto dos dois conflitos maiores, a Segunda Guerra Mundial e a guerra do Vietnã, que a enquadram, foi portanto simbólica em vários níveis (IMAGEM 61). Não foi apenas a primeira guerra na qual os Estados Unidos mobilizaram forças dessegregadas, mas o primeiro confronto armado do que havia sido, até o verão de 1950, uma Guerra inteiramente Fria. A reação da América à invasão da Coreia do Sul (anticomunista) pela Coreia do Norte (comunista) constituiu o primeiro exemplo de contenção em ação, por assim dizer, com os Estados Unidos em confronto direto com a Coreia do Norte e a China.

Após 1950, o mundo conheceu uma América muito diferente, pelo menos quanto à versão do uniforme; aquela guardada para consumo doméstico ainda teria de percorrer um bom caminho para alcançar a igualdade plena. Em termos cronológicos, a Guerra da Coreia foi um certo hiato na Guerra Fria no exterior e um ponto de inflexão no modo como ela afetava os Estados Unidos. A morte de Stalin em 1953, no mesmo ano do armistício entre os Estados Unidos e a Coreia do Norte, no ano em que Julius e Ethel Rosenberg foram executados e em que o autor afro-americano James Baldwin explorou a interação entre racismo e religião no seu romance semiautobiográfico, *Go Tell It on the Mountain* [Vá contar isso na montanha], pelo menos promoveu um degelo temporário nas relações soviético-

---

225 *To Secure These Rights: The Report of the President's Committee on Civil Rights* (1947). p. 80, 82, 87 e 139. Disponível em: http://www.trumanlibrary.org/civilrights/srights1.htm. Acesso em: 22 ago. 2010.

IMAGEM 61. Memorial da Guerra da Coreia, Washington, D.C. Durante muitos anos, a Guerra da Coreia foi um conflito quase esquecido. Porém, este memorial a ela enfatiza deliberadamente a composição heterogênea das Forças Armadas americanas nessa guerra. Composto de dezenove estátuas, todas em tamanho maior do que o natural, com 2,21 metros de altura, ele representa soldados americanos em uma formação de flecha como em uma patrulha, e consiste de doze figuras caucasianas, três afro-americanos, dois hispânicos, um asiático e um nativo americano. Ele também reflete a composição do Exército americano nessa época, com catorze figuras do Exército, três marines (fuzileiros navais), uma da Marinha e uma da Força Aérea. Esse tipo de memorial não poderia ser imaginado nos anos 1950. Sua construção não foi discutida durante várias décadas; ele foi finalmente inaugurado em 1995. *Foto de Peter Wilson.*

-americanas. No entanto, muitos americanos ainda estavam agudamente conscientes de que estavam presos em uma batalha ideológica com os soviéticos e que a dessegregação continuava uma prioridade se eles esperassem consegui-la. O ano seguinte presenciou um avanço dramático nessa direção quando a Suprema Corte, sob o comando de seu presidente Earl Warren, decidiu cinco casos patrocinados pela NAACP que foram resumidos como *Brown vs. Board of Education* (1954).

Esses casos provinham de Kansas, Washington, D.C., Delaware, Virgínia e Carolina do Sul e contestavam a segregação educacional, conforme estabelecida em *Plessy vs. Ferguson* (1896) por ser inconstitucional. Citando, entre outras provas, o livro de Myrdal para apoiar sua decisão, a corte finalmente decidiu que "no campo da educação pública, a doutrina de 'separados mas iguais' não tem cabimento. Instalações educacionais separadas", asseverou, "são inerentemente desiguais" e negavam às crianças afro-americanas "a proteção igual das leis garantida pela Décima Quarta Emenda".[226]

A decisão *Brown* representou um primeiro passo significativo em direção à dessegregação completa, a um nacionalismo cívico inclusivo e racialmente neutro. Mas ela não foi recebida com entusiasmo universal e foi mais contornada do que aplicada, especialmente nos lugares do Sul onde as condições continuavam muito iguais às que Myrdal encontrara e a violência contra afro-americanos ainda era recorrente. Um ano depois de *Brown*, ocorreu um exemplo aterrador de quão longe alguns sulistas brancos estavam dispostos a ir para proteger a supremacia branca, quando um menino de 14 anos de Chicago, Emmett Till, foi assassinado – e, antes disso, mutilado – ao visitar parentes no Mississippi. Mas esse ano também mostrou que os afro-americanos não estavam preparados para aceitar o estatuto de cidadãos de segunda classe que alguns brancos lhes conferiram com o início do boicote aos ônibus de Montgomery (Alabama), que desafiou o sistema segregado de transportes no Sul. Pouco mais de setenta anos depois de Ida B. Wells ter sido expulsa de um vagão exclusivo para brancos numa estrada de ferro, a ativista afro-americana Rosa Parks recusou-se a ceder seu assento a um passageiro branco e foi presa.

A oposição à prisão da mulher que o ministro negro Martin Luther King Jr. descreveu como "uma das melhores cidadãs de Montgomery" (e que, em 2000, foi nomeada uma dos cem indivíduos mais significativos do século XX) foi organizada imediatamente, criando uma tradição de liderança da Igreja negra no movimento pelos direitos civis dos afro-americanos que persistiu nos anos 1960. Martin Luther King Jr., que se tornaria a personificação da ação direta não violenta contra o racismo, formou a Conferência da Liderança Cristã Sulista (SCLC) logo após o boicote; apesar de ser um poderoso grupo de pressão dedicado à dessegregação, ela tinha pela frente uma luta árdua, porque o boicote, que durou um ano, terminou somente com outra decisão federal (*Browder vs. Gayle*, 1956), a qual determinou que a segregação no transporte público era inconstitucional. Embora isso tenha representado outro marco na direção de uma definição inclusiva da cidadania americana, não obstante o boicote do ônibus representou apenas um passo em um processo que continuou a provocar uma reação hostil de certas partes da América branca determinadas a manter a dominação anglo-saxã na nação.

---

226 *Brown v. Board of Education*, 347 U.S. 483 (1954). Disponível em: http://caselaw.lp.findlaw.com/scripts/getcase.pl?court=US&vol=347&invol=483. Acesso em: 22 ago. 2010.

Últimas fronteiras

O primeiro choque violento entre o imperativo ideológico internacional americano da Guerra Fria e seu impulso anglo-saxão insular veio um ano depois do témino do boicote aos ônibus de Montgomery: 1957, o ano em que os soviéticos lançaram seu satélite Sputnik e em que a Central High School em Little Rock, Arkansas, resistiu à decisão *Brown*. O governador de Arkansas, Orval Eugene Faubus, declarou que sangue correria nas ruas se a escola fosse forçada a dessegregar; ele estava exagerando apenas em parte. A imagem de crianças brancas protestando contra a ideia de se sentar na mesma sala de aula que seus colegas negros ou urrando insultos contra os alunos negros enquanto eles tentavam entrar na escola (eles acabaram sendo escoltados pelo 101st Airborne) não era o tipo de cobertura de mídia de que a terra dos livres realmente precisava; mas naquela época, como nos anos por vir, partes do Sul branco pareciam completamente insensíveis ao modo como a apresentação pela mídia do racismo em ação poderia impactar o restante da nação, e muito menos um mundo horrorizado mas fascinado. E não havia dúvida de que, no final da década de 1950, com a explosão da mídia impressa, um rádio em quase todo lar e a televisão começando a abrir caminho em direção ao domínio total da vida moderna, o maior ator global do mundo estava atuando para um público global.

Porém, em meados dos anos 1950, a atenção do público global estava concentrada mais em acontecimentos na Europa, Ásia e Oriente Médio do que em Montgomery ou Little Rock. Embora o mundo pós-colonial fosse, na visão da América, inerentemente instável e portanto exposto ao risco de controle comunista, o sucessor de Stalin, Nikita Khrushchev, ao condenar a atuação do seu predecessor, parecia oferecer potencial para uma relação mais equilibrada entre os Estados Unidos e a União Soviética. Certamente os Estados Unidos nem sempre estavam preparados para contra-atacar todos os lances comunistas; no caso da Hungria, em 1956, eles lavaram as mãos da repressão do levante anticomunista pelos soviéticos. No Oriente Médio, por outro lado, e no contexto da Crise de Suez (também em 1956), os Estados Unidos agiram com maior celeridade para pôr a França e a Grã--Bretanha para escanteio e assumir uma responsabilidade maior pela estabilidade dessa região rica em petróleo.

Em janeiro de 1957, Eisenhower expôs a posição da América com relação ao Oriente Médio e enfatizou o compromisso da nação, no que ficou conhecido como a Doutrina Eisenhower, "de ajudar a defender a integridade territorial e a independência política de qualquer nação da região contra a agressão armada comunista". Ele inseriu seu argumento no contexto dos numerosos "sacrifícios", tanto físicos quanto financeiros, que a América havia feito "pela causa da liberdade" desde o fim da Segunda Guerra Mundial. "Esses sacrifícios", salientou ele, "não devem ser desperdiçados".[227] Por outro lado, assumir o fardo de controlar o destino dos antigos regimes coloniais em defesa não somente da estabilidade global mas da autoimagem da América como defensora do mundo livre estava longe de ser uma proposta simples. Como revelaram os distúrbios raciais em Little Rock e a expansão do confronto americano-soviético no espaço com o lançamento do Sputnik, a América tinha mais coisas para se preocupar à medida que a presidência Eisenhower chegava ao fim do que a estabilidade ou não do Oriente Médio.

O lançamento do Sputnik causou uma tempestade midiática e política nos Estados Unidos. Comparações com Pearl Harbor revelam a seriedade com que alguns americanos encaravam esse desafio simultâneo à sua superioridade científica e social e essa ameaça à sua segurança nacional. Os democratas, liderados por Lyndon B. Johnson, atacaram Eisenhower por conta do que eles percebiam como seu fracasso de assegurar a superioridade americana no espaço e no planeta. Em uma expressão depreciativa mas pertinente, a Casa Branca ficou conhecida em alguns círculos como "o túmulo do soldado bem conhecido". "O fracasso em dominar o espaço", afirmou Johnson, "significa ficar em segundo lugar em todos os aspectos, na arena crucial da nossa Guerra Fria. Aos olhos do mundo, ser o primeiro no espaço significa ser o primeiro, ponto; ser o segundo no espaço é ser segundo em tudo". A perspectiva de Johnson foi retomada – o que não deveria surpreender – pelo Comitê Consultivo Nacional para a Aeronáutica (Naca), que lamentou o fracasso da América de realizar "um pouso lunar tripulado antes dos soviéticos. Tal feito", afirmou o Naca, "estabeleceria firmemente a supremacia tecnológica ocidental e seria de grande valor psicológico. Devido à localização estratégica da Lua para as viagens e a guerra espaciais, um valor ainda maior e mais permanente seria derivado de um tal pouso – o de conquistar a Lua para as Nações Unidas do Mundo Ocidental".

O Naca queria, nas suas próprias palavras, "alcançar e por fim ultrapassar os soviéticos na corrida pela liderança neste planeta e pela supremacia

---

[227] EISENHOWER, Dwight D. "Mensagem Especial ao Congresso sobre a Situação no Oriente Médio", 5 de janeiro de 1957. Disponível em: http://www.presidency.ucsb.edu/ws/index.php?pid=11007&st=&st1=. Acesso em: 23 ago. 2010.

científica e militar no espaço". Eisenhower finalmente reconheceu esse imperativo. O que "torna a ameaça soviética inédita em toda a história", anunciou ele, "é seu alcance total. Toda atividade humana é mobilizada como arma de expansão. O comércio, o desenvolvimento econômico, o poder militar, as artes, a ciência, a educação, todo o mundo das ideias [...]. Os soviéticos, em suma, estão travando uma Guerra Fria total".[228] Ele concordou com um programa do homem no espaço que se tornou o Projeto Mercury e com a criação de novas agências federais destinadas a lidar com as questões levantadas pelo Sputnik. O mal financiado Naca tornou-se, em 1958, a Agência Nacional da Aeronáutica e do Espaço (Nasa), junto a dois novos comitês permanentes no Congresso: o Comitê de Ciências Aeronáuticas e Espaciais do Senado e o Comitê de Ciência e Astronáutica da Câmara.

Para futuros presidentes americanos, assim como para o povo americano, o legado da Doutrina Eisenhower, junto ao fracasso percebido do presidente diante do programa espacial soviético, mostrou ter efeitos abrangentes. De início, a eleição de John F. (Jack) Kennedy em 1960, o primeiro presidente católico da América, foi vista como um novo começo, a passagem do bastão para uma "nova geração", como o próprio Kennedy a descreveu, "nascida neste século, temperada pela guerra, disciplinada pela paz dura e amarga". No entanto, essa jovem geração, certamente como Kennedy a lia, estava situada firmemente dentro da tradição revolucionária americana, mas inserida no contexto da Guerra Fria. O famoso discurso inaugural de Kennedy foi o de um guerreiro frio, que prometia que sua nação "pagará qualquer preço, suportará qualquer fardo, enfrentará qualquer dificuldade, ajudará qualquer amigo [e] se oporá a qualquer inimigo para garantir a sobrevivência e o sucesso da liberdade".[229] Mas o idealismo de Guerra Fria de Kennedy estava a um mundo de distância do de outro Jack, o romancista "*beat*" Jack Kerouac, cujo famoso manifesto autobiográfico contra a conformidade de classe média, *Pé na estrada* (1957), sugeriu que, longe de se concentrar no que Kennedy chamava de "a antiga herança" da América, a juventude americana tinha muito menos certeza da estrada que sua nação estava trilhando.

---

228 EISENHOWER, Dwight D. "Mensagem Anual ao Congresso sobre o Estado da União", 9 de janeiro de 1958. Disponível em: http://www.presidency.ucsb.edu/ws/index.php?pid=11162. Acesso em: 23 ago. 2010.

229 KENNEDY, John F. "Primeiro Discurso Inaugural", 20 de janeiro de 1960. Disponível em: http://www.presidency.ucsb.edu/ws/index.php?pid=8032. Acesso em: 23 ago. 2010.

Os anos 1960 na América são frequentemente associados com a ascensão da cultura jovem – fruto do *baby boom* dos anos de guerra –, mas o impacto dessa cultura só pode ser entendido no contexto. Embora a população americana como um todo estivesse aumentando, a taxa de natalidade caiu drasticamente após a Segunda Guerra Mundial – em mais de um terço entre 1955 e 1975. Por outro lado, a taxa de mortalidade também estava em declínio, e a expectativa de vida no nascimento era maior do que no período pré-guerra: de 62,6 anos em 1940, ela subiu para 69,9 anos em 1960. Em suma, a população americana já estava envelhecendo, o que teve o efeito de posicionar os americanos mais jovens para fora do grupo dominante do ponto de vista estatístico, muito ao contrário do que eles representavam do ponto de vista cultural. E em amplos termos culturais, e certamente educacionais, eles eram uma geração privilegiada. Embora o programa chamado "Carta de Direitos dos G.I.s", que pagava mensalidades universitárias e verbas de manutenção para veteranos da Segunda Guerra Mundial e da Guerra da Coreia, tivesse sido encerrado em 1956, o incentivo ao ensino superior para os jovens americanos não diminuiu. O número de faculdades e universidades quase dobrou entre 1940 e 1970, e as matrículas quase triplicaram, o que criou uma cultura universitária com sua própria perspectiva da nação, seu nacionalismo e seu papel internacional.

Essa perspectiva foi fortemente influenciada pela "geração *beat*" dos anos 1950, por escritores como Kerouac (n. 1922), Allen Ginsberg (n. 1926) e William S. Burroughs (n. 1914), que se rebelaram contra o materialismo e o militarismo que eles consideravam destrutivos do credo americano tal como eles o percebiam. O fato de que muitos deles o viam por meio de uma névoa induzida pelas drogas deve, é claro, ter influenciado suas reações. Como Ginsberg declarou no seu célebre poema Howl (1956): "Eu vi as melhores mentes da minha geração destruídas pela/ loucura, passando fome histéricas nuas/ arrastando-se pelas ruas crioulas na aurora/ procurando um barato louco". Havia obviamente um monte de rapazes raivosos por aí em meados dos anos 1950; esse fenômeno estava longe de ser exclusivo da América, mas tinha um impacto especial em uma nação que parecia, para alguns de seus cidadãos, combinar complacência com corrupção, riqueza material com pobreza moral.

A visão contrária e possivelmente complacente da América às vésperas da eleição de Kennedy encontrou sua mais célebre expressão no "debate na cozinha" improvisado entre Khrushchev e o então vice-presidente Richard

Nixon na Exposição Nacional Americana em Moscou em 1959, que destacou o conforto doméstico e a prosperidade geral desfrutados pelos cidadãos dos Estados Unidos. No cenário ligeiramente surreal mas simbólico de uma cozinha modernista, Nixon aproveitou a oportunidade para enfatizar a superioridade do estilo de vida capitalista sobre o comunista, o poder da abundância econômica sobre a austeridade ideológica. Era um poder que Khrushchev, obviamente, desprezava. E no qual a América talvez confiasse demais. Mas havia muitos motivos para ser positivo.

O PNB da América dobrou entre o fim da guerra e o ano de 1960. Os gastos federais com defesa não diminuíram – como era de se esperar – durante a Guerra Fria, e as despesas dos consumidores acompanharam em tal ritmo, facilitadas pelo crédito e sua manifestação física, o cartão de crédito, que logo se tornou onipresente. Os americanos sempre olharam para o futuro, é claro; agora eles podiam adiar o pagamento das coisas até que ele chegasse. Em suma, a América do pós-guerra conheceu uma expansão que rivalizava com a dos anos 1920. E se o jazz havia sido a trilha sonora daquela era, o *rock-and-roll* forneceu o som frequentemente provocador dos anos 1960. O "rei" do *rock-and-roll*, Elvis Presley, estava nos toca-discos da nação e, após 1956, nas suas telas de televisão. No fim da Segunda Guerra Mundial, apenas cerca de 16 mil americanos gozavam do luxo de possuir um televisor, mas em 1953 dois terços dos lares cada vez mais suburbanos da América possuíam um. Sua localização suburbana significava também que mais famílias americanas tinham carro, e sua nação – especialmente nas cidades – sofria com a poluição do ar e o declínio do centro da cidade, que resultavam do carro e da fuga para os subúrbios no pós-guerra, respectivamente. Para a América, a mobilidade teve um preço. E os americanos nos anos 1950 e 1960 eram, e continuam sendo, um povo muito móvel, do qual mais de um quarto da população em 1960 vivia em um estado diferente daquele onde haviam nascido. Não surpreende, portanto, que, quando Kerouac saiu para procurar a América, ele dirigiu-se para a autoestrada.

Quando Kennedy saiu para procurar a América, ele voltou sua atenção para a fronteira, a "nova fronteira" que ele descreveu como "não um conjunto de promessas", mas "um conjunto de desafios". A nação, asseverou Kennedy, havia sofrido "um deslize" na sua "força intelectual e moral" e confundia com demasiada facilidade "o que é lícito com o que é justo". Ele prometeu colocá-la de novo nos trilhos, levá-la à nova fronteira além da qual estavam "as áreas desconhecidas da ciência e do espaço, os problemas não resolvidos da paz e da guerra, os bolsões não conquistados da ignorância e do preconceito, as questões não respondidas da pobreza e do excedente". A América, declarou ele, estava "em um ponto de inflexão da história. Precisamos provar novamente se esta nação – ou qualquer nação assim concebida – pode durar por muito tempo", anunciou ele, invocando o discurso de Gettysburg de Lincoln, mas o desafio agora vinha do "avanço obstinado do sistema comunista", e não da Confederação.

Nesse último ponto, contudo, Kennedy só estava parcialmente certo. O ano de sua eleição começou com protestos pelos direitos civis no Sul, nos quais estudantes afro-americanos de Greensboro, Carolina do Norte, contestaram a tradição de "somente brancos" no balcão da loja Woolworth local sentando em assentos designados apenas para brancos, apesar de serem convidados a sair.* Sua persistência compensou. Embora tenha levado cinco meses, a rede Woolworth finalmente concordou em pôr fim à discriminação nos seus balcões. Foi mais uma vitória na luta pela igualdade, e o momento em que ela ocorreu foi significativo.

Em 1960, o Sul, o Sul branco pelo menos, estava se preparando para o Centenário da Guerra Civil, a comemoração daquela época da sua história em que ele entrou em guerra com o restante da nação em defesa do predomínio anglo-saxão, em defesa da escravidão, embora esta estivesse embrulhada no intricado pacote constitucional que ele chamava de direitos dos estados. Ele tinha desembrulhado essa defesa específica outra vez em Little Rock na oposição à presença de tropas federais, enviadas para aplicar a decisão da Suprema Corte em *Brown*, e continuaria a invocá-la diante da crescente oposição nacional à segregação nos anos 1960. Um ano depois dos *sit-ins* na Woolworth, ocorreram as primeiras "Viagens da Liberdade" [*Freedom Rides*] em direção ao Sul. Organizadas pelo Core, elas enviavam grupos integrados de passageiros em ônibus para os estados do extremo Sul para testar a decisão acerca da dessegregação do transporte público. Os viajantes enfrentaram violência generalizada em estados como Alabama e Mississippi; no Alabama, um dos seus ônibus foi atingido por uma bomba incendiária em Anniston, e em Birmingham eles foram atacados pelo Klan. No ano seguinte, quando o estudante negro James Meredith tentou matricular-se na Universidade do Mississippi, uma multidão barrou-lhe o acesso. Kennedy, como Eisenhower antes dele, foi forçado a mandar o Exército.

---

*   Este evento é conhecido como *sit-in* pelos americanos. (N.E.)

Foi especialmente comovente que essa onda de protestos afro--americanos e a concomitante reação branca contra os direitos iguais no início dos anos 1960 tenham ocorrido em um cenário de encenações de batalhas da Guerra Civil e de celebração da causa confederada derrotada. Os direitos civis não estavam ausentes da ordem do dia, mas com delegados negros barrados no hotel em Charleston, escolhido para o começo do Centenário, o evento como um todo começou mal – e continuou assim. A esperança de que o presidente pudesse, em 1º de janeiro de 1963, apoiar uma segunda Proclamação de Emancipação foi frustrada quando Kennedy declinou comparecer à cerimônia de comemoração no Lincoln Memorial. Durante o restante do ano, as manifestações e a violência continuaram.

A violência atingiu uma espécie de pico em Birmingham em maio de 1963, quando imagens da polícia local atacando afro-americanos – inclusive crianças – com mangueiras, cães e cassetetes foram transmitidas pela televisão a uma América chocada e enojada. No mês seguinte, o secretário de campo da NAACP, Medgar Evers, um veterano da Segunda Guerra Mundial que servira na Europa, foi assassinado a tiros em Jackson, Mississippi. Em 28 de agosto de 1963, 0,25 milhão de americanos participaram da Marcha para Washington (IMAGEM 62) organizada para conscientizar não somente sobre a violência perpetrada contra afro-americanos no Sul, mas toda a gama de desigualdades em empregos, habitação e educação que os negros sofriam. No fim, coube a Martin Luther King Jr., e não a Kennedy, invocar a Proclamação de Emancipação de Lincoln de 1863 e lembrar os americanos que "cem anos depois, o negro ainda não é livre. Cem anos depois, a vida do negro ainda é infelizmente lesada pelos grilhões da segregação e as correntes de discriminação". "Eu tenho um sonho", foi a famosa declaração de King, "que um dia esta nação se erguerá e viverá de acordo com o verdadeiro significado de seu credo: 'Consideramos estas verdades autoevidentes, que todos os homens são criados iguais'".

Para sempre se discutirá até onde Kennedy teria ido para realizar o sonho de King. Certamente a violência no Alabama e a Marcha para Washington haviam começado a interpelar uma consciência até então demasiadamente focada na Guerra Fria, preocupada demais com o "avanço obstinado" do comunismo para lidar com a obstinação dos segregacionistas americanos. E o compromisso de Kennedy com a contenção do comunismo produziu alguns resultados infelizes, incluindo a infame invasão malograda da "Baía dos Porcos" em Cuba em 1961, empreendida com a intenção de derrubar o

IMAGEM 62. Marcha pelos direitos civis em Washington (Warren K. Leffler, 28 de agosto de 1963). Cortesia da Library of Congress Prints and Photographs Division (LC-DIG-ppmsca-03128).

regime de Fidel Castro e – o que foi mais preocupante para o mundo – a Crise dos Mísseis em Cuba em outubro de 1962, quando os Estados Unidos e a União Soviética envolveram-se em um confronto letal que poderia ter resultado em uma guerra nuclear. Porém, no verão de 1963, a atitude de Kennedy tornou-se mais fria com relação à Guerra Fria e mais calorosa com relação aos direitos civis. Em junho, ele assumiu um compromisso público com a aplicação federal da dessegregação, mas não viveu para ver a aprovação da Lei dos Direitos Civis em 1964. Seu assassinato em 22 de novembro de 1963 encerrou uma presidência que havia expressado as esperanças e condensado os temores de uma geração, a qual encontrava-se agora estava diante de uma fronteira que estava longe de ser nova, mas era tão violenta e imprevisível quanto qualquer outra na história da nação.

capítulo 11

Exércitos da noite:
contracultura e contrarrevolução

> *América – a terra onde um novo tipo de homem*
> *nasceu da ideia de que Deus estava presente em todo homem,*
> *não somente como compaixão, mas como poder,*
> *e por isso o país pertencia ao povo.*
> (Norman Mailer, Os exércitos da noite, 1968)

Lyndon B. Johnson, abruptamente alçado ao Salão Oval após o assassinato de Kennedy no fim de 1963, tinha mais do que a popularidade do seu predecessor com a qual se igualar; ele tinha o legado de mais de meio século de liberalismo a honrar. Desde Theodore Roosevelt, praticamente todos os presidentes antes dele ofereceram à nação um acordo ou a promessa de um novo começo: *Square Deal, Fair Deal, New Deal*, Nova Liberdade e, em 1960, a Nova Fronteira, "uma fronteira de oportunidades e perigos desconhecidos – uma fronteira de esperanças e ameaças não cumpridas", como Kennedy a descrevera. Havia, possivelmente, um limite para o número de recomeços que qualquer nação pode esperar sustentar, especialmente uma tão nova quanto os Estados Unidos em 1963. Mas Johnson tinha seu próprio plano, o qual incorporaria e sintetizaria todas as promessas com as quais e ao longo das quais ele havia crescido, que não era baseado na redução da pobreza nacional mas no potencial para atacar a pobreza individual que a prosperidade da nação pós-guerra oferecia, o que finalmente cumpriria a promessa dos Estados Unidos da América: a "Grande Sociedade".

No entanto, por não ter sido ainda eleito por conta própria, Johnson inicialmente limitou-se a cumprir o que ele apresentava como o legado de Kennedy; a promulgação da Lei dos Direitos Civis (1964) que, em tese, encerrou a discriminação pública em toda parte, em bibliotecas, escolas, restaurantes, hotéis, instalações esportivas e empregos, em toda a nação. Diante da oposição sulista à lei, a Comissão de Oportunidades Iguais de Emprego (EEOC, na sigla em inglês) também foi criada para garantir salários iguais não só para afro-americanos e outros grupos minoritários, mas para mulheres também. Mas o espírito do Kennedy assassinado não foi suficiente por si próprio para amainar a hostilidade de adversários da legislação que, no contexto da violência e hostilidade que os direitos civis provocavam, era um passo controverso na direção de um nacionalismo cívico pleno para os Estados Unidos. Diante da oposição não somente racista mas republicana, Johnson sabia, como advertiu o então líder da bancada democrata no Senado e seu futuro vice-presidente, Hubert Humphrey, que ele tinha de fazer da Lei dos Direitos Civis "um projeto de lei americano e não somente democrata". Porém, no mesmo período em que estava sendo promulgada, Johnson temeu ter fracassado nisso. Como ele observou ao seu assistente da época, Bill Moyers, "Acredito que acabamos de entregar o Sul ao Partido Republicano por muito tempo".[230]

A Lei dos Direitos Civis talvez tenha entregue o Sul aos republicanos. Ela certamente não o livrou da violência. O verão de 1964 presenciou mais choques violentos entre ativistas da Lei dos Direitos Civis e segregacionistas sulistas no Mississippi. O catalisador foi a questão do direito de voto, a única coisa de que a Lei dos Direitos Civis não havia tratado diretamente. Em junho, o Projeto Verão do Mississippi (ou Verão da Liberdade) foi lançado em uma tentativa de aumentar a porcentagem de afro-americanos nas listas de votação. Grupos de direitos civis, incluindo o Core, a NAACP e o Comitê de Coordenação Não Violenta Estudantil (SNCC), organizaram mutirões de registro de eleitores voltados para a população afro-americana no Mississippi. O SNCC havia feito isso antes, em 1961, e naquela ocasião seus esforços haviam sido derrotados, e um de seus organizadores locais, assassinado. Por isso o SNCC não tinha ilusões sobre as implicações de tentar aplicar a Décima Quinta Emenda (o direito de voto) em um estado onde a oposição ao eleitorado negro podia assumir uma forma tão extrema. Não obstante, a extensão da agressão aberta que a campanha sofreu não podia ter sido antecipada. As bombas e os espancamentos eram o mínimo; cerca de duas dúzias de ativistas foram assassinados pela causa dos direitos

---

[230] JOHNSON apud DALLEK, Robert. *Lyndon B. Johnson: Portrait of a President*. New York; Oxford: Oxford University Press, 2004. p. 170.

civis no Sul no período entre a eleição de Kennedy e a promulgação do Lei do Direito de Voto em 1965.

Mas os suprematistas brancos cruzaram mais do que a linha de cor quando sequestraram e assassinaram três ativistas, Michael Schwerner, Andrew Goodman e James Chaney, dois dos quais (Schwerner e Goodman) eram estudantes brancos de Nova York. Diante da indignação pública que se seguiu, o governo foi finalmente convencido a agir. No que pareceu uma reprise deprimente da história, Johnson, como Ulysses S. Grant quase um século antes dele, enviou tropas federais, o FBI, ao Sul, mas a descoberta dos corpos dos três ativistas não resultou automaticamente em um julgamento por homicídio. O homicídio é (sobretudo) um crime estadual, não federal; até o assassinato de um presidente americano não era, até 1965, um delito federal. E nesse caso o Estado recusou-se a abrir processo. Então o governo federal foi forçado, como havia feito anteriormente no caso do assassinato de Medgar Evers, a invocar uma legislação do século XIX, do período da suposta Reconstrução do Sul, para processar os acusados dos homicídios – a Lei de Defesa dos Direitos de 1870.

Se alguns paralelos entre os Estados Unidos dos séculos XIX e XX eram deprimentes no que dizia respeito à violência de brancos contra negros e aos limites legislativos para impedi-la, outros eram mais promissores; não foi por acaso que os anos 1960 ficaram conhecidos como a "Segunda Reconstrução" da América. O chefe do FBI, J. Edgar Hoover, tal como o chefe do Serviço Secreto de Grant, Hiram B. Whitley, tinha suas próprias preocupações, que inicialmente distraíram-no de dar prioridade aos direitos civis. Whitley era obcecado com os imigrantes nas cidades, Hoover com o comunismo no país todo e não demonstrava qualquer empatia especial pelos padecimentos dos afro-americanos, mas ambos não olhavam a cor quando se tratava de combater o crime. É certo que Hoover autorizou escutas telefônicas de Martin Luther King Jr., e o programa de contra-inteligência que ele controlava, Cointelpro, visava a grupos de "ódio negro" que, como se decidiu, incluíam não somente a Nação do Islã (uma organização ativista religiosa afro-americana), mas também o SNCC e o SCLC. Porém, na esteira dos assassinatos no Mississippi, o Cointelpro voltou sua atenção para organizações de "ódio branco", incluindo o Klan, com considerável sucesso.

Na arena política, a repercussão da Lei dos Direitos Civis foi sentida na campanha presidencial de 1964. A Convenção Democrata em Atlantic City, Nova Jersey, enfrentou um questionamento do Partido Democrata da

Liberdade do Mississippi (MFDP). Formado em reação à supressão do direito de voto dos afro-americanos no Mississippi, o MFDP registrara cerca de 60 mil eleitores negros e agora exigia os assentos do Estado na Convenção. A voz da mídia encontrava-se do lado do MFDP, pois este estava focado na descrição detalhada de Fannie Lou Hamer, ativista da Lei dos Direitos Civis, quanto aos horrores de crescer em um Mississippi segregado e da brutalidade policial que ela sofrera ao tentar registrar eleitores negros. Apesar disso, alguns delegados brancos ameaçaram deixar a Convenção. Isso acontecera antes, em 1948, na esteira da dessegregação das Forças Armadas por Truman, e sair batendo a porta parecia ser um elemento da tradição sulista branca, mas Johnson não podia se permitir tolerá-lo em 1964.

Johnson podia temer o fato de ter perdido o Extremo Sul, mas ele não queria indispor-se inteiramente com os eleitores brancos de lá. Afinal, ele tinha suas próprias prioridades, a "guerra à pobreza", que se transformaria no programa da "Grande Sociedade", a aprovar no Congresso após a eleição – presumindo que ganhasse. E a revolta branca contra a Lei dos Direitos Civis, contra a imposição federal da dessegregação no Sul, era potencialmente uma força política poderosa em 1964. Nas primárias, o governador do Alabama, George Wallace, saiu-se surpreendentemente bem; não bem o bastante para questionar a candidatura de Johnson, mas o suficiente para sugerir que a mensagem segregacionista de Wallace tinha um público receptivo, e não somente no Alabama. Wallace ganhara fama – ou má fama – nacional na sua campanha para governador no ano anterior, quando fez a declaração famosa de que ele era a favor da "segregação agora, segregação amanhã, segregação para sempre", uma afirmação que depois ele repudiou e que pode ter sido ocasionada mais à conveniência política do que a um sentimento arraigado.

Em 1964, no entanto, a conveniência política para os democratas exigia alguma forma de compromisso entre os segregacionistas linha-dura do seu partido e o MFDP. O compromisso que se obteve, a promessa de que a convenção de 1968 seria plenamente integrada, corria o risco de não satisfazer ninguém. Em decorrência disso, a Convenção Democrata de 1964 representou um ponto de inflexão crucial para o movimento pelos direitos civis, o momento em que um abismo intransponível começou a se abrir entre aqueles, como Martin Luther King Jr., que pretendiam trabalhar pela promessa de integração futura e aqueles que acreditavam que a dessegregação paulatina democrata simplesmente não era suficiente. Por conseguinte, o período após 1964 viu a ascensão de uma nova militância, o movimento do "Poder Negro". O conceito de Poder Negro fora criado pelo nacionalista negro radical Malcolm X, que fora assassinado em 1965, mas foi popularizado pelo líder do SNCC Stokely Carmichael após a morte do primeiro. O Poder Negro era mais do que somente uma posição política: era toda uma mudança cultural para aqueles, como Carmichael, que consideravam cada vez mais a integração "irrelevante" e queriam não apenas a promessa de mudança futura, mas a "liberdade agora!".

A liberdade também estava na pauta do dia dos republicanos em 1964: liberdade da interferência federal e liberdade do comunismo. Eles lançaram Barry Goldwater, que defendia uma pauta essencialmente conservadora que girava em torno de uma redução do "Governo Grande" e incluía a redução das forças comunistas na China e dos programas de bem-estar social em casa. Sua mensagem conservadora de "direitos dos estados", ao chegar a eleição, teve boa aceitação no Extremo Sul (Alabama, Geórgia, Mississippi, Luisiana e Carolina do Sul), mas quase em nenhum outro lugar além do seu estado natal do Arizona. O apoio do Klan a Goldwater (IMAGEM 63) pode ter confirmado o medo de Johnson de que a Lei dos Direitos

IMAGEM 63. Membros e adversários do Ku Klux Klan enfrentam-se em uma manifestação do Klan em apoio à campanha de Barry Goldwater para nomeação na Convenção Nacional Republicana em São Francisco em julho de 1964. Foto de Warren K. Leffler. Cortesia da Library of Congress Prints and Photographs Division (LCDIG-ppmsca-03195).

Civis tinha entregue o Sul aos republicanos, mas de modo geral os resultados eleitorais deixaram claro que o Extremo Sul perdera contato com o restante da nação, e o Klan simplesmente com a realidade. Os democratas tentaram insinuar que o próprio Goldwater perdera contato, não com a nação, mas com a sanidade. Em reação ao insosso bordão republicano "no seu coração você sabe que ele tem razão" [*in your heart you know he's right*], os democratas retrucaram com o mordaz "nas suas tripas você sabe que ele é doido" [*in your guts you know he's nuts*]. É claro que Goldwater estava longe disso; sua mensagem política não conseguiu cativar os eleitores em 1964, mas estabeleceu uma baliza para um futuro em que o conservadorismo, ao contrário do Sul profundo segregacionista, ressurgiria.

A campanha de 1964 mostrou-se memorável de outras formas também, não somente nos seus bordões, mas na transmissão – oficialmente uma vez só, mas depois em todos os canais de notícias – do controverso comercial democrata "Daisy", concebido como reação à recusa de Goldwater de excluir categoricamente o uso futuro de armas nucleares. A publicidade de sessenta segundos mostrava uma menina contando até dez enquanto tirava pétalas de uma flor; quando a última pétala era tirada, uma voz masculina começava uma contagem regressiva para a detonação, enquanto a câmera focalizava a criança, cujo rosto estava voltado para o céu, e no seu olho e na sua pupila, a explosão nuclear era refletida. "Voto em Johnson para presidente em 3 de novembro", entoava a voz sonora do narrador. "O risco é grande demais para que você fique em casa."[231] Atacado pela sugestão de que Goldwater poderia, caso eleito, instigar uma guerra nuclear, o comercial "Daisy" foi imediatamente retirado; mas ele aproveitou o medo residual de um apocalipse nuclear que pairava sobre a América e o mundo, nos anos 1960 e, em grau menor, até hoje. O comercial "Daisy", de fato, revelou-se uma arma política persistente que foi retrabalhada diversas vezes desde sua encarnação inicial em 1964, mais notavelmente na campanha republicana de 1996; nessa altura, a ameaça à criança eram os narcóticos, não a guerra nuclear.

Um único comercial, por mais impactante, não pode levar o crédito pela vitória esmagadora de Johnson na eleição de 1964. Ao vencer de maneira tão decisiva, com pouco mais de 61% dos votos populares, Johnson finalmente obteve o mandato para seu próprio programa legislativo, e os

---

[231] O comercial pode ser visto na Lyndon Baines Johnson Library and Museum. Disponível em: http://www.lbjlib.utexas.edu/johnson/media/daisyspot/. Acesso em: 1 set. 2010.

ativistas da Lei dos Direitos Civis obtiveram sua promessa de que as futuras convenções democratas, pelo menos, seriam integradas; mas até Martin Luther King Jr. não queria esperar tanto. Imediatamente após a eleição, ele decidiu aproveitar o embalo para fazer campanha por uma expansão do direito de voto no Alabama, para contrariar diretamente a afirmação de Wallace de que a segregação dominaria para sempre naquele estado. A Marcha de Selma a Montgomery organizada por King em março de 1965 para chamar atenção para a campanha ofereceu mais uma oportunidade para as câmeras de televisão filmarem agentes da lei sulistas espancando ativistas da Lei dos Direitos Civis e jogando gás lacrimogêneo neles enquanto tentavam atravessar a ponte Edmund Pettus. Para ativistas negros como Carmichael, era realmente uma ponte muito distante, mas o consenso entre as várias organizações de direitos civis sobre a melhor forma de proceder foi comprometido por suas pautas cada vez mais conflitantes.

Quando, no ano seguinte, James Meredith, tendo suportado o que para ele foi uma experiência penosa de educação na Universidade do Mississippi, propôs uma "marcha contra o medo" para incentivar os afro-americanos do Sul a capitalizar sua recente conquista do direito de voto registrando-se a tempo para votar durante as eleições parlamentares em novembro, poucos grupos de direitos civis se interessaram. Inabalado, Meredith, com dois colegas, começou a marcha mesmo assim; após caminhar nem 20 quilômetros ele foi baleado (felizmente não de forma fatal) por um extremista branco. Pelo menos isso atraiu atenção para o seu protesto, que foi encampado pelo Core e pela SNCC e tornou-se a mais militante "Marcha Meredith", simbólica do abandono da resistência passiva à supremacia branca e da adoção de uma posição mais agressiva e excludente representada pelo Poder Negro. A ironia residia no fato de que, à medida que ativistas radicais da Lei dos Direitos Civis afastavam-se do liberalismo branco, da fé na eficiência do governo federal para garantir a igualdade, esse mesmo governo finalmente estava preparado pelo menos para tentar manter o que Johnson descrevera como "a promessa americana".

A reação do presidente a Selma foi veloz. Em um discurso transmitido em rede nacional, ele falou do compromisso americano diante da defesa da "dignidade do homem e do destino da democracia" e inseriu os acontecimentos de Selma na órbita dos de Lexington e Concord (quando a Guerra Revolucionária eclodiu) e Appomattox (quando a Guerra Civil terminou); todos eles, asseverou, representavam pontos de inflexão "na busca incessante do homem pela liberdade". Como um eco do discurso de King em 1963,

Johnson lembrou o Congresso que "um século passou, mais de cem anos, desde que a igualdade foi prometida. Porém, o negro não é igual". "Não há motivo para orgulhar-se do que aconteceu em Selma", declarou Johnson. "Não há motivo para autossatisfação na longa negação de direitos iguais a milhões de americanos. Mas existe", assegurou ele, "motivo de esperança".[232]

Com a promulgação da Lei do Direito de Voto (1965) e da Vigésima Quarta Emenda, que aboliu a cobrança de taxas para votar, os Estados Unidos completaram um ciclo de reformas de direitos civis que começara com *Brown vs. Board of Education* em 1954. Todavia, os direitos civis em questão nunca disseram respeito apenas à luta dos afro-americanos pela liberdade no Sul. Quando Johnson assumiu o poder, a nação, impelida em grande parte pela Suprema Corte sob seu presidente (1953-1969), Earl Warren, já estava reinterpretando a Constituição no contexto do credo americano amplamente definido, na medida em que se aplicava às circunstâncias cambiantes do século XX e aos significados dinâmicos de cidadania. Os resultados foram chamados por alguns de "revolução dos direitos", e grande parte do seu impulso derivou do *New Deal*, o segundo período na história da América depois das emendas da Reconstrução no século XIX em que a relação entre o governo federal e o povo deslocou-se para a ideia da proteção federal de direitos individuais e grupais e liberdade ampliada.

O mais óbvio desses novos direitos relacionava-se não somente à igualdade racial e ao direito de voto, mas à aplicação da lei; não era pouca coisa, dado o fato de que muitos ativistas negros e brancos da Lei dos Direitos Civis foram levados, no Sul, à cadeia nesse período. Quatro casos especificamente pretendiam abordar a desigualdade perante a lei: *Mapp vs. Ohio* (1961), *Gideon vs. Wainwright* (1963), *Escobedo vs. Illinois* (1964) e *Miranda vs. Arizona* (1966). Cada um deles envolvia a prisão de um indivíduo em circunstâncias consideradas injustas pelo tribunal em algum aspecto. *Mapp* estabeleceu que a acusação tinha de se basear em provas razoáveis obtidas dentro das restrições da Quarta Emenda sobre busca e apreensão; *Gideon* não tinha advogado porque não podia pagar um, e a decisão foi a de que, em tais casos, o Estado devia fornecer um defensor; e em *Escobedo* e *Miranda*, o tribunal foi mais longe ainda. Ele estabeleceu não apenas que um advogado deve estar presente durante a interrogação,

---

[232] JOHNSON, Lyndon B. "Special Message to Congress: The American Promise", 15 de março de 1965. Disponível em: http://www.presidency.ucsb.edu/ws/index.php?pid=26805&st=&st1=. Acesso em: 3 set. 2010.

mas que o suspeito deve ser informado dos seus direitos constitucionais; daí vem a "advertência de Miranda". Foram casos marcantes para os direitos de cidadania, mas eles fizeram pouco na época para garantir a certos americanos, especialmente afro-americanos, que a discriminação em todas as suas formas – racial, sexual ou judicial – estava desaparecendo ou poderia ser erradicada à força.

Exacerbando a ascensão de radicalismo negro havia o fato de que, do outro lado do país, a situação não era muito melhor do que em Selma. No verão de 1965, revoltas raciais estouraram na área predominantemente afro-americana Watts de Los Angeles. Mais uma vez a Guarda Nacional foi enviada, e mais uma vez o público da TV americana foi confrontado diante de imagens da violência que dilacerava a nação. A revista *Life* depois apontou as revoltas de Watts como a "linha divisória" dos anos 1960, um surto que "rasgou o tecido da sociedade democrática ordeira e deu o tom para o confronto e revolta aberta tão típicos de nossa condição atual".[233]

Mas o levante de Watts foi uma linha divisória apenas no sentido de que o confronto e a revolta aberta originaram-se do Sul; após 1965, a agitação urbana afetou muitas cidades do Norte, particularmente Newark, Nova Jersey e Detroit, Michigan. Nesse sentido, houve uma transição do consenso acerca do significado do credo americano e sua conexão com a cidadania americana para um desencantamento com a sociedade democrática, mais disseminado do que antes da eleição de 1964. A explicação habitual para isso está na escalada do envolvimento americano no Sudeste Asiático, mas ver os anos 1960 como um todo da perspectiva da Guerra do Vietnã presta-se mais a equívocos do que à compreensão. Aquilo que ficou conhecido como a "Síndrome do Vietnã", um termo usado para insinuar a relutância americana em envolver-se com questões estrangeiras e enfrentar o persistente desafio comunista após 1975, aplica-se igualmente à avaliação ainda precoce – historicamente falando – do impacto político, cultural e militar desse conflito. Mas é inquestionável, claro, que ele teve um impacto.

Um dos elementos mais importantes do legado que Kennedy deixara ao seu sucessor foi a Guerra no Vietnã, que ele havia, por sua vez, herdado das Doutrinas Truman e Eisenhower sobre a contenção e o compromisso de ajudar outras nações na luta contra o comunismo, o qual nascera da Segunda Guerra Mundial e fora aprimorado posteriormente no contexto da Guerra Fria. Junto a isso havia o fato de que, embora a América não tivesse

---

233 A Divided Decade: The "60s". *Life*, v. 26, p. 8-9, 26 Dec. 1969.

passado pela devastação física sofrida pelas nações europeias na Segunda Guerra Mundial, a tecnologia bélica em geral e a ameaça nuclear em particular tornavam-na vulnerável a uma futura ameaça de destruição. A reação da América foi reforçar o estado de segurança nacional – e por tabela seu próprio complexo militar-industrial – na forma da burocracia que o controlava e dirigia – o Departamento de Defesa, a CIA e o Conselho Nacional de Segurança (NSC) – e incrementar as áreas de defesa civil, inteligência, contrainteligência e pesquisa e desenvolvimento militar.

Sob ponto de vista da defesa, a América pós-Segunda Guerra Mundial encontrava-se em um beco sem saída. Por um lado, ela acreditava ter no comunismo um inimigo que, nas palavras de Eisenhower, era "de escopo global, de caráter ateu, de finalidade impiedosa e de método insidioso". Ademais, a ameaça oferecida por ele prometia "ser de duração indefinida". Por outro lado, o perigo de tornar-se semelhante demais ao que ela mais temia também era um risco. Como notou Eisenhower em seu discurso de despedida à nação em 1961, a "conjunção de um imenso aparato militar e de uma indústria bélica é nova na experiência americana" e, embora necessária, tinha "graves implicações". O governo americano, advertiu ele, "precisa precaver-se contra a aquisição de influência injustificada, seja intencional ou não, do complexo militar-industrial [...]. Somente um corpo de cidadãos alerta e informado pode forçar a coordenação adequada do enorme maquinário de defesa industrial e militar com nossos métodos e objetivos pacíficos", preconizou, "de modo que a segurança e a liberdade possam prosperar juntas".[234]

Para um discurso de despedida, esse pode ser considerado um tanto paradoxal. Na prática, ele aconselhou os americanos a desenvolver a capacidade de defesa da nação e, ao mesmo tempo, de se defender contra ela. Porém, ele estava plenamente de acordo com a tradição americana. Afinal, em 1796, George Washington havia avisado os americanos não somente sobre a ameaça de envolvimentos estrangeiros, mas também quanto aos perigos do dissenso interno. Na aurora dos anos 1960, a América já não podia evitar o envolvimento estrangeiro, mas a ameaça de a nação ser minada por dentro, seja por forças antitéticas ao credo americano, como o comunismo, seja por outras dedicadas com demasiado rigor à sua proteção e, através

---

[234] EISENHOWER, Dwight D. "Farewell Radio and Television Address to the American People", 17 de janeiro de 1961. Disponível em: http://www.presidency.ucsb.edu/ws/index.php?pid=12086&st=&st1=. Acesso em: 3 set. 2010.

dela, à sua própria expansão, continuava um risco. De fato, o complexo militar-industrial, após a Guerra do Vietnã, tornou-se um espectro sinistro. Mas esse era o problema da Guerra Fria: ela alimentava-se do medo, medo de uma ameaça insidiosa e "indefinida", localizada na União Soviética só até certo ponto, e o medo, por sua vez, alimentava a crença de que os Estados Unidos podiam – e deviam – vencer uma guerra travada, pelo menos em parte, não contra um adversário tangível, mas em defesa da identidade nacional baseada há muito tempo em e definida pelo conflito.

Obviamente, os Estados Unidos não travaram sozinhos a Guerra Fria, e pelo menos parte do perigo estava longe de ser imaginário. Não obstante, no caso do Vietnã, embora o comunismo fosse percebido como a ameaça, rapidamente a credibilidade militar da América tornou-se a questão principal. A decisão, tomada em 1950, de ajudar os franceses em sua batalha para manter o controle sobre a Indochina foi tomada sobretudo no contexto da contenção, ou do que ficou conhecido como a "Teoria do Dominó", o temor de que a "perda" de uma nação para o comunismo levaria rapidamente à queda de muitas outras em toda a Ásia e Oriente Médio. Mesmo assim, não foi uma decisão que a América tomou sem auxílio. De fato, os EUA inicialmente não tinham certeza de que o domínio colonial francês na Indochina fosse desejável após a Segunda Guerra Mundial, mas os interesses britânicos e franceses estavam voltados para a conservação da posição da França como ator global – algo que, sem o apoio americano, seria improvável. A cautela americana nesse assunto cedeu gradualmente. Porém, quando Eisenhower passou o cargo a Kennedy, a América estava financiando e "aconselhando" (o conselho era armado) o governo pró-americano chefiado por Ngo Dinh Diem no Vietnã do Sul contra a invasão do "Viet Cong" do Vietnã do Norte.

Para Kennedy, o sucesso da contrainsurgência americana no Vietnã estava parcialmente ligado ao seu desejo de evitar uma acusação semelhante àquela dirigida a Truman pelos seus adversários republicanos, de que ele havia, por assim dizer, "perdido" a China para o comunismo em 1949, e fortemente limitado pela sua própria relutância em envolver forças americanas em um conflito com origens duvidosas e sem um ponto final óbvio. O consultor de Kennedy, o general Maxwell Taylor, foi enviado para avaliar a situação no outono de 1961. A opinião de Taylor era a de que, sem forças terrestres americanas, o Vietnã do Sul não conseguiria resistir ao Vietnã do Norte, mas Kennedy não tinha certeza disso. "Os soldados vão chegar; a multidão vai comemorar; e em quatro dias todo mundo terá esquecido", comentou Kennedy com o historiador Arthur M. Schlesinger. "Então nos dirão que precisamos enviar mais tropas. É como tomar uma bebida, o efeito passa e você tem que tomar outra."[235] Não obstante, os soldados foram enviados, e logo foram seguidos, como Kennedy temia, por outros; de cerca de 900 no fim de 1961 para mais de 11 mil um ano depois, e para mais de meio milhão em 1968. Logo ficou óbvio que o custo do compromisso americano com a contenção do comunismo no Vietnã do Sul era e seria alto. "No fim de 1965", recordou a revista *Life*, "o Vietnã havia se tornado uma guerra de verdade – e um julgamento nacional" (IMAGEM 64).

Enquanto Johnson vinha fazendo campanha nos meses anteriores à eleição de 1964, a guerra já estava em processo de escalada. Em agosto, um incidente no Golfo de Tonkin, no qual navios do Vietnã do Norte possivelmente abriram fogo contra uma embarcação americana, permitiu a Johnson afirmar que havia ocorrido um ato de agressão contra os Estados Unidos. Em reação, o Congresso aprovou a Resolução do Golfo de Tonkin;

IMAGEM 64. O secretário da Defesa, Robert McNamara, aponta para um mapa do Vietnã em uma coletiva de imprensa em abril de 1965 (Foto de Marion S. Trikosko, 26 de abril de 1965). No mês anterior ocorreram ataques americanos no Vietnã do Norte, e sua defesa do Vietnã do Sul começou a ficar séria com três grandes operações militares: Rolling Thunder, Flaming Dart e Arc Light. *Cortesia da Library of Congress Prints and Photographs Division (LC-USZ62-134155).*

---

235 KENNEDY *apud* SCHLESINGER JR., Arthur M. *Robert Kennedy and His Times.* 1978. Rep. New York: Houghton Mifflin, 2002. p. 705.

não era uma declaração de guerra oficial, mas tinha tudo para ser, pois permitia que fossem tomadas "todas as medidas necessárias" contra o Vietnã do Norte. Em março do ano seguinte, bombardeiros americanos atacaram o Vietnã do Norte na operação Rolling Thunder e, dentro de dias, os marines chegaram ao Vietnã do Sul. Apenas uma semana depois, Johnson compareceu ao Congresso para lembrá-lo da "promessa americana". "Este é o país mais rico e mais poderoso que já existiu no globo. O poder dos impérios passados é pouco comparado ao nosso." E concluiu Johnson:

> Mas eu não pretendo ser o presidente que construiu impérios, ou buscou grandeza, ou estendeu o domínio... Quero ser o presidente que ajudou a pôr fim ao ódio entre seus semelhantes e que promoveu o amor entre pessoas de todas as raças, regiões e lugares. Quero ser o presidente que ajudou a pôr fim à guerra entre irmãos nesta terra.

A GERAÇÃO ASSOMBRADA

Foi dito que, caso você se lembre dos anos 1960, provavelmente não estava lá – um motejo que é mais correto do que parece. Não foi somente o poderio militar da América, mas seu imperativo moral que levou uma surra no Vietnã, e em parte a perspectiva popular persistente de um período dominado por manifestações antiguerra reflete isso. Quando a revista *Life* apresentou em 1969 sua retrospectiva da década, que ela decidiu chamar de "tumulto e mudança", ela o fez não só no contexto da Guerra do Vietnã ainda em curso, mas em um mais específico do assassinato, no ano anterior, de Martin Luther King Jr. e, apenas dois meses depois, de Robert Kennedy, irmão de John F. Kennedy e, na época da sua morte, o candidato democrata à presidência na eleição daquele ano. Essa combinação de fatos chocou a nação tanto quanto, e talvez até mais, do que o assassinato do presidente quase cinco anos antes. Porém, em comum com grande parte da reflexão da mídia sobre esse período da história da América, *Life* foi menos informativa sobre as efetivas "forças e mudanças tremendas" pelas quais passava a nação. Não surpreende, em retrospecto, que a década de 1960, enaltecida à exaustão na época, pareça não ter se mostrado à altura dos ideais identificados com ela.

Certamente, nem o idealismo dos anos 1960 nem a desilusão que se seguiu teriam sido tão potentes sem o desafio imposto pela Guerra do Vietnã. O que era visto como radical, na época e desde então, dependia em grande medida de forças contestatárias que não nasceram da guerra mas foram intensificadas por ela e do contexto cultural mais amplo do mundo ocidental como um todo nessa época. A trilha sonora da eleição de Johnson em 1964 e da escalada da guerra em 1965 foi fornecida por bandas que pareciam exemplificar a juventude rebelde (embora financeiramente astuta): os Beatles e os Rolling Stones fizeram turnês nos EUA pela primeira vez em 1964, e a histeria que sua aparência produzia parecia dar o tom para uma geração propensa a tais arroubos em questões musicais e morais. "*The Times They Are a-Changin*" [Os tempos estão mudando], disse Bob Dylan à América nesse mesmo ano, e suas letras propunham determinar um tom para uma geração que desde então passou a definir a década. Quando "mães e pais de todo o país" foram aconselhados a não criticar o que não conseguiam "entender", não devem ter sido poucos os que pensaram em jogar o disco e a vitrola pela janela.

A geração do Vietnã veio a ser chamada de "geração assombrada". Como essa ideia afetou a geração que presenciou em primeira mão os resultados da "Solução Final" ou lutou na Coreia não deve ser difícil de imaginar, especialmente dado que, nos primeiros anos do conflito do Vietnã, foi a juventude da América, e não seus pais, que suportou mais fortemente a guerra. Haja vista que apenas um décimo de 1% da população como um todo opunha-se manifestamente à guerra nos seus estágios iniciais, a hostilidade ao envolvimento militar no Vietnã era, inicialmente, uma posição minoritária. Nesse aspecto, o movimento antiguerra pode ser comparado ao abolicionista do século XIX. Ambos eram movimentos marginais movidos por um imperativo moral e os quais tornaram-se movimentos de massa à medida que o contexto político, cultural e militar mudava. Para a geração da Guerra Civil, a mudança havia sido em direção a uma guerra que iniciou "um novo nascimento da liberdade". Para a geração do Vietnã, a mudança havia-os levado para mais perto dessa liberdade prometida um século antes e para longe da guerra.

Em 1964, no entanto, poucos americanos questionavam o poderio militar ou a autoridade moral de sua nação. De fato, no outono do ano seguinte, cerca de 20 mil compareceram a uma marcha pró-guerra em Nova York, e eles não eram atípicos – exceto em termos da história americana como um todo. A intervenção no Vietnã, de início, obteve um maior grau de consenso do público americano do que quase qualquer conflito anterior, com exceção da Segunda Guerra Mundial e da Guerra Civil. Washington sempre batalhou para atrair e manter tropas para o Exército Continental; cerca de 64% dos americanos expressaram desaprovação diante do envolvimento americano na Primeira Guerra Mundial; cerca de 62% fizeram o mesmo com a Guerra da Coreia. Em contrapartida, cerca de 85% dos americanos apoiaram a intervenção da América no Vietnã em 1964, e cerca de 65% ainda a apoiavam em 1969.[236]

Parecia que nem a agitação urbana nem o *rock-and-roll* traduziram-se em um afastamento nítido da fé na América no começo dos anos 1960. Com o foco no plano ambicioso de Johnson de erradicar a pobreza, parecia que a promessa da América estava prestes a ser cumprida. Até os mais cínicos acerca de quanto restava a ser feito em termos de direitos civis não podiam contestar a avaliação de Johnson da América não só como a nação mais rica, mas também a "mais poderosa" da Terra. E grande parte desse poder derivava de suas Forças Armadas, do poder militar que eles podiam exercer na guerra e do poder econômico que a vitória deu à nação.

Em 1964, menos de duas décadas após o fim da Segunda Guerra Mundial e no contexto de seu impacto econômico, a guerra contra a pobreza parecia igualmente fácil de ser ganhada. Expresso na linguagem da liberdade derivada do *New Deal* – ausência de carência, de desigualdade –, o programa da "Grande Sociedade" abarcava uma combinação de iniciativas de emprego, educação, meio ambiente e saúde que pode ter tido raízes nas reformas do passado, mas dirigia-se muito mais às preocupações contemporâneas. Programas de experiência de trabalho foram oferecidos sob os auspícios da Lei de Oportunidade Econômica (1964), iniciativas de desenvolvimento – sobretudo o Head Start, um programa educacional pré-escolar para crianças – foram reforçadas pela Lei do Ensino Superior (1965), e o atendimento à saúde foi oferecido por meio dos programas Medicare e Medicaid, que procuravam garantir o fornecimento de seguro-saúde para os idosos e os pobres, respectivamente. Havia até uma variante doméstica do Corpo de Paz internacional de Kennedy, os Voluntários a Serviço da América (Vista), junto a uma gama de medidas destinadas a proteger e revitalizar o meio ambiente, como a remoção de favelas dos centros urbanos ou a legislação para garantir que rios e cursos de água rurais permanecessem sem poluição.

Ao mesmo tempo e no contexto dessas iniciativas, as velhas certezas também começaram a ceder. Talvez inevitavelmente, o impulso em direção à mudança social e econômica no nível federal incentivou, em vez de ate-

---

236 A reação à Guerra Revolucionária e à Primeira Guerra Mundial foram discutidas em capítulos anteriores. Os números para as atitudes americanas com relação ao Vietnã foram tirados de JEFFREYS-JONES, Rhodri. *Peace Now! American Society and the Ending of the Vietnam War*. New Ed. New Haven: Yale University Press, 2001. p. 14-5.

nuar, o impulso de reforma entre as bases populares. Individualmente, cada agenda de reforma, seja focada em gênero, raça, sexualidade, meio ambiente, política ou política externa, tinha um impacto potencial em sua própria esfera, mas os anos 1960 viram uma confluência do que, em outro contexto, poderia ter representado pautas conflitantes, ou pelo menos concorrentes, e que se conectaram vagamente no que ficou conhecido como "contracultura". A contracultura estava longe de ser um movimento coerente; na verdade, certos elementos dela estavam muito longe de serem coerentes em si mesmos, mas ela ofereceu um desafio sustentado e multifacetado não ao credo americano, mas às inadequações de sua implementação. A contracultura também visava à criação da "Grande Sociedade", mas não exatamente do modo que Johnson tinha em mente.

Nem todo mundo envolvido na contracultura encararia isso necessariamente dessa forma na época. Alguns sim. A ascensão da Nova Esquerda e de organizações como os Estudantes para a Sociedade Democrática (SDS) tinha uma mensagem política séria, firmemente ancorada na tradição americana, na questão perene do que significava ser um cidadão americano, do que a nação representava. Os membros do SDS eram inspirados a contestar o que eles percebiam como os "mitos dominantes" de sua época por meio da combinação de protestos pelos direitos civis e contra a Guerra Fria. Eles identificavam o "declínio da utopia e esperança" como um dos "traços definidores da vida social" nos anos 1960 e procuravam criar o que chamavam de "uma democracia de participação individual", na qual "o poder ancorado na posse, privilégio ou circunstância" seria substituído "pelo poder ancorado no amor, ponderação, razão e criatividade". Em suma, eles proclamavam sentimentos fortes o bastante para apelar aos moralistas e vagos o suficiente para valer para quase qualquer um. "Uma nova esquerda", declararam os integrantes do SDS (como era de se esperar de um órgão estudantil), "deve consistir em pessoas mais jovens".[237] Presumivelmente, sua força declinaria à medida que essas "pessoas mais jovens" envelhecessem; mas, para muitos americanos nos anos 1960, envelhecer não era uma opção.

Em 1965, quase 1,5 mil americanos morreram no Vietnã. Em 1966, esse número subiu para mais de 5 mil; em 1967, aumentou para 9 mil. Mas a enquete Harris de julho desse ano constatou que 72% dos americanos ainda apoiavam a guerra. Em outubro, tal proporção caiu para 58%, mas no

---

[237] HAYDEN, Tom *et al.* "The Port Huron Statement" (1962). Disponível em: http://www2.iath.virginia.edu/sixties/HTML_docs/Resources/Primary/Manifestos/SDS_Port_Huron.html. Acesso em: 4 set. 2010.

Natal subiu novamente, com cerca de 60% a favor da escalada. Claramente, qualquer relação causal que pudesse existir entre baixas e condenação pública da guerra era confusa. Quanto a isso, 1967 foi um bom exemplo.

Foi no ano de 1967 que a revista *Time* identificou – ou classificou – pela primeira vez os "*hippies*". Eles começaram com uma celebração de contracultura de massa, o "Human Be-In" no parque Golden Gate, em São Francisco, seguida pelo "Verão do Amor", que teve sede no distrito Haight-Ashbury. Em outras cidades, especialmente Boston, Detroit e Newark, o amor estava em falta, e revoltas raciais tiveram de ser aplacadas pela Guarda Nacional (IMAGEM 65), o que levou a *Newsweek* a renomear o "Verão do Amor" de "Verão do Descontentamento". Outubro teve a "Semana contra o Recrutamento", seguida pela Marcha para o Pentágono contra a guerra, inspiração para o escritor e jornalista Norman Mailer escrever sua meditação sobre literatura, história e ele próprio: *Os exércitos da noite* (1968). Porém, uma vez mais, o impacto da manifestação foi talvez desproporcional à sua imagem na mídia: no fim daquele ano, 70% dos americanos expressaram sua desaprovação das manifestações antiguerra, pelo menos segundo a enquete Harris.

Horrorizado pelas revoltas urbanas, Johnson criou uma comissão sob a direção do governador de Illinois, Otto Kerner, para explorar as causas da agitação nas cidades. O Relatório Kerner, publicado no ano seguinte, chegou a conclusões preocupantes, entre as quais a de que a América estava "avançando em direção a duas sociedades, uma negra, outra branca – separadas e desiguais". "A discriminação e a segregação permearam por muito tempo grande parte da vida americana", notou, e "agora ameaçam o futuro de cada americano [...]. Prosseguir no nosso curso atual envolverá uma polarização contínua da comunidade americana", afirmou, "e, por fim, a destruição de valores democráticos básicos". A causa imediata de muitas das revoltas, descobriu-se, era a violência afro-americana, não contra americanos brancos, mas "contra símbolos locais da sociedade branca americana", e os motivos compreendiam uma combinação de táticas policiais, desemprego e "inadequação" dos programas federais de emprego, educação e bem-estar. "O que os americanos brancos nunca entenderam plenamente mas os negros nunca poderão esquecer", concluiu, "é que a sociedade branca é profundamente responsável pelo gueto. As instituições brancas o criaram, as instituições brancas o mantêm e a sociedade branca o aprova".[238]

---

238 Relato da Comissão Consultiva Nacional sobre Distúrbios Civis (1968). Disponível em: http://www.eisenhowerfoundation.org/docs/kerner.pdf. Acesso em: 4 set. 2010.

IMAGEM 65. Após os protestos de Washington, D.C., em 1968. A Guarda Nacional de D.C. patrulhou as ruas do Capitólio nos cinco dias seguintes às revoltas raciais que se seguiram ao assassinato, em 4 de abril, de Martin Luther King Jr. Revoltas eclodiram em cidades por todo o país em uma reação direta ao assassinato de King, mas em 1968 muitas delas já haviam se acostumado com a presença de Forças Armadas nas ruas, especialmente após o "Verão do Descontentamento" no ano anterior, que motivou a criação, em 1967, da Comissão Consultiva Nacional sobre Distúrbios Civis (a Comissão Kerner). *Foto de Warren K. Leffler, 8 de abril de 1968. Cortesia da Library of Congress Prints and Photographs Division (LC-DIG-ppmsca-19734).*

Para Johnson, que era cada vez mais criticado, essa avaliação severa não repercutiu bem sobre o sucesso do seu programa da "Grande Sociedade", já comprometido pela situação militar no exterior. O ano em que o Relatório Kerner foi publicado – um ano eleitoral – começou mal para as forças americanas no Vietnã. A Ofensiva do Tet, lançada em janeiro, viu as forças do Vietnã do Norte (vietcongues) penetrarem no território da embaixada dos EUA em Saigon e ao mesmo tempo sitiar as tropas americanas na base aérea americana em Khe Sanh, perto de Laos – fatos que o público americano podia acompanhar por meio da extensa cobertura da televisão e da mídia. O número de baixas americanas era mais alto do que nunca, e as pesquisas de opinião sugeriam que Johnson estava perdendo o apoio do público americano. Ele tinha certamente perdido o apoio do seu partido. Pela primeira vez desde 1912, os democratas ofereceram um desafio interno – dois, na verdade – na forma do senador de Minnesota Eugene McCarthy e de Robert Kennedy. Johnson deixou-os disputar entre eles. No fim de março, ele anunciou: "Não solicitarei nem aceitarei a nomeação do meu partido para outro mandato de presidente". Dias depois, Martin Luther King Jr. foi assassinado em Memphis, Tennessee.

Mas nem o assassinato de King ou o de Robert Kennedy, nem a divisão democrata e o persistente abismo racial exacerbado pela guerra, na qual um número desproporcional (com relação à porcentagem da população) de tropas na linha de frente eram negras, causou fissuras suficientes para rachar a política externa americana, nem para encerrar o apoio americano à Guerra do Vietnã. Havia protestos, mas não sustentados e certamente nem sempre na escala da Marcha para o Pentágono de 1967. Quando a icônica cantora Eartha Kitt foi indiscreta – ou provocativa – o bastante para criticar a política externa do governo em um almoço na Casa Branca, suas ações valeram-lhe apoio e censura em igual medida (IMAGEM 66). Semelhante hostilidade atingiu a atriz Jane Fonda quando ela se opôs à guerra, antes mesmo de posar sobre uma bateria antiaérea norte-vietnamita em Hanói em 1972. Claramente, mesmo no frigir dos ovos, muitos americanos não queriam tolerar críticas às ações da nação no Vietnã. E no entanto, finda a guerra, parecia não haver outra coisa além de autocrítica.

Compreender a falta de oposição à Guerra do Vietnã nos anos 1960 é talvez mais fácil do que entender a reação de longo prazo a ela. No total, cerca de 2,3 milhões de soldados serviram no Vietnã entre 1963 e 1975; uns 58 mil morreram (2,5%). Porém, apesar da cobertura na mídia de es-

IMAGEM 66. Protesto antiguerra em frente à Casa Branca após a crítica da cantora Eartha Kitt à Guerra do Vietnã. Foto de Warren K. Leffler, 19 de janeiro de 1968. Cortesia da Library of Congress Prints and Photographs Division (LC-DIG-ppmsca-24360).

tudantes queimando seus cartões de recrutamento na frente do Pentágono, na verdade a Guerra do Vietnã não provocou uma mobilização na escala de conflitos anteriores, certamente não na da Segunda Guerra Mundial. Dos 27 milhões de homens que atingiram a idade de recrutamento entre 1964 e 1973, cerca de 2 milhões foram recrutados, outros 9 milhões alistados, e de todos eles pouco mais de 1,5 milhão participou de combates; em suma, cerca de 6% da geração do Vietnã lutou no Vietnã, por isso talvez não surpreenda que a oposição à guerra não fosse sustentada ou que o apoio a ela permanecesse relativamente constante.

Quando os americanos evocam esse período de sua história, 1968 parece ser o ano não da decisão, mas aquele em que a decisão deixou de ser tomada, e foi esse fracasso que assombrou a "geração do Vietnã" na época e, em certa medida, continua a assombrá-la ainda. O ano de 1968 pareceu – mas somente em retrospecto – ser o momento em que a América virou uma página, afastando-se do consenso liberal em direção à direita. Na época, porém, à medida que os anos 1960 – essa década de "tumulto e mudança" – chegavam ao fim, ainda havia um certo tipo de consenso, forjado no contexto de um nacionalismo americano baseado, pelo menos em parte, na força militar da nação e na ideia – cujas origens estavam na

Revolução e na Guerra Civil mas que fora mais amplamente disseminada durante a Segunda Guerra Mundial – de que os americanos sempre (e somente, insinuava-se) lutavam pela liberdade, seja nas suas próprias ruas, seja nas de outros. Foi quando essa liberdade deixou de se materializar que o desencantamento e a autodúvida se instalaram. No que dizia respeito aos anos 1960, a mudança, em termos de reforma e da reação contra a guerra, só aconteceu depois que o tumulto passou.

À medida que a era Johnson chegava ao fim e Richard Nixon, o novo presidente republicano, preparava-se para assumir o poder, os olhos do mundo não estavam mais no Sudeste Asiático, mas no espaço. Em dezembro de 1968, a missão Apolo 8 realizou o primeiro voo orbital lunar tripulado e projetou uma mensagem bíblica na escuridão do espaço na véspera de Natal: os versículos iniciais do Gênesis – bastante adequado, talvez, para uma nação às vésperas de uma nova década e de uma nova direção política. No verão do ano seguinte, em 20 de julho de 1969, Neil Armstrong tornou-se o primeiro homem a pisar na Lua. Porém, ironicamente, a essa altura, já estavam dispostas as peças que resultariam no enxugamento do programa espacial americano – e o da própria Guerra Fria.

Havia poucas indicações da primeira, mas esperança para a segunda, no discurso inaugural do presidente. "Ao descortinar os horizontes do espaço", afirmou ele, "descobrimos novo horizontes na Terra". Mas ele reconheceu que a América era "rica em bens, mas alquebrada em espírito; chega com esplêndida precisão até a Lua, mas cai em estrepitosa discórdia na Terra".[239] A discórdia não se dissipou após 1969. Na verdade, em alguns aspectos ela piorou; porém, como todos os presidentes antes dele, Nixon tinha um programa para os males da nação. Mas este era bem diferente do que havia ocorrido antes. Chamava-se Novo Federalismo.

Porém, para infelicidade de alguns conservadores no Congresso, o Novo Federalismo de Nixon não se traduziu em um desmantelamento integral do Estado liberal do *New Deal*. De fato, de modo apropriado para uma presidência que se iniciou no ano que viu o ápice da contracultura, Woodstock (a "exposição aquariana", como seus organizadores a intitularam), sob Nixon, muitas das iniciativas lançadas nos anos 1960 ganharam forma mais concreta. Uma série de órgãos federais foi criada para tratar de questões como ambientalismo (a Agência de Proteção Ambiental [EPA]) e saúde e segu-

---

239 NIXON, Richard M. "Inaugural Address", 20 de janeiro de 1969. Disponível em: http://www.presidency.ucsb.edu/ws/index.php?pid=1941. Acesso em: 4 set. 2010.

rança do trabalho (a Agência de Segurança e Saúde Ocupacional [Osha]), e eles tinham embasamento legal, como a Lei do Ar Limpo e a Lei das Espécies Ameaçadas. Nixon não podia resolver todos os problemas da nação, mas ele decerto avançou um pouco para garantir que os novos horizontes da terra que ele havia identificado fossem mais limpos e verdes.

Contudo, em termos fiscais, Nixon era limitado pela combinação de inflação e desemprego em alta com sua própria incapacidade de controlar a enorme pressão inflacionária provocada pelos gastos da nação com espaço, defesa e a Guerra do Vietnã, ainda em curso. Sua proposta de solução para o desemprego e a crise financeira que ele causava, o Plano de Assistência Familiar – essencialmente um programa assistencial que garantiria um nível mínimo de renda para todos –, não foi aprovada pelo Congresso. Sua proposta de solução para o Vietnã, um programa denominado "vietnamização" – a transferência gradual de responsabilidade para o Exército da República do Vietnã (ARVN), concebido como um meio para a América poder realizar uma retirada gradual da guerra – mostrou-se igualmente problemática. O cronograma proposto era curto demais para tornar o ARVN operacional e longo o bastante para satisfazer um público americano cada vez mais impaciente. Ele também foi minado pela abordagem contraditória de Nixon de uma guerra que, ao que tudo indicava, nunca acabaria.

O homem que havia afirmado que seria capaz de "rastejar até Hanói" para assegurar um acordo lançou, assim que assumiu o governo, extensos ataques aéreos sobre o Vietnã do Norte e a invasão, em 1970, de uma nação neutra, o Camboja. Nenhuma das duas coisas contribuiu muito para o processo de paz, mas ambas certamente estimularam a oposição doméstica à guerra, com consequências terríveis. A morte de quatro estudantes na Universidade Kent State por membros da Guarda Nacional de Ohio durante um protesto antiguerra no campus horrorizou uma nação já chocada não somente pela invasão do Camboja, mas pelos relatos que começavam a vazar para a mídia de atrocidades americanas no Vietnã, especificamente um fato que ficou conhecido como o Massacre de My Lai, ocorrido em 16 de março de 1968.

O aleijamento e assassinato brutal de mais de quatrocentos civis desarmados – mulheres, crianças e homens idosos – na aldeia de Son My pela companhia Charlie, 11ª Infantaria Leve, sob o segundo-tenente William Calley, parecia confirmar para o mundo e para a América que a nação perdera sua orientação moral. Porém, se a mídia, na época e desde então, apresentou My Lai como o nadir do envolvimento americano no Vietnã, ela o fez do ponto de vista dos perpetradores. Depois que a história vazou e suas sequelas continuaram a contaminar a cultura americana, muitos americanos lembrariam o nome do tenente Calley, mas esqueceriam – se é que o sabiam – o do piloto de helicóptero Hugh Thompson, que presenciou o fato e interviu para resgatar sobreviventes, ordenando a seus homens que atirassem em qualquer soldado americano que tentasse impedir o resgate. Sintetizada nessa confrontação potencial entre americanos em My Lai estava a reiteração do fato de que uma nação tão poderosa quanto os Estados Unidos tinha um enorme poder para o bem, mas uma capacidade igualmente imensa de destruição.

Porém, até os acontecimentos em My Lai foram ofuscados pela política doméstica, devido ao vazamento para a mídia, em 1971, dos Papéis do Pentágono e do escândalo Watergate, que resultou na primeira renúncia de um presidente na história. Os Papéis do Pentágono – documentos do Departamento de Defesa sobre o período inicial do envolvimento americano no Vietnã – foram entregues ao *The New York Times* por Daniel Ellsberg. Irritado com o vazamento e já hostil a uma mídia que ele julgava comprometer as negociações americanas no Vietnã, Nixon formou um Grupo Especial de Investigação na Casa Branca – os "encanadores" (pois sua tarefa era prevenir vazamentos) –, que se concentrou em tentar solapar a credibilidade de Ellsberg arrombando o escritório de seu psiquiatra na esperança de achar provas (nunca ficou inteiramente claro de que tipo). O ano seguinte viu a criação do Comitê para ReEleger o Presidente (com a infeliz sigla Creep)* com fundos empresariais, cuja atribuição mais ambiciosa era a de descobrir sujeira sobre os democratas. Um arrombamento malsucedido na sede do Partido Democrata no edifício Watergate em Washington, D.C., em junho revelou que um dos ladrões era o chefe de segurança do Creep.

O Caso Watergate parecia vagamente ridículo de início, mas investigações subsequentes de dois jornalistas do *The Washington Post* começaram a desfolhar as camadas do que se tornou uma história complexa de abuso de poder político. Sob pressão da Suprema Corte, o presidente foi forçado a divulgar gravações eletromagnéticas secretas que ele fizera de conversas no Salão Oval; a revelação de que ele fizera gravações secretas já era ruim o bastante, mas o que estava nas fitas destruiu sua reputação para sempre. E muito mais estava em jogo do que a reputação de um homem. À medida

---

* Que em inglês significa "estranho". (N.E.)

que o Caso Watergate se desdobrava, toda uma sucessão de escutas ilegais, subornos e propinas veio à tona; não foi o crime, se é que tinha havido crime, mas o acobertamento que fez mais estragos, a descoberta de que o presidente estava preparado para subverter o processo democrático, para mentir sobre tê-lo feito e para tentar barrar a investigação judicial que se seguiu. Pedidos de *impeachment* de Nixon, bem como sua renúncia em 1974, marcaram o fim de uma era que começara com Franklin D. Roosevelt, o qual promovera o governo federal, o Estado intervencionista, como o meio de definir e defender a promessa da América. Depois de Watergate e da derrocada final que fora a retirada americana de Saigon em 1975, muitos americanos perderam a fé no governo, na supremacia militar americana e quase na própria América.

Não obstante, é importante não exagerar a extensão com que o humor nacional passou de receptivo à direita à exclusão do que restava de sua ideologia liberal, nem menosprezar a perene importância internacional da América. Os Papéis do Pentágono e o arrombamento no Watergate dividiam as manchetes com lembretes de que a América daquela época ainda estava mirando as estrelas e um acordo com os soviéticos. A Apolo 12 levou homens à Lua mais uma vez em novembro de 1969 e, em 1971, os americanos dirigiram sobre sua superfície pela primeira vez. Porém, no ano seguinte, foi a última vez que os americanos pisaram na Lua no século XX. Foi também o ano que viu o acordo de cúpula Nixon-Kosygin sobre a cooperação no espaço, o qual resultaria, apenas três anos depois, no Projeto Apolo-Soyuz, o primeiro empreendimento espacial conjunto EUA/URSS.

Em 1975, de fato, a roda parecia ter dado a volta completa com relação a 1957, ano do lançamento do Sputnik, o sinal de alerta para os americanos que os forçou a reconsiderar sua influência no mundo, bem como sua realidade em casa. A Guerra Fria, da qual o Sputnik foi símbolo, introduzira uma nova maneira de pensar o governo, a sociedade, a raça, a economia, o Exército e a tecnologia. Como dissera Lyndon Johnson, o programa espacial americano era "o começo da revolução dos anos 1960".

E nos anos 1960 a América teve planos ambiciosos. Kennedy imaginara uma "Nova Fronteira", Johnson uma "Grande Sociedade". Ambos almejavam resolver os problemas de política doméstica e externa americana e ao mesmo tempo afirmar a superioridade americana no espaço, o novo campo de batalha da Guerra Fria. Todas essas iniciativas, de fato, revelaram ter um alto custo econômico e ideológico. Até 1975, a história americana podia ser vista como um sucesso. Ali estava uma nação, a primeira a libertar-se do domínio colonial e estabelecer um governo republicano; uma nação que conquistara sua fronteira ocidental interna e mantivera-se unida após uma brutal guerra civil; uma nação à qual a Europa fora forçada a recorrer não uma vez, mas duas, quando a guerra ameaçou as instituições livres do mundo ocidental; uma nação à qual outras recorriam para apoio prático e orientação intelectual e ideológica.

No fim de abril de 1975, essa nação foi forçada a fugir, com certa confusão, de Saigon, enquanto as forças norte-vietnamitas cercavam a embaixada americana. Apesar das tentativas desesperadas de embarcar o maior número possível de seus aliados sul-vietnamitas a bordo dos helicópteros de evacuação, até mesmo jogar os helicópteros para fora do convés dos navios de evacuação que aguardavam na costa para dar espaço para mais pessoas não foi suficiente; de fato, os que eles deixaram para trás – em todos os sentidos, mortos e vivos – foi o que realmente assombrou a geração do Vietnã.

Terceiro século

Quando Saigon caiu nas mãos das forças comunistas em abril de 1975, as celebrações do bicentenário da América, anunciando o terceiro século de existência da nação, já haviam começado. No início do mês, o segundo "Trem da Liberdade" da América saiu de Wilmington, Delaware, para o que seria uma viagem de quase dois anos pelos estados. Ele fora precedido pelo que ficou conhecido como o "Expresso Preâmbulo", que percorrera a rota no ano anterior a fim de preparar a visita oficial do Trem da Liberdade. Única comemoração nacional – fora as celebrações televisivas, é claro – do bicentenário, o Trem da Liberdade transportou uma seleção de americana semelhante à da versão da década de 1940, mas com acréscimos, incluindo o púlpito de Martin Luther King Jr. e uma rocha lunar.

Mas havia outra diferença entre o trem dos anos 1940 e o dos anos 1970. Enquanto o primeiro havia sido invenção de um funcionário federal, tivera o apoio e a assistência do Arquivo Nacional e o endosso do presidente Truman, o último foi uma iniciativa privada do empresário e aficionado de trens Ross Rowland Jr. e foi apoiado, entre outros, pelo cantor Johnny Cash, que concedeu-lhe um concerto beneficente. É duvidoso o fato de que Rowland quisesse demonstrar que a liberdade, nos anos 1970, estava em processo de transição, não só simbolicamente mas em um sentido muito real, da esfera pública para a privada; mas estava. No fim de 1975, a *Harper's*

Magazine identificou "o novo narcisismo" como a fonte do desconforto individual e isolamento em uma nação que parecia ter perdido seu norte moral e material, ainda abalada pela renúncia do presidente, cambaleando sob a estagflação produzida pela crise energética dos anos 1970 e chocada com a queda de Saigon. Por todas essas razões, o bicentenário foi um assunto abafado, e sua versão do Trem da Liberdade atravessou o que era, para a nação, uma paisagem muito diferente da dos anos 1940; ele seguiu uma linha orientada para o que às vezes é chamado de contrarrevolução conservadora, a rejeição final do liberalismo que viria a culminar com a eleição, em 1980, de Ronald Reagan.

Já foi dito que Reagan personificava, em muitos aspectos, a mudança de direção da política e sociedade americanas que ocorreu durante a sua vida. Ele formou-se na faculdade no ano em que Franklin D. Roosevelt foi eleito presidente pela primeira vez (1932), e a trajetória de sua carreira acompanhou a da nação, do liberalismo do *New Deal* ao novo conservadorismo que ele viria a exemplificar, afastando-se do "Governo Grande" e retornando ao individualismo. Mas essa mudança aparentemente drástica de direção filosófica continuou a operar no contexto do que ainda era tido como o credo americano; na verdade, foi em grande medida o medo de sua dissolução que impulsionou a cultura conservadora. Por um lado, ela podia celebrar a composição multiétnica da nação e ressaltar a expressão expansiva da liberdade e do nacionalismo cívico que isso implicava. Por outro lado, ela temia que uma ênfase demasiada na diferença étnica gerasse um tribalismo do século XX, em torno do qual o centro nacional americano não poderia se manter. Ela remontava, em muitos aspectos, ao entendimento setecentista e oitocentista das limitações da liberdade, os direitos e as responsabilidades dessa condição, ainda que não mais situados no contexto anglo-saxão.

Ficou famosa a declaração de Ronald Reagan ao ser eleito: "O governo não é a solução para o nosso problema. O governo *é* o problema". Havia nisso mais do que um laivo de Thomas Paine, que o restante de seu discurso inaugural desenvolveu com a invocação do "grupo de interesse especial" que era "'Nós o povo'" – seu lembrete de que os Estados Unidos eram "uma nação que tem um governo – e não o contrário" – e que esse fato a tornava "especial entre as nações da terra. Nosso governo não tem poder, exceto o que é conferido pelo povo", afirmou Reagan. "É hora de conter e reverter o crescimento do governo, que está dando sinais de ter crescido além do consentimento dos governados".²⁴⁰ Ele não disse com todas as letras que o governo no seu melhor estado é somente um mal necessário, e no seu pior um mal intolerável; mas suspeita-se que tenha sido isso que muitos de seus ouvintes escutaram.

Mas o ano era o de 1981 e não o de 1776. No fim do século XX, um número muito maior de direitos associados ao indivíduo havia sido invocado e implementado, e isso impunha, por conseguinte, uma gama muito maior de responsabilidades ao governo federal – as quais, na prática, ele não podia anular nem evitar. A reação à contracultura, que havia sido, na melhor das hipóteses, uma coleção frouxa de ideias e grupos de interesse, produziu uma Nova Direita que também cobria um amplo espectro de opiniões, sociais, políticas, religiosas e morais. Ela tirou grande parte de sua força do avivamento religioso, e a ligação cada vez mais estreita entre política e religião desafiava o que havia sido, até o final do século XX, uma cultura política inteiramente secular. Aspectos da contracultura conservadora procuravam reconstruir a aldeia puritana em uma escala grandiosa e batalharam contra o afastamento desse ideal com um fervor evangélico. Mas o movimento como um todo nunca teve êxito em desconstruir completamente a revolução dos direitos, que era realmente direito de nascença da nação. O que Nixon começara com suas políticas ambientais em termos de garantir o legado dos anos 1960 nos anos 1970 continuou valendo em muitas outras áreas da política americana e da vida jurídica nos anos que se seguiram. A era do Vietnã introduziu novas vozes no diálogo nacional sobre liberdade, sobretudo a voz dos estudantes, e amplificou a dos participantes mais tradicionais, especialmente ativistas da Lei dos Direitos Civis e mulheres. À medida que a efervescência dos anos 1960 amainou-se ou se dissipou diante do pano de fundo do Vietnã, do declínio da contracultura e das revelações de Watergate, algumas forças que haviam impulsionado a década mas haviam sido abafadas pelo clamor de vozes finalmente fizeram-se ouvir.

O movimento das mulheres era um bom exemplo. Embora o direito de voto tivesse sido assegurado pela Décima Nona Emenda em 1920, e a participação das mulheres na força de trabalho, aumentado durante e após a Segunda Guerra Mundial, nos anos 1960 poucas mulheres ocupavam cargos executivos ou políticos elevados nos Estados Unidos. E havia sinais

---

240 REAGAN, Ronald. "Inaugural Address", 20 de janeiro de 1981. Disponível em: http://www.presidency.ucsb.edu/ws/index.php?pid=43130. Acesso em: 5 set. 2010.

de que as coisas não estavam indo para a frente. Em 1961 havia vinte mulheres no Congresso, e em 1969 havia onze. Para mais mulheres, o lar continuava o foco de suas vidas. Poucas mulheres no início dos anos 1960 teriam descrito a si mesmas como feministas. E quando se tratava do movimento antiguerra, a abordagem que as mulheres frequentemente tomavam – quando agiam conscientemente como mulheres, e não, por exemplo, como afro-americanas – ecoava a da geração muito anterior de ativistas femininas, cuja oposição à escravidão ou à divisão racial, no fim do século XIX, baseava-se na plataforma da mulher como o coração moral do lar e, por extrapolação, da nação.

A publicação, em 1963, de *The Feminine Mystique* [A mística feminina] de Betty Friedan levou o debate sobre o lugar das mulheres na sociedade a um nível inteiramente novo. Junto à Lei de Salários Iguais desse ano e a criação da Comissão de Oportunidades Iguais de Emprego, ela lançou uma mudança capital no modo como as mulheres abordavam o emprego e como os empregadores tratavam as mulheres. A criação em 1966 da Organização Nacional para Mulheres (NOW), liderada por Friedan, copiou a abordagem e a retórica dos ativistas da Lei dos Direitos Civis para exigir igualdade plena para as mulheres em todas as áreas da vida americana. Nesse sentido, gênero e raça frequentemente reforçavam-se no que dizia respeito à igualdade, mas eles também podiam ser divisórios.

Em meados dos anos 1960 e no intuito de tentar lidar com o problema das taxas de pobreza dos afro-americanos nos centros urbanos, o sociólogo Daniel Patrick Moynihan produziu *The Negro Family: The Case for National Action* [A família negra: a necessidade de uma ação nacional] (o Relatório Moynihan, 1965). Esse relatório atraiu uma boa dose de crítica ao longo dos anos desde a sua publicação por parte daqueles que estimavam que ele procurava impor normas da classe média branca a famílias negras, e especialmente mães solteiras negras. O debate continua potente na América de hoje, com muitas vozes conservadoras defendendo uma nova ênfase na família nuclear que poderia – ou não – resolver todos os males societais, mas que certamente tem implicações para as mulheres nessas famílias. Naquela época, como hoje, trata-se de um debate que às vezes cruza as linhas de cor e de gênero, mas em outras simplesmente se perde na terra de ninguém entre elas. De fato, quando se trata dos direitos das mulheres, a controvérsia continua a ser a norma, em parte porque a igualdade plena nunca foi inscrita em uma emenda constitucional e em parte porque os direitos que foram inscritos estão sendo retirados.

Em 1967, a NOW fez campanha por dois grandes avanços na área dos direitos das mulheres: a Emenda dos Direitos Iguais (ERA), que fora proposta pela primeira vez nos anos 1920, e o direito ao aborto. Ambos pareciam marcados para ser um sucesso. O Congresso enviou a ERA aos estados, antecipando uma ratificação rápida por três quartos dos estados exigidos para aprová-la; em 1973, 36 estados o haviam feito. Presumiu-se sem sombra de dúvida que a ERA seria aprovada, mas não foi. E isso porque mulheres se opuseram a ela. Uma campanha de bases populares liderada por Phyllis Schlafly, o Comitê Nacional para Parar a ERA, argumentou que os defensores da ERA eram antifamília, posição que lhe valeu o apoio de outros grupos com nomes mais intimidantes como "Mães em Marcha". O Congresso, em contrapartida, continuou muito interessado no sucesso da ERA, a ponto de estender o prazo para sua ratificação até 1982; mas após 1977 nenhum estado quis saber dela, muito menos para ratificá-la.

O direito ao aborto, ao contrário, havia sido reconhecido na decisão histórica da Suprema Corte *Roe vs. Wade* (1973). Mas esse também havia sido (e continua a ser) sujeito à contestação imediata (IMAGEM 67). No mesmo ano em que foi aprovado, foi formado o Comitê Nacional de Direito à Vida. Mais tarde, em 1989, em *Webster vs. Reproductive Health Services*, a Suprema Corte sustentou uma lei do Missouri que impedia qualquer instituição médica que recebesse financiamento estatal de oferecer aborto. A questão era, e ainda é, polêmica; a batalha entre ativistas pró e antiaborto prossegue em muitos países, claro, mas na América membros da profissão médica dispostos a realizar abortos foram assassinados, clínicas de aborto, depredadas e os funcionários e pacientes, hostilizados. Nessa questão, muitos americanos continuam prontos a invocar a Primeira Emenda em causa própria e negá-la a outros.

Há mais do que direitos das mulheres contra os do nascituro envolvidos no debate sobre o aborto; é por isso, evidentemente, que se trata de uma questão tão controvertida, tanto nos Estados Unidos como em outros países. Quando a Casa Branca, em 1989, apresentou um pedido de *amicus curiae* para um caso que procurava derrubar *Roe vs. Wade*, a Suprema Corte decidiu contra, mas estipulou que os estados podem restringir a disponibilidade de aborto em clínicas com financiamento público – uma solução intermediária que corria o risco de não satisfazer ninguém, mas certamente deixou claro que a direita religiosa não podia fixar inteiramente a agenda do aborto. De fato, tanto a ERA quanto o debate sobre o aborto ressaltaram

IMAGEM 67. Manifestação na Convenção Nacional Democrata em Nova York em 1976 em apoio ao *lobby* "pró-escolha" e contra a candidata antiaborto à presidência Ellen McCormack, cuja plataforma era firmemente pró-vida. *Foto de Warren K. Leffler, 14 de julho de 1976. Cortesia da Library of Congress Prints and Photographs Division (LC-DIG-ppmsca-09733).*

CAPÍTULO 11 – EXÉRCITOS DA NOITE: CONTRACULTURA E CONTRARREVOLUÇÃO | 435

não apenas a influência da contrarrevolução conservadora, mas a persistência da oposição a ela.

Desde a ERA e *Roe vs. Wade*, houve uma expansão dos termos do debate sobre os direitos para incluir outros grupos ditos minoritários e outras formas de discriminação, seja através da Lei dos Americanos com Deficiência (1990), seja por meio de uma legislação estadual destinada a garantir direitos iguais para lésbicas, gays, bissexuais e transgêneros (LGBT) americanos. Uma vez mais, esses direitos permanecem sujeitos a contestações jurídicas e culturais recorrentes, mas o movimento, lançado nos anos 1970, para encerrar a discriminação por orientação sexual não deve se dissipar nem diminuir (IMAGEM 68). Enquanto elementos da direita religiosa continuam a hostilizar as relações homossexuais, a perspectiva pública mais ampla, especialmente após a epidemia de Aids dos anos 1980, é mais inclusiva do que exclusiva no que tange aos direitos iguais de cidadania.

No entanto, se a inclusão jurídica e cultural foi estendida a grupos até então marginalizados nos Estados Unidos no fim do século XX, o debate – ou mesmo a briga – acerca do conteúdo dessa cultura ganhou força própria no contexto do novo crescimento, após 1970, da imigração, depois

IMAGEM 68. Manifestação pelos direitos dos gays na Convenção Nacional Democrata em Nova York em 1976. A Suprema Corte decidiu em 2003 que criminalizar atos homossexuais é inconstitucional. *Foto de Warren K. Leffler, 11 de julho de 1976. Cortesia da Library of Congress Prints and Photographs Division (LCDIG-ppmsca-09729).*

da aprovação da Lei de Imigração e Nacionalidade (1965), que aboliu o Sistema de Quotas de Origem Nacional que operara desde 1924. O número de imigrantes aumentou de pouco menos de 9 milhões nos anos 1980 para cerca de 13,5 milhões nos anos 1990, e uma proporção significativa desses imigrantes eram hispânicos (principalmente do México) ou asiáticos (principalmente da China, Coreia e Vietnã). Isso exacerbou os temores conservadores de desintegração da cultura americana e, ao mesmo tempo, de discórdia intercultural entre diferentes grupos étnicos e raciais. Quando Bill Clinton assumiu a presidência, abordou essa questão em um discurso inaugural que salientou a diversidade e a unidade derivadas da "ideia de América", a de que a "nação pode retirar da sua infinita diversidade a mais profunda medida de unidade".

O discurso de Clinton tinha realmente um viés claramente espiritual na sua invocação do "mistério da renovação americana", que ele descreveu quase como um ritual de primavera para a nação que entrava no mundo pós-Guerra Fria e em direção a um novo século, uma nação que não estava mais separada desse mundo mas, por meio do desenvolvimento tecnológico das décadas anteriores, novamente no seu coração. Era "um mundo aquecido pelo sol da liberdade, mas ainda ameaçado por antigos ódios e novas pragas. Criados em prosperidade inigualada", observou Clinton, "herdamos uma economia que ainda é a mais forte do mundo, mas é enfraquecida por fracassos empresariais, salários estagnados, desigualdade crescente e divisões profundas entre nosso próprio povo".[241]

Algumas dessas divisões foram aprofundadas durante o governo Clinton. Enquadrado entre dois governos Bush, a era Clinton pode parecer um oásis liberal em meio à contrarrevolução conservadora. Vê-la dessa forma pode ser um erro. A direita não conseguiu tudo o que queria, tampouco a esquerda levou tudo o que temia, dos governos Reagan e George H. W. Bush. Porém, nos anos 1990, veio à tona um aspecto dos Estados Unidos que não tinha nada a ver com a liberdade individual, muito pelo contrário: a criminalidade.

A América tem a taxa de encarceramento mais alta do mundo, e isso continuou assim nos dois governos republicano e democrata anteriores. No fim da presidência de Clinton, mais de 5,6 milhões de americanos estavam ou haviam estado na prisão; em suma, 1 em cada 37 adultos na Amé-

---

[241] CLINTON, William J. "Inaugural Address", 20 de janeiro de 1993. Disponível em: http://www.presidency.ucsb.edu/ws/index.php?pid=46366. Acesso em: 5 set. 2010.

rica tivera alguma experiência de encarceramento, mas a chance de ser 1 dos 37 variava conforme a raça. Se cerca de 16,6% dos homens afro-americanos estavam ou haviam estado na prisão no fim de 2001, tal proporção era menor para homens hispânicos (7,7%) e ainda mais baixa para brancos (2,6%). "Se as taxas de encarceramento de 2001 continuassem indefinidamente", concluiu um relatório do Ministério da Justiça, "um homem negro nos Estados Unidos teria aproximadamente uma chance em três de ir para a prisão durante sua vida, ao passo que um homem hispânico teria uma chance em seis e um homem branco, uma chance em dezessete de ir para a prisão". Em meados de 2009, havia mais de 1,6 milhão de americanos na prisão.[242]

Se essas estatísticas certamente ajudam a explicar a fascinação moderna por histórias policiais, elas salientam uma tendência preocupante não só de criminalização generalizada da população americana, mas da ascendência crescente que a criminalidade e o medo desta têm e podem continuar a ter nos Estados Unidos. Em grande medida, essa tendência decorre da relação entre conflito e identidade nos Estados Unidos e comporta elementos presentes na origem da nação, a saber, o medo persistente de que o primeiro experimento republicano do mundo seja especialmente suscetível a ataque de forças externas e internas com potencial para miná-lo. Até o fim da Guerra Fria, a soma dos temores americanos podia ser resumida e categorizada, ainda que não integralmente, como desafios coerentes ao "credo americano". Esses temores derivavam principalmente da ameaça de grupos vistos como coerentes, ainda que não inteiramente coordenados: a Grã-Bretanha, o "Sul", o comunismo ou até o "Governo Grande". A própria Guerra Fria, obviamente, forneceu o metaquadro dentro do qual esses temores podiam ser articulados e no qual uma identidade americana nítida podia ser construída em reação a eles. Dentro dele, a complexidade era simplificada, e a principal ameaça para a América vinha do que Reagan chamou do "império do mal": a União Soviética. A desintegração da União Soviética em 1991 destruiu esse quadro e abriu caminho para o que George H. W. Bush chamou com otimismo de "nova ordem mundial" – que, talvez inevitavelmente, revelou-se ser uma desordem.

A extensão total da desordem global atingiu os Estados Unidos no primeiro ano do governo George W. Bush com os ataques ao World Trade

---

242 BONCZAR, Thomas P. "Prevalence of Imprisonment in the U.S. Populations, 1974-2001" (NCJ-197976); Bureau of Justice. Disponível em: http://bjs.ojp.usdoj.gov/index.cfm?ty=pbdetail&iid=2200. Acesso em: 5 set. 2010.

Center em Nova York e ao Pentágono em Washington, D.C., em 11 de setembro de 2001 (IMAGEM 69). O terrorismo, obviamente, pela sua própria natureza é destinado a espalhar o medo. A destruição das torres gêmeas do World Trade Center, entretanto, atenuou o medo em uma nação já propensa a ser temerosa. O choque e o horror do fato foram exacerbados pela capacidade da mídia de transmitir os acontecimentos em tempo real a um mundo estarrecido que só podia assistir, impotente, às desesperadas tentativas iniciais de resgate e ao súbito desaparecimento das torres e de milhares de vidas, sob uma nuvem de fumaça e cinzas.

A sensação de medo após os ataques do Onze de Setembro era palpável. É certo que os americanos haviam conhecido o terrorismo doméstico anteriormente, e os terroristas associados à Al Qaeda haviam atacado o World Trade Center em 1993; mas nada na mesma escala do Onze de Setembro já tinha sido vivenciado pelos Estados Unidos. A reação do governo Bush foi declarar uma "guerra ao terror", mas essa guerra, desde o início, corria o risco de perseguir sombras. O terror é um inimigo efêmero, e críticos do governo Bush salientaram com frequência os benefícios oriundos de se arvorar em "presidente em guerra", os problemas de liberdades civis que isso causa, as oportunidades que cria para que essas liberdades sejam comprometidas. E no caso de uma guerra sem nenhum inimigo óbvio além do terror – embora a Al Qaeda fosse identificada pelo governo como culpada –, a possibilidade de esse conflito voltar-se contra os próprios Estados Unidos parecia, para muitos, um risco muito real.

Embora derivada das circunstâncias específicas do Onze de Setembro, a criação do Departamento de Segurança Interna, seguida pela aprovação da Lei USA PATRIOT, pareceu para alguns, tanto na América como fora dela, a consolidação da contrarrevolução conservadora, a vitória de uma cabala "neoconservadora" ainda mais perigosa que almejava nada menos do que um império americano; um império da liberdade, certamente, mas construído segundo um molde americano que nem toda nação aceitaria integralmente. A retórica de Bush às vezes preocupava o mundo quando ele delineava e punha em prática seus planos de atacar o "eixo do mal", derrubar o Talibã no Afeganistão (Operação Liberdade Duradoura), pôr fim à ditadura de Saddam Hussein no Iraque (Operação Liberdade para o Iraque) e efetuar ali uma "mudança de regime". Mas em ambos os casos, no Iraque e no Afeganistão, embora a América tivesse identificado inimigos que pelo menos tinham alguma substância, nem por isso eles foram mais fáceis de derrotar.

CAPÍTULO 11 – EXÉRCITOS DA NOITE: CONTRACULTURA E CONTRARREVOLUÇÃO | 439

IMAGEM 69. World Trade Center após ruir devido ao ataque terrorista de 11 de setembro. *Foto de Andrea Boohers/Rex Features*.

No fronte doméstico, as consequências do Onze de Setembro geraram um surto de patriotismo que Bush certamente explorou. Assim como aconteceu após a Segunda Guerra Mundial, a bandeira americana estava em toda parte. Ela foi fincada nas ruínas do Ground Zero, onde ficavam as torres gêmeas; foi exibida em todas as estruturas imagináveis, em carros e janelas; cães de resgate eram vestidos nela, assim como as crianças. Ela tornou-se um símbolo de resistência e um cobertor reconfortante. A guerra, é claro, tende a gerar tais reações patrióticas, assim como serve para unir as populações e reforçar um nacionalismo que, no caso da América antes de 2001, correra um certo perigo de se fragmentar. No entanto, para os Estados Unidos, o fato de esse novo surto nacionalista ser resultado de um conflito serviu, em um certo sentido, como uma forma de lenitivo para uma nação ainda assombrada pela sua derrota no Vietnã. Resta saber se o terror se mostrará um inimigo mais fácil de identificar e derrotar que o comunismo, e se o novo governo democrata de Obama poderá realmente conquistar uma paz com honra ou uma retirada sem constrangimento do Afeganistão.

Inevitavelmente, o Onze de Setembro não erradicou todas as questões divisivas contra as quais os Estados Unidos continuam a lutar. Quando a natureza, na forma do furacão Katrina, voltou-se contra a nação em 2005, ela revelou ao mundo a persistência das divisões de classe e raça na América, divisões que, desde 2001, estavam talvez menos visíveis, pelo menos para os forasteiros. A vitória de Barack Obama na eleição de 2008 deveu-se em parte a essas divisões, mas muito mais ao anseio americano de superá-las.

Quando Obama assumiu a liderança dos Estados Unidos, foi no contexto de um mundo que havia começado a se questionar, e até se preocupar, qual seria o papel da América no mundo, a forma como ela parecia oscilar entre um isolacionismo introvertido e o impulso messiânico às vezes agressivo de impor uma ordem global, a justaposição de sua retórica de liberdade com a realidade da Baía de Guantánamo. Obama prometeu um futuro diferente, em que os Estados Unidos não comprometeriam seus ideais para consolidar sua segurança, em que o ideal nacional cívico americano seria forjado a partir da "herança em retalhos" da história da nação. "Esse", asseverou ele, "é o preço e a promessa da cidadania. Essa é a fonte de nossa confiança – o conhecimento de que Deus nos convoca a moldar um destino incerto. Esse é o significado de nossa liberdade e nosso credo".[243] Alguns expressaram frustração com o discurso inaugural de Obama. Eles pareciam esperar mais, mas o quê?

Em parte, a eleição de Obama foi simbólica – ou melhor, muitos queriam que fosse simbólica – em muitos níveis. A eleição de Obama não foi somente a eleição de um democrata depois de dois mandatos de governo republicano, mas o fim aparente da predominância dos chamados *neocons*, os novos conservadores, termo que se tornou popular durante o governo George W. Bush e que se supunha descrever os antigos liberais dos anos 1960, convertidos à causa conservadora nos anos 1980 e 1990 e tão sérios e comprometidos com sua nova fé quanto qualquer tipo de convertido pode ser. Desencantados com o percebido antiamericanismo expresso por certos membros da nação nos anos 1960 e preocupados com os níveis de antiamericanismo expressos no exterior desde então, os novos conservadores possuem uma política doméstica e externa que supostamente procura retornar aos valores "tradicionais" e reafirmar a religião (por meio dos "*theocons*") como o fulcro da fé secular na nação.

Se tudo é novidade ou não, isso é discutível; já em 1920, o autor inglês G. K. Chesterton descrevera os Estados Unidos como "uma nação com

---

243 OBAMA, Barack. "Inaugural Address", 20 de janeiro de 2009. Disponível em: http://www.presidency.ucsb.edu/ws/index.php?pid=44. Acesso em: 5 set. 2010.

alma de igreja", mas a fusão de religião (ou fé religiosa) com patriotismo (ou fé nacional) esteve presente na criação, no sermão de John Winthrop em que ele assegurou aos ancestrais coloniais dos evangélicos do século XX que sua nação seria uma "cidade na colina". No que dizia respeito ao nacionalismo americano, a noção de que os americanos eram o povo escolhido de Deus era pressuposta desde o começo; foi só no fim do século XX que um número cada vez maior de pessoas começou a escolher Deus, mesmo se, como sugeriu Obama, o destino que Ele tinha em mente para os Estados Unidos era mais incerto do que alguns presidentes anteriores acreditaram.

Porém, em um nível importante, a eleição de Obama, o primeiro presidente afro-americano, pareceu representar a realização de pelo menos uma parte do destino da América, a solução do problema que comprometera a cidade na colina desde sua criação: a raça. Os Pais Fundadores tergiversaram a respeito disso, e grande parte do que se seguiu derivou dessa incapacidade inicial de fazer a nação seguir o enunciado de sua missão de 1776. No meio do século XIX, o experimento republicano quase implodiu por causa da questão da escravidão e da raça, e as imagens de Abraham Lincoln projetadas no Mall na posse de Obama, e a decisão de Obama de fazer o juramento de posse sobre a mesma Bíblia que o próprio Lincoln usara deixaram claro que se fazia uma afirmação, que se invocava a memória do presidente que emitiu a Proclamação de Emancipação em 1863. E quantos americanos, ao ver essas imagens, se recordariam, talvez não da Guerra Civil, mas de 1963, do discurso de Martin Luther King Jr. nos degraus do Lincoln Memorial e da fé que ele invocava de que "esta nação se erguerá e viverá de acordo com o verdadeiro significado de seu credo". A eleição de Obama parecia confirmar que, finalmente, ela o havia feito.

É claro, nenhum indivíduo isolado poderia esperar sustentar ou satisfazer plenamente o grau de expectativa que cercou a eleição de Obama, que veio em um momento ruim para os bancos do mundo. Os Estados Unidos, em comum com muitos outros países, enfrentam dificuldades fiscais domésticas e desafios de política externa que não são passíveis de solução fácil. Porém, qualquer discussão sobre os Estados Unidos de hoje tenderá a incluir duas palavras: globalização e hegemonia (ou, às vezes, hegemonia global), como se isso também fosse algo novo sob o sol, como se a Grande Depressão tivesse afetado somente a América e não representasse uma crise econômica global. No que tange especificamente à América, a derrocada financeira que começou em 2008 certamente se presta a comparações com a década de 1930, assim como a mobilização de tropas americanas no Afeganistão e no Iraque evoca memórias da Guerra do Vietnã. Parece que a história repete-se em círculos globais que se expandem cada vez mais.

À medida que a globalização torna as populações do mundo suscetíveis às forças do mercado, e o terrorismo às forças militares, a relação entre elas e o papel da América nessa relação ocupa muitas colunas de jornal e *blogs*. A América como nação comporta 4,6% da população do mundo mas consome cerca de 33% dos recursos globais, e por causa de seu vasto consumo ela está agora em uma categoria própria no que diz respeito ao poder econômico, militar e até mesmo político. Mas ficou claro, tanto para os americanos como para os outros, que o poder americano sem propósito não tem significado e, mais ainda, que esse propósito não pode ser nem definido nem defendido, como Bush tentou fazer, somente pela América. Obama procura um maior grau de cooperação e acomodação internacional, mas trata-se certamente de um processo que funciona nos dois sentidos. Alguns questionaram se os ideais nacionais americanos, se a identidade nacional americana, podem sobreviver às pressões da globalização que os impactam do exterior e às do multiculturalismo que os impactam internamente. A resposta é certamente afirmativa, dado que a nação que alguns afirmam não ser uma nação, a nação que foi frequentemente descrita como um "experimento republicano", manteve-se coesa de maneira notável desde a sua criação. O experimento ainda não acabou; na verdade, haja vista quão breve muitos consideram sua história, a história dos Estados Unidos da América talvez possa ser descrita com mais precisão como tendo apenas começado.

Guia de leituras adicionais

Todas as obras neste guia seletivo de leituras adicionais contêm bibliografias substanciais para os leitores que desejarem aprofundar qualquer tópico.

América colonial

ANDERSON, Victoria De John. *New England's generation: the great migration and the formation of society and culture in the seventeenth century.* New York: Cambridge University Press, 1991.

BAILYN, Bernard. *The New England merchants in the seventeenth century.* Cambridge, MA: Harvard University Press, 1955.

BAILYN, Bernard. *Atlantic history: concept and contours.* Cambridge, MA: Harvard University Press, 2005.

BREEN, T. H. *Puritans and adventurers: change and persistence in early America.* New York: Oxford University Press, 1980.

BREMER, Francis J. *The Puritan experiment: New England society from Bradford to Edward.* Hanover, NH: University Press of New England, 1995.

BREMER, Francis J. *John Winthrop: America's forgotten founding father.* Oxford: Oxford University Press, 2003.

BRIDENBAUGH, Carl. *Jamestown 1544-1699.* New York: Oxford University Press, 1980.

BUTLER, Jon. *Becoming America: the revolution before 1776.* Cambridge, MA: Harvard University Press, 2001.

CRANE, Elaine Forman. *Ebb tide in New England: women, seaports, and social change, 1630-1800.* Boston: Northeastern University Press, 1998.

CRONON, William. *Changes in the land: Indians, colonists, and the ecology of New England*. New York: Hill and Wang, 1983.

DEMOS, John Putnam. *A little commonwealth: family life in Plymouth Colony*. New York: Oxford University Press, 1982.

DEMOS, John Putnam. *The unredeemed captive: a family story from early America*. New York: Random House, 1994.

ELLIOTT, J. H. *Empires of the Atlantic world: Britain and Spain in America, 1492-1830*. New Haven, C.T.: Yale University Press, 2006.

FISCHER, David Hackett. *Albion's seed: four British folkways in America*. New York: Oxford University Press, 1989.

FOSTER, Stephen. *The long argument: English Puritanism and the shaping of New England culture 1570-1700*. Chapel Hill: The University of North Carolina Press, 1991.

HANGER, Kimberly S. *Bounded lives, bounded places: free black society in colonial New Orleans, 1769-1803*. Durham, NC; London: Duke University Press, 1997.

JENNINGS, Francis. *Empire of fortune: crowns, colonies, and tribes in the seven years war in America*. New York: W.W. Norton and Co., 1988.

JENNINGS, Francis. *The ambiguous Iroquois empire*. New York: W.W. Norton and Co., 1984.

LEACH, Edward Douglas. *Roots of conflict: British armed forces and colonial Americans, 1677-1763*. Chapel Hill: The University of North Carolina Press, 1986.

LEPORE, Jill. *The name of war: King Philip's War and the origins of American identity*. New York: Alfred Knopf, 1998.

MARTIN, John Frederick. *Profits in the wilderness: entrepreneurship and the founding of New England towns in the seventeenth century*. Chapel Hill: University of North Carolina Press, 2001.

MIDDLETON, Richard. *Colonial America: a history, 1565-1776*. Oxford: Oxford University Press, 2002.

MORGAN, Edmund S. *American slavery, American freedom: the ordeal of colonial Virginia*. New York: W.W. Norton and Company, 1975.

NASH, Gary B. *Red, white, and black: the peoples of early America*. Englewood Cliffs, NJ: Prentice Hall, 1974.

NORTON, Mary Beth. *Founding mothers and fathers: gendered power and the forming of American society*. New York: Alfred Knopf, 1996.

PARENT JR., Anthony S. *Foul means: the formation of a slave society in Virginia, 1660-1740*. Chapel Hill: University of North Carolina Press, 2003.

PIERSEN, William D. *Black Yankees: the development of an Afro-American subculture in eighteenth-century New England*. Amherst, MA: University of Massachusetts Press, 1988.

PRITCHARD, James. *In search of empire: the French in the Americas, 1670-1730*. Cambridge: Cambridge University Press, 2004.

SALISBURY, Neal. *Manitou and Providence: Indians, Europeans, and the making of New England, 1500-1643*. New York: Oxford University Press, 1982.

ULRICH, Laurel Thatcher. *A midwife's tale: the life of Martha Ballard, based on her diary, 1785-1812*. New York: Random House, 1990.

ULRICH, Laurel Thatcher. *Good wives: image and reality in the lives of women in northern New England 1650-1750*. New York: Oxford University Press, 1982.

VAUGHAN, Alden T. *Roots of American racism: essays on the colonial experience*. New York: Oxford University Press, 1995.

Revolução e independência

ARMITAGE, David. *The Declaration of Independence: A global history*. Cambridge, MA: Harvard University Press, 2007.

BAILYN, Bernard. *Faces of revolution: personalities and themes in the struggle for American independence*. New York: Alfred A. Knopf, 1990.

BAILYN, Bernard. *The ideological origins of the American Revolution*. Cambridge, MA: Belknap Press of Harvard University Press, 1967.

BAILYN, Bernard. *To begin the world anew: the genius and ambiguities of the American founders*. New York: Alfred A. Knopf, 2003.

BONWICK, Colin. *English radicals and the American Revolution*. Chapel Hill: The University of North Carolina Press, 1977.

BONWICK, Colin. *The American Revolution*. Charlottesville: University Press of Virginia, 1991.

MAIER, Pauline. *American scripture: making the Declaration of Independence*. New York: Alfred A. Knopf, 1996.

MAIER, Pauline. *From resistance to revolution: colonial radicals and the development of American opposition to Britain, 1765-1776*. New York: Alfred A. Knopf, 1972.

MIDDLEKAUFF, Robert. *The glorious cause: the American Revolution, 1763- -1789*. Rev. Ed. New York: Oxford University Press, 2005.

MORGAN, Edmund S. *The birth of the republic, 1763-1789*. 3. ed. Chicago: University of Chicago Press, 1992.

NASH, Gary B. *The urban crucible: social change, political consciousness, and the origins of the American Revolution*. Cambridge, MA: Harvard University Press, 1979.

ROYSTER, Charles. *A revolutionary people at war: the continental army and American character*. Chapel Hill: The University of North Carolina Press, 1979.

SHY, John. *A people numerous and armed: reflections on the military struggle for American independence*. Ann Arbor: The University of Michigan Press, 1976.

WOOD, Gordon S. *The American Revolution: a history*. New York: Modern Library, 2002.

WOOD, Gordon S. *The creation of the American republic, 1776-1787*. Chapel Hill: University of North Carolina Press, 1969.

WOOD, Gordon S. *The radicalism of the American Revolution*. New York: Alfred A. Knopf, 1992.

A Primeira República e a América do antebellum

APPLEBY, Joyce. *Inheriting the revolution: the first generation of Americans*. Cambridge, MA; London: The Belknap Press of Harvard University Press, 2000.

ASHWORTH, John. *Slavery, capitalism, and politics in the antebellum republic*. Commerce and compromise, 1820-1850. v. 1. New York; Cambridge: Cambridge University Press, 1996.

ASHWORTH, John. *Slavery, capitalism, and politics in the antebellum republic*. The coming of the civil war, 1850-1861. v. 2. New York; Cambridge: Cambridge University Press, 2007.

FERRIE, Joseph P. *Yankeys now: immigrants in the antebellum United States, 1840-1860*. New York; Oxford: Oxford University Press, 1999.

FOLETTA, Marshall. *Coming to terms with democracy: federalist intellectuals and the shaping of an American culture*. Charlottesville; London: University Press of Virginia, 2001.

FONER, Eric. *Free soil, free labor, free men: the ideology of the Republican Party before the civil war*. New York: Oxford University Press, 1970.

GRANT, Susan-Mary. *North over south: northern nationalism and American identity in the antebellum era*. Lawrence: University Press of Kansas, 2000.

HIGHAM, John. *Strangers in the land: patterns of American nativism*. New York: Athaneum Press, 1971.

HORSMAN, Reginald. *Race and manifest destiny: the origins of American racial Anglo-Saxonism*. Cambridge, MA: Harvard University Press, 1981.

JORDAN, Winthrop D. *White over black: American attitudes toward the Negro 1550-1812*. Chapel Hill: The University of North Carolina Press, 1968.

LARSON, John Lauritz. *The market revolution in America: liberty, ambition, and the eclipse of the common good*. New York: Cambridge University Press, 2010.

NEWMAN, Simon P. *Parades and the politics of the street: festive culture in the early American republic*. Philadelphia: University of Pennsylvania Press, 1997.

RICHARDS, Leonard L. *The slave power: the free north and southern domination, 1780-1860*. Baton Rouge: Louisiana State University Press, 2000.

SELLERS, Charles G. *The market revolution: Jacksonian America, 1815-1846*. New York: Oxford University Press, 1991.

SEXTON, Jay. *The Monroe doctrine: empire and nation in nineteenth century America*. New York: Hill and Wang, 2011.

WALDSTREICHER, David. *In the midst of perpetual fetes: the making of American nationalism, 1776-1820*. Chapel Hill: The University of North Carolina Press, 1997.

WOOD, Gordon S. *Empire of liberty: a history of the early republic, 1789--1815*. New York: Oxford University Press, 2010.

A escravidão e o Sul

BONNER, Robert E. *Mastering America: southern slaveholders and the crisis of American nationhood*. New York; Cambridge: Cambridge University Press, 2009.

CLINTON, Catherine. *The plantation mistress: woman's world in the old South*. New York: Pantheon Books, 1982.

DEGLER, Carl N. *The other South: southern dissenters in the nineteenth century*. 1974. Paperback Rep. New York: Harper and Row, 1975.

DUSINBERRE, William. *Them dark days: slavery in the American rice swamps.* v. I. New York; Oxford: Oxford University Press, 1996.

FREEHLING, William W. *The road to disunion.* Secessionists at bay, 1776--1854. v. I. New York; Oxford: Oxford University Press, 1990.

FREEHLING, William W. *The road to disunion.* Secessionists triumphant, 1854-1861. v. II. New York; Oxford: Oxford University Press, 2007.

GALLMAN, J. Matthew. *Northerners at war: reflections on the civil war home front.* Kent, OH: Kent State University Press, 2010.

FOX-GENOVESE, Elisabeth; GENOVESE, Eugene D. *The mind of the master class: history and faith in the southern slaveholders' worldview.* New York: Cambridge University Press, 2005.

GLYMPH, Thavolia. *Out of the house of bondage: the transformation of the plantation household.* New York: Cambridge University Press, 2008.

GOMEZ, Michael A. *Exchanging our country marks: the transformation of African identities in the colonial and antebellum South.* Chapel Hill: The University of North Carolina Press, 1998.

McCARDELL, John. *The idea of a southern nation: southern nationalists and southern nationalism, 1830-1860.* New York; London: W.W. Norton and Company, 1979.

MILLER, William Lee. *Arguing about slavery: the great battle in the United States congress.* New York: Alfred A. Knopf, 1996.

NUDELMAN, Franny. *John Brown's body: slavery, violence, and the culture of war.* Chapel Hill: The University of North Carolina Press, 2004.

SINHA, Manisha. *The counterrevolution of slavery: politics and ideology in antebellum South Carolina.* Chapel Hill; London: The University of North Carolina Press, 2000.

TISE, Larry E. *Proslavery: a history of the defense of slavery in America, 1701--1840.* Athens; London: The University of Georgia Press, 1987.

A era da Guerra Civil

ASH, Stephen V. *When the Yankees came: conflict and chaos in the occupied South, 1861-1865.* Rep. Chapel Hill: The University of North Carolina Press, 2002 [1995].

BENSEL, Richard Franklin. *Yankee leviathan: the origins of central state authority in America, 1859-1877.* New York; Cambridge: Cambridge University Press, 1990.

BLIGHT, David W. *Race and reunion: the civil war in American memory*. Cambridge, MA; London: The Belknap Press of Harvard University Press, 2001.

BORITT, Gabor. *The Gettysburg gospel: the Lincoln speech that nobody knows*. New York: Simon and Schuster, 2006.

BURLINGAME, Michael. *The inner world of Abraham Lincoln*. Champaign: University of Illinois Press, 1994.

BURTON, Orville Vernon. *The age of Lincoln*. New York: Hill and Wang, 2007.

BURTON, William L. *Melting pot soldiers: the Union ethnic regiments*. 2. ed. New York: Fordham University Press, 1998.

CAMPBELL, Jacqueline Glass. *When Sherman marched north from the sea: resistance on the Confederate home front*. Chapel Hill; London: The University of North Carolina Press, 2003.

CARWARDINE, Richard. *Lincoln: a life of purpose and power*. New York: Knopf Publishing Group, 2006.

CLARK, Christopher. *Social change in America: from the revolution through the civil war*. London: Ivan Dee, 2006.

COOK, Robert. *Civil War America: making a nation, 1848-1877*. London: Pearson/Longman, 2003.

EDWARDS, Laura F. *Scarlett doesn't live here anymore: southern women in the civil war era*. Champaign: University of Illinois Press, 2000.

FAUST, Drew Gilpin. *This republic of suffering: death and the American civil war*. New York: Alfred A. Knopf, 2008.

FONER, Eric. *Reconstruction: America's unfinished revolution, 1863-1877*. New York: Harper and Row, 1988.

GENOVESE, Eugene D. *A consuming fire: the fall of the Confederacy in the mind of the white Christian South*. Athens; London: The University of Georgia Press, 1998.

GIENAPP, William E. *Abraham Lincoln and civil war America: a biography*. Oxford University Press, 2002.

GLATTHAAR, Joseph T. *Forged in battle: the civil war alliance of black soldiers and white officers*. New York: Meridian, 1991.

GRANT, Susan-Mary. *The war for a nation: the American civil war*. New York: Routledge, 2006.

HOWE, Daniel Walker. *What hath God wrought: the transformation of America, 1815-1848*. New York: Oxford University Press, 2008.

HUNT, Robert. *The good men who won the war: Army of the Cumberland veterans and emancipation memory*. Tuscaloosa: The University of Alabama Press, 2010.

JANNEY, Caroline E. *Burying the dead but not the past: ladies memorial associations and the lost cause*. Chapel Hill: The University of North Carolina Press, 2008.

JOHANNSEN, Robert Walter. *The frontier, the Union, and Stephen A. Douglass*. Urbana: University of Illinois Press, 1989.

LAWSON, Melinda. *Patriot fires: forging a new American nationalism in the civil war North*. Lawrence: University Press of Kansas, 2002.

LEVINE, Bruce. *Confederate emancipation: southern plans to free and arm slaves during the civil war*. New York; Oxford: Oxford University Press, 2006.

MANNING, Chandra. *What this cruel war was over: soldiers, slavery, and the civil war*. New York: Vintage Books, 2007.

McCLINTOCK, Russell. *Lincoln and the decision for war: the northern response to secession*. Chapel Hill: University of North Carolina Press, 2008.

McCURRY, Stephanie. *Confederate reckoning: power and politics in the civil war South*. Cambridge, MA: Harvard University Press, 2010.

McPHERSON, James M. *Battle cry of freedom: the civil war era*. New York; Oxford: Oxford University Press, 1988.

McPHERSON, James M. *For cause and comrades: why men fought in the civil war*. Oxford; New York: Oxford University Press, 1997.

McPHERSON, James M. *What they fought for, 1861-1865*. Baton Rouge: Louisiana State University Press, 1994.

MORRISON, Michael A. *Slavery and the American west: the eclipse of manifest destiny and the coming of the civil war*. Chapel Hill: University of North Carolina Press, 1997.

NEFF, John R. *Honoring the civil war dead: commemoration and the problem of reconciliation*. Lawrence: University Press of Kansas, 2005.

PARISH, Peter J. *The American civil war*. New York: Holmes and Meier, 1975.

POOLE, W. Scott. *Never surrender: Confederate memory and conservatism in the South Carolina upcountry*. Athens; London: The University of Georgia Press, 2004.

POTTER, David M. *The impending crisis, 1848-1861*. New York: Harper and Row, 1976.

RABLE, George C. *Fredericksburg! Fredericksburg!*. Chapel Hill; London: University of North Carolina Press, 2002.

REID, Brian Holden. *The origins of the American civil war*. Harlow, Essex: Longman, 1996.

ROYSTER, Charles. *The destructive war: William Tecumseh Sherman, Stonewall Jackson, and the Americans*. Rep. New York: Random House, 1993 [1991].

SAVILLE, Julie. *The work of reconstruction: from slave to wage laborer in South Carolina, 1860-1870*. Paperback Rep. New York; Cambridge: Cambridge University Press, 1996 [1994].

SCHANTZ, Mark. *Awaiting the heavenly country: the civil war and America's culture of death*. Ithaca, NY; London: Cornell University Press, 2008.

STOUT, Harry S. *Upon the altar of the nation: a moral history of the civil war*. New York: Penguin Books, 2006.

VARON, Elisabeth R. *Disunion!: the coming of the American civil war, 1789-1859*. Chapel Hill: The University of North Carolina Press, 2008.

WILEY, Bell Irvin. *The life of Billy Yank: the common soldier of the Union*. Rep. Baton Rouge: Louisiana State University Press, 1989 [1952].

WILEY, Bell Irvin. *The life of Johnny Reb: the common soldier of the Confederacy*. Rep. Baton Rouge: Louisiana State University Press, 1989 [1943].

O Oeste

AMBROSE, Stephen. *Crazy Horse and Custer: the parallel lives of two American warriors*. New York: Doubleday, 1975.

AMBROSE, Stephen. *Undaunted courage: Meriwether Lewis, Thomas Jefferson, and the opening of the American west*. New York: Simon & Schuster, 1996.

HÄMÄLÄINEN, Pekka. *The Comanche empire*. New Haven, C.T.: Yale University Press, 2008.

LIMERICK, Patricia Nelson. *The legacy of conquest: the unbroken past of the American west*. New York; London: W.W. Norton and Company, 1987.

MAY, Dean L. *Three frontiers: family, land, and society in the American west, 1850-1900*. New York: Cambridge University Press, 1994.

ROBBINS, William G. *Colony and empire: the capitalist transformation of the American west*. Lawrence: University Press of Kansas, 1994.

SLOTKIN, Richard. *Fatal environment: the myth of the frontier in the age of industrialization, 1800-1890*. New York: Atheneum Publishers, 1985.

SMITH, Henry Nash. *Virgin land: the American west as symbol and myth*. Cambridge, MA: Harvard University Press, 1950.

WHITE, Richard. *"It's your misfortune and none of my own": a new history of the American west*. Norman: University of Oklahoma Press, 1991.

WORSTER, Donald. *Under western skies: nature and history in the American west*. New York: Oxford University Press, 1992.

A era dourada/a era progressista

BECKERT, Sven. *The monied metropolis: New York City and the consolidation of the American bourgeoisie, 1850-1896*. Cambridge: Cambridge University Press, 2001.

BLUM, Edward J. *Reforging the white republic: race, religion, and American nationalism, 1865-1898*. Baton Rouge: Louisiana State University Press, 2005.

COOPER JR., John M. *Pivotal decades: The United States, 1900-1920*. New York: W.W. Norton and Co., 1990.

DINER, Steven J. *A very different age: Americans of the progressive era*. New York: Hill and Wang, 1998.

McARTHUR, Judith N. *Creating the new woman: the rise of women's progressive culture in Texas, 1893-1918*. Urbana; Chicago: University of Illinois Press, 1998.

PAINTER, Nell Irvin. *Standing at Armageddon: the United States, 1877-1919*. New York: W.W. Norton and Co., 1987.

SKOWRONEK, Stephen. *Building a new American state: the expansion of national administrative capacities, 1877-1920*. New York; Cambridge: Cambridge University Press, 1982.

WIEBE, Robert. *The search for order, 1877-1920*. New York: Hill and Wang, 1980.

A América entreguerras

ADAMS, Michael C. C. *The best war ever: America and World War II*. Baltimore: The Johns Hopkins University Press, 1994.

BADGER, Anthony J. *The New Deal: The Depression years, 1933-1940*. Basingstoke: Macmillan, 1989.

BLUM, John Morton. *V was for victory: politics and American culture in World War II*. New York: Harcourt Brace and Company, 1976.

BURNS, James MacGregor. *Roosevelt: the lion and the fox*. New York: Harcourt Brace and Company, 1956.

DIGGINS, John. *The proud decades: America in war and peace, 1941-1960*. New York: W. W. Norton and Co., 1988.

FOGLESONG, David S. *America's secret war against Bolshevism: U.S. intervention in the Russian civil war, 1917-1920*. Chapel Hill: The University of North Carolina Press, 1995.

HAWLEY, Ellis W. *The Great War and the search for a modern order: a history of the American People and their institutions, 1917-1933*. New York: St. Martin's Press, 1979.

KENNEDY, David M. *Over here: the First World War and American society*. New York: Oxford University Press, 1980.

KENNEDY, David M. *Freedom from fear: the American people in depression and war, 1929-1945*. New Ed. New York: Oxford University Press, 2001.

LEUCHTENBURG, William. *Franklin D. Roosevelt and the New Deal, 1932-1940*. New York: Harper and Row, 1963.

LEUCHTENBURG, William. *The perils of prosperity, 1914-1932*. 2. ed. Chicago: The University of Chicago Press, 1993.

PARRISH, Michael E. *Anxious decades: America in prosperity and depression, 1920-1941*. New York: W. W. Norton and Co., 1992.

A América na guerra fria

AMBROSE, Stephen. *Nixon*. The education of a politician. v. 1. New York: Simon & Schuster, 1987, 1991. 3 v.

AMBROSE, Stephen. *Nixon*. Ruin and recovery, 1973-1990. v. 3. New York: Simon & Schuster, 1987, 1991. 3 v.

AMBROSE, Stephen. *Nixon*. The triumph of a politician, 1962-1972. v. 2. New York: Simon & Schuster, 1987, 1991. 3 v.

BERMAN, Larry. *No peace, no honor: Nixon, Kissinger, and betrayal in Vietnam*. New York: The Free Press, 2001.

BERNSTEIN, Irving. *Promises kept: John F. Kennedy's new frontier*. New York; Oxford: Oxford University Press, 1991.

BLUM, John Morton. *Years of discord: American politics and society, 1961--1974*. New York: W.W. Norton and Co., 1991.

BOYER, Paul. *By the bomb's early light: American thought and culture at the dawn of the atomic age*. Chapel Hill: University of North Carolina Press, 1994.

BRANCH, Taylor. *Parting the waters: America in the King years, 1954-1963*. New York: Simon & Schuster, 1988.

BRANCH, Taylor. *Pillar of fire: America in the King years, 1963-1965*. New York: Simon & Schuster, 1998.

BRANDS, H. W. *The devil we knew: Americans and the Cold War*. New York: Oxford, 1993.

BRAUER, Carl M. *John F. Kennedy and the second reconstruction*. New York: Columbia University Press, 1977.

BRENNAN, Mary Charlotte. *Turning right in the Sixties: the conservative capture of the GOP*. Chapel Hill: University of North Carolina Press, 1995.

BROOKS, Thomas R. *Walls come tumbling down: a history of the civil rights movement, 1940-1970*. Englewood Cliffs, NJ: Prentice-Hall, 1974.

CAUTE, David. *The great fear: the anti-communist purge under Truman and Eisenhower*. New York: Simon and Schuster, 1978.

COOK, Robert J. *Troubled commemoration: the American civil war centennial, 1961-1965*. Baton Rouge: Louisiana State University Press, 2007.

COOKE, Alastair. *A generation on trial: U.S.A. v. Alger Hiss*. New York: Alfred A. Knopf, 1951.

DALLEK, Robert. *John F. Kennedy: an unfinished life*. Ver. Ed. New York: Penguin, 2004.

DALLEK, Robert. *Lyndon B. Johnson: portrait of a president*. New York; Oxford: Oxford University Press, 2004.

DALLEK, Robert. *Nixon e Kissinger: partners in power*. New York: Harper Collins, 2007.

DAVIES, Gareth. *From opportunity to entitlement: the transformation and decline of Great Society liberalism*. Lawrence: University Press of Kansas, 1996.

DIVINE, Robert A. *Blowing on the wind: the nuclear test ban debate, 1954--1960*. New York: Oxford University Press, 1978.

DIVINE, Robert A. *The Sputnik challenge: Eisenhower's response to the Soviet satellite*. New York: Oxford University Press, 1993.

FAIRCLOUGH, Adam. *To redeem the soul of America: the Southern Christian Leadership Conference and Martin Luther King, Jr.* Athens: University of Georgia Press, 1987.

FREEDMAN, Lawrence. *The evolution of nuclear strategy.* 2. ed. Basingstoke; London: Macmillan Press, 1989.

GADDIS, John Lewis. *The United States and the origins of the Cold War.* New York: Columbia University Press, 1972.

GADDIS, John Lewis. *We now know: rethinking Cold War history.* Oxford; New York: Oxford University Press, 1997.

GARROW, David J. *Bearing the cross: Martin Luther King, Jr., and the Southern Christian Leadership Conference.* New York: W. Morrow, 1986.

HALBERSTAM, David. *The fifties.* New York: Random House, 1996.

HEALE, Michael J. *American anticommunism: combating the enemy within, 1830-1970.* Baltimore: The Johns Hopkins University Press, 1990.

HEALE, Michael J. *McCarthy's Americans: red scare politics in state and nation, 1935-1965.* London: Palgrave Macmillan, 1998.

HEALE, Michael J. *The sixties in America: history, politics and protest.* Edinburgh: University of Edinburgh Press, 2001.

HERSCH, Seymour. *The dark side of Camelot.* New York: Harper Collins, 1998.

HUEBNER, Andrew J. *The warrior image: soldiers in American culture from the Second World War to the Vietnam era.* Chapel Hill: University of North Carolina Press, 2008.

ISAACS, Arnold R. *Vietnam shadows: the war, its ghosts, and its legacy.* Baltimore: Johns Hopkins University Press, 1997.

JEFFREYS-JONES, Rhodri. *Peace now!: American society and the ending of the Vietnam War,* New Ed. New Haven, C.T.: Yale University Press, 2001.

JENKINS, Philip. *The Cold War at home: the red scare in Pennsylvania, 1945-1960.* Chapel Hill: The University of North Carolina Press, 1999.

KARABELL, Zachary. *Architects of intervention: the United States, the third world, and the Cold War, 1946-1962.* Baton Rouge: Louisiana State University Press, 1999.

KOLKO, Gabriel. *Anatomy of a war: Vietnam, the United States, and the modern historical experience.* New York: Pantheon, 1985.

LAWRENCE, Mark Atwood. *Assuming the burden: Europe and the American commitment to war in Vietnam.* Berkeley: University of California Press, 2005.

LEWY, Guenter. *America in Vietnam*. New York: Oxford University Press, 1978.

LUCAS, Scott. *Freedom's war: the American crusade against the Soviet Union*. New York: New York University Press, 1999.

MARANISS, David. *They marched into sunlight: war and peace, Vietnam and America, October 1967*. New York: Simon and Schuster, 2005.

MAY, Elaine Tyler. *Homeward bound: American families in the cold war era*. New York: Basic Books, 1988.

MACPHERSON, Myra. *Long time passing: Vietnam and the haunted generation*. Garden City, NJ: Doubleday, 1984.

MATUSOW, Allen J. *The unraveling of America: a history of liberalism in the 1960s*. New York: Harper and Row, 1984.

McDOUGALL, Walter A. *The heavens and the earth: a political history of the space age*. New York: Basic Books, 1985.

McGIRR, Lisa. *Suburban warriors: the origins of the new American Right*. Princeton, NJ: Princeton University Press, 2001.

PATERSON, James T. *Grand expectations: The United States, 1945-1974*. New Ed. New York: Oxford University Press, 1998.

PAYNE, Charles M. *I've got the light of freedom: the organizing tradition and the Mississippi freedom struggle*. Berkeley: University of California Press, 1995.

RAINES, Howell. *My soul is rested: movement days in the Deep South remembered*. New York: Putnam, 1977.

SCHRECKER, Ellen. *Many are the crimes: McCarthyism in America*. Princeton, NJ: Princeton University Press, 1998.

SHEEHAN, Neil. *A bright shining lie: John Paul Vann and America in Vietnam*. New York: Random House, 1988.

TAUBMAN, Philip. *Secret empire: Eisenhower, the CIA, and the hidden story of America's space espionage*. New York: Simon and Schuster, 2004.

WALKER, Martin. *The Cold War: a history*. New York: Henry Holt and Co., 1993.

WILLBANKS, James H. *The Tet offensive: a concise history*. New York: Columbia University Press, 2006.

WILLS, Garry. *The Kennedy imprisonment: a meditation on power*. Boston: Little, Brown and Co., 1985.

WOODWARD, C. Vann. *The strange career of Jim Crow*. New York: Oxford University Press, 1978.

YERGIN, Daniel. *Shattered peace: the origins of the Cold War and the national security state*. New York: Houghton Mifflin, 1977.

América moderna/Bibliografia geral

AMBROSE, Stephen. *Rise to globalism: American foreign policy since 1938*. New York: Penguin Books, 1997.

BERINSKY, Adam J. *In time of war: understanding American public opinion from World War II to Iraq*. Chicago: University of Chicago Press, 2009.

BERKHOFER, Robert F. *The white man's Indian: images of the American Indian from Columbus to the present*. New York: Knopf: Random House, 1978.

COWIE, Jefferson. *Stayin' Alive: the 1970s and the last days of the working class*. New York: The New Press, 2010.

EKBLADH, David. *The great American mission: modernization and the construction of an American world order*. Princeton, NJ: Princeton University Press, 2010.

FAIRCLOUGH, Adam. *Better day coming: blacks and equality, 1890-2000*. Rep. New York: Penguin Books, 2002.

FERGUSON, Niall. *Colossus: the rise and fall of the American empire*. London; New York: Penguin Books, 2004.

GERSTLE, Gary. *American crucible: race and nation in the twentieth century*. Princeton, NJ; Oxford: Princeton University Press, 2001.

GIDDINGS, Paula. *When and where I enter: the impact of black women on race and sex in America*. New York: Morrow, 1984.

HEALE, Michael J. *Twentieth-century America: politics and power in the United States*. London: Arnold, 2004.

JEFFREYS-JONES, Rhodri. *The FBI: a history*. New Haven, C.T.; London: Yale University Press, 2007.

KERBER, Linda K. *No constitutional right to be ladies: women and the obligations of citizenship*. New York: Hill and Wang, 1998.

MANN, Michael. *Incoherent empire*. London; New York: Verso, 2003.

PATTERSON, James T. *Restless giant: the United States from Watergate to Bush vs. Gore*. New Ed. New York: Oxford University Press, 2007.

SCHOENWALD, Jonathan M. *A time for choosing: the rise of modern American conservatism*. Oxford: Oxford University Press, 2003.

SHERRY, Michael S. *In the shadow of war: the United States since the 1930s*. New Haven, C.T.: Yale University Press, 1997.

Biografias

Samuel Adams (1722-1803)

Um dos Pais Fundadores da nação americana, Samuel Adams nasceu em Quincy, Massachusetts e, formou-se na Universidade Harvard em 1743. Ele pensou brevemente em seguir a carreira jurídica, e mais brevemente ainda e sem sucesso lançou-se nos negócios, antes de encetar o que se tornaria sua carreira permanente na política, servindo na Câmara de Representantes de Massachusetts e como membro da Assembleia Municipal de Boston na década de 1760. Quando, em 1763, o Parlamento britânico propôs taxar as colônias para angariar receitas a fim de cobrir o custo da Guerra dos Sete Anos (ou Guerra Franco-Indígena), Adams teve participação decisiva na composição do que foi considerada uma reação colonial a essa sugestão inoportuna. Ele argumentou que

> [se] nosso comércio pode ser taxado, por que não nossas terras? Por que não o produto de nossas terras e todas as coisas que possuímos ou usamos? Cremos que isso aniquila nossos direitos estatutários de governar e taxar a nós mesmos. É um atentado contra nossos privilégios britânicos, que, por nunca termos abandonado, detemos em comum com os demais súditos, que são nativos da Grã-Bretanha. Se tributos forem-nos impostos de qualquer maneira, sem termos representação jurídica, quando nos forem impostos seremos reduzidos do caráter de súditos livres ao estado de escravos tributários. Portanto, recomendamo-lhe sinceramente que use seus mais extremados esforços para obter do tribunal geral todo o aconselhamento e instrução necessária para o nosso agente nessa conjuntura mais crítica.

É notável que, nesse ponto, Adams tenha situado seu argumento no contexto dos "privilégios britânicos" e usado a linguagem – que Thomas Jefferson também empregaria – da escravização para descrever a proposta dos novos arranjos financeiros que os britânicos deveriam estabelecer com relação a suas colônias norte-americanas. Claramente, embora depois tenha sido situado na história como um radical que agiu em defesa do seu "país", tornar-se americano para Adams não foi, como para muitos revolucionários, um processo que precedeu, mas que procedeu do próprio ato de rebelião. Em 1765, Adams foi eleito representante de Boston no tribunal geral de Massachusetts, cargo no qual ele defendeu insistentemente os direitos coloniais. Em 1768, sua carta circular em reação aos Tributos Townshend propôs novamente que a taxação era inconstitucional porque as colônias não tinham representante parlamentar – uma posição que irritou tanto o governador colonial, Francis Bernard, que ele dissolveu a assembleia. Esse ato, pelo menos em parte, fomentou a agitação civil que levou ao Massacre de Boston de 1770. Dois anos depois do confronto entre colonos e tropas britânicas, Adams teve participação decisiva na criação do Comitê de Correspondência, um grupo coordenado de líderes coloniais que, com o tempo, se tornaram os líderes da resistência organizada ao controle da Coroa britânica. Adams participou do Primeiro Congresso Continental na Filadélfia em 1774, onde ajudou a redigir os Artigos de Confederação e a Constituição de Massachusetts. Em 1776, ele estava totalmente convencido da necessidade de declarar independência, posição que ele acreditava ser o único desfecho lógico do dilema colonial. Ele retirou-se do Congresso em 1781, foi eleito governador-tenente de Massachusetts em 1789 e governador em 1794 até sua aposentadoria final em 1797. Morreu seis anos depois, em 1803, com 82 anos de idade. Os historiadores retrataram Adams ora como um homem comprometido com os direitos coloniais, ora como um demagogo que inspirava a violência entre os colonos pela causa da independência; no fim, Adams pode ser somente mais um exemplo da máxima de que quem é um radical para alguns é um libertador para outros, mas na verdade, no contexto de sua época, Adams era mais moderado do que extremado.

JANE ADDAMS (1860-1935)

Jane Addams foi uma das mais destacadas reformadoras da era progressista nos Estados Unidos, fundadora da Hull House em Chicago e ativista dos direitos e do sufrágio das mulheres. Ela nasceu em Illinois e frequentou o Women's Medical College na Pensilvânia, mas não pôde terminar seus estudos devido à saúde frágil. Foi quando viajou para a Inglaterra com Ellen Gates Starr e visitou Toynbee Hall, uma casa de amparo em Whitechapel, que ela teve a ideia de criar casas de amparo semelhantes nos Estados Unidos. Seus esforços de reforma social eram somente parte de um programa progressista mais amplo que incluía reforma do saneamento e da habitação, direitos dos trabalhadores e imigrantes, abolição do trabalho infantil e educação de crianças e mulheres. Sua filosofia foi talvez resumida na sua observação e questionamento, proposto em 1929, de que o "mundo moderno está desenvolvendo um sentimento quase místico de continuidade e interdependência da humanidade – como podemos fazer dessa consciência a contribuição singular de nosso tempo para o punhado de incentivos que realmente motivam a conduta humana?". Addams realmente atuou, pessoal e profissionalmente, em uma época de profundas mudanças na sociedade americana, quando esta passava de uma relativa homogeneidade à heterogeneidade, do campo à cidade, e de um isolacionismo – mesmo imperfeito – a um envolvimento global aperfeiçoado e dificultado em igual medida pela Primeira Guerra Mundial. Seus argumentos a favor do sufrágio feminino foram expressos – como muitos eram – no que hoje podem parecer termos muito vitorianos e tradicionalistas: a mulher como coração moral do lar e, por extrapolação, da nação (o mesmo argumento usado para contestar o sufrágio feminino na época e, muito depois, no contexto da Emenda dos Direitos Iguais [ERA]).

John Caldwell Calhoun (1782-1850)

John C. Calhoun foi um dos principais porta-vozes do Sul e é considerado uma figura decisiva no refinamento da defesa da escravidão e dos direitos dos estados nos anos que levaram à Guerra Civil Americana. Ele nasceu no que era então o distrito de Abbeville, no interior da Carolina do Sul; formou-se em Yale em 1807 e adentrou a profissão jurídica em Abbeville ao mesmo tempo que servia na Câmara dos Representantes estadual. Ele foi eleito na chapa democrata-republicana para o Congresso e serviu de 1811 a 1817. Foi secretário da Guerra sob James Monroe e depois foi eleito vice-presidente dos Estados Unidos quando John Quincy Adams tornou-se presidente – cargo que manteve sob a presidência de Andrew Jackson. Embora ambos viessem da classe governante sulista proprietária de escravos, a relação entre Jackson (que era do Tennessee) e Calhoun era tempestuosa, mas Calhoun permaneceu vice-presidente até 1832, quando renunciou para entrar no Senado. Calhoun começou sua carreira política como um nacionalista forte, um "gavião da guerra" durante a guerra de 1812, argumentando a favor de tarifas protecionistas como meio de auxiliar o empresariado americano e o crescimento interno. Calhoun foi um cientista político de renome, e foi sua análise da teoria republicana, em particular o papel dos "direitos minoritários" e a necessidade de uma "maioria concordante" para protegê-los, que instigou sua transição em direção à crença nos direitos dos estados, no governo limitado e, em especial, no direito dos estados de anular os atos do governo federal com os quais não concordassem – posição que abriu caminho para a eventual secessão dos estados sulistas da União em 1860-1861. O historiador William Freehling descreveu Calhoun como homem "sem palavras vãs, só com grandes princípios". Foi talvez infeliz para a nação que seus princípios girassem em torno do direito de possuir escravos e que uma de suas declarações mais famosas (no Senado em 1837) tenha sido que a escravidão era "um bem positivo". "Nós do Sul", declarou Calhoun, "não iremos, não podemos, abandonar nossas instituições [...]. Sustento que, no atual estado da civilização, onde são justapostas duas raças de origem diferente, distinguidas pela cor e outras diferenças físicas e intelectuais, a relação agora existente entre ambas nos estados escravocratas é, em vez de um mal, um bem – um bem positivo". Calhoun passou a ver cada vez mais o Sul como uma região mais lesada que lesante, e seu afastamento da sua posição nacionalista inicial ficou claro em dezembro de 1828, quando ele redigiu a "Exposição e Protesto da Carolina do Sul" em reação à chamada Tarifa de Abominações aprovada naquele ano, e argumentou que, por causa dela, os estados corriam o risco de "serem reduzidos a uma condição subordinada" no sistema federal. Embora publicado anonimamente, sabia-se que Calhoun era seu autor, e sua renúncia em 1832 foi, em grande parte, resultado da divergência crescente entre ele e Jackson sobre a questão da tarifa. A renúncia permitiu a Calhoun argumentar abertamente a favor da anulação, posição que manteve até sua morte de tuberculose em 1850. O legado de Calhoun, a médio prazo, reforçou o impulso separatista, especialmente na Carolina do Sul; a longo prazo e com a Guerra Civil há muito tempo no passado, sua defesa dos direitos minoritários – com exceção de sua associação com os interesses dos proprietários de escravos – no sistema federal continua influente.

Henry Clay (1777-1852)

Como John C. Calhoun, Henry Clay fazia parte de um grupo influente de políticos e estadistas do século XIX conhecidos como o Grande Triunvirato (Clay, Calhoun e Daniel Webster). Nascido em Hanover Country, na Virgínia, Clay, assim como outros políticos da época, começou sua carreira no Direito, após sua admissão na ordem dos advogados da Virgínia em 1797. Ele mudou-se a oeste de Kentucky, como muitos advogados, porque as oportunidades de uma carreira bem-sucedida nos negócios de assentamentos fundiários eram maiores na fronteira. Descrito muitas vezes como um republicano jeffersoniano no que tange à escravidão e a outros assuntos (embora, ao contrário de Jefferson, Clay tenha emancipado seus escravos no seu testamento), não obstante Clay não considerava que uma sociedade mista e igual fosse uma possibilidade nos Estados Unidos. Ele defendia a colonização para os afro-americanos livres da nação e, em 1836, tornou-se presidente da Sociedade Americana de Colonização. Não foi pela sua promoção da colonização que Clay ganhou destaque, mas pelo seu apoio às melhorias e manufatura interna (que veio a ser denominado o Sistema Americano). Ele foi membro da Câmara de Representantes estadual de Kentucky antes de ser eleito na chapa democrata-republicana para o Senado dos EUA em 1806. Reeleito em 1811, Clay serviu como presidente da Câmara de Representantes e depois como secretário de Estado sob John Quincy Adams. Como Calhoun no começo da sua carreira, Clay foi um "gavião da guerra" na guerra de 1812 e, naquela época, um forte expoente de políticas nacionalistas para os Estados Unidos; ao contrário de Calhoun, ele manteve essa posição. De fato, em contraste com Calhoun, que às vezes exacerbava a divisão, Clay ficou conhecido como o Grande Conciliador pelos seus esforços de intermediar acordos entre as seções em questões como a tarifa, melhorias internas, bancos federais e a escravidão. Ele apoiou o Compromisso do Missouri, que estabeleceu o equilíbrio representacional entre os estados livres e escravocratas, e a Tarifa de Compromisso de 1833, que pôs fim à Crise da Anulação. Nesse aspecto, seu apoio à colonização pode ter sido um fator, dado que o apoio a essa empreitada, inicialmente popular no Sul, gradualmente – e certamente no fim dos anos 1830 – declinou e foi substituído pelos sentimentos mais fortes expressos por Calhoun de que a escravidão era um "bem positivo" e de que qualquer tentativa de limitar sua extensão era um ataque aos direitos minoritários. O pensamento de Clay quanto a isso, e talvez mais suas manobras políticas no campo minado moral e material que a escravidão estava se tornando, foram algo que Abraham Lincoln percebeu quando, mais tarde, foi confrontado ao problema de defender a abolição perante um público muitas vezes hostil. Clay, como Lincoln, estava convicto de que a escravidão era "uma maldição – uma maldição para o senhor, uma injustiça, uma terrível injustiça para o escravo. Em abstrato ela é totalmente errada", declarou ele em 1836, "e nenhuma contingência possível pode torná-la certa". Não obstante, Clay operava dentro da lei e da Constituição, da forma como as entendia, e conseguiu intermediar o Compromisso de 1850 que parecia, na superfície, ter obtido a estabilidade entre o Norte e o Sul, mas que se revelou ser o começo do fim da escravidão nos Estados Unidos. Clay morreu no ano em que *A Cabana do Pai Tomás* foi publicado (1852), tendo feito todo o possível para manter sua nação unida o bastante para que, ao efetivamente se esfacelar oito anos depois, ela tivesse uma chance muito melhor de sobreviver à secessão.

ALEXIS-CHARLES-HENRI CLÉREL DE TOCQUEVILLE (1805-1859)

Alexis de Tocqueville foi um aristocrata e filósofo político francês cuja visita aos Estados Unidos resultou em dois volumes sobre a democracia americana: *Democracy in America* (1835 e 1840). A América recebeu um grande contingente de visitantes europeus naquela época, incluindo Charles Dickens, todos os quais estavam ansiosos por ver o primeiro experimento republicano em ação e relatar seu sucesso, ou não, para um mundo fascinado e às vezes cético. Especificamente – e deve-se ter em mente que isso antecede a fascinação do século XX por Michel Foucault e as implicações de controle social das penitenciárias e hospícios – os europeus estavam interessados – não exclusivamente – nas variantes americanas deles, e foi a pretexto de estudar as prisões e hospícios dos EUA que Tocqueville pôde visitar os Estados Unidos. Dadas as comoções políticas na França, Tocqueville estava obviamente muito mais interessado nas implicações mais amplas da democracia na América. Ele escreveu: "Confesso que, na América, eu vi mais que a América; procurei lá a própria imagem da democracia, com suas inclinações, seu caráter, seus preconceitos e suas paixões, a fim de aprender o que temos a temer ou esperar do seu progresso". Os estudiosos continuam a debater a extensão com que Tocqueville entendeu o que viu, mas certos "bordões" da sua obra continuam influentes até hoje (como foram na época), especificamente o fenômeno que ele identificou (e Calhoun esforçou-se tanto para combater) como a "tirania da maioria". Na opinião de Tocqueville, a "própria essência do governo democrático consiste na soberania absoluta da maioria, pois não há nada nos estados democráticos que seja capaz de resistir a ela". Dado que Tocqueville chegou nos Estados Unidos em meio à Crise da Anulação, talvez não surpreenda o fato de que ele tenha dedicado tanta consideração ao assunto, nem que os americanos tenham se debruçado tão cuidadosamente sobre o que ele escreveu sobre eles e suas instituições. "Quando me recuso a obedecer uma lei injusta, não contesto o direito da maioria de comandar", observou Tocqueville, "mas simplesmente apelo da soberania do povo à soberania da humanidade. Alguns não tiveram medo de afirmar que um povo nunca pode ultrapassar os limites da justiça e da razão naqueles assuntos que são peculiarmente seus; e que consequentemente pleno poder pode ser dado à maioria que o representa. Mas essa é a linguagem do escravo."

Stephen Arnold Douglas (1813-1861)

Stephen A. Douglas nasceu em Vermont e, como muitos políticos, estudou Direito (embora Douglas também tenha sido professor por um breve período em Illinois). Depois de ser admitido na ordem dos advogados, ele exerceu em Jacksonville, Illinois, onde serviu na Câmara de Representantes estadual. Fracassou na sua campanha para eleição ao Congresso em 1838, mas foi eleito como democrata para a Câmara de Representantes cinco anos mais tarde e para o Senado em 1847, onde serviu até sua morte. Ele foi um dos políticos mais influentes de sua época, apelidado Pequeno Gigante por causa de sua altura e do seu impacto na política. Foi presidente do Comitê dos Territórios e foi nesse cargo que ele exerceu influência capital sobre a questão política crucial da época, que era a possível expansão da escravidão para o Oeste. Junto a Henry Clay, ele fez fracassar o Compromisso de 1850 no Congresso, mas foi a Lei Kansas-Nebraska, quatro anos mais tarde, que realmente desfez tudo o que o Compromisso esperara obter. No seu apoio à "soberania popular", por meio da qual os colonos de um território podiam escolher se ele seria escravo ou livre – solução que deveria ter agradado a todos e na prática não satisfez ninguém –, Douglas provocou no seu próprio partido uma cisão da qual ele nunca se recuperou e que persuadiu muitos democratas a transferir sua lealdade para o novo Partido Republicano que estava se organizando para concorrer na eleição de 1856. Consciente do impacto da Lei Kansas-Nebraska, Douglas comentou que seu caminho para casa em Chicago era iluminado agora por suas próprias efígies em chamas. Não obstante, ele ateve-se às suas armas políticas e à sua crença na soberania popular. Em 1857, Douglas apoiou a decisão *Dred Scott* da Suprema Corte, que efetivamente invalidou o Compromisso do Missouri e abriu não só para os territórios do Oeste, mas para todo estado existente, a possibilidade de se tornarem "escravocratas" em vez de "livres".

As opiniões de Douglas sobre o assunto foram divulgadas extensivamente em 1858, quando seu adversário republicano a um assento no Senado de Illinois, Abraham Lincoln, enfrentou-o em uma série de debates – os debates Lincoln-Douglas – que tratavam da soberania popular e do futuro da escravidão na nação. No que ficou conhecido como a Doutrina Freeport (pois foi durante o debate em Freeport que Douglas a formulou), Douglas propôs a posição otimista de que a decisão *Dred Scott* não permitiria necessariamente aos antigos estados livres a escravidão se a população desses estados se recusasse a apoiar a legislação a favor da escravidão. Não "importa qual seja a decisão da Suprema Corte nessa questão abstrata", asseverou Douglas, "o direito do povo de constituir um território escravo ou um território livre ainda é perfeita e completa nos termos do projeto de lei do Nebraska". O povo não concordou. Na eleição de 1860, os democratas seguiram Douglas e conseguiram a nomeação, mas uma facção pró-sulista apresentou seu próprio candidato, John C. Breckinridge, criando uma fissura que permitiu a vitória do candidato republicano, Lincoln. Isso precipitou a secessão de vários estados sulistas e uma Guerra Civil de quatro anos que Douglas não viveu o bastante para suportar.

Frederick Douglass (1818-1895)

Nascido escravo em Maryland, Frederick Douglass escapou da "instituição peculiar" do Sul em 1838 viajando primeiro para New Bedford, Massachusetts. Ele tornou-se um eminente orador e escritor abolicionista – editou um jornal, *The North Star*, e redigiu nada menos do que três autobiografias – e deu palestras regularmente em nome da Sociedade Antiescravidão de Massachusetts. Sua *Narrative of the Life of Frederick Douglass an American Slave* [Narrativa da vida de Frederick Douglass, um escravo americano] (1845), sua primeira e mais conhecida autobiografia, revelou-se um poderoso contra-argumento contra as afirmações dos proprietários de escravos acerca das capacidades dos afro-americanos e uma poderosa publicação de propaganda para abolicionistas no Norte e no Sul. Douglass viajou muito, nos EUA e no exterior, para difundir sua mensagem. Ele desafiou constantemente os Estados Unidos a honrarem seus ideais cívicos declarados e, em um discurso famoso, lembrou ao seu público que as celebrações nacionais tinham pouco significado para os afro-americanos; pouco significado, aliás, enquanto a escravidão existisse. "O que é para o escravo o Quatro de Julho?", perguntou ele em 1852. "A existência da escravidão neste país taxa seu republicanismo de impostura, sua humanidade de vil fingimento e seu cristianismo de mentira. Ela destrói seu poder moral no exterior; ela corrompe seus políticos em casa". A escravidão, prosseguiu ele, "é a força antagônica do seu governo, a única coisa que perturba e ameaça seriamente sua União. Ela entrava seu progresso; ela é inimiga da melhora, inimiga mortal da educação; ela fomenta o orgulho; ela gera a insolência; ela promove o vício; ela alberga o crime; ela é uma maldição para a terra que a abriga; e mesmo assim vocês se agarram a ela, como se ela fosse a âncora de todas as suas esperanças". Quando veio a Guerra Civil, Douglass viu o conflito não somente como uma oportunidade de encerrar a escravidão, mas uma chance para os afro-americanos provarem seu patriotismo lutando pela União. Ele ficou estarrecido que, de início, lhes fosse negado o direito de fazê-lo. Depois da Proclamação de Emancipação em 1863 e da formação oficial de regimentos negros, os filhos de Douglass, Charles e Lewis, aderiram ao mais famoso regimento afro-americano do Norte, a 54ª Infantaria de Cor de Massachusetts (Charles transferiu-se mais tarde para a 5ª Cavalaria). Depois da guerra, Douglass continuou a se pronunciar pelos direitos dos afro-americanos e ficou consternado com a tendência crescente de minimizar a importância da emancipação nas evocações públicas da guerra. "Às vezes nos pedem, em nome do patriotismo", ele lembrou aos americanos em 1871, "que esqueçamos os méritos dessa temível luta e que nos lembremos com igual admiração daqueles que atentaram contra a vida da nação e aqueles que lutaram para salvá-la". A Guerra Civil, percebeu Douglass, estava rapidamente se tornando a exceção à regra de que a história é escrita pelos vencedores.

WILLIAM EDWARD BURGHARDT (W. E. B.) DU BOIS (1868-1963)

W. E. B. Du Bois representou uma nova geração de porta-vozes afro-americanos que sucederam homens como Douglass, e em *Black Reconstruction* (*Reconstrução negra*, 1935) ele retomou os comentários de Douglass de 1871 notando que a América tinha caído "sob a liderança de pessoas que querem comprometer a verdade no passado para fazer a paz no presente". Toda a sua carreira foi dedicada a contestar e tentar erradicar o que ele identificou, em *The Souls of Black Folk* [As almas da gente negra] (1903), como o "problema do século XX": a "linha de cor". Nascido em Massachusetts, Du Bois estudou em Fisk e Harvard (ele foi o primeiro afro-americano a obter um doutorado em Harvard) e foi professor de História e Economia na Universidade de Atlanta. Sua perspectiva era a da era progressista na qual ele cresceu, pois ele acreditava que, por meio da educação, a reforma social poderia ser realizada e o racismo erradicado, e ele sustentava que a elite instruída – a qual ele chamava do "décimo talentoso" da população afro-americana – deveria indicar o caminho. Em 1905, ele organizou um encontro de líderes negros no Canadá (ou melhor, no lado canadense das cataratas do Niágara, onde os hotéis aceitavam negros; por isso o grupo ficou conhecido como o Movimento Niágara), do qual saiu uma "Declaração de Princípios" que pedia uma reforma do direito de voto (muitos afro-americanos haviam sido efetivamente privados dele devido às chamadas leis Jim Crow do Sul) e o fim da segregação racial. Junto a reformadores progressistas brancos e em uma reação contra um linchamento que ocorreu não no Sul, mas em Illinois, Du Bois fundou a Associação Nacional para o Progresso das Pessoas de Cor (NAACP), que continua ativa até hoje. No começo do século XX, a NAACP fez muita campanha pela implementação das Décima Quarta e Décima Quinta Emendas, mas com pouco sucesso. Com a eclosão da Primeira Guerra Mundial e a mobilização de tropas americanas em 1917, Du Bois, como Douglass no caso da Guerra Civil, encorajou os afro-americanos a alistarem-se para combater no intuito de afirmar sua reivindicação de direitos iguais de cidadania. Em 1919, quando os soldados estavam voltando para casa, Du Bois ponderou em *The Crisis*, a revista mensal da NAACP, as implicações para os "soldados regressantes" negros, cujo retorno a um país que destituía e linchava afro-americanos oferecia a esperança de que os negros voltariam "lutando" pela igualdade. "Abram alas para a democracia", proclamou Du Bois. "Nós a salvamos na França e, pelo grande Jeová, vamos salvá-la nos Estados Unidos da América, ou saber o porquê disso". Ao longo de sua vida muito extensa, Du Bois desafiaria os argumentos sociais e científicos que sustentavam o racismo, embora seu pretenso radicalismo e apoio ao comunismo tenham atraído críticas e a atenção do FBI. Ele foi um dos poucos porta-vozes afro-americanos que criticaram a internação forçada de americanos japoneses durante a Segunda Guerra Mundial.

BENJAMIN FRANKLIN (1706-1790)

Um dos Pais Fundadores da América, Benjamin Franklin parecia exemplificar o que veio a ser chamado o sonho americano ao longo de uma vida que o viu sair da pobreza para a proeminência internacional, e de uma carreira que cobriu a imprensa, a edição e a política e combinou a ciência com o estadismo. Famoso pelas suas numerosas invenções, incluindo o para-raios (concebido após seu famoso experimento com pipas), o aquecedor Franklin (ou fogão circulante, pois era projetado para circular ar quente dentro de um cômodo) e os óculos bifocais, talvez sua maior invenção tenha sido ele mesmo e, através dela, a nação que se tornou os Estados Unidos. A carreira de Franklin começou na imprensa, mas desde o início ele foi levado a publicar suas ideias sobre o progresso social e individual, primeiro sob o pseudônimo de Silence Dogood, e depois sob a figura de Poor Richard (Richard Saunders), famoso pelo *Poor Richard's Almanac*, publicado de 1732 a 1758. O *Almanac* continha pérolas de sabedoria sobre a eficácia da frugalidade e do trabalho árduo, coligidas em *The Way to Wealth* [O caminho para a riqueza] (1758). Talvez a mais conhecida dessas máximas seja "deitar-se cedo e levantar-se cedo torna o homem saudável, próspero e sábio". Embora um pouco incansavelmente otimista demais para certos gostos – na época e depois –, os conselhos de Franklin repercutiram em um ambiente colonial em que a possibilidade de reinvenção de si mesmo e da sociedade parecia real para muitos. No mínimo, existia nas colônias a oportunidade de criticar a elite, o que Franklin fez nas páginas do *Pennsylvania Chronicle e Universal Advertiser*, fundado em 1767 e amplamente dedicado a contestar a influência da família Penn e o que se via como intrusão britânica em assuntos coloniais. Nessa altura, é claro, Franklin posicionava-se em um contexto britânico; ele era claramente um indivíduo nascido com a determinação de ter sucesso (ser um de vinte filhos pode ter fomentado essa ambição), mas não necessariamente num novo contexto nacional. Dez anos antes de se envolver com o *Chronicle*, Franklin havia sido enviado à Grã-Bretanha para representar a Pensilvânia e aproveitou a oportunidade para promover a ideia de mais autogoverno para a colônia, mas com pouco sucesso. Ao retornar para as colônias, por conseguinte, ele defendeu cada vez mais a unidade colonial e oposição ao que ele julgava um controle autoritário dos assuntos coloniais por um parlamento a 5 mil quilômetros de distância. O *Chronicle* refletiu o radicalismo crescente da época na sua publicação das *Letters from a Pennsylvania Farmer* de John Dickinson, que argumentava contra a taxação excessiva. Como membro do Segundo Congresso Continental, Franklin foi um dos artífices e signatários da Declaração de Independência. No ano em que ela foi publicada (1776), ele foi enviado para a França para persuadir os franceses a ajudar as colônias americanas no seu conflito com a Grã-Bretanha. Franklin retornou aos então Estados Unidos dois anos após a assinatura do Tratado de Paris (1783), que encerrou a Guerra de Independência americana.

Sarah Margaret Fuller Ossoli (1810-1850)

Margaret Fuller nasceu em Massachusetts e, como era e continua a ser a sina de muitas mulheres instruídas, sua carreira começou no magistério, principalmente porque, depois da morte de seu pai, ela teve de sustentar seus irmãos mais novos. Contudo, ativa no jornalismo (ela editava o jornal transcendentalista *The Dial* e escrevia para o então moderadamente radical *Tribune* de New York, editado por Horace Greeley), ela teve acesso a um público maior do que a sala de aula e promoveu ativamente não só os direitos das mulheres, mas a igualdade em geral. Muitos dos argumentos presentes no seu livro, *Woman in Nineteenth Century* [A mulher no século XIX] (1845), foram delineados dois anos antes em um longo ensaio publicado em *The Dial*, "Homem *versus* Homens, Mulher *versus* Mulheres", no qual ela enfatizou a promessa nacional inerente na Declaração de Independência. "Embora a independência nacional possa ser turvada pelo servilismo de indivíduos", escreveu ela, "embora a liberdade e a igualdade tenham sido proclamadas somente para abrir espaço para uma exibição monstruosa de negociação e posse de escravos", não obstante a ideia de que todos os homens são criados iguais permanecia "uma áurea certeza, para incentivar os bons e envergonhar os maus". Enviada à Europa por Greeley em 1846, Fuller produziu uma série de "despachos" publicados na *Tribune*, nos quais ela detalhou os acontecimentos do que descreveu como os "dias tristes mas gloriosos" da revolução italiana e a importância dos principais revolucionários, especialmente Giuseppe Mazzini e seus ideais, para os Estados Unidos. "A causa é nossa, acima de todas as outras", escreveu ela para seu país, uma nação que ela acreditava "não estar morta", mas adormecida pela questão da escravidão, e na qual "o espírito de nossos pais não arde mais, mas jaz escondido sob as cinzas". Na Itália, Fuller encontrou e (possivelmente) desposou o revolucionário Marchese Giovanni Angelo d'Ossoli, com quem teve um filho, Angelo. Quando eles voltavam para os Estados Unidos em 1850, seu navio naufragou ao largo da costa de Nova York e os três morreram. Fuller não foi bem tratada por seus contemporâneos no que tange ao seu legado duradouro, e seus relatos da Europa, embora disponíveis na *Tribune*, foram publicados com o título *At Home and Abroad* [Em casa e no exterior] (1856), editados (e modificados) por seu irmão Arthur. A fama que ela acabou alcançando como defensora dos direitos das mulheres tendeu a obscurecer a importância muito maior de sua análise não apenas dos direitos femininos, mas dos de cidadania nos Estados Unidos em meados do século XIX.

Alexander Hamilton (c. 1755-1804)

Alexander Hamilton, outro dos Pais Fundadores da América (e outro advogado), nasceu nas Índias Ocidentais e foi enviado para as colônias americanas. (Nova Jersey) para fazer seus estudos em 1772, que ele continuou no King's College (hoje Colúmbia) em Nova York, onde ele se tornou um ardente defensor da causa colonial e logo capitão de uma companhia de artilharia arregimentada pelo Congresso Providencialista de Nova York. Ele despontou na imprensa com a publicação de "Uma Defesa Completa das Medidas do Congresso", que defendia o Congresso Continental do ataque legalista, mas seu caminho para a fama realmente começou quando ele foi nomeado ajudante de ordens de George Washington em 1777, cargo que ocupou por quatro anos. As experiências de Hamilton durante a guerra, e especialmente durante o terrível inverno em Valley Forge, quando o Exército revolucionário estava no seu ponto mais inferior – em termos de moral e de homens –, são citadas muitas vezes como um fator nos seus argumentos posteriores a favor de um Estado federal forte e centralizado. Como Washington, Hamilton percebia que as preocupações e lealdades estaduais operavam contra a condução eficiente da guerra e teriam provavelmente o mesmo efeito sobre a nação (ainda putativa). Ele argumentou a favor da revisão dos Artigos de Confederação e descobriu que tinha uma causa em comum com outros, como o futuro presidente James Madison e John Jay, e junto a eles ele viria a redigir e publicar o que ficou conhecido como *The Federalist Papers* (originalmente *O Federalista*). Tratava-se de uma série de ensaios constitucionais publicados na imprensa de Nova York entre 1787 e 1788, concebidos para apoiar o argumento de uma Constituição revista para a América. Sua importância continua, e ele é citado por vezes em decisões contemporâneas da Suprema Corte. Uma das contribuições mais notáveis de Hamilton (*Federalist* n. 84) ao debate constitucional foi sua objeção à inclusão da Carta de Direitos com a justificativa de que enumerar uma série de direitos corria o risco de restringir os de que "o povo" já dispunha. Uma Carta de Direitos separada, acreditava Hamilton, seria "não somente desnecessária na Constituição proposta, mas até perigosa". Por que, perguntou ele, "declarar que não se farão coisas para as quais não existe poder de fazê-las"? Em 1789, Hamilton foi nomeado o primeiro secretário do Tesouro sob George Washington, cargo que ocupou até 1795. Nessa capacidade, Hamilton teve papel decisivo na criação do quadro fiscal da nação, seus bancos, receita, dívida nacional e sistemas de crédito, bem como as regras que regiam as manufaturas.

Oliver Wendell Holmes Jr. (1841-1935)

Oliver Wendell Holmes Jr. nasceu em Massachusetts; filho do médico e escritor Oliver Wendell Holmes, e estudou em Harvard. Quando a Guerra Civil eclodiu, ele alistou-se para lutar pela União e foi ferido e dado como morto após a Batalha de Antietam em 1862 (seu pai relatou a experiência de viajar para o campo de batalha para procurar seu filho, em um artigo do *Atlantic Monthly*, "My Hunt after 'The Captain'"). A guerra é geralmente considerada o evento formativo da vida de Holmes Jr., a origem do que é às vezes descrito como seu ceticismo moral, em grande parte porque, mais para o fim do século, ele pronunciou dois discursos notáveis sobre o tema da guerra e da luta pela vida. Em 1884, no discurso do Dia da Recordação pronunciado em uma associação de veteranos da União, o Grande Exército da República, Holmes afirmou que "a geração que lutou na guerra foi distinguida pela sua experiência. Por meio da nossa grande boa fortuna, em nossa juventude nossos corações foram tocados pelo fogo. Foi-nos dado aprender logo de início que a vida é algo profundo e apaixonado". Uma década mais tarde, falando perante a classe de formandos em Harvard no Dia da Recordação de 1895, ele instou os estudantes "a manter a fé do soldado contra as dúvidas da vida civil". Holmes certamente não foi original em manifestar, em seus últimos anos, uma recordação robusta e possivelmente um pouco romantizada de um conflito vivido na sua juventude. Nessa altura ele já estava muito bem estabelecido na carreira jurídica, que ele abraçou após a Guerra Civil. Ele editou a *American Law Review* de 1870 a 1873, e em 1880 deu uma série de palestras no Instituto Lowell, que começou com a observação de que a "vida do Direito não é lógica; ela é experiência". Holmes foi professor de Direito por um breve período na Harvard Law School, mas foi nomeado juiz associado da Corte Judicial Suprema de Massachusetts em 1883 e tornou-se presidente da Corte em 1899. Na condição de ex-soldado, ele naturalmente apelou a Theodore Roosevelt, que o nomeou para a Suprema Corte dos EUA no fim de 1902. Sua decisão mais famosa foi talvez *Schenck vs. United States* (1919), na qual ele estabeleceu que a Primeira Emenda não protegia um indivíduo se ele oferecesse um "perigo claro e presente" para a sociedade (o indivíduo em questão incentivara americanos a evitar o recrutamento). Em *Abrams vs. United States* (1919), ele afirmou – o que alguns interpretaram como uma contradição com seu juízo anterior – que não havia "perigo claro e presente" (os indivíduos nesse caso tinham distribuído panfletos denunciando o esforço de guerra). Não havia contradição porque a parte crucial da decisão de Holmes de 1919 era a de que as palavras "são usadas em tais circunstâncias e são de natureza tal que criam um perigo claro e presente". Na verdade, Holmes foi coerente em toda a sua carreira na sua ênfase na importância da liberdade de expressão como fundamento das liberdades americanas.

ANDREW JACKSON (1767-1845)

O sétimo presidente dos Estados Unidos, que deu seu nome à "Era Jackson" e cujo apelido, Old Hickory,* implicava dureza, foi na época – e continuou a ser em grande parte – altamente simbólico em uma nação que enfatiza a autoajuda, o vigor da fronteira e a determinação. Embora não houvesse uma ampla extensão do direito de voto e certamente nenhuma mobilidade social drasticamente ascendente durante a Era Jackson, sua imagem era a de um homem comum que estenderia o processo democrático e as oportunidades econômicas da nação aos homens comuns em geral. Para um indivíduo que era no mínimo um solitário, ele passava uma imagem de homem do povo. Parte de sua popularidade na época derivava do fato de que ele havia servido (como mensageiro, pois mal era um adolescente àquela altura) na Guerra Revolucionária. Sua infância foi absolutamente deprimente: aos 14 anos de idade, ele já havia perdido ambos os pais. Ele estudou Direito e, como muitos outros, mudou-se para a fronteira – para o território que se tornaria o estado do Tennessee – devido às oportunidades que ela oferecia. Quando o Tennessee foi admitido na União em 1796, Jackson tornou-se o representante do estado no Congresso. A especulação fundiária fez dele um homem rico, plantador de algodão e proprietário de escravos, mas foi a guerra de 1812 que lhe deu destaque nacional e, por fim, a presidência, em particular sua vitória sobre as forças britânicas em Nova Orleans em 1815. Quando Alexis de Tocqueville visitou os Estados Unidos durante o segundo mandato de Jackson, ele criticou um homem que ele descreveu como tendo "caráter violento e capacidades medíocres" e que era impopular com "as classes esclarecidas da União". Mas Tocqueville entendeu que era "a memória da vitória obtida por ele vinte anos atrás sob as muralhas de Nova Orleans" que mantinha sua popularidade pública. A vitória em si mesma não era suficiente; a guerra também teve seu papel em preservar a imagem de Jackson, seu futuro financeiro imediato e enfim um cargo executivo. A Guerra de 1812, o segundo conflito com os britânicos, não foi apenas simbolicamente significativa, mas, em termos práticos, removeu muitos povos nativos

---

* Um tipo de árvore nativa dos EUA, do gênero *Carya*, de madeira muito dura. (N.T.)

do Sul e do Noroeste e abriu vastas expansões de terra aos colonos brancos (e seus escravos). Novas oportunidades em uma nova fronteira pareciam estar se abrindo, e Jackson estava bem situado para explorá-las. Ele concorreu à eleição pela primeira vez em 1824, mas com quatro candidatos naquela eleição e nenhum com maioria, coube à Câmara de Representantes escolher o presidente, e ela escolheu John Quincy Adams. Em 1828, Jackson foi eleito presidente em uma eleição que realmente viu a política partidária entrar em funcionamento pela primeira vez na América; as eleições viraram um entretenimento de massa e, se a imagem ainda não era tudo, estava decididamente avançando nessa direção. Nesse aspecto, Jackson foi um antecipação do que estava por vir na política americana.

JOHN FITZGERALD KENNEDY (1917-1963)

A eleição de John F. Kennedy, o primeiro presidente católico da América, pareceu na época – e até hoje – um novo começo promissor para a América, como um momento em que, como disse o próprio Kennedy, a tocha foi passada "para uma nova geração de americanos". Foi também uma das eleições mais apertadas da história americana, na qual se considera que a mídia teve um papel crucial. Nos debates televisivos entre Kennedy e seu rival republicano, o então vice-presidente Richard Nixon, viu-se literalmente que Kennedy era o candidato mais persuasivo (observou-se muitas vezes que os ouvintes de rádio tenderam a considerar superior o desempenho de Nixon). Isso e a tragédia do assassinato de Kennedy por Lee Harvey Oswald em Dallas, no Texas, em novembro de 1963, influenciaram fortemente a percepção pública do 35º presidente da América, e a minissérie televisiva de 2011 sobre os Kennedys sem dúvida reforçou a reverência com que o nome Kennedy é tratado, ou às vezes maltratado, nos Estados Unidos. Para a geração anterior ao Onze de Setembro, muitas vezes o momento histórico marcante nas suas vidas é aquele do qual eles sempre se lembram onde estavam e o que estavam fazendo quando ouviram a notícia de que JFK havia sido assassinado. A breve presidência de Kennedy foi ofuscada pela Guerra Fria, definida em alguns aspectos pela Crise dos Mísseis de Cuba em 1962, e foi uma época em que o programa doméstico ficava em segundo lugar atrás da perseguição vigorosa de uma agenda anticomunista. Isso levou o governo Kennedy a competir, globalmente e no espaço, com a União Soviética. Incitado pelo "desafio do Sputnik" em 1961, Kennedy prometeu que a América realizaria um desembarque na Lua em uma década, mas disse pouco – e fez menos ainda – quanto aos crescentes problemas raciais que existiam aqui embaixo na Terra e, em estados como o Mississippi, estavam tornando-se graves. Mas o legado de Kennedy não está tanto no que o próprio presidente fez ou não fez, mas no simbolismo e na retórica fornecidos por um líder que prometeu novas fronteiras para uma Nação que, passadas a Segunda Guerra Mundial e a era McCarthy e no contexto da Guerra Fria, queria algo, se não necessariamente alguém, em que pudesse acreditar.

Abraham Lincoln (1809-1865)

Como o presidente que preservou a União americana no meio do século XIX, o legado de Abraham Lincoln pode parecer assegurado, mas nos anos recentes foram feitos esforços combinados para desafiar a lenda de Lincoln, com muito pouco efeito, deve-se dizer, já que os estudos sobre Lincoln são volumosos – até algum tempo atrás, somente Napoleão tinha mais livros escritos sobre ele, mas talvez já não seja o caso – e não dá sinais de estar diminuindo. O foco de grande parte do debate (e às vezes diatribe) tende a girar em torno da decisão de Lincoln de emancipação, embora tenha havido um movimento para criticar a suspensão de certas liberdades civis por Lincoln nos estados da fronteira, especialmente – no que tange à imprensa – durante a Guerra Civil. Dado que a Guerra Civil é uma peça central da narrativa nacional (sem a vitória da União, não haveria nação) e que Lincoln é uma peça central da Guerra Civil, a compreensão do indivíduo não pode ser divorciada da da guerra. Lincoln foi um homem de seu tempo. Como Henry Clay, ele era um advogado da fronteira e, como Clay, ele abominava a escravidão, mas não estava convencido de que uma sociedade racialmente neutra fosse uma opção, e também apoiava a ideia de colonização para afro-americanos livres. Grande parte do que Lincoln disse e fez com relação à escravidão e à secessão derivou do fato de que ele era um constitucionalista ferrenho e agia de acordo com a pressuposição (e a posição jurídica decorrente) de que a secessão representava uma rebelião no Sul, mas não do Sul. Ele também era um pragmático. Assim como Clay achava que ataques diretos contra a escravidão tinham pouca chance de sucesso em um ambiente onde a propriedade de escravos era arraigada, Lincoln também achava que ataques diretos contra a instituição eram piores do que inúteis e potencialmente danosos para o esforço de guerra da União em uma nação onde o racismo não era um pecado regional, mas uma mentalidade nacional. Porém, desde o início, o que passou a ser chamado de Guerra Civil (mas só depois de 1912; antes disso, era a Guerra de Rebelião) não estava bem definido jurídica ou constitucionalmente (por exemplo, um dos primeiros atos da União foi bloquear os portos sulistas; mas, no direito internacional, nenhuma nação pode bloquear a si mesma). Nesse contexto, tudo o que Lincoln fizesse quanto à emancipação teria de sê-lo de modo a torná-lo obrigatório para a nação depois que a guerra acabasse, e presumindo que a União vencesse. Uma de suas maiores frustrações na época foi lidar com as exigências estridentes de radicais e reformadores para que ele acabasse com a escravidão em uma parte do país que a União já não controlava. Ademais, a Guerra Civil foi travada por uma União na qual o sistema bipartidário continuava a funcionar (mas não na Confederação), de forma que as ações e palavras presidenciais tinham de ser cuidadosamente sopesadas em um ambiente em que a manutenção do apoio para uma guerra travada não por um exército regular, mas sobretudo por soldados voluntários, dependia do apoio contínuo nas urnas. Presume-se com frequência que a União, com mais homens e uma economia mais forte, mais munições e uma rede de transportes mais robusta, estava fadada a ganhar a Guerra Civil, mas essa perspectiva ignora o mundo real em que Lincoln atuava, e o fato de que todo o poder do mundo (como o Vietnã certamente deixou claro) é mais do que inútil se não for exercido efetivamente. O assassinato de Lincoln por John Wilkes Booth em 1865, no fim da Guerra Civil, gerou ainda mais "e ses" do que a morte de Kennedy em 1963. O período da Reconstrução (até 1877) foi considerado uma oportunidade perdida de consolidar o movimento de emancipação que Lincoln havia promovido durante o conflito (o principal historiador da era denominou a Reconstrução "a revolução inacabada da América"), o que levou à necessidade da chamada "Segunda Reconstrução" nos anos 1960.

Ronald Reagan (1911-2004)

Ronald Reagan nasceu e estudou em Illinois e mudou-se para a Califórnia em 1937, onde teve uma carreira bem-sucedida de ator e presidente do Screen Actors' Guild (o que faz dele o único líder sindical até agora a ocupar um cargo executivo) e onde, nos anos 1950, ele tornou-se porta-voz da General Electric Corporation. Foi seu discurso de apoio à candidatura presidencial de Barry Goldwater em 1964 que lhe trouxe atenção nacional e, em 1966, ele foi eleito governador da Califórnia. Sua própria candidatura à presidência fracassou em 1968 e novamente em 1976, mas a terceira vez deu certo em 1980. A vitória de Reagan em 1980 foi considerada um ponto de inflexão, não apenas no sentido estreito da ascensão da direita americana, mas mais geralmente para uma nação ainda convalescente da derrocada que havia sido a Guerra do Vietnã. Com sua ênfase no governo como o problema, Reagan remetia a Thomas Paine e à tradição, desenvolvida junto à própria nação, do empreendedorismo individual como o motor da economia e das vidas americanas, embora, como acontecera com a era Jackson, a retórica de inclusão disfarçasse a exclusividade que beneficiava uma elite muito restrita e sobretudo empresarial. A retirada pós-1980 dos valores tidos como liberais, das soluções estatais ativas representadas pelo *New Deal* e pela Grande Sociedade, foi também acompanhada pela ascensão de uma boa intenção moralista de dirigir as vidas dos outros em um grau que nenhum estado – nos seus devaneios mais intrusivos – já concebera ou alcançara. Em alguns aspectos, o medo foi a ideologia motivadora que impulsionou a ascensão da "Nova Direita" após 1980, o medo da desintegração em casa e dos perigos do "império do mal" no exterior. Nesse contexto, Reagan ofereceu uma solução falsamente simples para os problemas da América em casa e no exterior. Seu programa econômico afastou a economia americana da sua orientação keynesiana pré-1980 (em resumo, os gastos governamentais ou do setor público como o motor econômico) para uma economia voltada para a oferta (às vezes chamada de "*trickle-down*" ou "*Reaganomics*") e impôs cortes fiscais por meio da Lei de Recuperação Fiscal de Emergência (1981) em uma tentativa de reduzir o déficit. Ao mesmo tempo, como Reagan acreditava que a defesa não era um "item do orçamento", os gastos militares americanos subiram 40% entre 1980 e 1984. A reeleição de Reagan em 1984 viu o presidente cada vez mais envolvido em assuntos estrangeiros, mais notavelmente o começo do fim da Guerra Fria. Os esforços de Reagan para melhorar as relações com a União Soviética foram geralmente considerados bem-sucedidos, mas a revelação, em 1986, de que os Estados Unidos haviam fornecido secretamente apoio militar e financeiro aos Contras na Nicarágua – contrariando a decisão congressual de suspender tal auxílio – expôs (ou não, dado que os arquivos e memórias desapareceram de modo muito conveniente) a extensão do estado paralelo por trás do Congresso. Por fim, o sucesso de Reagan com relação aos soviéticos contrabalançou o que ficou conhecido como o escândalo Irã-Contras (os fundos para os Contras vinham da venda de armas para o Irã, negociada em troca de reféns americanos tomados por grupos xiitas), e Reagan encerrou o mandato como um dos presidentes mais populares da América.

Theodore Roosevelt (1858-1919)

Theodore Roosevelt, o 26º presidente dos Estados Unidos, nasceu em Nova York. Uma doença na primeira infância produziu nele a determinação de superar sua saúde frágil com um regime robusto de preparo físico (mais tarde ele elogiou o que chamou de "vida árdua"), que veio a definir sua perspectiva política, um impulso regenerativo que se transformou de uma experiência pessoal em um programa progressista para a nação. Ele estudou em Harvard e depois foi eleito para a Assembleia Estadual de Nova York. Seu interesse pelo poder naval da América levou-o a publicar *The Naval War of 1812* [A Guerra Naval de 1812] (1882). O assassinato de William McKinley em 1901 o fez chegar à presidência como o homem mais jovem a ocupar o Executivo. Nessa época, Roosevelt já tinha uma reputação de homem de ação, a qual foi parcialmente forjada na Colina de San Juan em Cuba durante a Guerra Hispano-Americana de 1898. Como presidente, Roosevelt procurou promover valores amplamente progressistas, e seu programa econômico, o *Square Deal*, procurou garantir que os interesses do "Big Business", na forma da U.S. Steel e Standard Oil, não operassem contra os do público ou da nação. Ele foi um forte defensor da legislação antitruste e da conservação da grande natureza americana. Roosevelt teve participação decisiva na proteção dos recursos naturais da nação contra a exploração econômica e preservou milhões de hectares com a intenção de que a terra fosse usada para novos parques nacionais. Os Estados Unidos, na época da presidência de Roosevelt, já haviam designado Yellowstone (1872) e Yosemite (1890) como parques nacionais sob proteção federal, por isso Roosevelt desenvolveu, em vez de inaugurar, uma política de proteção ambiental. Em termos de política externa, tal como Roosevelt dividia as empresas naquelas que ele estimava benéficas para a nação e aquelas cujo poder a ameaçavam, no exterior ele tendia a ver uma justaposição entre países civilizados e incivilizados e a estender sua política doméstica progressista ao cenário mundial tentando intervir nos assuntos internos de várias nações centro-americanas, o que inaugurou a ideia da América como o "policial do mundo". Roosevelt deixou o cargo após dois mandatos, mas tentou voltar em 1912 e criou um novo Partido Progressista cuja plataforma, o Novo Nacionalismo, defendia o controle das empresas e a expansão da justiça social por meio de mais intervenção governamental. Embora não tenha tido sucesso – ele foi derrotado por Woodrow Wilson –, a ideologia geral de Roosevelt mostrou-se influente no desenvolvimento econômico, político e social americano do século XX.

Franklin Delano Roosevelt (1882-1945)

Franklin D. Roosevelt (FDR), o 32º presidente da América, foi um dos líderes mais populares da nação – se não o mais popular –, tanto em vida como depois. Ele continua a ser o único presidente que foi eleito para mais de dois mandatos. Foi responsável por guiar os Estados Unidos através da Grande Depressão, implementou o *New Deal* e liderou a nação na Segunda Guerra Mundial. Sua presidência começou com uma eleição que representou uma rejeição decisiva da velha ordem política na forma dos republicanos e estabeleceu o controle do Partido Democrata no Senado e na Câmara de Representantes. O *New Deal* que ele propôs ao povo americano foi muito além dos programas econômicos e sociais domésticos da década de 1930; o *New Deal* persistiu, tanto na sua implementação econômica quanto na ideologia por trás dela, até os anos 1960, e os democratas tornaram-se o partido cativo no governo, pois mantiveram o Executivo por 28 dos 36 anos seguintes. Grande parte do sucesso de FDR residiu na criação do que ficou conhecido como a "coalizão do *New Deal*", sua arregimentação do movimento trabalhista (na forma do recém-criado Congresso das Organizações Industriais [CIO]) que apoiou o Partido Democrata e trouxe consigo grande parte dos votos urbanos, afro-americanos (uns três quartos dos afro-americanos nortistas apoiaram a reeleição de FDR em 1936), intelectuais e do Sul branco. O *New Deal* também representou uma transformação secular em uma nação que vira a ascensão da influência da direita religiosa: uma das primeiras medidas do governo FDR foi revogar a Lei Seca – não uma medida abertamente secular em si mesma, mas com certeza uma rejeição de um exemplo extremo da moralidade direitista. Nos seus "primeiros cem dias", FDR começou a implementação dos programas assistenciais que constituiriam o coração econômico do *New Deal*, ao mesmo tempo que mantinha um olho nos acontecimentos globais, que estavam caminhando para a Segunda Guerra Mundial. Quando a guerra eclodiu, sua ênfase na América como o "arsenal da democracia" foi um passo importante entre neutralidade e compromisso, ao fundir os benefícios econômicos práticos da produção de armas com uma ideia muito mais ampla do que a nação representava e pelo que ele poderia lutar. Depois que Pearl Harbor foi atacado, FDR colocou a economia americana em pé de guerra: a produtividade industrial disparou, com todos os benefícios oriundos disso e da mobilização em massa da população. FDR morreu no último ano da Segunda Guerra Mundial, e a nova ordem mundial, que ele começara a negociar em Ialta e Teerã, teria de ser realizada por outros. Mas o legado duradouro de FDR foi que, na sua presidência, o povo americano – tradicionalmente desconfiado do governo – foi encorajado a ter fé neste, em decorrência de sua fé na pessoa de FDR. Foi isso que realmente distinguiu essa era da história da América, uma fé na eficácia do governo que o primo de FDR, o progressista Theodore Roosevelt, compartilhava mas da qual nunca conseguira convencer inteiramente o eleitorado, e uma fé que a nação renegou com a eleição de Ronald Reagan em 1980.

Benjamin Rush (1745-1813)

Benjamin Rush, hoje talvez o Pai Fundador menos conhecido dos Estados Unidos, nasceu perto de Filadélfia e frequentou em 1759 o College of Physicians daquela cidade. Sua formação médica continuou em Princeton e depois no exterior, em Edimburgo (Escócia) e na Europa continental. Em 1769, Rush abriu um consultório particular na Filadélfia e também lecionou como professor de Química no College of Philadelphia, onde publicou o primeiro manual americano da área. Mas Rush não se limitou a questões médicas, pois escreveu uma série de editoriais em prol da causa patriótica nos anos que antecederam a Revolução Americana e envolveu-se ativamente com a organização Filhos de Liberdade na Filadélfia. Em 1776 ele representou a Filadélfia na Conferência Continental e foi um dos signatários da Declaração de Independência. Foi nomeado cirurgião-geral do Exército Continental em 1777, mas sua oposição ao serviço médico do Exército da época e a George Washington forçou-o a renunciar. Em 1789 ele foi membro da convenção da Pensilvânia que adotou a nova Constituição e depois foi nomeado tesoureiro da Casa da Moeda dos EUA, cargo que ocupou de 1797 até sua morte. Antes disso ele fora nomeado professor de Teoria Médica e Prática Clínica na Universidade da Pensilvânia e, durante toda a sua vida, teve uma ampla variedade de interesses ligados ao ativismo social, como a abolição, a ampliação do acesso à educação para todos, incluindo as mulheres (pela razão de que a república necessitava de cidadãos instruídos), e clínicas médicas para tratar os pobres. Embora fosse proprietário de escravo (ele tinha um escravo), em 1773 Rush publicou "Um discurso aos habitantes das colônias britânicas na América sobre a escravatura", no qual afirmou que a escravidão "e o vício estão ligados, e este último é sempre fonte de desgraça", além de lembrar seus leitores do "arbítrio que foi exercido sobre eles poucos anos atrás nas Leis do Selo e da Arrecadação". Em um argumento precursor do que Abraham Lincoln usaria no seu segundo discurso inaugural, Rush salientou "que os crimes nacionais exigem punições nacionais, e, sem declarar qual punição cabe a esse mal, você pode atrever-se a assegurá-los que ele não ficará impune, a menos que Deus deixe de ser justo e misericordioso". Rush também descreveu a epidemia de febre amarela de 1793 e estava à frente do seu tempo no seu interesse pelas doenças mentais além de físicas. Suas *Medical Inquiries and Observation upon the Diseases of the Mind* [Investigações e observações médicas sobre as doenças da mente] (1812) foram o primeiro manual americano sobre o assunto.

MARGARET SANGER (1879-1966)

Margaret Sanger (nascida Higgins) nasceu em Nova York, uma de onze filhos nascidos de uma mulher que tivera dezoito gravidezes. Ela foi uma figura polêmica na sua época – que não se sentia totalmente à vontade com a disseminação de informações sobre controle da natalidade, as quais tendia a taxar de "obscenas" (no termos da Lei Comstock – do nome do reformador social Anthony Comstock – de 1873) – e permaneceu controvertida desde então. Sanger teve formação de enfermeira e trabalhou por um tempo no Lower East Side de Manhattan, ao mesmo tempo que se envolveu com a cultura radical concentrada em Greenwich Village, que incluía figuras como o reformador social e escritor Upton Sinclair e a anarquista Emma Goldman. Em 1912, Sanger começou a escrever uma coluna regular para o *New York Call*, intitulada "O que toda menina deve saber", sobre educação sexual e contracepção. A coluna sobre doenças venéreas foi suprimida por alegação de obscenidade. Em 1914, ela publicou a primeira edição da publicação feminista *The Woman Rebel* [A mulher rebelde], mas também entrou em conflito com os censores, que ficaram descontentes com a defesa da contracepção por Sanger. Foi tão grande o furor – e o risco de prisão associado a ele – que Sanger foi forçada a partir para a Inglaterra. Na sua ausência, seus associados disseminaram cerca de 100 mil cópias do seu panfleto sobre contracepção, *Family Limitation* [Limitação da família]. Sanger voltou a Nova York em 1915 para um julgamento que nunca aconteceu para infelicidade sua, pois esperava que a publicidade chamaria atenção para suas questões. Ela abriu a primeira clínica de controle da natalidade no Brooklyn em 1916, o que levou a sua condenação e prisão, mas atraiu a atenção do público e – ainda mais importante – gerou fundos para a causa da reforma do controle da natalidade. Em 1923 ela abriu outra clínica, o Bureau de Pesquisa sobre o Controle da Natalidade, aproveitando uma brecha legal que permitia que os médicos receitassem contracepção. Em 1917 ela começou a publicar a *Birth Control Review* [Revisão do controle de natalidade] e, três anos depois, criou a Liga Americana de Controle da Natalidade, seguida em 1929 pela formação do Comitê Nacional de Legislação Federal de Controle da Natalidade. Sanger pelo menos viveu o bastante para ver o controle da natalidade tornar-se legal (apenas para cônjuges casados, em *Griswold vs. Connecticut* [1965]). A defesa do controle da natalidade por Sanger foi descrita de forma variada, ora derivada de suas experiências entre mulheres pobres, cuja saúde sofria inevitavelmente durante a gravidez, mas também era ameaçada pelo recurso generalizado ao aborto ilegal e às vezes autoinduzido, ora com um propósito mais eugenista em uma era em que o controle populacional tinha laivos de controle racial e melhoria nacional. Certamente, sua reputação foi afetada pelo impacto do movimento eugenista e pelo apoio dela à esterilização dos doentes mentais, questão que foi objeto da sentença de Oliver Wendell Holmes em *Buck vs. Bell* (1927).

ÍNDICE REMISSIVO*

A *Briefe and True Report of the New Found Land of Virginia* (Hariot), 43-6, 47*i*, 55*i*, 56 e 67.
A cabana do Pai Tomás (Beecher Stowe), 207 e 462-4.
A cela enorme (Cummings), 337.
A Century of Dishonor (Jackson), 283.
A hora final (Shute), 388.
A Modest Enquiry into the Nature of Witchcraft (Hale), 112-4.
A Particular Discourse Concerning Western Discoveries (Hakluyt), 40.
A Summary View of the Rights of British America (Jefferson), 138.
A terra devastada (Elliot), 337.
A utopia (More), 51.
abolição, movimento de,
    formação do, 198-9.
    Partido do Solo Livre, 201 e 205*i*.
    perspectiva nortista do, 199-201.
    pós-Guerra Civil, 233-5.
    pós-Guerra Revolucionária, 165.
    reação sulista ao, 199-200.
    republicanos, 201.
    Sociedade Americana de Colonização, 202.
aborto, direito ao, 433-5.
Abrams vs. United States, 472.
Acordo de Cambridge de 1629, 104.
Adams, John Quincy, 189.
Adams, Samuel, 173 e 459-60.
Addams, Jane, 309 e 460-1.
Adeus às armas (Hemingway), 337.
Admirável mundo novo (Huxley), 350-1.
Afeganistão, guerra do, 438.
afro-americanos,
    direito de voto no Mississippi, 406-7.
    encarceramento de, 437-8.
    êxodo na Guerra Civil, 223-4.
    motivações na Guerra Civil, 236.
    negação do direito de voto às mulheres, 320.
    nos Estados Unidos em geral, 21.
    Projeto Federal de Escritores, 358.
    Relatório Moynihan, 432.
    repatriação de volta para a África, 202 e 475.
    retirada do direito de voto na Reconstrução, 250, 256, 258 e 260.
    serviço militar na Primeira Guerra Mundial, 303 e 320-1.

---

* Os itens presentes neste índice cuja paginação menciona as letras *n*, *i* e *m* referem-se às indicações, respectivamente, de notas, imagens e mapas. (N.E.)

vistos como degenerados, 321.
vítimas de brutalidade policial no Mississippi, 408.
Ver também escravidão.
Agência Central de Inteligência (CIA), 389 e 414.
Agência de Execução de Obras (WPA), 358.
Agência de Obras Públicas (PWA), 356.
Agência de Proteção Ambiental (EPA), 425-6.
Agência de Reassentamento, 357*i*.
Agência de Reconstrução Financeira (RFC), 353.
Agência de Segurança e Saúde Ocupacional (Osha), 426.
Agência dos Libertos, 251-2.
Agência Federal da Infância, 309.
Agência Nacional da Aeronáutica e do Espaço (Nasa), 398.
Agência Nacional de Recuperação (NRA), 356.
Al Qaeda, 438.
Alabama, 215, 261 e 408.
Albright, Madeleine, 18.
Alemanha,
Blitzkrieg, 362.
campanha submarina, Primeira Guerra Mundial, 317-9.
na Segunda Guerra Mundial. *Ver* Segunda Guerra Mundial.
algonquinos,
adoção de colonos ingleses por, 84.
relação com colonos da Nova Inglaterra, 74, 80-2 e 117.
relação com colonos de Jamestown, 48-51, 67 e 88-90.
Altgeld, John P., 291*i*.
Alvorada da destruição (Cromie), 388.
América do Norte,
colônias inglesas. *Ver* colônias americanas.
declínio da influência espanhola na, 69-70.
ocupação da Ilha Roanoke, 38-43.

relato de Barlowe sobre a, 38-41.
representações da, em geral, 53-5.
americanos japoneses, internação de, 245, 357*i*, 374-5 e 468.
An American Dilemma: The Negro Problem and Modern Democracy (Myrdal), 391-4.
Andros, Edmund, 105-7.
Anghiera, Peter Martyr, 36.
Anna Karenina, 348.
anticomunismo. *Ver* Guerra Fria.
antitruste, legislação, 277-9.
Apolo 8, 425.
Apolo 12, 428.
Apolo-Soyuz, Projeto, 428.
Appeal to the Colored Citizens of the World (Walker), 199.
arapaho, nação, 231.
Arkansas, 179 e 215.
Armstrong, Neil, 425.
Arnold, Benedict, 205*i*.
arranha-céus, 331-4.
Arsenal da Democracia, 369-71.
art déco, estilo, 332*i*.
artigos "antifederalistas", 175*n*.
Artigos de Confederação, 164-5.
As almas da gente negra (Du Bois), 260 e 467-8.
assassinatos na Kent State, 426.
Associação Mecânica de Massachusetts, 182*i*.
Associação Nacional para o Progresso das Pessoas de Cor (NAACP), 316-7 e 406.
Astaire, Fred, 388.
astecas, 31-3.
ataques de 11 de setembro de 2001, 437-40.
ataques dos *abenakis*, 117-8.
atômica, tecnologia, 384 e 388.
Attlee, Clement, 385.
Attucks, Crispus, 132*i* e 149.
automóveis,
expansão nos anos 1920, 333, 337 e 348.
poluição e, 400.
Autoridade de Relocalização de Guerra (WRA), 357*i*.

Babbit (Lewis), 337.
Bacon, Nathaniel, 89-90.
Baldwin, James, 393.
Baltimore & Ohio, estrada de ferro, 226.
barbárie, ameaça de, 253 e 261-4.
barcos a vapor, 226.
Barlowe, Arthur, 39-40.
Batalha de Camden, 154 e 159.
Batalha de Iwo Jima, 364*i*, 376-7 e 378*i*.
Batalha de Saratoga, 157-8.
Batalha de Trenton, 155-6.
Batalha do Severn, 72.
Beecher Stowe, Harriet, 207.
Bellamy, Edward, 271-2.
Berkeley, George, 227.
Berkeley, William, 87-8 e 99.
bicentenário, celebrações do,
    contracultura conservadora, 430-1.
    Reagan sobre o governo, 430.
    Trem da Liberdade, 429-30.
Bochart de Champigny, Jean, 97-8.
boicote aos ônibus de Montgomery, 395.
Booth, John Wilkes, 235.
Bow, Clara, 347.
Bradford, William, 80.
Brevíssima relação da destruição das Índias (Las Casas), 35-6.
Brittingham, Norman, 367-8.
Brown vs. Board of Education, 394-5.
Brown, John, 207, 232 e 313.
Brown, William Wells, 192.
Bry, Theodor de, 33-5.
Bryan, William Jennings,
    campanha presidencial, 287-92.
    como radical, 290 e 291*i*.
    estratégia de campanha, 292.
Buck vs. Bell, 344.
Bunker Hill, batalha de, 155.
Burgoyne, John, 157.
Bush, George W., 20 e 437-8.
Bushnell, Horace, 253.

Caboto, Giovanni (John Cabot), 32.
Calhoun, John C., 196-7, 199, 205*i* e 461-2.
Califórnia,
    admissão na União, 179.
    naturalização de imigrantes chineses, 237 e 239.
    naturalização de mexicanos na, 238.
Calley, William, 426-7.
Calvert, Cecil, 70-1.
Calvert, George, 70.
Calvino, João, 73.
Camboja, invasão do, 426.
campanha presidencial de 1964,
    Barry Goldwater, 409-10.
    censura do comercial Daisy, 410.
    Convenção Democrata, 408-9.
    panorama, 407-8.
campanha submarina, 317-8.
Canal do Panamá, 307.
Capone, Al "Scarface", 336.
Carlos I (rei da Inglaterra), 67, 70 e 124.
Carlos II (rei da Inglaterra), 99 e 101.
Carmichael, Stokely, 409 e 411.
Carnegie, Andrew, 277-8.
Carolina do Norte,
    aumento da população de escravos e imigrantes na, 121.
    Constituições Fundamentais, 104.
    criação, 99-101.
    panorama, 100.
    sucessão, 214-5.
Carolina do Sul,
    aumento da população de escravos e imigrantes na, 121.
    Constituições Fundamentais, 104.
    criação, 99-101.
    escravidão na, em geral, 143-5 e 147.
    Lei dos Negros de 1740, 145.
    leis de controle dos escravos na, 145-6.
    panorama, 100.
    pós-emancipação política, 252-3.
    questão da tarifa na, 195-6.

Rebelião Stono, 145.
sucessão, 213-5.
Carta de Direitos, 177-8 e 245.
"Carta de Direitos dos G.I.s", 399.
Carta de Direitos inglesa, 177.
Cartas de Catão (Trenchard e Gordon), 137.
Carteret, George, 101.
cartões de crédito, 400.
cartografia, 33-4 e 104.
casas de amparo, 309.
Cases of Conscience Concerning Evil Spirits (Mather), 112.
Caso do Truste do Açúcar, 277 e 279.
Casos de Direitos Civis de 1883, 260.
caubóis, 276-7.
"Causa do Pároco", caso da, 127.
Cavaleiros do Trabalho, 279.
Cavalo Louco, 244.
Centenário da Guerra Civil, 401-2.
Charlestown Library Society, 183.
Chesapeake, Ohio e Southwestern Railroad, 247-8.
cheyenne, nação, 231.
Chicago, 267 e 309.
chineses,
    Califórnia, naturalização de imigrantes na, 237 e 239.
    linchamentos, 261.
Churchill, Winston, 384-5.
Churchyard, Thomas, 37-8.
cinema e indústria cinematográfica,
    Código Hays, 347.
    Era do Jazz, 336.
    Guerra Hispano-Americana, 298-301.
    história, em geral, 293-4.
    histórias de crimes e detetives, 360-1.
    McKinley at Home, 293-4.
    representação das mulheres, 347-50 e 360-1.
    representações da América, 347 e 360.
    The Monroe Doctrine, 294-5.
"Cláusula Wilmot", 205
Clay, Henry, 194, 462-4 e 475.

Cleveland, Grover, 273 e 275*i*.
Clinton, William J., 436.
Cobb, Howell, 222.
Cointelpro, 407.
Collier, John, 360.
Colombo, Cristóvão, 29-30.
colônia de Jamestown. *Ver* Virgínia (Jamestown).
colônias americanas,
    atitudes com relação ao governo nas, 124-5.
    atitudes com relação aos não brancos nas, 140-1.
    caso da "Causa do Pároco", 127.
    conceitos de direitos individuais nas, 136.
    conceitos de propriedade nas, 138.
    debate inicial sobre a administração colonial nas, 121-34.
    debate sobre Estado *vs.* autoridade individual nas, 136-40.
    democracia indireta nas, 167-8.
    desigualdades de gênero nas, 116.
    desigualdades nas, 116.
    expansão da colonização nas, 119-21 e 128*m*.
    impacto econômico dos conflitos nas, 126-7 e 164-6.
    imposição de imposto sobre os escravos pelas, 139.
    Jamestown. *Ver* Virgínia (Jamestown).
    juramentos de lealdade nas, 161.
    mudança na política de admissão nas igrejas, 114.
    oposição ao domínio britânico nas, 151-2.
    papel das mulheres nas, 115.
    penas para deslealdade nas, 160*i* e 161.
    realidades da vida nas, 110-1 e 115-6.
    regulamentação do comércio nas, 108.
    taxação sem representação nas, 131.
    treze colônias originais, 100 e 120*m*.
    Virgínia. *Ver* Virgínia.
    Ver também Estados Unidos; colônias específicas.

colonos europeus,
    concorrência e conflito entre, 32.
    efeitos da imprensa e da cartografia sobre os, 33-4 e 102-4.
    exploração e conversão de povos indígenas pelos, 32-3, 48, 57, 69-70 e 183.
    intercâmbio colombiano, 29-30.
    mito das origens americanas, 28-9.
    representação dos povos indígenas pelos, 33-6 e 42-6.
    virar nativo por parte dos, 84 e 97-8.
    Ver também países e colônias específicas.
Comissão Consultiva Nacional sobre Distúrbios Civis (Comissão Kerner), 422.
Comissão de Direitos Civis, 392-3.
Comissão de Mão de Obra de Guerra, 379-80.
Comissão de Oportunidades Iguais de Emprego, 406.
Comissão Kerner (Comissão Consultiva Nacional sobre Distúrbios Civis), 422.
Comitê de Atividades Antiamericanas da Câmara (Huac), 389.
Comitê de Coordenação Não Violenta Estudantil (SNCC), 406-7.
Comitê de Informação Pública (CPI), 324.
Comitê de Pesquisa da Defesa Nacional, 362-3.
Comitê Nacional para Parar a ERA, 433.
Comitê para Defender a América por meio da Ajuda aos Aliados, 362.
Companhia da Baía de Massachusetts, 104.
Companhia da Virgínia,
    apresentação da vida em Jamestown pela, 61-2.
    falência da, 66-7.
    financiamento da colonização pela, 46-8.
    política de doutrinação dos nativos, 67-8.
    realidade da vida em Jamestown, 62-5.
    sobre o preço das mulheres, 64-6.
companhia Vitascope, 294.
Compromisso do Missouri, 194-5.
comunismo, 245-6.
    Ver também Guerra Fria.
Confederação da Nova Inglaterra, 98-9.
Confederação Powhatan, 48-51.
Confessions of a Nazi Spy, 362.
conflito como força unificadora, 314.
    Ver também identidade (americana), formação da.
conflito Panamá/Colômbia, 307.
Connecticut,
    criação de, 98.
    estrutura legislativa de, 102.
    Ordens Fundamentais (1639), 104.
    panorama, 100.
    pena para virar nativo em, 84.
    retenção do controle local em, 107.
Conselho de Indústrias de Guerra, 356.
Conselho de Produção de Guerra, 379-80.
Conselho Nacional de Segurança (NSC), 414.
Constituição,
    Carta de Direitos, 177-8 e 245.
    cláusula dos escravos fugitivos, 169.
    debate sobre o poder centralizado em geral, 173.
    definições de cidadania na, 212.
    direitos estaduais *vs.* federais na, 211-2.
    na formação da identidade americana, 170.
    origens da, 167-8.
    perspectivas federalista *vs.* antifederalista sobre a, 173-6.
    questão da escravidão na, 169, 173 e 207.
    ratificação da, 171-2 e 177*i*.
    separação de poderes na, 168-9.
"Constituições Fundamentais", 104.
controle da natalidade, 344-5 e 481-2.
Convenção de Hartford, 198.
Convenção de Seneca Falls, 315.
Convenção Democrata de 1964, 408.

conversão religiosa de povos indígenas. *Ver* exploração e conversão de povos indígenas.
Coolidge, Calvin, 331 e 341.
Cooper, Anthony Ashley (conde de Shaftsbury), 101 e 104.
Cooper, Mary, 115.
Cornwallis, Charles, 159.
Corpo Civil de Conservação (CCC), 356.
Correios, 166-7.
corrida espacial, 397, 425 e 428.
Cortés, Hernán, 32.
Crane, Stephen, 268.
Crèvecoeur, John Hector St. John de, 108-9.
"crise antinomiana", 79 e 98.
Crise da Anulação, 197.
Cromie, Robert, 388.
Cruikshank, United States vs., 258.
Cuba, 297-8, 299*i* e 300-4.
cultura jovem nos anos 1960,
　ascensão da, 399.
　　"debate na cozinha", Nixon/Krushchev, 399-400.
　　despesas dos consumidores, 400.
　　hippies, 421.
　　ideais da, 417-8.
　　influências sobre a, 399-400 e 417-8.
　　Kennedy sobre contestação da, 399-401.
　　movimento da contracultura, 420-1.
　　panorama, 424-5.
Cummings, E. E., 337.
Curtin, Jeremiah, 27-8.
Custer, George, 244.
Czolgosz, Leon, 287.

Dacota do Norte, 231.
"Daisy", censura ao comercial, 410.
Daqui a cem anos: revendo o futuro (Bellamy), 271-2.
Davis, Bette, 348.
Davis, James J., 342.
Davis, Jefferson, 291*i*.
De Orbe Novo (Anghiera), 36.

debate "criacionismo" *vs.* "evolução" ou "evolução" *vs.* "criacionismo", 345-6.
Debs, Eugene V., 291*i*, 320 e 328.
Declaração de Independência,
　como enunciado de visão, 135-6.
　Lincoln sobre a, 208.
　origens do texto, 123-4.
　preâmbulo, 24.
　sobre a escravidão, 139-40 e 208-9.
Declaração de Sentimentos, 315.
Declaration of the Causes and Necessities of Taking up Arms, 150-1 e 157.
Decreto do Noroeste de 1787, 165 e 179.
Decreto do Sudoeste de 1790, 179-81.
Decreto Fundiário de 1785, 165.
Delaware,
　como estado de fronteira, 223.
　ocupação, 102.
　panorama, 100.
　retenção do controle local em, 107.
democratas-republicanos, 185-6.
Departamento de Defesa, 414.
Departamento de Segurança Interna, 438.
Departamento de Trabalho, 309.
desenvolvimento do complexo militar-industrial, 413-4.
Deste lado do paraíso (Fitzgerald), 337.
Destino Manifesto, conceito de, 201-2, 228 e 285.
Dickinson, John, 126.
Dimmick, Kimball H., 238.
Dinheiro graúdo (Dos Passos), 329.
direito de voto,
　das mulheres. *Ver* sufrágio.
　dos afro-americanos durante a Reconstrução, 250, 256 e 258-60.
　dos nativos americanos, 343-4.
　movimento pelos direitos civis, 406 e 411-2.
direitos estaduais *vs.* federais,
　debate sobre os, 188-90 e 211-2.
　interpretações da soberania, 258.

plataforma de Chicago, 290.
United States vs. Cruikshank, 258.
Discourse Concerning Unlimited Submission (Mayhew), 124.
Disraeli, Benjamin, 329.
Divisão Médica, Agência dos Libertos, 252.
Doddridge, Joseph, 154.
Domínio da Nova Inglaterra,
    criação do, 105.
    finalidade do, 105-7.
    limitação dos direitos de Assembleia colonial pelo, 107.
Dos Passos, John, 325, 329 e 337.
Douglas, Stephen A., 206 e 465-6.
Douglass, Frederick, 236, 262, 321 e 466-7.
Doutrina Eisenhower, 396-7.
Doutrina Truman, 385.
Dr. Fantástico, 388.
Dred Scott v. Sandford, 206, 213-4 e 284*i*.
Du Bois, W. E. B., 260, 322 e 467-8.
"duas nações", conceito, 329-30.
Dudley, Joseph, 118.
Dyer, Mary, 82 e 101.
Dylan, Bob, 418.

E o vento levou..., 360-1.
E. C. Knight Co., United States vs., 277.
Eden, Richard, 36.
Edison, Thomas, 350.
Eight Decades (Anghiera), 36.
Eisenhower, Dwight D., 377, 391, 396-7 e 414.
    eleição presidencial de 1896,
        debate sobre a estabilidade moral, 288-90.
        debate sobre a moeda, 288.
        panorama, 287-9.
        plataforma de Chicago, 290.
        uso da mídia na, 292.
        Ver também Bryan, William Jennings; McKinley, William.
    eletricidade, 333 e 356.
Elizabeth I, 37.

Elliot, John, 81.
Elliot, T. S., 337.
Ellsberg, Daniel, 427.
"Emancipação" (Nast), 234*i*.
Emenda dos Direitos Iguais (ERA), 433.
Emendas,
    Décima Terceira, 233-5.
    Décima Quarta, 235.
    Décima Oitava, 334-6.
    Décima Nona, 320.
    Vigésima Primeira, 335*i*.
Emerson, Ralph Waldo, 184, 193, 207-8 e 226-7.
Empire State Building, 332*i*.
Era do Jazz,
    música, 346-7.
    representações da, 346.
era progressista,
    casa de amparo, 309.
    condições industriais e de moradia na, 310.
    conflitos acomodação *vs.* privação, 282-4.
    crime organizado na, 336.
    demonstrações de poder naval, 311-2.
    disputas trabalhistas, 280.
    distribuição da riqueza, 348.
    estilo de vida consumista, 333 e 350-1.
    evangelho da riqueza, 277-8.
    expansão automotiva nos anos 1920, 333, 337 e 348-50.
    expansão da construção nos anos 1920, 331-3.
    exploração da mão de obra imigrante, 279.
    falência espiritual das classes altas na, 312-3.
    "fé do soldado" na, 302 e 314.
    filosofia social *vs.* conservadora, 308-9 e 313-4.
    guerras indígenas, 282.
    imperialismo. *Ver* imperialismo.
    iniciativas de melhoria na, 311.

legislação antitruste, 277-9.
legislação sobre comida na, 310-1.
Lei Seca, 334-6.
mentalidade de medo do mal na, 309.
Novo Nacionalismo, conceito de, 311-3 e 340-1.
panorama, 327-8.
perda da individualidade na, 337 e 351.
realidade da vida dos trabalhadores na, 333-4.
regulamentação centralizada na, 310.
Standard Oil Company/Trust, 278.
United States Steel, 278.
urbanização *vs.* agrarianismo, 350-1.
Ver também Coolidge, Calvin; Harding, Warren; Primeira Guerra Mundial; Roosevelt, Theodore; Wilson, Woodrow.

Escobedo vs. Illinois, 412-3.
escravidão,
    abolição da, pós-Guerra Civil, 233-5.
    abolição da, pós-Guerra Revolucionária, 164-5.
    como modo de vida na América, 136 e 143.
    como problema, 169, 173 e 190-4.
    como problema de equilíbrio de poder, 202-4.
    Constituição sobre a, 169, 173 e 208.
    desenvolvimento da, 91 e 108.
    direitos dos escravos, 205-6.
    Douglass sobre a, 466-7.
    exploração e conversão de povos indígenas. *Ver* exploração e conversão de povos indígenas.
    impactos econômicos da, 190-4.
    Jefferson sobre a, 138-40 e 193-4.
    levante de Santo Domingo, 190.
    movimento abolicionista. *Ver* abolição, movimento de.
    origens africanas da, 33-6, 91 e 110.
    perspectivas americanas da, 206-8.
    Portugal na, 29.
    programas nortista *vs.* sulista para, 178-81.
    realidade da vida dos escravos, 140-2 e 191-2.
    Rebelião da Páscoa, 190.
    Rebelião Demerara, 190.
    repatriação de volta para a África, 201-2 e 475.
    representações artísticas da, 234*i*.
    tabaco no desenvolvimento da, 94-5.
    taxação da, 138.
    tendências de porcentagem da população, 121-2.

Escritório de Mobilização de Guerra, 380.
Espanha,
    concorrência e conflito com a Inglaterra, 31-2 e 117.
    declínio da influência na América do Norte, 69-70.
    Guerra Hispano-Americana, 297-8 e 299-300*i*.
    representações de brutalidade, 33-8.
    Tratado de Tordesilhas, 30.

Estados Confederados da América,
    armamento de escravos por, 222.
    base constitucional dos, 211-2.
    Constituição sobre a escravidão, 212-3.
    definições de cidadania nos, 212.
    desafios ao Exército, 218.
    escravidão como pedra angular dos, 212-3, 214*i* e 217*i*.
    formação dos, 211 e 217*i*.
    representação artística dos, pelos interesses nortistas, 214*i* e 217*i*.
    representações artísticas da derrota, 234*i*.
    sucessão de estados da União, 213-5.

Estados Unidos,
    afro-americanos nos, em geral, 21-2.
    atitude da classe alta com relação aos cidadãos nos, 189.
    como nação cívica, 19.
    como personificação da democracia, 361-2.

Compromisso do Missouri, 194-5.
concorrência colonial nos, 187-8.
crescimento após o censo de 1790, 178-80.
criação de estados nos, 164-5.
Crise da Anulação, 196-7.
Decreto do Noroeste (1787), 179-81.
Decreto do Sudoeste de 1790, 179-81.
denominações étnicas nos, 21-2.
desafios à autoridade federal nos, 195-7.
desenvolvimento da educação nos, 182-4.
desintegração dos, em 1860, 188.
disseminação dos jornais nos, 166-7.
estatísticas populacionais do censo de 1790, 178-80.
expansão dos correios nos, 166-8.
exploração dos, 19-20.
exploração e conversão de povos indígenas nos. Ver exploração e conversão de povos indígenas.
falta de unidade nos, 171, 179-80 e 186-7.
Grande Selo dos, 166.
identidade nos. Ver identidade (americana), formação da.
jogo político nos, 188-90 e 203-6.
panorama, 19.
percepções acadêmicas dos, 19 e 325-6.
período *antebellum* em geral, 197-8, 201 e 203-6.
poder estadual *vs.* federal. Ver direitos estaduais *vs.* federais.
políticas econômicas de Hamilton, 184-6.
princípio de associação, 181-4.
problema da escravidão nos. Ver escravidão.
questão da tarifa nos, 195-7.
Rebelião de Shays, 165-6.
Segundo Sistema Partidário, 198 e 201.
sentimento anticatólico nos, 238-9.
simbolismo na formação dos, 166.
tentativas de preservação dos, 188-97.

urbanização após o censo de 1790, 178-9.
Washington sobre a unidade do governo nos, 186-8.
Ver também afro-americanos; colônias americanas.
Estátua da Liberdade, 264-5.
"Estrada da Liberdade" (Hughes), 375-6.
Estudantes para a Sociedade Democrática (SDS), 420.
eugenia, 342-5.
Evers, Medgar, 402-3.
Exército Continental,
condições do, 156.
formação do regimento negro, 148.
milícias no, 155.
recusa de negros pelo, 148.
expansão para o Oeste,
conceito de espírito pioneiro, 227-8.
condição jurídica tribal (cidadania, existência nacional), 231-2.
Destino Manifesto, 201-2, 227-8 e 285.
deterioração das relações, 232.
Emerson sobre a, 226.
ferrovias na. Ver ferrovias.
mito da, 227.
populações indígenas na, 230-1.
representações artísticas da, 228, 229*i* e 234*i*.
rota do Oregon, 230-1.
tratados de terra na, 231-2.
Expansion: Under New World-Conditions (Strong), 305.
exploração e conversão de povos indígenas,
como escravidão, 32.
em Maryland, 84.
em Massachusetts, 84 e 86-7.
na Nova Inglaterra, 84 e 86-7.
panorama, 32, 48, 57, 69-70 e 183.
na Virgínia (Jamestown), 57, 66, 84 e 87-90.

fascismo, temores de, 358-9.
Fast Food Nation (Schlosser), 310.

Faubus, Orval Eugene, 396.
"fé do soldado", filosofia da, 302 e 314.
febre amarela, 247.
Federação Americana do Trabalho (AFL), 280.
Federalist Papers, 174.
Ferguson, Niall, 19.
Ferguson, Plessy vs., 259 e 394.
ferrovias,
    construção das, 228-30.
    desenvolvimento, 225-6 e 278.
    Emerson sobre as, 226-7.
    legislação, 230.
    percepções públicas das, 226.
    questões políticas e práticas, 228-30.
    simbolismo das, 226 e 243*i*.
Fields, Barbara Jeanne, 21.
Filadélfia, 267.
Filipinas, 297, 299*i* e 300-3.
First Bull Run/Manassas, 217 e 219.
Fitzgerald, F. Scott, 336-7.
Flórida, 179 e 214-5.
Fonda, Jane, 423.
Forbes, John Murray, 223 e 248.
Forças Armadas,
    dessegregação das, 393 e 394*i*.
    expansão e manutenção das, 379.
    recrutamento, 328 e 363.
    relação do povo com as, 368.
    segregação na Segunda Guerra Mundial, 368, 371 e 379.
    serviço de americanos japoneses nas, 374-5.
Ford, Henry, 333-4, 336 e 348.
fordismo, 348.
Forrest, Nathan Bedford, 250.
França,
    como aliada americana na Guerra Revolucionária, 157.
    conversão de povos indígenas pela, 97-8.
    Guerra dos Sete Anos (Guerra Franco-Indígena), 110.
    ocupação do Novo Mundo pela, 69-70.

Franklin, Benjamin,
    biografia, 468-9.
    como federalista, 173.
    fundação de bibliotecas por, 181-3.
    Plano de União de Albany, 126.
    "Poor Richard's Almanacs", 123.
    sobre a ajuda aos pobres, 122-4.
    sobre a união colonial, 121-2.
    sobre os advogados, 125.
Friedan, Betty, 432.
Fuch, Klaus, 390.
Fuller, Margaret, 315 e 470.
furacão Katrina (2005), 440.
Fussell, Paul, 377.

gângster na fantasia americana, 336.
"gangue Tweed", 254-5.
Garbo, Greta, 348.
Gardner, Ava, 388.
Garfield, James A., 287.
Garrison, William Lloyd, 199 e 205*i*.
Gast, John, 228.
Gaylord, Augustus, 237.
gays, direitos dos, 435.
Geórgia,
    aumento da população de escravos e imigrantes na, 121.
    escravidão em geral, 146.
    linchamentos na, 261.
    ocupação, 102.
    panorama, 100.
    sucessão, 213-5.
Geração Perdida, escritores da, 337.
Gettysburg, batalha de, 313.
Gideon vs. Wainwright, 412-3.
Gilbert, Humphrey, 36-8.
Ginsberg, Allen, 399.
globalização, 441-2.
Go Tell It on the Mountain (Baldwin), 393.
Goldwater, Barry, 409.
Golfo de Tonkin, Resolução do, 416-7.

Grã-Bretanha. *Ver* Inglaterra.
Grande Depressão,
　base de igualdade de expectativa, 352.
　base econômica da, 352.
　fim da Segunda Guerra Mundial, 363.
　ideia de triunfo sobre a adversidade, 360.
　New Deal. *Ver* New Deal.
　percepção pública da reação de Hoover, 353-4.
　quebra do mercado de ações, 352.
　reação de Hoover à, 353.
　seca do "Dust Bowl", 358.
　veteranos, ataque à, 353-4.
"Grande Despertar", 114.
Grande Frota Branca, 311-2.
Grande Levante *Sioux* (Guerra *Dacota*), 231-2.
Grande Migração (puritana), 76, 77m e 104.
"Grande Sociedade", programa da, 419.
Grant, Madison, 341.
Grant, Ulysses S.,
　desempenho como presidente, 249-51.
　políticas antirracismo, 249.
　sobre o Massacre de Colfax, 257-8.
Greeley, Horace, 205i.
Green Bay, tribos de, 236-7.
Grenville, Richard, 36 e 42.
greve de Trabalhadores Unidos da Mineração de 1943, 380.
greve dos ferroviários de 1877, 280.
greve Pullman de 1894, 280.
greve trabalhista de Boston, 330-1.
greve trabalhista de Seattle, 330.
Guam, 297, 299i e 300-4.
guerra à pobreza, 419-20 e 432.
guerra anglo-holandesa (1664), 101.
Guerra Civil,
　armamento de escravos durante a, 222.
　Décima Terceira Emenda, 234-5.
　efeitos de doenças sobre a, 31.
　escravidão como princípio na, 136, 207-9, 212-3 e 223.
　estados da fronteira, 223.
　êxodo afro-americano, 224.
　Feiras Higiênicas, 386.
　First Bull Run/Manassas, 217-8.
　foco na identidade americana pela, 221-2.
　Gettysburg, 313.
　legado, 235-6, 240, 249 e 301-3.
　manutenção do apoio militar durante a, 221.
　mapa da, 220m.
　motivações afro-americanas, 236.
　motivações nativo-americanas, 236-7.
　opinião pública sobre a, 216-8.
　preservação da base da União, 215-6.
　propaganda patriótica, 386.
　questões morais na, 219-21.
　Ver também escravidão.
Guerra da Coreia, 393 e 394i.
Guerra da Coreia, Memorial da, 394i.
Guerra da Liga de Augsburg (Guerra do Rei Guilherme), 110.
Guerra da Rainha Ana (Guerra da Sucessão Espanhola), 110 e 117.
Guerra da Sucessão Austríaca (Guerra do Rei Jorge), 110.
Guerra da Sucessão Espanhola (Guerra da Rainha Ana), 110 e 117.
Guerra *Dacota* (Grande Levante *Sioux*), 231-2.
Guerra de 1812, 197-8.
guerra de classes, 328-31.
Guerra do Iraque, 438.
Guerra do Rei Filipe (Rebelião de Metacom), 85-6 e 99.
Guerra do Rei Guilherme (Guerra da Liga de Augsburg), 110.
Guerra do Rei Jorge (Guerra da Sucessão Austríaca), 110.
Guerra do Vietnã,
　apoio à, 420-1 e 423-4.
　estatísticas da, 420-1 e 423-4.
　invasão do Camboja, 426.

Massacre de My Lai, 426-7.
Ofensiva do Tet, 423.
panorama, 415-7.
percepções públicas da, em geral, 418.
programa de "vietnamização", 426.
protestos, 423-4 e 426.
queda de Saigon, 428-9.
Resolução do Golfo de Tonkin, 416-7.
Guerra dos Sete Anos (Guerra Franco-Indígena), 110 e 126-7.
Guerra Fria,
começo da, 384-5.
Crise de Suez, 396.
debate na cozinha, Nixon/Krushchev, 400.
desenvolvimento do complexo militar-industrial, 413-5.
Doutrina Eisenhower, 396.
Doutrina Truman, 385.
estratégia econômica, 385.
fim da, 424-5.
Guerra da Coreia, 393 e 394i.
hiato na, 393.
levante anticomunista na Hungria, 396.
medo como base da, 414-5.
Oriente Médio, 396.
Pânico Vermelho (macarthismo), 387-91.
propaganda patriótica, 385-6 e 388.
Guerra Hispano-Americana, 297-8, 299-300i e 303-4.
Guerra Revolucionária,
base da, 129, 136 e 150-1.
Batalha de Camden, 154 e 159.
Batalha de Saratoga, 157.
Batalha de Trenton, 155.
Bunker Hill, 155.
conflitos de ideais em geral, 23-4, 149-50 e 152.
considerações práticas, 151 e 155.
derrotas no primeiro ano da, 155.
desafios após a, 160i, 163 e 166i.

evolução da, 1778-1780, 159.
falta de união colonial na, 154-5, 158 e 160i.
França como aliada americana na, 157.
ideal do *minuteman*, 153.
legalistas na, 159-61.
liberdade como estímulo para os escravos, 148.
mitos da, 149.
perspectivas coloniais da, 152.
recompensas por patriotismo, 162.
serviço civil na, 153-4.
Valley Forge, Pensilvânia, 156-7.
Yorktown, 159.
guerras indígenas, 282.
Guiana Britânica, 294.
Guilherme III (rei da Inglaterra), 105.

Haiti, 190.
Hakluyt, Richard, 40-1 e 53.
Hale, Edward Everett, 373-4.
Hale, John, 112.
Hamer, Fannie Lou, 408.
Hamilton, Alexander,
biografia, 471.
como federalista, 173.
Federalist Papers, 173-4.
políticas econômicas de, 184-6.
Hancock, John, 173.
Harding, Warren,
inumação do Soldado Desconhecido, 325-6 e 337-8.
morte, 331.
políticas de reforma, 331.
soltura de Eugene Debs por, 320.
Hariot, Thomas, 42-6, 54 e 67.
Harpers Ferry, 207 e 232.
Havaí, 298, 363 e 364i.
Hay, John, 301.
"*headright*", sistema de concessão, 55-7 e 88.
Hearst, William Randolph, 299i.
Heith, John, 263.

Hemingway, Ernest, 337.
Henderson, J. B., 290-1.
Henrique VIII, 31.
Henry, Patrick, 127 e 173.
hippies, 421.
Hiroshima e Nagasaki, bombardeamento de, 384 e 388.
Hispaniola, 29-30.
Hiss, Alger, 389-90.
Holmes Jr., Oliver Wendell, 302, 328-9, 344 e 472-3.
homossexualidade, temores de, 390.
Hooker, Thomas, 98 e 104.
Hoover, Herbert, 350 e 352-3.
Hoover, J. Edgar, 330, 389 e 407.
Hose, Sam, 262.
How the Other Half Lives: Studies among the Tenements of New York (Riis), 269.
Howard, Oliver Otis, 288.
Howell, William Dean, 268.
Huac (Comitê de Atividades Antiamericanas da Câmara), 245.
Hughes, Langston, 346, 371 e 375-6.
huguenotes franceses, 38.
Hull House, 309 e 460.
Hungria, levante anticomunista na, 396.
Hunt, Thomas, 76.
Hurston, Zora Neale, 346.
Hussein, Saddam, 438.
Hutchinson, Anne, 79-80 e 98.
Huxley, Aldous, 351.

Ialta, conferência de, 384-5.
Idaho, 230.
ideal utópico, 51-2.
ideias sulistas de liberdade, 200*i*.
identidade (americana), formação da,
    conceito do "verdadeiro americanismo", 307-8.
    conflito como força unificadora, 314, 327 e 439.
    conflito na, 97-8, 105-6, 110, 118-9 e 150-1.
    Constituição na, 170.
    Crèvecoeur sobre a, 108-9.
    desigualdades de gênero na, 116.
    duração do desenvolvimento da, 109.
    encarceramento na, 437.
    escravidão no desenvolvimento da, 146.
    foco na, pela Guerra Civil, 221-2.
    globalização na, 441-2.
    imigração na, 109-10, 275-7 e 280-1.
    industrialização na perda de individualidade, 337.
    liberdade no desenvolvimento da, 23-4.
    panorama, 22.
    patriotismo *vs.* nacionalismo na, 149-50.
    Reconstrução, 239-46.
    relação guerra-identidade na, em geral, 22-3.
Igreja da rua Brattle, 114.
ilha Roanoke, ocupação da, 39-42.
Illinois, Escobedo vs., 412-3.
"Iluminismo americano", 123.
imigrantes,
    alma de Velho Mundo dos, 272.
    assimilação, americanização de, 342.
    Bryce sobre a primeira imigração *vs.* era dourada, 266-7.
    casas de amparo para os, 309.
    como imorais e corruptos, 268, 271-2 e 341-2.
    como lembrança do passado, 273 e 275*i*.
    como vítimas da guerra de classes, 329.
    Coolidge sobre os, 341.
    Davis sobre os, 342.
    defesa de Cleveland dos, 273.
    estatísticas, 266.
    eugenia válida para os, 342-3.
    exploração da mão de obra imigrante, 279.
    leis federais de restrição à imigração, 272-3 e 341-3.
    Lincoln sobre os, 265.
    na formação da identidade americana, 109-10, 274-7 e 280-1.

na urbanização, 267.
no movimento pelos direitos civis, 435-6.
realidade da vida para os, 267-70, 279 e 310.
Revolta de Haymarket, 265 e 280.
testes de alfabetismo para os, 273.
tidos como causa de decadência moral, 264, 281 e 296.
Ver também eugenia; movimento pelos direitos civis.
imigrantes, guetos de, 268-9.
imperialismo,
    Canal do Panamá, 307.
    conceito do "verdadeiro americanismo", 307-8.
    conflito Panamá/Colômbia, 307.
    "fé do soldado" no, 302 e 314.
    Guerra Hispano-Americana, 297 e 299-303.
    inculcação do *ethos* anglo-saxão nos estrangeiros, 305-7.
    motivações nacionalistas, 297 e 305.
    motivado pelo impacto da imigração, 295-6.
    motivado pelo medo de doença, 305-6.
    panorama, 295.
    poder naval no, 295-6.
    Ver também política externa.
imprensa e cartografia, 33-4 e 102-4.
incas, 32.
industrialização na perda da individualidade, 337-8.
Inglaterra,
    afirmações de controle sobre as colônias pela, 127.
    atitude com relação às colônias, 99, 104-5, 112-4 e 140.
    conflito com a concorrência espanhola, 32 e 117.
    conquista da Irlanda, 36-7.
    criação da colônia Restauração pela, 99.
    ideal utópico, 51.
    implementação de proteção comercial pela, 99, 105 e 108.
    limitação dos direitos de Assembleia colonial pela, 107.
    motivações para a colonização, 39-46, 51-2, 99-102 e 106-7.
    percepções de outras culturas pela, 36.
    percepções do uso da terra na, 51-2.
    racionalização da colonização pela, 51-2 e 57.
    receitas do tabaco na, 66.
    visões expansionistas em geral, 36-7.
    Ver também colônias específicas.
intercâmbio colombiano, 29-31.
Iowa, 179.
Irlanda, 37-8.
It can't happen here (Lewis), 359.
Iwo Jima, batalha de, 364*i* e 376-8.

J. E. B. Stuart Memorial Window, 276.
Jackson, Andrew,
    biografia, 473-4.
    impactos políticos em geral, 198.
    sobre os desafios à autoridade federal, 196-7.
Jackson, Helen Hunt, 283.
Jaime I (rei da Inglaterra), 67.
Jaime II (rei da Inglaterra), 101 e 105.
Japão, 363.
Jay, John, 173-4.
Jefferson, Thomas,
    como presidente, 189.
    sobre a escravidão, 138-40 e 193.
    sobre as políticas econômicas de Hamilton, 184-6.
    sobre o Compromisso do Missouri, 194.
jeremiadas, 84.
Jezebel, 348.
Johnson, Lyndon B., 397, 405-6, 412, 416-7 e 423.
Johnson, Maggie, 267-8.
Johnson, Robert, 49 e 54-5.
Johnson, Samuel, 140.

Johnston, Joseph E., 219.
Joliet, Louis, 70.
Jolson, Al, 347.
Jones, Eva, 224.
jornais,
    efeitos da imprensa sobre os colonos europeus, 33-4 e 102-4.
    representação da revolução do mercado, 225.
Joseph, William, 106.
Julgamento Scopes, 345-6.

Kansas, 230 e 313.
Kant, Immanuel, 24.
Kennedy, John F., 398, 400-3, 415-7 e 474-5.
Kennedy, Robert, 417.
Kentucky, 223.
Kerouac, Jack, 398.
Khrushchev, Nikita, 396 e 399-400.
King Jr., Martin Luther, 395, 402 e 407-8.
Kipling, Rudyard, 306-7.
Kitt, Eartha, 423-4.
Know-Nothings (Partido Americano), 239 e 265.
Ku Klux Klan,
    alvo de agências governamentais, 407.
    apoio a Goldwater pelo, 409-10.
    ascensão do, pós-1920, 338-40.
    exploração de tensões pelo, 340.
    formação do, 248 e 250.
    simbolismo, 339*i*.
    tática, 249 e 257*i*.
Kubrick, Stanley, 388.

La Fayette, Marie Joseph Paul (marquês de), 157*i*.
lâmpada elétrica, invenção da, 348.
Lane, Ralph, 42.
Las Casas, Bartolomé de, 35-6.
Laughlin, Harry H., 342-3.
Le Voyage au Brézil de Jean de Léry (Léry), 35-6.

Leach, John A., 335*i*.
Lee, Richard Henry, 173.
legalistas, 159-61.
Lei acerca da Religião (Lei da Tolerância) de 1649, 71-2.
Lei Butler, contestação da, 345-6.
Lei da Ferrovia do Pacífico de 1862, 229.
Lei da Moeda de 1764, 129.
Lei da Mordaça, 199-200.
Lei da Propriedade Rural de 1862, 231.
Lei da Pureza de Alimentos e Remédios de 1906, 310-1.
Lei da Quota de Emergência de 1921, 343.
Lei da Supremacia de 1534, 31.
Lei da Tolerância (Lei acerca da Religião) de 1649, 71-2.
Lei das Espécies Ameaçadas, 426.
Lei Dawes (de Loteamento Geral) de 1887, 284 e 360.
Lei de Ajuste Agrícola (AAA), 356.
Lei de Aquartelamento de 1765, 129 e 154.
Lei de Cidadania dos Índios de 1924, 343.
Lei de Civilização dos Índios de 1816, 283.
Lei de Cooperação Econômica de 1948, 386.
Lei de Espionagem de 1917, 320.
Lei de Exclusão dos Chineses de 1882, 239 e 272-3.
Lei de Imigração de 1924, 343.
Lei de Imigração e Nacionalidade de 1965, 436.
Lei de Inspeção da Carne de 1906, 310-1.
Lei de Loteamento Geral (Lei Dawes) de 1887, 284 e 360.
Lei de Naturalização de 1798, 189-90.
Lei de Navegação de 1651, 99 e 105.
Lei de Oportunidade Econômica de 1964, 419.
Lei de Reorganização Indígena (IRA) de 1934, 359.
Lei de Sedição de 1918, 320.
Lei de Segurança Social de 1935, 358.
Lei de Serviço Seletivo e Treinamento, 362.
Lei de Tributos Agrícolas de 1673, 105.

Lei Declaratória de 1766, 130.
Lei do Açúcar de 1764, 129.
Lei do Ar Limpo, 426.
Lei do Chá de 1773, 129-31.
Lei do Ensino Superior de 1965, 419.
Lei do Selo de 1765, 129-30.
Lei dos Americanos com Deficiência de 1990, 435.
Lei dos Correios de 1792, 167.
Lei dos Direitos Civis de 1875, 260.
Lei dos Direitos Civis de 1964, 405-6.
"Lei dos Dois Centavos", 127-9.
Lei dos Negros de 1740, 145-6.
Lei Kansas-Nebraska de 1854, 205-6.
Lei Nacional de Proibição (Lei Volstead), 334-5.
Lei Nacional de Recuperação Industrial de 1933, 356.
Lei Seca, 334-6.
Lei Sherman Antitruste, 277-9
Lei USA PATRIOT, 438.
Lei Volstead (Lei Nacional de Proibição), 334-5.
Leis de Defesa dos Direitos, 252 e 257i.
leis de esterilização involuntária, 344-5.
Leis de Estrangeiros e de Sedição de 1798, 162 e 189-90.
Leis divinas, morais e marciais, 51.
Leis Intoleráveis (Coercitivas) de 1774, 129-31 e 140.
leis Jim Crow, 259.
lenni lenape (delaware), 117.
Léry, Jean de, 35-6.
Letters from a Farmer in Pennsylvania (Dickinson), 126.
Letters from a Pennsylvania Farmer (Otis), 130-1.
Letters from an American Farmer (Crèvecoeur), 108-9.
Leutze, Emanuel, 228.
Lewis, Sinclair, 337 e 359.
LGBTs, direitos dos, 435.

liberdade no desenvolvimento da identidade, 23-4.
Libéria, 202.
Library Company de Filadélfia, 181-2.
Liga Americana de Controle da Natalidade (ABCL), 344-5.
Liga Anti-Imperialista, 298-301.
Liga das Nações, 323.
Liga de Restrição da Imigração, 273 e 320.
linchamento, 250, 261-4 e 395.
Lincoln, Abraham,
　biografia, 475-6.
　culpado pela Guerra Civil, 206-7.
　debates Lincoln-Douglas, 465-6.
　estratégia política na Guerra Civil, 223.
　morte, 235.
　representações artísticas de, 291i.
　sobre a América como esperança, 216.
　sobre a Declaração de Independência, 208.
　sobre a justiça, 233.
　sobre a liberdade, 24, 171 e 233-5.
　sobre os imigrantes, 265.
　sobre os significados da liberdade, 136.
Lindbergh, Charles, 333.
Little Steel, fórmula, 380.
Little, Frank, 320.
Locke, John, 52, 104 e 123-4.
Lord Dunmore, Regimento Etíope de, 148.
Louisiana, compra da, 178.
Love, 348.
Luar, música e amor (1925), 347.
Luce, Henry, 382.
Luisiana, 200-1 e 261.
Lutero, Martinho, 31.
Lynch Law in Georgia (Wells), 262.

macarthismo (Pânico Vermelho), 387-91.
MacArthur, Douglas, 353-4.
Madison, James, 173-4.
Magalhães, Fernão de, 30.
Maggie: A Girl of the Streets (Crane), 267-8.

Mahan, Alfred T., 295-6 e 304-5.
Mailer, Norman, 421.
Maine, 194.
Maine, encouraçado americano, 298.
Malcolm X, 409.
Mann, Michael, 19.
Manteo, 42.
Mapp vs. Ohio, 412-3.
Marcha de Selma para Montgomery, 411-2.
Marcha Meredith, 411.
Marcha para Washington, 402-3.
Marquette, Jacques, 70.
Marshall, George C., 376.
Maryland,
    Batalha do Severn (1655), 72.
    como estado de fronteira, 223.
    conflitos com povos indígenas em, 72.
    conflitos religiosos em, 71-2.
    controle da Coroa sobre, 106-7.
    escravidão em, em geral, 91-2.
    exploração e conversão de povos indígenas, 84.
    expulsão do governo do Domínio em, 105-6.
    fundação de, 70-1.
    Lei sobre a Religião (Lei da Tolerância) de 1649, 71-2.
    panorama, 100.
    pena para virar nativo em, 84.
    realidade da vida em, 70.
    retenção do controle local em, 107.
Mason, John, 81.
Massachusetts,
    Acordo de Cambridge (1629), 104.
    ataques dos *abenakis*, 117-8.
    como comunidade bíblica, 76-8.
    conflito em, 98.
    controle da Coroa sobre, 106-7.
    crise antinomiana, 79 e 98.
    escravidão em, 141.
    estrutura legislativa, 73-4, 78-9, 98 e 104.
    estrutura social e econômica, 78.
    exploração e conversão de povos indígenas, 84 e 87.
    expulsão do governo do Domínio em, 105-6.
    fundação de, 72-3.
    julgamentos de feitiçaria em Salem, 111-4.
    liberdade religiosa em, 78-9 e 101-2.
    motivações separatistas de, 73 e 81-2.
    mudança nas políticas de admissão na Igreja, 114.
    Pacto do Mayflower, 73-5.
    panorama, 100.
    puritanismo, 73.
    Rebelião de Bacon, 85 e 89-90.
    revogação da Carta, 105.
    subjugação e conversão de povos indígenas, 80.
Massacre de Boston (1770), 129 e 132*i*.
Massacre de Colfax, 257-8.
Mather, Cotton, 112 e 115.
Mather, Increase, 112.
Mayhew, Jonathan, 124.
McCarthy, Joseph R., 389.
McCormack, Ellen, 434.
McKinley, William,
    assassinato de, 287.
    campanha presidencial, 287-9.
    debate sobre a estabilidade moral, 288-90.
    debate sobre a moeda, 288.
    uso da mídia por, 292.
McKinley at home, 293.
McNamara, Robert, 416*i*.
Medicare, Medicaid e, programas, 419.
Mellon, Andrew W., 277.
menominee, nação, 236-7.
mercado, revolução de,
    barcos a vapor, 226.
    ferrovias. *Ver* ferrovias.
    panorama, 224-5.
    representação da, nos jornais e nas revistas comerciais, 225.

Meredith, James, 401 e 411.
mexicano-americanos,
    encarceramento, 436-7.
    linchamentos, 261.
    naturalização na Califórnia, 237-8.
Michigan, 179.
Minnesota,
    admissão na União, 179.
    Grande Levante *Sioux* (Guerra *Dacota*), 231-2.
    ocupação do, 231.
Miranda vs. Arizona, 412-3.
Mississippi,
    assassinato de Medgar Evers, 402.
    assassinatos de ativistas, 402 e 407.
    brutalidade policial contra afro-americanos no, 407-8.
    direito de voto dos afro-americanos, 406.
    linchamentos no, 261.
    sucessão, 214-5.
Missouri,
    admissão na União, 179 e 194.
    como estado de fronteira, 223.
moeda, debate sobre a, 288.
Monroe, James, 294.
Moraley, William, 123.
More, Thomas, 51-2.
Morgan, J. P., 277-9.
Morrison, Toni, 22.
Morse, Samuel F. B., 216.
Motim do Chá de Boston, 131.
Mott, Lucretia, 316.
movimento pelos direitos civis,
    assassinatos de ativistas, 402-3 e 406-7.
    boicote aos ônibus de Montgomery (Alabama), 395.
    Centenário da Guerra Civil, 401-3.
    começo do, 321-2 e 394-5.
    Comissão de Direitos Civis, 392-3.
    desigualdade perante a lei, 412-3.
    dessegregação da escola Little Rock, 396-7.
    direito de voto, 406 e 411-2.
    direitos de cidadania, 412-3.
    direitos de imigração, 435-7.
    direitos dos LGBTs, 435.
    Freedom Rides ("Viagens da liberdade"), 401.
    Marcha de Selma para Montgomery, 411-2.
    Marcha Meredith, 411-2.
    Marcha para Washington, 402-3.
    motivações e impulso do, 412.
    movimento do Poder Negro, 409.
    mulheres no. *Ver* mulheres.
    Pânicos Rosa, Lavanda e Negro, 390-1.
    protesto nas lanchonetes Woolworth, 401.
    revoltas raciais, 322, 413 e 421-3.
    revoltas Watts, 413.
    "Viagens da liberdade" (*Freedom Rides*), 401.
    Ver também imigrantes.
Moynihan, Daniel Patrick, 432.
mulheres,
    direito ao aborto, 433-4.
    direito de voto. *Ver* sufrágio.
    Emenda dos Direitos Iguais (ERA), 433.
    mercantilização das, em Jamestown, 64-6 e 91.
    movimento das, no século XX, 431-2.
    papéis das, nas colônias americanas, 114-5.
    Relatório Moynihan, 432.
    representação das, no cinema e na indústria cinematográfica, 347-50 e 360.
    salários iguais para as, 432.
    temores de direitos das, 390-1.
Murray, John (conde de Dunmore), 148.
My Lai, Massacre de, 426-7.
Myrdal, Gunnar, 391.

Nagasaki e Hiroshima, bombardeamento de, 384 e 388.
Nast, Thomas, 234*i*, 250, 255*i* e 284*i*.

nativos americanos,
    assimilação forçada dos, 282-5.
    condição jurídica tribal (cidadania, existência nacional), 232-3.
    cultura pré-europeia dos, 27-8.
    declínio populacional, 116-7.
    direito de voto para os, 344.
    efeitos da concorrência e do conflito sobre os, 32.
    efeitos das doenças sobre os, 31.
    exploração e conversão dos. *Ver* exploração e conversão de povos indígenas.
    intercâmbio colombiano, 30.
    motivações na Guerra Civil, 236-7.
    New Deal indígena, 283-5 e 359-60.
    percepções dos colonos europeus, 231.
    percepções europeias dos, 30 e 37-8.
    representação dos, pelos colonos europeus, 35-6 e 43-6.
    Ver também tribos específicas.
Nebraska, 230.
New Deal,
    críticas ao, 356-9.
    indígena, 283-5 e 359-60.
    panorama, 354-6, 359 e 479-80.
    política agrícola e de emprego, 356 e 357*i*.
    programa econômico, 356.
    segregação no, 360.
    Segundo, 357*i* e 358.
New Deal indígena, 283-5 e 359-60.
New Hampshire,
    criação, 98.
    Pacto de Exeter (1639), 104.
    panorama, 100.
Newport, Christopher, 48-51.
Nicholson, Francis, 106.
Nixon, Richard M.,
    abuso de poder por, 427-8.
    debate na cozinha, Nixon/Khrushchev, 399-400.
    escândalo Watergate, 427-8.
    filosofia do Novo Federalismo, 425.
    Papéis do Pentágono, 427.
    renúncia de, 427-8.
    Ver também Guerra do Vietnã.
Notas sobre o Estado da Virgínia (Jefferson), 139.
Nova Britannia: Offering most excellent fruites by Planting in Virginia (Johnson), 49 e 54-5.
Nova Inglaterra,
    ataques dos *abenakis*, 117-8.
    como comunidade bíblica, 76-8.
    conflito na, 98 e 117.
    crise antinomiana, 79 e 98.
    declínio moral na, 84.
    desafios na, 74-5 e 82-3.
    domínio da aristocracia hereditária na, 104.
    escravidão na, em geral, 91-2.
    estrutura legislativa, 73-4, 78-9, 98-9 e 104.
    estrutura social e econômica, 78, 83 e 115.
    evolução da identidade na, 105-6.
    exploração e conversão de povos indígenas, 84 e 87.
    fundação da, 72-3.
    Grande Migração (puritana), 76, 77*m* e 104.
    Guerra do Rei Filipe (Rebelião de Metacom), 85-6 e 98-9.
    jeremiadas na, 84.
    liberdade religiosa na, 79 e 101-2.
    massacre da tribo *pequot*, 80.
    motivações separatistas da, 73 e 81-2.
    Pacto do Mayflower, 73-5.
    Pacto do Meio-Termo, 83 e 85.
    papel das mulheres na, 115.
    percepções do conflito na, 118-9.
    população indígena na, 74-5.
    propriedade fundiária na, 83.
    puritanismo, 73.

realidade da vida na, 80 e 115.
Rebelião de Bacon, 85 e 89-90.
relações com a população indígena na, 75-6 e 118-9.
subjugação e conversão de povos indígenas, 80.
virar nativo na, 84 e 118-9.
Ver também colônias específicas.
Nova Jersey,
avivamento religioso em, 114.
criação, 99-101.
declínio da população nativa americana em, 116-7.
panorama, 100.
Nova Liberdade, conceito de, 311.
Nova York,
avivamento religioso em, 114.
expulsão do governo do Domínio em, 105-6.
ocupação, 99-101.
panorama, 100.
Nova York, cidade de,
corrupção financeira pós-Guerra Civil, 254-6.
criação, 99-101.
Empire State Building, 332*i*.
população imigrante na, 266-7.
Renascença do Harlem, 346.
representações da Era do Jazz na, 346.
retratada como metrópole futurista, 350.
Novo Federalismo, 425-6.
Novo Nacionalismo, 311-3.

O cantor de jazz, 347.
"O estandarte conquistado", 242.
O Grande Gatsby (Fitzgerald), 337.
O progresso americano, 228.
O vento será tua herança, 345.
O'Sullivan, John, 202.
Obama, Barack, 440-1.
Oberholtzer, Madge, 340.
Ofensiva do Tet, 423.
Oglethorpe, James, 146.

Ohio, *Mapp vs.*, 412-3.
Okinawa, 377.
Olhe para casa, anjo (Wolfe), 337.
Olympia, USS, 325.
oneida, nação, 236-7.
Opechancanough, 92-5.
Operação Liberdade Duradoura, 438.
Operação Liberdade para o Iraque, 438.
"Ordens Fundamentais" (1639), 104.
Oregon, 179 e 230.
Organização do Tratado do Atlântico Norte (Otan), 387.
Organização Nacional para Mulheres (NOW), 432.
Oriente Médio, 396.
Otis, James, 130-1.
Outcault, Richard, 299*i*.
Ovando, Nicolás de, 30-1.

"Pacto de Exeter" de 1639, 104.
Pacto do Mayflower, 74 e 75*i*.
Pacto do Meio-Termo, 83 e 85.
Paine, Thomas, 24, 97, 133-4, 136-7, 202-3 e 216.
Palmer, A. Mitchell, 330.
Palmer, Fanny, 228 e 229*i*.
Pânico Lavanda, 390.
Pânico Vermelho (macarthismo), 389-91.
Pânico Vermelho (socialismo),
batidas Palmer, 330.
caso Sacco e Vanzetti, 329.
greves trabalhistas, 330.
legislação contra, em geral, 328-9.
Schenck vs. United States, 328-9 e 472.
United States vs. The Spirit of '76, 328.
Pânicos Rosa, Lavanda e Negro, 390-1.
Papéis do Pentágono, 427.
parceria rural, 249-51.
Parks, Rosa, 395.
Parques Nacionais, criação dos, 478.

Partido Americano (Know-Nothings), 239 e 265.
Partido Democrata da Liberdade do Mississippi (MFDP), 407-8.
Partido Democrata, visões racistas do, 248, 250 e 260.
Partido do Solo Livre, 201 e 205*i*.
Partido Populista, 288-90.
Partido Progressista, 313.
Partido Socialista, 328-9.
Patten, Simon Nelson, 280-1.
Patton, George, 379.
Pé na estrada (Kerouac), 398.
Pearl Harbor, 363 e 364*i*.
pena capital, 310.
Penn, William, 101-3.
Pensilvânia,
　aumento da população de imigrantes na, 121.
　declínio da população nativa americana na, 116-7.
　ocupação, 102.
　panorama, 100.
　retenção do controle local na, 107.
pequot, massacre da tribo, 80.
Pershing, John J., 303 e 321.
Phelps, Austin, 297.
Pike, James Shepherd, 252-3.
"pilares federais", 177*i*.
Pinckney, Eliza Lucas, 144-5.
Pizarro, Francisco, 32.
Plano de Assistência Familiar, 426.
Plano de União de Albany, 126.
Plano Marshall, 385-6.
Plessy vs. Ferguson, 259 e 394.
pobreza,
　guerra contra a, 419 e 432.
　temores de, 115.
Pocahontas, 50.
Poder Negro, movimento do, 409.
　Ver também movimento pelos direitos civis.

política externa,
　conflito Panamá/Colômbia, 307.
　Guerra Hispano-Americana, 298-304.
　Ver também imperialismo.
Poor Richard's Almanacs, 123.
Porto Rico, 297-303.
Portugal, 29-30.
Potsdam, Conferência de, 385.
pouso na Lua, 425 e 428.
Presley, Elvis, 400.
Primeira Grande Era dos Descobrimentos, 32.
Primeira Guerra Mundial,
　América como intermediária na, 317.
　ataque aos veteranos, 353-4.
　campanha submarina, 317-8.
　eclosão da, 314-5.
　entrada da América na, 317-9.
　fim da, 322-3.
　legado, 323-4 e 326-7.
　legislação antialemã, 318 e 320.
　Lei de Espionagem de 1917, 320.
　Lei de Sedição de 1918, 320.
　obrigação de conformidade, 320 e 323-4.
　serviço militar afro-americano na, 302-3 e 320-1.
　Soldado Desconhecido, 325-6 e 337-8.
Primeiro Comitê da América, 362.
Primeiro Congresso Continental de 1774, 129.
Proclamação de Emancipação, 222-3 e 234*i*.
Projeto Federal de Escritores, 358.
Projeto Fotográfico, 357*i*.
Projeto Manhattan, 384.
Projeto Mercury, 398.
Projeto Verão do Mississippi (Verão da Liberdade), 406.
"prova espectral", 112.
Pulitzer, Joseph, 299*i*.
puritanismo,
　descrição, 73.
　Grande Migração, 76, 77*m* e 104.
Purnell, Fred S., 342.

quakers, 82, 101 e 141.
Quatro Liberdades,
    Rockwell, 371-3.
    Roosevelt sobre as, 368-71.
"Que a América seja a América de novo" (Hughes), 373.

racismo,
    Agência dos Libertos, 251-2.
    ameaça de barbárie, 253 e 259-64.
    eugenia como base, 342-3.
    eugenia. *Ver* eugenia.
    experiências pessoais de, 247-8.
    interações com a religião, 393-4.
    KKK. *Ver* Ku Klux Klan.
    Leis de Defesa dos Direitos, 1870, 252.
    linchamento, 250, 261-4 e 395.
    parceria rural, 251.
    políticas antirracismo de Grant, 249.
    pós-1920, 338-41.
    pós-emancipação política, 251-3 e 364.
    Relatório Myrdal, 391-2.
    revoltas raciais, 380-1.
    Ver também segregação.
rádio, 350.
Ralegh, Walter, 36 e 38-42.
    Ver também Virgínia (Jamestown).
Ranch Life and the Hunting Trail (Roosevelt), 304.
Ravage, Marcus Eli, 242 e 275*i*.
Reagan, Ronald, 430 e 476-7.
Rebelião da Páscoa, 190.
Rebelião de Bacon, 85 e 89-90.
Rebelião de Metacom (Guerra do Rei Filipe), 85-6 e 98-9.
Rebelião de Shay, 165-6.
Rebelião Demerara, 190.
Rebelião Stono, 145.
Reconstrução,
    ameaça de barbárie, 253 e 260-4.
    celebrações do centenário, 241-3.
    como era de ouro, 240.
    Décima Quarta Emenda, 235.
    formação da identidade nacional, 239 e 243-6.
    leis Jim Crow, 259-61.
    linchamentos, 250 e 260-4.
    Massacre de Colfax, 257-8.
    naturalização de afro-americanos, 235.
    panorama, 235.
    problemas de criminalidade e corrupção, 251-4 e 269.
    racismo. *Ver* racismo.
    realidade da vida dos afro-americanos. *Ver* racismo.
    redefinição da escravidão na, 241.
    relações com os nativos americanos, 244 e 261.
    restrições aos estados sulistas, 240-1.
    retirada do direito de voto dos afro-americanos, 250, 256, 258 e 260.
    segregação racial, 256-8, 260 e 264.
    United States vs. Cruikshank, 258.
recrutamento (Forças Armadas), 328 e 362-3.
    Ver também Forças Armadas.
Reforma Protestante (1517), 31-2.
Relatório Kerner, 421.
Remington, Frederic, 304.
Renascença do Harlem, 346.
republicanos, 201.
Revere, Paul, 132*i* e 149-50.
Revolta de Haymarket, 265 e 280.
revoltas de Watts, 413.
Rhode Island,
    criação, 98.
    estrutura legislativa, 102.
    liberdade religiosa em, 79.
    panorama, 100.
    retenção de controle local em, 107.
Ribault, Jean, 38.
Riis, Jacob, 269-71.
Rio Little Bighorn, 244 e 282.
Rockefeller, John D., 277-9.
Rockwell, Norman, 371-3.

Roe vs. Wade, 433-5.
Rolfe, John, 50.
Rolling Stones, 418.
Roosevelt, Franklin Delano,
    biografia, 479-80.
    campanha presidencial, 354.
    ideias de Quatro Liberdades, Arsenal da Democracia, 369.
    morte, 383.
    na Segunda Guerra Mundial. *Ver* Segunda Guerra Mundial.
    New Deal. *Ver New Deal*.
    reafirmação dos primeiros princípios, 354-5.
    sobre a discriminação racial, 369-70.
Roosevelt, Theodore,
    biografia, 478.
    como tropeiro, 303.
    conceito de Novo Nacionalismo, 311-3.
    conceito de "verdadeiro americanismo", 307-8.
    doutrina da vida árdua, 304.
    eleição presidencial de 1896, 288.
    eleição presidencial de 1912, 313.
    filosofia da "fé do soldado", 302-3 e 314.
    filosofia nacionalista, 304.
    Grande Frota Branca, 311-2.
    serviço militar, 303.
Rosenberg, Julius/Ethel, 390.
rota do Oregon, 230.
Rowlandson, Mary, 86.
Rua principal (Lewis), 337.
Rush, Benjamin, 164, 166-7 e 480-1.
Ryan, Abram Joseph, 242.

Sacco, Nicola, 329-30.
Salem, julgamentos de feitiçaria, 111-4.
Sand Creek, Massacre de, 282.
Sandford, Dred Scott v., 206, 213-4 e 284*i*.
Sanger, Margaret, 344-5 e 481-2.
Santo Domingo, Levante de, 190.
Sassamon, John, 86.

Schenck, Charles, 328.
Schenck vs. United States, 328 e 472.
Schlafly, Phyllis, 433.
Schlosser, Eric, 310.
Scott, Dred, 206, 213-4 e 284*i*.
Século Americano,
    democratização universal no, 383.
    Luce a respeito do, 382-3.
    panorama, 24-5.
segregação,
    apoio à, em 1964, 408.
    como credo nacional abrangente, 368-70.
    consequências da constetação da, 259-60.
    dessegregação das Forças Armadas, 393-4.
    leis Jim Crow, 259.
    linchamentos, 250 e 260-4.
    nas Forças Armadas na Segunda Guerra Mundial, 368, 371-3 e 378-9.
    no *New Deal*, 360.
    Relatório Kerner, 421.
    retirada do direito de voto dos afro-americanos, 256 e 258-60.
    Ver também racismo.
Segunda Carta da Virgínia, 67.
Segunda Guerra Mundial,
    base da, 362-3.
    batalha de Iwo Jima, 364*i*, 376-7 e 378*i*.
    Blitzkrieg, 362.
    bombardeamento de Hiroshima e Nagasaki, 382 e 388.
    começo da, 362.
    como força de transição, 377-8.
    como oportunidade para mudança nos direitos civis, 371 e 373.
    expansão das oportunidades das mulheres, 380.
    fascismo doméstico *vs.* internacional, 381-2.
    internação de americanos japoneses, 245, 357*i*, 374-5 e 468.

motivações idealistas e práticas para, 376.
    nacionalismo e identidade na, 381-2.
    Okinawa, 377.
    oposição à, 377-9.
    Pearl Harbor, 363 e 364i.
    propaganda patriótica, 373-4 e 376-7.
    serviço de americanos japoneses nas Forças Armadas, 374-5.
    serviço de populações marginalizadas nas Forças Armadas, 375-6.
    Teatro do Pacífico em geral, 377.
Segundo Sistema Partidário, 198 e 201.
Segundo tratado sobre o governo civil (Locke), 52-3, 123-4 e 126.
Senso comum (Paine), 97, 126, 131-3 e 136-7.
"separados mas iguais", doutrina, 259 e 392-5.
Serviço Nacional dos Parques (NPS), 20.
Seward, William H., 215 e 221.
Shute, Nevil, 388.
Sickles, Dan, 288.
sindicatos trabalhistas,
    ações de Ford contra os, 333-4.
    expansão das oportunidades das mulheres nos, 380.
    formação dos, 330.
    questões de salários iguais, 380.
"Síndrome do Vietnã", 413.
sioux, nação, 231-2 e 244.
Smith, John, 49-50 e 187.
soberania popular, 204-6.
Sociedade Americana de Colonização, 202.
Soldado Desconhecido, 325-6 e 337-8.
Southern Horrors (Wells), 262.
speakeasies, 335-6.
Spirit of St. Louis, 333.
Sputnik, 397-8.
Squanto (Tisquantum), 75-6.
Stalin, Joseph, 384-5 e 393.
Standard Oil Company/Trust, 278.
Stanton, Elizabeth Cady, 316.
Starr, Ellen Gates, 309.
Steffens, Lincoln, 269, 271 e 310.

Stephens, Alexander, 211-4.
Stephenson, David C., 340.
stockbridge-munsee, nação, 236.
Stoddard, Solomon, 117-8.
Stokes vs. State, 345.
Stone, William, 71.
Story, Joseph, 167.
Strong, George Templeton, 221-2.
Strong, Josiah, 268-9, 281, 296 e 304-5.
Suez, Crise de, 396.
sufrágio,
    argumento da cidadania, 317.
    Convenção de Seneca Falls, 315-6.
    Décima Nona Emenda, 320.
    Declaração de Sentimentos, 315-6.
    panorama, 314-5.
    relação do movimento pelos direitos civis com o, 316-7.
    Ver também direito de voto.
supremacia branca, 245, 255i e 395.
    Ver também movimento pelos direitos civis; Ku Klux Klan; racismo.
Swing, Raymond Gram, 358-9.
Sybil, or the Two Nations (*Sybil, ou as duas nações*) (Disraeli), 329-30.

tabaco,
    como monopólio, 67.
    cultivo na Virgínia, em geral, 58-9 e 63.
    efeitos do cultivo, 65i.
    no desenvolvimento da escravidão, 92-5.
    receitas do, na Inglaterra, 67.
Talibã, 438.
Taney, Roger B., 206 e 284i.
"*Taxation No Tyranny: an Aswer to the Resolutions and Address of the American Congress*" (Johnson), 109.
telégrafo, 215-6 e 228.
televisão, 400.
Tennessee,
    contestação da Lei Butler, 345.
    legalização da escravidão no, 179-80.
    sucessão, 213-5.

Tennessee, USS, 364*i*.
Terrell, Mary Church, 316-7.
terrorismo, 437-40.
Texas,
    admissão na União, 179.
    linchamentos no, 261.
    sucessão, 213-5.
The Beatles, 418.
The Decades of the New World or West India (Éden), 36.
The Feminine Mystique (Friedan), 432.
The Generall Historie of Virginia, New England and the Summer Isles, 93*i*.
The Gilded Age: A Tale of Today (Twain), 240.
The House of Mirth (Wharton), 312-3.
The Influence of Sea Power Upon History (Mahan), 295.
The Jungle (Sinclair), 310.
The Mad Whirl, 347.
The Man Without a Country (Hale), 373-4.
The Monroe Doctrine, 294.
The Negro Family: The Case for National Action (Moynihan), 432.
The Passing of the Great Race: The Racial Bases of European History (Grant), 341.
The Pocket Book of America, 373-4 e 386-7.
The Reason Why the colored American is not the World's Columbian Exposition (Wells), 262.
The Redeemed Captive Returning to Zion (Williams), 118-9.
The Rise of Silas Lapham (Howell), 268.
The Shame of the Cities (Steffens), 269 e 310.
The Spirit of '76, United States vs., 328.
The Whole and True Discovereye of Terra Florida (Ribault), 38.
Thomas, Gabriel, 116-7 e 125.
Thompson, Hugh, 426-7.
Till, Emmett, 395.
Tillman, Ben, 291*i*.
Títulos da Liberdade, 319.
Tocqueville, Alexis de, 181, 188, 197 e 464.

Tombstone, Arizona, 263.
Touro Sentado, 244.
Toussaint l'Ouverture, François Dominique, 190.
Transcontinental Railroad, 230.
Tratado de Paris, 110.
Tratado de Tordesilhas, 30.
Tratado de Versalhes, 323.
Trem da Liberdade, 386-8 e 429-30.
Três soldados (Dos Passos), 337.
Tributos Townshend de 1767, 129-31.
True History of the Captivity and Restoration of Mrs. Mary Rowlandson (Rowlandson), 86.
Truman, Harry, 384-5, 387, 398 e 393.
tupinambás, 35.
Turner, Nat, 199.
Twain, Mark (Samuel Clemmons), 240.
Tweed, William M., 254-5.

União Americana das Liberdades Civis (ACLU), 345-6.
União Soviética, 384-5 e 396.
    Ver também Guerra Fria.
United States, Schenck vs., 328-9 e 472.
United States Steel, 278.
United States vs. Cruikshank, 258.
United States vs. E.C. Knight Co., 277.
United States vs. The Spirit of '76, 328.

Valley Forge, Pensilvânia, 156-7.
Vanderbilt, Cornelius, 277.
Vanzetti, Bartolomeo, 329.
varíola, 31, 115 e 144.
Venezuela, 294.
"Verão do Amor", "Verão do Descontentamento", 421-2.
"verdadeiro americanismo", conceito de, 307-8.
Vespúcio, Américo, 30.
veteranos, 23.
    Ver também guerras específicas.

"vida árdua", doutrina da, 304-5.
Virgínia,
 emergência da identidade branca americana na, 90.
 escravidão na, em geral, 143-5 e 147.
 "Lei dos Dois Centavos", 127-9.
 liberdade como estímulo para os escravos na, 148.
 modo de vida da plantação na, 143-4.
 número de presidentes oriundos da, 188-9.
 panorama, 100.
 sucessão, 213-5.
Virgínia (Jamestown),
 apresentação da, para potenciais colonos, 53-5 e 61-2.
 criação, 48-52.
 escravidão na, em geral, 58-9, 61 e 91-2.
 escravização dos povos indígenas, 90.
 expansão da terra, 55-7 e 88-9.
 exploração e conversão de povos indígenas, 57, 66, 84 e 87-90.
 feminização da, 53.
 financiamento, 46-8.
 massacre em março de 1622, 66.
 mercantilização das mulheres, 64-6 e 91.
 motivações para a colonização da, 42-8.
 pena para virar nativo na, 84.
 racionalizações, 51-2.
 realidade da vida na, 62-5 e 69-71.
 Rebelião de Bacon, 85 e 88-90.
 Segunda Carta da Virgínia, 67.
 sistema de concessão (*headright*), 55-6 e 88.
 subjugação de povos indígenas, 57-8 e 68.
 tabaco. *Ver* tabaco.
 Ver também escravidão.
Virgínia Ocidental, 223.
Voluntários a Serviço da América (Vista), 419.

Wade, Roe vs., 433-5.
Wainwright, Gideon vs., 412.
Walker, David, 199.
Wallace, George, 408.
Wallace, Henry A., 382-3.
Wanchese, 42.
Ward, Samuel, 152.
Warner, Charles Dudley, 240.
Warren, Earl, 393-4.
Washington, George,
 "Discurso de Despedida" de 1792, 187.
 formação e escolha para general, 155.
 sobre a condição do Exército Continental, 154-5.
 sobre a França como aliada, 157-8.
 sobre a milícia, 153-4.
 sobre a unidade do governo, 186-7.
 sobre as fundações da guerra, 135 e 162.
 sobre as políticas, 286-7.
Watergate, escândalo, 427-8.
Waterhouse, Edward, 68-9, 81 e 89.
Wells, Ida B., 247-8, 259, 262-4 e 321-2.
West Virginia, USS, 364*i*.
Westward the Course of Empire Takes its Way (Palmer), 228 e 229*i*.
Wharton, Edith, 312-3.
Wheatley, Phillis, 140-1 e 142*i*.
Wheelwright, John, 98.
Whigs, 198 e 201.
Whipple, Henry Benjamin, 232-3 e 283.
White, John, 42 e 67.
Whitley, Hiram C., 249 e 254-6.
Whittier, John Greenleaf, 264.
Williams, Eunice, 118-9.
Williams, Roger, 79 e 98.
Wilson, James, 175.
Wilson, Woodrow,
 conceito de "Nova Liberdade", 311.
 papel como árbitro na Primeira Guerra Mundial, 317.
 prêmio Nobel da Paz para, 323.

visão do futuro da América, 313-4 e 322-3.
Winthrop, John, 61, 77-8, 80 e 98.
Wisconsin, 179.
Wister, Owen, 276.
Wolfe, Thomas, 337.
Woman in the Nineteenth Century (Fuller), 315.
Woodstock, 425-6.
Woolman, John, 141.
Woolworth, protestos nas lanchonetes, 401.
Wounded Knee, 282.
Wyatt, Francis, 63.
Wyoming, 230.

Yeardley, George, 63.
yellow kid, charge, 299i.
Yellowstone, parque nacional, 478.
Yorktown, 159.
Yosemite, parque nacional, 478.

Série História das Nações

CAMBRIDGE HISTORY SERIES

Outros títulos da série:

História Concisa da Alemanha
Mary Fulbrook

História Concisa da Espanha
William D. Phillips Jr.
e Carla Rahn Phillips

História Concisa da França
Roger Price

História Concisa da Grã-Bretanha
W. A. Speck

História Concisa da Grécia
Richard Clogg

História Concisa da Índia Moderna
Barbara D. Metcalf
e Thomas R. Metcalf

História Concisa da Itália
Christopher Duggan

História Concisa do Japão
Brett L. Walker

História Concisa do México
Brian R. Hamnett

História Concisa do Mundo
Merry E. Wiesner-Hanks

História Concisa de Portugal
David Birmingham

História Concisa da Rússia
Paul Bushkovitch

Este livro foi impresso pela Gráfica Rettec
em fonte Minion Pro sobre papel Pólen Bold 70 g/m²
para a Edipro no inverno de 2021.